Bilingual Dictionary

English-Polish
Polish-English
Dictionary

Compiled by
Magdalena Herok

STAR Foreign Language BOOKS

ISBN : 978 1 908357 66 3

This Edition : 2022

Published by

STAR Foreign Language BOOKS

a unit of

ibs BOOKS (UK)

56, Langland Crescent

Stanmore HA7 1NG, U.K.

info@starbooksuk.com

www.starbooksuk.com

Printed in India at

Star Print-O-Bind, New Delhi-110 020

About this Dictionary

Developments in science and technology today have narrowed down distances between countries, and have made the world a small place. A person living thousands of miles away can learn and understand the culture and lifestyle of another country with ease and without travelling to that country. Languages play an important role as facilitators of communication in this respect.

To promote such an understanding, **STAR Foreign Language BOOKS** has planned to bring out a series of bilingual dictionaries in which important English words have been translated into other languages, with Roman transliteration in case of languages that have different scripts. This is a humble attempt to bring people of the word closer through the medium of language, thus making communication easy and convenient.

Under this series of *one-to-one dictionaries*, we have published almost 57 languages, the list of which has been given in the opening pages. These have all been compiled and edited by teachers and scholars of the relative languages.

Publishers

Bilingual Dictionaries in this Series

English-Afrikaans / Afrikaans-English	Abraham Venter
English-Albanian / Albanian-English	Theodhora Blushi
English-Amharic / Amharic-English	Girun Asanke
English-Arabic / Arabic-English	Rania-al-Qass
English-Bengali / Bengali-English	Amit Majumdar
English-Bosnian / Bosnian-English	Boris Kazanegra
English-Bulgarian / Bulgarian-English	Vladka Kocheshkova
English-Burmese (Myanmar) / Burmese (Myanmar)-English	Kyaw Swar Aung
English-Cambodian / Cambodian-English	Engly Sok
English-Cantonese / Cantonese-English	Nisa Yang
English-Chinese (Mandarin) / Chinese (Mandarin)-Eng	Y. Shang & R. Yao
English-Croatian / Croatain-English	Vesna Kazanegra
English-Czech / Czech-English	Jindriska Poulova
English-Danish / Danish-English	Rikke Wend Hartung
English-Dari / Dari-English	Amir Khan
English-Dutch / Dutch-English	Lisanne Vogel
English-Estonian / Estonian-English	Lana Haleta
English-Farsi / Farsi-English	Maryam Zaman Khani
English-French / French-English	Aurélie Colin
English-Georgian / Georgina-English	Eka Goderdzishvili
English-Gujarati / Gujarati-English	Sujata Basaria
English-German / German-English	Bicskei Hedwig
English-Greek / Greek-English	Lina Stergiou
English-Hindi / Hindi-English	Sudhakar Chaturvedi
English-Hungarian / Hungarian-English	Lucy Mallows
English-Italian / Italian-English	Eni Lamllari
English-Japanese / Japanese-English	Miruka Arai & Hiroko Nishimura
English-Korean / Korean-English	Mihee Song
English-Latvian / Latvian-English	Julija Baranovska
English-Levantine Arabic / Levantine Arabic-English	Ayman Khalaf
English-Lithuanian / Lithuanian-English	Regina Kazakeviciute
English-Malay / Malay-English	Azimah Husna
English-Nepali / Nepali-English	Anil Mandal
English-Norwegian / Norwegian-English	Samuele Narcisi
English-Pashto / Pashto-English	Amir Khan
English-Polish / Polish-English	Magdalena Herok
English-Portuguese / Portuguese-English	Dina Teresa
English-Punjabi / Punjabi-English	Teja Singh Chatwal
English-Romanian / Romanian-English	Georgeta Laura Dutulescu
English-Russian / Russian-English	Katerina Volobuyeva
English-Serbian / Serbian-English	Vesna Kazanegra
English-Sinhalese / Sinhalese-English	Naseer Salahudeen
English-Slovak / Slovak-English	Zuzana Horvathova
English-Slovenian / Slovenian-English	Tanja Turk
English-Somali / Somali-English	Ali Mohamud Omer
English-Spanish / Spanish-English	Cristina Rodriguez
English-Swahili / Swahili-English	Abdul Rauf Hassan Kinga
English-Swedish / Swedish-English	Madelene Axelsson
English-Tagalog / Tagalog-English	Jefferson Bantayan
English-Tamil / Tamil-English	Sandhya Mahadevan
English-Thai / Thai-English	Suwan Kaewkongpan
English-Tigrigna / Tigrigna-English	Tsegazeab Hailegebriel
English-Turkish / Turkish-English	Nagme Yazgin
English-Ukrainian / Ukrainian-English	Katerina Volobuyeva
English-Urdu / Urdu-English	S. A. Rahman
English-Vietnamese / Vietnamese-English	Hoa Hoang
English-Yoruba / Yoruba-English	O. A. Temitope

STAR Foreign Language BOOKS

ENGLISH-POLISH

A

aback *adv.* wstecz
abaction *n.* kradzież bydła
abactor *n.* złodziej stada
abandon *v.t.* opuszczać
abase *v.t.* poniżać
abasement *n.* poniżenie
abash *v.t.* zmieszać
abate *v.t.* osłabiać
abatement *n.* słabnięcie
abbey *n.* opactwo
abbreviate *v.t.* skracać
abbreviation *n.* skrót
abdicate *v.t.* zrzekać się
abdication *n.* zrzeczenie się
abdomen *n.* brzuch
abdominal *a.* brzuszny
abduct *v.t.* uprowadzić
abduction *n.* uprowadzenie
abed *adv.* w łóżku
aberrance *n.* odchylenie (od normy)
abet *v.t.* podjudzić (do złego czynu)
abetment *n.* namowa
abeyance *n.* stan zawieszenia
abhor *v.t.* czuć odrazę
abhorrence *n.* wstręt
abide *v.i.* przebywać
abiding *a.* trwały
ability *n.* zdolność
abject *a.* nikczemny
ablaze *adv.* w płomieniach
ablactate *v.t.* odstawić niemowlę od piersi
ablactation *n.* odstawienie niemowlęcia od piersi
able *a.* zdolny
ablepsy *n.* ślepota
ablush *adv.* w pąsach
ablution *n.* ablucja
abnegate *v. t* wyrzec się
abnegation *n.* wyrzeczenie się
abnormal *a.* anormalny
aboard *adv.* na statku
abode *n.* mieszkanie
abolish *v.t.* znieść (zwyczaj)
abolition *v.* zniesienie (zwyczaju)
abominable *a.* obrzydliwy
aboriginal *a.* rdzenny(o ludności)
aborigines *n. pl* tubylcy
abort *v.i.* poronić
abortion *n.* przerwanie ciąży
abortive *adj.* poroniony, nieudany
abound *v.i.* obfitować
about *adv.* dookoła
about *prep.* dookoła
above *adv.* wyżej
above *prep.* nad
abreast *adv.* ramię przy ramieniu
abridge *v.t.* skracać
abridgement *n.* skracanie
abroad *adv.* za granicą
abrogate *v. t.* znosić (ustawę)
abrupt *a.* nagły
abruption *n.* oderwanie się
abscess *n.* ropień
absonant *a.* niezgodny
abscond *v.i* zbiec
absence *n.* nieobecność
absent *a.* nieobecny
absent *v.t.* być nieobecnym
absolute *a* absolutny
absolutely *adv.* absolutnie
absolve *v.t.* rozgrzeszać
absorb *v.t.* zaabsorbować
abstain *v.i.* powstrzymać się
abstract *a.* abstrakcyjny
abstract *n.* abstrakcja
abstract *v.t.* streścić
abstraction *n.* usunięcie

absurd *a.* absurdalny
absurdity *n.* nonsens
abundance *n.* obfitość
abundant *a.* obfity
abuse *v.t.* nadużywać
abuse *n.* nadużycie
abusive *a.* obelżywy
abut *v.i.* przylegać (do czegoś)
abyss *n.* otchłań
academic *a.* akademicki
academy *n.* akademia
acarpous *a.* bezowocowy
accede *v.t.* objąć (urząd)
accelerate *v.t.* przyśpieszyć
acceleration *n.* przyśpieszenie
accent *n.* akcent
accent *v.t.* akcentować
accept *v.t.* akceptować
acceptable *a.* możliwy do przyjęcia
acceptance *n.* zgoda
access *n.* dostęp
accession *n.* objęcie (urzędu)
accessory *n.* dodatek, rekwizyt
accident *n.* wypadek
accidental *a.* przypadkowy
accipitral *a.* jastrzębi
acclaim *v.t.* oklaskiwać
acclaim *n.* uznanie
acclamation *n.* oklaski
acclimatise *v.t.* zaaklimatyzować
accommodate *v.t.* przystosować
accommodation *n.* przystosowanie
accommodation *n.* zakwaterowanie
accompaniment *n.* towarzyszenie
accompany *v.t.* towarzyszyć
accomplice *n.* współsprawca
accomplish *v.t.* osiągnąć
accomplished *a.* znakomity
accomplishment *n.* osiągnięcie
accord *v.t.* przyznawać
accord *n.* zgoda
accordingly *adv.* stosownie do tego, odpowiednio
account *n.* konto
account *v.t.* oceniać
accountable *a.* odpowiedzialny
accountancy *n.* księgowość
accountant *n.* księgowy
accredit *v.t.* akredytować
accrementition *n.* narastanie
accrete *v.t.* narastać
accrue *v.i.* narastać
accumulate *v.t.* gromadzić
accumulation *n.* nagromadzenie
accuracy *n.* dokładność
accurate *a.* dokładny
accursed *a.* przeklęty
accusation *n.* oskarżenie
accuse *v.t.* oskarżać
accused *n.* oskarżony
accustom *v.t.* przyzwyczajać
accustomed *a.* przyzwyczajony
ace *n.* as
acentric *a.* acentryczny
acephalous *a.* acefaliczny
acephalus *n.* płód bezgłowy
acetify *v.* zakwasić
ache *n.* ból
ache *v.i.* boleć
achieve *v.t.* osiągać
achievement *n.* osiągnięcie
achromatic *a.* achromatyczny
acid *a.* kwaśny
acid *n.* kwas
acidity *n.* kwasowość
acknowledge *v.t.* uznać
acknowledgement *n.* uznanie
acne *n.* trądzik
acorn *n.* żołądź
acoustic *a.* akustyczny
acoustics *n.* akustyka

acquaint *v.t.* zaznajomić
acquaintance *n.* znajomy
acquest *n.* własność nabyta
acquiesce *v.i.* przyzwalać
acquiescence *n.* przyzwolenie
acquire *v.t.* nabywać
acquirement *n.* nabycie
acquisition *n.* nabycie
acquit *v.t.* uniewinniać
acquittal *n.* uniewinnienie
acre *n.* akr
acreage *n.* areał
acrimony *n.* zjadliwość
acrobat *n.* akrobata
across *adv.* w poprzek
across *prep.* przez
act *n.* czyn
act *v.i.* czynić
acting *n.* działanie
action *n.* akcja
activate *v.t.* aktywować
active *a.* aktywny
activity *n.* działalność
actor *n.* aktor
actress *n.* aktorka
actual *a.* faktyczny
actually *adv.* faktycznie
acumen *n.* wnikliwość
acute *a.* ostry (ból/kąt)
adage *n.* przysłowie
adamant *a.* nieugięty
adamant *n.* diament
adapt *v.t.* przystosować
adaptation *n.* przystosowanie
adays *adv.* za dnia
add *v.t.* dodawać
addict *v.t.* nałogowo robić coś
addict *n.* nałogowiec
addiction *n.* nałóg
addition *n.* dodatek
additional *a.* dodatkowy
addle *a.* zepsuty (o jajku)
address *v.t.* adresować
address *n.* adres
addressee *n.* adresat
adduce *v.t.* przytaczać
adept *n.* adept
adept *a.* biegły
adequacy *n.* stosowność
adequate *a.* stosowny
adhere *v.i.* stosować się
adherence *n.* stosowanie się
adhesion *n.* przynależność
adhesive *n.* klej
adhesive *a.* lepki
adhibit *v.t.* wpuszczać
adieu *n.* pożegnanie
adieu *interj.* do widzenia!
adipose *a.* tłuszczowy
adjacent *a.* graniczący
adjective *n.* przymiotnik
adjoin *v.t.* dołączać
adjourn *v.t.* odraczać
adjournment *n.* odroczenie
adjudge *v.t.* zasądzać
adjunct *n.* dopełnienie (w gramatyce)
adjuration *n.* zaprzysiężenie
adjust *v.t.* dostosowywać
adjustment *n.* dostosowanie
administer *v.t.* zarządzać
administration *n.* administracja
administrative *a.* administracyjny
administrator *n.* administrator
admirable *a.* godny podziwu
admiral *n.* admirał
admiration *n.* podziw
admire *v.t.* podziwiać
admissible *a.* dopuszczalny
admission *n.* wstęp
admit *v.t.* przyjmować
admittance *n.* wstęp
admonish *v.t.* upominać

admonition *n.* upomnienie
adnascent *a.* przyrosły
ado *n.* ceregiele
adobe *n.* cegła suszona na słońcu
adolescence *n.* wiek dojrzewania
adolescent *a.* młodociany
adopt *v.t.* adoptować
adoption *n.* adopcja
adorable *a.* cudowny
adoration *n.* uwielbienie
adore *v.t.* uwielbiać
adorn *v.t.* ozdabiać
adscititious *a.* dodatkowy
adulate *v.t.* schlebiać
adulation *n.* schlebianie
adult *a* pełnoletni
adult *n.* osoba dorosła
adulterate *v.t.* fałszować
adulteration *n.* fałszowanie
adultery *n.* cudzołóstwo
advance *v.t.* posuwać naprzód
advance *n.* posuwanie się naprzód
advance *n.* zaliczka
advancement *n.* postęp
advantage *n.* przewaga
advantage *v.t.* faworyzować
advantageous *a.* korzystny
advent *n.* adwent
adventure *n.* przygoda
adventurous *a.* ryzykowny
adverb *n.* przysłówek
adverbial *a.* przysłówkowy
adversary *n.* przeciwnik
adverse *a* przeciwny
adversity *n.* niepomyślność
advert *v.* wzmiankować
advertise *v.t.* reklamować
advertisement *n.* reklama
advice *n.* rada
advisable *a.* wskazany
advisability *n.* celowość
advise *v.t.* poradzić
advocacy *n.* rzecznictwo
advocate *n.* rzecznik, adwokat
advocate *v.t.* orędować
aerial *a.* powietrzny
aerial *n.* antena
aeriform *a.* gazowy
aerify *v.t.* napowietrzać
aerodrome *n.* lotnisko
aeronautics *n.pl.* aeronautyka
aeroplane *n.* samolot
aesthetic *a.* estetyczny
aesthetics *n.pl.* estetyka
aestival *a.* letni
afar *adv.* w oddali
affable *a.* uprzejmy
affair *n.* sprawa
affect *v.t.* oddziaływać
affectation *n.* udawanie
affection *n.* uczucie
affectionate *a.* czuły
affidavit *n.* oświadczenie złożone pod przysięgą
affiliation *n.* przynależność
affinity *n.* pokrewieństwo
affirm *v.t.* twierdzić
affirmation *n.* twierdzenie
affirmative *a* twierdzący
affix *v.t.* dołączać
afflict *v.t.* dotykać (chorobą)
affliction *n.* nieszczęście
affluence *n.* obfitość
affluent *a.* zamożny
afford *v.t.* pozwalać sobie
afforest *v.t.* zalesiać
affray *n.* awantura
affront *v.t.* znieważać
affront *n.* zniewaga
afield *adv.* w polu
aflame *adv.* w płomieniach
afloat *adv.* na wodzie
afoot *adv.* pieszo

afore *prep.* na dziobie (statku)
afraid *a.* przestraszony
afresh *adv.* na nowo
after *prep.* po, za
after *adv.* potem
after *conj.* po- (np. poobiedni)
after *a* późniejszy
afterwards *adv.* później
again *adv.* znowu
against *prep.* przeciw
agamic *a.* bezpłciowy
agape *adv.* z otwartymi ustami
agaze *adv.* zagapiwszy się
age *n.* wiek
aged *a.* wiekowy
agency *n.* agencja
agenda *n.* program
agent *n.* przedstawiciel
aggravate *v.t.* pogarszać
aggravation *n.* pogorszenie
aggregate *v.t.* zbierać
aggression *n.* agresja
aggressive *a.* agresywny
aggressor *n.* napastnik
aggrieve *v.t.* zasmucać
aghast *a.* przerażony
agile *a.* zwinny
agility *n.* zwinność
agitate *v.t.* poruszać
agitation *n.* poruszenie
agist *v.t.* brać na wypas (bydło za opłatą)
aglow *adv.* w ogniu
agnus *n.* Agnus Dei
ago *adv.* ...temu, przed
agog *a.* w napięciu
agonist *n.* agonista
agonize *v.t.* dręczyć
agony *n.* udręka
agronomy *n.* agronomia
agoraphobia *n.* lęk przestrzeni
agrarian *a.* agrarny
agree *v.i.* zgadzać się
agreeable *a.* miły
agreement *n.* zgoda
agricultural *a* rolniczy
agriculture *n.* rolnictwo
agriculturist *n.* rolnik agronom
ague *n.* malaria
ahead *adv.* z przodu
aheap *adv.* jeden na drugim
aid *n.* pomoc
aid *v.t* pomagać
aigrette *n.* czapla biała
ail *v.t.* dolegać
ailment *n.* dolegliwość
aim *n.* cel
aim *v.i.* celować
air *n.* powietrze
aircraft *n.* samolot
airy *a.* przewiewny
ajar *adv.* uchylony (o drzwiach)
akin *a.* pokrewny
alacrious *a.* skwapliwy
alacrity *n.* skwapliwość
alarm *n.* alarm
alarm *v.t* alarmować
alas *interj.* niestety!
albeit *conj.* chociaż
Albion *n.* Wielka Brytania
album *n.* album
albumen *n.* albumina
alchemy *n.* alchemia
alcohol *n.* alkohol
ale *n.* piwo angielskie ale
alegar *n.* rodzaj piwa angielskiego ale
alert *a.* czujny
alertness *n.* czujność
algebra *n.* algebra
alias *n.* pseudonim
alias *adv.* inaczej (zwany)
alibi *n.* alibi
alien *a.* cudzoziemski

alienate *v.t.* zrażać
alienation *n.* alienacja
alight *v.i.* zsiadać (z konia), wysiadać (z pociągu)
align *v.t.* wyrównywać
alignment *n.* wyrównanie
alike *a.* podobny
alike *adv.* podobnie
aliment *n.* pokarm
alimony *n.* alimenty
aliquot *n.* podzielnik
alive *a* żywy
alkali *n.* zasada (ługowiec)
all *a.* wszyscy
all *n.* wszystko
all *adv.* całkiem
allay *v.t.* uśmierzać (ból)
allegation *n.* twierdzenie
allege *v.t.* twierdzić
allegiance *n.* wierność
allegorical *a.* alegoryczny
allegory *n.* alegoria
allergy *n.* alergia
alleviate *v.t.* ulżyć (w bólu)
alleviation *n.* ulga
alley *n.* aleja
alliance *n.* przymierze
alligator *n.* aligator
all-important *a.* największej wagi
alliteration *n.* aliteracja
allocate *v.t.* wyasygnować
allocation *n.* przydział
allot *v.t.* wyznaczać
allotment *n.* działka (kawałek gruntu)
allow *v.t.* pozwalać
allowance *n.* dieta
alloy *n.* stop (metali)
allude *v.i.* napomykać
allure *v.t.* zwabiać
allurement *n.* wabienie
allusion *n.* aluzja
allusive *a.* zawierający aluzję
ally *v.t.* sprzymierzać
ally *n.* sojusznik
almanac *n.* almanach
almighty *a.* wszechmocny
almond *n.* migdał
almost *adv.* prawie
alms *n.* jałmużna
aloft *adv.* w górę
alone *a.* sam
along *adv.* z sobą
along *prep.* wzdłuż
aloof *adv.* z dala
aloud *adv.* na głos
alp *n.* turnia
alpha *n.* alfa
alphabet *n.* alfabet
alphabetical *a.* alfabetyczny
alpine *a.* alpejski
alpinist *n.* alpinista
already *adv.* już
also *adv.* też
altar *n.* ołtarz
alter *v.t.* zmieniać
alteration *n.* zmiana
altercation *n.* sprzeczka
alternate *a.* kolejny
alternate *v.t.* zmieniać kolejno
alternative *n.* alternatywa
alternative *a.* alternatywny
although *conj.* chociaż
altimeter *n.* wysokościomierz
altitude *n.* wysokość (nad poziomem morza)
alto *n.* alt
altogether *adv.* zupełnie
aluminium *n.* aluminium
alumnus *n.* absolwent
always *adv.* zawsze
alveolar *a.* zębodołowy
alveolus *n.* zębodół

a.m. rano
amalgam *n.* amalgamat
amalgamate *v.t.* amalgamować
amalgamation *n.* połączenie
amass *v.t.* gromadzić
amateur *n.* amator
amatory *a.* miłosny
amauriosis *n.* jasna ślepota
amaze *v.t.* zdumiewać
amazement *n.* zdumienie
ambassador *n.* ambasador
ambrite *n.* ambryt
ambient *a.* otaczający
ambiguity *n.* dwuznaczność
ambiguous *a.* dwuznaczny
ambition *n.* ambicja
ambitious *a.* ambitny
ambivalent *a.* ambiwalentny
ambulance *n.* ambulans
ambulant *a.* mogący chodzić
ambulate *v.t* wywędrować
ambush *n.* zasadzka
ameliorate *v.t.* ulepszać
amelioration *n.* ulepszenie
amen *interj.* amen
amenable *a* uległy
amend *v.t.* poprawiać
amendment *n.* poprawka
amends *n.pl.* rekompensata
amenorrhoea *n.* brak menstruacji
amiability *n.* uprzejmość
amiable *a.* uprzejmy
amicable *a.* polubowny
amid *prep.* wśród
amiss *adv.* niefortunnie
amity *n.* zgoda
ammunition *n.* amunicja
amnesia *n.* amnezja
amnesty *n.* amnestia
among *prep.* wśród
amongst *prep.* wśród
amoral *a.* amoralny
amount *n.* kwota
amount *v.i* wynosić (o liczbach, kwotach)
amount *v.* równać się
amorous *a.* zakochany
amour *n.* romans
ampere *n.* amper
amphibious *a.* ziemnowodny
amphitheatre *n.* amfiteatr
ample *a.* obfity
amplification *n.* wzmocnienie
amplifier *n.* wzmacniacz
amplify *v.t.* wzmacniać
amulet *n.* amulet
amuse *v.t.* zabawiać
amusement *n.* zabawa
anabaptism *n.* anabaptyzm
anachronism *n.* anachronizm
anaclisis *n.* oparcie
anaconda *n.* anakonda
anaemia *n.* anemia
anaesthesia *n.* narkoza
anaesthetic *n.* narkoza
anal *a.* odbytniczy
analogous *a.* analogiczny
analogy *n.* analogia
analyse *v.t.* analizować
analysis *n.* analiza
analyst *n.* analityk
analytical *a* analityczny
anamnesis *n.* anamneza
anamorphosis *n.* anamorfoza
anarchism *n.* anarchizm
anarchist *n.* anarchista
anarchy *n.* anarchia
anatomy *n.* anatomia
ancestor *n.* przodek
ancestral *a.* rodowy
ancestry *n.* przodkowie
anchor *n.* kotwica
anchorage *n.* zakotwiczenie
ancient *a.* starożytny

ancon *n.* wspornik gzymsu
and *conj.* i, oraz
androgynous *a.* dwupłciowy
anecdote *n.* anegdota
anemometer *n.* anemometr
anew *adv.* znowu
anfractuous *a.* zawiły
angel *n.* anioł
anger *n.* gniew
angina *n.* angina
angle *n.* kąt
angle *n.* haczyk do łowienia ryb
angry *a.* gniewny
anguish *n.* udręka
angular *a.* kanciasty
anigh *adv.* blisko
animal *n.* zwierzę
animate *v.t.* ożywiać
animate *a.* ożywiony
animation *n.* ożywienie
animosity *n.* animozja
animus *n.* nienawiść
aniseed *n.* anyż
ankle *n.* kostka
anklet *n.* bransoletka na kostkę
annalist *n.* kronikarz
annals *n.pl.* kronika
annex *v.t.* dołączać
annexation *n.* aneksja
annihilate *v.t.* niszczyć
annihilation *n.* zniszczenie
anniversary *n.* rocznica
announce *v.t.* ogłaszać
announcement *n.* ogłoszenie
annoy *v.t.* irytować
annoyance *n.* irytacja
annual *a.* doroczny
annuitant *n.* rencista
annuity *n.* renta
annul *v.t.* anulować
annulet *n.* rzemyk (w kolumnie doryckiej)
anoint *v.t.* namaszczać
anomalous *a* nieprawidłowy
anomaly *n.* anomalia
anon *adv.* niebawem
anonymity *n.* anonimowość
anonymous *a.* anonimowy
another *a* inny
answer *n.* odpowiedź
answer *v.t* odpowiadać
answerable *a.* odpowiedzialny
ant *n.* mrówka
antacid *a.* środek zobojętniający kwas
antagonism *n.* antagonizm
antagonist *n.* przeciwnik
antagonize *v.t.* sprzeciwiać się
antarctic *a.* antarktyczny
antecede *v.t.* poprzedzać
antecedent *n.* poprzednik (w matematyce)
antecedent *a.* poprzedni
antedate *n.* antydatować
antelope *n.* antylopa
antenatal *a.* przedporodowy
antennae *n.* antena
antenuptial *a.* przedślubny
anthem *n.* hymn (narodowy)
anthology *n.* antologia
anthropoid *a.* człekokształtny
anti *pref.* anty
anti-aircraft *a.* przeciwlotniczy
antic *n.* błazeństwo
anticardium *n.* nadbrzusze
anticipate *v.t.* oczekiwać
anticipation *n.* oczekiwanie
antidote *n.* odtrutka
antinomy *n.* sprzeczność
antipathy *n.* antypatia
antiphon *n.* antyfona
antipodes *n.* antypody
antiquarian *a.* antykwaryczny

antiquary *n.* antykwariusz
antiquated *a.* przestarzały
antique *a.* starożytny
antiquity *n.* starożytność
antiseptic *n.* antyseptyk
antiseptic *a.* antyseptyczny
antithesis *n.* antyteza
antitheist *n.* ateista
antler *n.* róg jeleni
antonym *n.* antonim
anus *n.* odbytnica
anvil *n.* kowadło
anxiety *n.* niepokój
anxious *a.* niespokojny
any *a.* jakikolwiek
any *adv.* wcale
anyhow *adv.* byle jak
apace *adv.* szybko
apart *adv.* osobno
apartment *n.* apartament
apathy *n.* apatia
ape *n.* małpa
ape *v.t.* naśladować
aperture *n.* otwór
apex *n.* wierzchołek
aphorism *n.* aforyzm
apiary *n.* pasieka
apiculture *n.* pszczelarstwo
apish *a.* małpi
apnoea *n.* bezdech
apologize *v.i.* przepraszać
apologue *n.* apolog
apology *n.* przeprosiny
apostle *n.* apostoł
apostrophe *n.* apostrof
apotheosis *n.* apoteoza
apparatus *n.* aparat
apparel *n.* strój
apparent *a.* oczywisty
appeal *n.* apelacja
appeal *v.t.* apelować
appear *v.i.* ukazywać się
appearance *n.* wygląd
appease *v.t.* uspokajać
appellant *n.* sąd wnoszący apelację
append *v.t.* dołączać
appendage *n.* dodatek
appendicitis *n.* zapalenie wyrostka robaczkowego
appendix *n.* wyrostek robaczkowy
appendix *n.* dodatek (do książki)
appetence *n.* pożądanie
appetent *a.* pożądliwy
appetite *n.* apetyt
appetite *n.* żądza
appetizer *n.* aperitif
applaud *v.t.* oklaskiwać
applause *n.* oklaski
apple *n.* jabłko
appliance *n.* przyrząd
applicable *a.* odpowiedni
applicant *n.* petent
application *n.* zgłoszenie
application *n.* zastosowanie
apply *v.t.* zgłaszać się
appoint *v.t.* wyznaczać
appointment *n.* umówiony termin
apportion *v.t.* podzielić (coś między kogoś)
apposite *a.* trafny
apposite *a.* trafny
appositely *adv.* trafnie
approbation *n.* aprobata
appraise *v.t.* oceniać
appreciable *a.* dostrzegalny
appreciate *v.t.* doceniać
appreciation *n.* uznanie
apprehend *v.t.* aresztować
apprehension *n.* aresztowanie
apprehensive *a.* spostrzegawczy
apprentice *n.* uczeń

apprise *v.t.* zawiadamiać
approach *v.t.* zbliżać się (do czegoś/kogoś)
approach *n.* podejście (do zagadnienia)
approbation *n.* aprobata
appropriate *v.t.* przywłaszczać sobie
appropriate *a.* stosowny
appropriation *n.* przywłaszczenie sobie
approval *n.* aprobata
approve *v.t.* zatwierdzać
approximate *a.* przybliżony
apricot *n.* morela
April *n.* kwiecień
appurtenance *n.* przynależność
apron *n.* fartuch
apt *a.* trafny
aptitude *n.* uzdolnienie
aquarium *n.* akwarium
Aquarius *n.* Wodnik (znak zodiaku)
aqueduct *n.* akwedukt
arable *a.* orny
arbiter *n.* arbiter
arbitrary *a.* samowolny
arbitrate *v.t.* rozsądzać
arbitration *n.* arbitraż
arbitrator *n.* sędzia rozjemczy
arc *n.* łuk
arcade *n.* arkada
arch *n.* sklepienie łukowe
arch *v.t.* wyginać w łuk
arch *a* figlarny
archaic *a.* archaiczny
archangel *n.* archanioł
archbishop *n.* arcybiskup
archer *n.* łucznik
architect *n.* architekt
architecture *n.* architektura
archives *n.pl.* archiwa
Arctic *n.* Arktyka
ardent *a.* gorliwy
ardour *n.* zapał
arduous *a.* żmudny
area *n.* obszar
areca *n.* areka (gatunek palmy)
arena *n.* arena
argil *n.* glinka biała
argue *v.t.* spierać się
argument *n.* argument
argument *n.* spór
argute *a.* przenikliwy (o umyśle)
arid *a.* jałowy
Aries *n.* Baran (znak zodiaku)
aright *adv.* słusznie
aright *adv.* właściwie
arise *v.i.* powstawać
aristocracy *n.* arystokracja
aristocrat *n.* arystokrata
arithmetic *n.* arytmetyka
arithmetical *a.* arytmetyczny
ark *n.* arka
arm *n.* ramię
arm *v.t.* uzbrajać
armada *n.* armada
armament *n.* uzbrojenie
armature *n.* pancerz
armistice *n.* rozejm
armlet *a* naramiennik
armour *n.* zbroja
armoury *n.* zbrojownia
army *n.* wojsko
around *prep.* dokoła
around *adv.* wokoło
arouse *v.t.* pobudzać
arraign *v.* postawić w stan oskarżenia
arrange *v.t.* rozmieszczać
arrangement *n.* rozmieszczenie
arrant *a.* notoryczny
array *v.t.* szykować (wojsko)
array *n.* szeregi

arrears *n.pl.* zaległości
arrest *v.t.* aresztować
arrest *n.* areszt
arrival *n.* przybycie
arrive *v.i.* przybywać
arrogance *n.* arogancja
arrogant *a.* arogancki
arrow *n.* strzała
arrowroot *n.* maranta (botanika)
arsenal *n.* arsenał
arsenic *n.* arsen
arson *n.* podpalenie
art *n.* sztuka
artery *n.* arteria
artful *a.* zręczny
arthritis *n.* atretyzm
artichoke *n.* karczoch
article *n.* paragraf
article *n.* artykuł
articulate *a.* artykułować
artifice *n.* podstęp
artificial *a.* sztuczny
artillery *n.* artyleria
artisan *n.* rzemieślnik
artist *n.* artysta
artistic *a.* artystyczny
artless *a.* naturalny
as *adv.* równie, tak jak
as *conj.* ponieważ, gdy
as *pron.* który
asafoetida *n.* asafetyda (rodzaj żywicy)
asbestos *n.* azbest
ascend *v.t.* wstąpić (na tron)
ascent *n.* wspinanie się
ascertain *v.t.* stwierdzać
ascetic *n.* asceta
ascetic *a.* ascetyczny
ascribe *v.t.* przypisywać
ash *n.* popiół
ashamed *a.* zawstydzony
ashore *adv.* na ląd
aside *adv.* na bok
aside *n.* szept sceniczny
asinine *a.* idiotyczny
ask *v.t.* pytać
asleep *adv.* we śnie
aspect *n.* aspekt
asperse *v.* obryzgiwać
aspirant *n.* aspirant
aspiration *n.* aspiracja
aspire *v.t.* mieć aspiracje
ass *n.* osioł
assail *v.* napadać
assassin *n.* morderca
assassinate *v.t.* zamordować
assassination *n.* morderstwo
assault *n.* napaść
assault *v.t.* napadać
assemble *v.t.* zgromadzić
assembly *n.* zgromadzenie
assent *v.i.* wyrażać zgodę
assent *n.* zgoda
assert *v.t.* zapewniać (o czymś)
assess *v.t.* oszacować
assessment *n.* oszacowanie
asset *n.* cenny nabytek
assiduous *a.* pilny
assign *v.t.* wyznaczać
assignee *n.* beneficjent
assimilate *v.* asymilować
assimilation *n.* asymilacja
assist *v.t.* pomagać
assistance *n.* pomoc
assistant *n.* asystent
associate *v.t.* łączyć
associate *a.* towarzyszący
associate *n.* współpracownik
association *n.* stowarzyszenie
assort *v.t.* klasyfikować
assuage *v.t.* uśmierzać
assume *v.t.* przypuszczać
assumption *n.* przypuszczenie
assurance *n.* pewność

assure *v.t.* zapewniać
astatic *a.* astatyczny
asterisk *n.* odsyłacz
asterism *n.* asteryzm
asteroid *a.* gwieździsty
asthma *n.* astma
astir *adv.* w ruchu
astonish *v.t.* zadziwiać
astonishment *n.* zdziwienie
astound *v.t* zdumiewać
astray *adv.* na niewłaściwej drodze
astrologer *n.* astrolog
astrology *n.* astrologia
astronaut *n.* astronauta
astronomer *n.* astronom
astronomy *n.* astronomia
asunder *adv.* w oddaleniu
asylum *n.* azyl
at *prep.* w, na, u
atheism *n.* ateizm
atheist *n.* ateista
athirst *a.* spragniony
athlete *n.* sportowiec
athletic *a.* gimnastyczny
athletics *n.* lekka atletyka
athwart *prep.* poprzecznie
atlas *n.* atlas
atmosphere *n.* atmosfera
atoll *n.* atol
atom *n.* atom
atomic *a.* atomowy
atone *v.i.* pokutować
atonement *n.* pokuta
atrocious *a.* okropny
atrocity *n.* okropność
attach *v.t.* przyczepiać
attache *n.* attache
attachment *n.* załącznik
attack *n.* atak
attack *v.t.* atakować
attain *v.t.* osiągać (cel)
attainment *n.* osiągnięcie
attaint *v.t.* skazywać na utratę praw
attempt *v.t.* próbować
attempt *n.* próba
attend *v.t.* uczęszczać
attendance *n.* obecność
attendant *n.* pomocnik
attention *n.* uwaga
attentive *a.* uważny
attest *v.t.* zaświadczać
attire *n.* ubiór
attire *v.t.* ubierać
attitude *n.* nastawienie
attorney *n.* adwokat
attract *v.t.* przyciągać
attraction *n.* przyciąganie
attractive *a.* atrakcyjny
attribute *v.t.* przypisywać
attribute *n.* atrybut
auction *n.* licytacja
auction *v.t.* licytować
audible *a* słyszalny
audience *n.* publiczność
audit *n.* audyt
audit *v.t.* przeprowadzać audyt
auditive *a.* słuchowy
auditor *n.* audytor
auditorium *n.* audytorium
auger *n.* świder
aught *n.* cokolwiek
augment *v.t.* powiększać
augmentation *n.* powiększenie
August *n.* sierpień
august *a.* czcigodny
aunt *n.* ciotka
auriferous *a.* złotodajny
aurist *n.* otolog
aurora *n.* zorza
auscultation *n.* osłuchiwanie
auspice *n.* łaska
auspicious *a.* pomyślny

austere *a.* surowy
authentic *a.* autentyczny
author *n.* autor
authoritative *a.* autorytatywny
authority *n.* autorytet, władza
authorize *v.t.* aprobować
autobiography *n.* autobiografia
autocracy *n.* autokracja
autocrat *n.* autokrata
autocratic *a* autokratyczny
autograph *n.* autograf
automatic *a.* automatyczny
automobile *n.* samochód
autonomous *a* autonomiczny
autumn *n.* jesień
auxiliary *a.* pomocniczy
auxiliary *n.* pomocnik
aval *n.* poręczenie wekslowe
avail *v.t.* przynosić korzyść
available *a* dostępny
avarice *n.* skąpstwo
avenge *v.t.* pomścić
avenue *n.* aleja
average *n.* średnia
average *a.* przeciętny
average *v.t.* obliczać średnią
averse *a.* przeciwny
aversion *n.* awersja
avert *v.t.* odwracać (oczy)
aviary *n.* ptaszarnia
aviation *n.* lotnictwo
aviator *n.* lotnik
avid *a.* chciwy
avidity *n.* chciwość
avidly *adv.* chciwie
avoid *v.t.* unikać
avoidance *n.* unikanie
avow *v.t.* przyznawać się
avulsion *n.* oderwanie
await *v.t.* oczekiwać
awake *v.t.* budzić
awake *a* przebudzony
award *v.t.* przyznawać (nagrodę)
award *n.* nagroda
aware *a.* świadomy
away *adv.* z dala
awe *n.* groza
awful *a.* okropny
awhile *adv.* przez chwilę
awkward *a.* niezdarny
awkward *a.* krępujący
axe *n.* siekiera
axis *n.* oś
axle *n.* oś (koła)

B

babble *n.* paplanina
babble *v.i.* paplać
babe *n.* niemowlę
babel *n.* harmider
baboon *n.* pawian
baby *n.* niemowlę
bachelor *n.* kawaler
back *n.* plecy
back *adv.* z powrotem
backbite *v.t.* obmawiać
backbone *n.* mocny charakter
background *n.* przeszłość (człowieka)
backhand *n.* bekhend
backslide *v.i.* schodzić na złą drogę
backward *a.* wsteczny
backwards *adv.* wstecz
bacon *n.* bekon
bacteria *n.* bakteria
bad *a.* zły
badge *n.* odznaka
badger *n.* borsuk

badly *adv.* źle
badminton *n.* badminton
baffle *v. t.* konfundować
bag *n.* torba
bag *v. i.* wzdymać się
baggage *n.* bagaż
bagpipe *n.* dudy
bail *n.* kaucja
bail *v. t.* dostarczać towar za poręczeniem
bailable *a.* taneczny
bailiff *n.* komornik
bait *n.* przynęta
bait *v.t.* zakładać przynętę (na wędkę)
bake *v.t.* piec
baker *n.* piekarz
bakery *n.* piekarnia
balance *n.* równowaga
balance *v.t.* utrzymywać w równowadze
balcony *n.* balkon
bald *a.* łysy
bale *n.* bela (papieru)
bale *v.t.* belować
baleful *a.* nieszczęsny
baleen *n.* fiszbin
ball *n.* piłka
ballad *n.* ballada
ballet *n.* balet
balloon *n.* balon
ballot *n.* głosowanie
ballot *v.i.* głosować
balm *n.* balsam
balsam *n.* balsam
bam *n.* stodoła
bamboo *n.* bambus
ban *n.* zakaz
banal *a.* banalny
banana *n.* banan
band *n.* taśma
bandage *n.* bandaż
bandage *v.t* bandażować
bandit *n.* bandyta
bang *v.t.* zatrzasnąć
bang *n.* trzask
bangle *n.* bransoleta
banish *v.t.* wyganiać
banishment *n.* wygnanie
banjo *n.* banjo
bank *n.* bank
bank *v.t.* obwałować
banker *n.* bankier
bankrupt *n.* bankrut
bankruptcy *n.* bankructwo
banner *n.* transparent
banquet *n.* bankiet
banquet *v.t.* podejmować bankietem
bantam *n.* zawadiaka
banter *v.t.* żartować
banter *n.* żartowanie
bantling *n.* berbeć
banyan *n.* kupiec (w Indiach)
baptism *n.* chrzest
baptize *v.t.* chrzcić
bar *n.* bar
bar *v.t* zaryglować (drzwi)
barb *n.* wąsy ryby
barbarian *a.* barbarzyński
barbarian *n.* barbarzyńca
barbarism *n.* barbaryzm
barbarity *n.* barbarzyństwo
barbarous *a.* barbarzyński
barbed *a.* haczykowaty
barber *n.* fryzjer (męski)
bard *n.* wieszcz
bare *a.* goły
bare *v.t.* obnażać
barely *adv.* zaledwie
bargain *n.* okazja
bargain *v.t.* targować się
barge *n.* barka
bark *n.* kora

bark *v.t.* szczekać
barley *n.* jęczmień
barn *n.* stodoła
barnacle *n.* barnakla (gęś)
barometer *n.* barometr
barouche *n.* powozik
barrack *n.* barak
barrage *n.* zapora
barrator *n.* pieniacz
barrel *n.* beczka
barren *n.* pustkowie
barricade *n.* barykada
barrier *n.* bariera
barrister *n.* adwokat
barter *v.t.* prowadzić handel wymienny
barter *n.* handel wymienny (barter)
barton *n.* podwórze gospodarskie
basal *a.* podstawowy
base *n.* baza
base *a.* nikczemny
base *v.t.* opierać (coś na czymś)
baseless *a.* bezpodstawny
basement *n.* suterena
bashful *a.* lękliwy
basic *a.* podstawowy
basil *n.* bazylia
basin *n.* miednica, miska
basis *n.* podstawa
bask *v.i.* wygrzewać się (w słońcu)
basket *n.* kosz
basketball *n.* koszykówka
bass *n.* bas
bastard *n.* bękart
bastard *a* nieślubny
bat *n.* kij (do krykieta)
bat *n.* nietoperz
bat *v. i* mrugać (oczami)
batch *n.* partia (towaru)
bath *n.* kąpiel
bathe *v. t* kąpać
baton *n.* batuta
battalion *n.* batalion
battery *n.* pobicie
battle *n.* bitwa
battle *v. i.* walczyć
bawd *n.* stręczycielka
bawl *v.i.* wrzeszczeć
bay *n.* zatoka
bayonet *n.* bagnet
be *v.t.* być
beach *n.* plaża
beacon *n.* latarnia morska
bead *n.* paciorek
beadle *n.* woźny
beak *n.* dziób
beaker *n.* puchar
beam *n.* promień (światła)
beam *v. i* promieniować
bean *n.* ziarno (grochu, kawy)
bear *n.* niedźwiedź
bear *v.t* nosić
beard *n.* broda
bearing *n.* łożysko
beast *n.* bestia
beastly *a* nieludzki
beat *v. t.* bić
beat *n.* uderzenie
beautiful *a* piękny
beautify *v. t* upiększać
beauty *n.* piękno
beaver *n.* bóbr
because *conj.* ponieważ
beck *n.* skinienie
beckon *v.t.* skinąć na kogoś
become *v. i* stawać się
becoming *a* przyzwoity
bed *n.* łóżko
bedevil *v. t* poniewierać (kimś)
bedding *n.* pościel
bedight *v.t.* przystrajać

bed-time *n.* pora snu
bee *n.* pszczoła
beech *n.* buk
beef *n.* wołowina
beehive *n.* ul
beer *n.* piwo
beet *n.* burak
beetle *n.* chrząszcz
befall *v. t* przytrafić się
before *prep* przed
before *adv.* na przedzie
before *conj* zanim
beforehand *adv.* przedtem
befriend *v. t.* okazywać przyjaźń komuś
beg *v. t.* błagać, żebrać
beget *v. t* zrodzić
beggar *n.* żebrak
begin *v.t.* zaczynać
beginning *n.* początek
begird *v.t.* opasywać
beguile *v. t* omamiać
behave *v. i.* zachowywać się
behaviour *n.* zachowanie
behead *v. t.* ścinać komuś głowę
behind *adv.* z tyłu
behind *prep* z tyłu
behold *v. t* ujrzeć
being *n.* istota
belabour *v. t* wytłuc kogoś
belated *a.* spóźniony
belch *v. t* bekać
belch *n.* bęknięcie
belief *n.* wiara
believe *v. t* wierzyć
bell *n.* dzwon
belle *n.* piękność (o kobiecie)
bellicose *a* wojowniczy
belligerency *n.* wojowniczość
belligerent *a* walczący
belligerent *n.* strona walcząca
bellow *v. i* ryczeć
bellows *n.* miech kowalski
belly *n.* brzuch
belong *v. i* należeć
belongings *n.* mienie
beloved *a* ukochany
beloved *n.* osoba ukochana
below *adv.* poniżej
below *prep* pod
belt *n.* pasek
belvedere *n.* belweder
bemire *v. t* ubłocić
bemuse *v. t* ogłupić
bench *n.* ławka
bend *n.* zakręt
bend *v. t* zginać
beneath *adv.* poniżej
beneath *prep* pod
benefaction *n.* dobrodziejstwo
benefice *n.* beneficjum
beneficial *a* korzystny
benefit *n.* korzyść
benefit *n.* zasiłek
benefit *v. t.* przynosić korzyść
benevolence *n.* życzliwość
benevolent *a* życzliwy
benighted *a.* zaskoczony przez noc
benign *a.* łagodny (nowotwór)
benignly *adv.* łagodnie
benison *n.* błogosławieństwo
bent *n.* żyłka (do czegoś)
bequeath *v. t.* zapisać coś komuś w testamencie
bereave *v. t.* pozbawiać, osierocić
bereavement *n.* żałoba
berth *n.* koja (na statku)
beside *prep.* obok
besides *prep* oprócz
besides *adv.* ponadto
beslaver *v. t* pochlebiać komuś
besiege *v. t* oblegać

bestow *v. t* nadawać coś komuś
bestrew *v. t* obsypywać
bet *v.i* zakładać się
bet *n.* zakład
betel *n.* betel
betray *v.t.* zdradzać kogoś
betrayal *n.* zdrada
betroth *v. t* zaręczyć (kogoś z kimś)
betrothal *n.* zaręczyny
better *a* lepszy
better *adv.* lepiej
better *v. t* poprawiać
betterment *n.* poprawa
between *prep* między
beverage *n.* napój
bewail *v. t* opłakiwać
beware *v.i.* strzec się
bewilder *v. t* oszałamiać
bewitch *v.t* oczarować
beyond *prep.* poza
beyond *adv.* dalej
bias *n.* uprzedzenie
bias *v. t* źle usposabiać
biaxial *a.* dwuosiowy
bibber *n.* bibosz
bible *n.* Biblia
bibliography *n.* bibliografia
bibliographer *n.* bibliograf
bicentenary *a.* dwóchsetletni
biceps *n.* biceps
bicker *v. t* kłócić się
bicycle *n.* rower
bid *v.t* licytować
bid *n.* oferta (przy licytacji)
bidder *n.* licytujący
bide *v. t* oczekiwać
biennial *a.* dwuroczny
bier *n.* mary
big *a* duży
bigamy *n.* bigamia
bight *n.* skręt (sznura)
bigot *n.* bigot
bigotry *n.* bigoteria
bile *n.* żółć
bilingual *a* dwujęzyczny
bill *n.* rachunek
billion *n.* miliard
billow *n.* fala
billow *v.i* falować
bilirubin *n.* bilirubina
bilk *v. t.* uchylać się od zapłaty
bimonthly *a.* dwumiesięczny
binary *a.* dwójkowy
bind *v.t* wiązać
binding *a* wiążący
binocular *n.* lornetka
biographer *n.* biograf
biography *n.* biografia
biologist *n.* biolog
biology *n.* biologia
biometry *n.* biometria
biped *n.* stworzenie dwunożne
birch *n.* brzoza
bird *n.* ptak
birdlime *n.* lep na ptaki
birth *n.* urodzenie
biscuit *n.* herbatnik
bisect *v. t* przepołowić
bisexual *a.* biseksualny
bishop *n.* biskup
bison *n.* żubr
bisque *n.* for (przyznany słabszemu graczowi)
bit *n.* kawałek
bitch *n.* suka
bite *v. t.* gryźć
bite *n.* kęs
bitter *a* gorzki
bi-weekly *a.* dwutygodniowy
bizarre *a.* dziwaczny
blab *v. t. & i* paplać
black *a* czarny

blacken *v. t.* pomalować na czarno
blackmail *n.* szantaż
blackmail *v.t* szantażować
blacksmith *n.* kowal
bladder *n.* pęcherz
blade *n.* ostrze, źdźbło
blain *n.* krosta
blame *v. t* winić
blame *n.* wina
blanch *v. t. & i* bielić
bland *a.* nijaki
blank *a* czysty, nie zapisany
blank *n.* puste miejsce, pustka
blanket *n.* koc
blare *v. t* dudnić
blast *n.* podmuch powietrza
blast *v.i* wysadzać w powietrze
blaze *n.* ogień
blaze *v.i* płonąć
bleach *v. t* wybielać
blear *v. t* zaćmić
bleat *n.* beczenie
bleat *v. i* beczeć (o owcy)
bleb *n.* bąbel
bleed *v. i* krwawić
blemish *n.* skaza
blend *v. t* mieszać
blend *n.* mieszanka
bless *v. t* błogosławić
blether *v. i* pleść głupstwa
blight *n.* zły urok
blind *a* ślepy
blindage *n.* opancerzenie
blindfold *v. t* zawiązywać komuś oczy
blindness *n.* ślepota
blink *v. t. & i* mrugać oczami
bliss *n.* błogość
blister *n.* pęcherz
blizzard *n.* zamieć
bloc *n.* blok (polityczny)
block *n.* blok
block *v.t* blokować
blockade *n.* blokada
blockhead *n.* głupiec
blood *n.* krew
bloodshed *n.* rozlew krwi
bloody *a* krwawy
bloody *a* cholerny
bloom *n.* kwitnienie
bloom *v.i.* kwitnąć
blossom *n.* kwiat (drzewa owocowego)
blossom *v.i* kwitnąć
blot *n.* plama
blot *v. t* plamić
blouse *n.* bluzka
blow *v.i.* dmuchać
blow *n.* uderzenie
blue *n.* błękit
blue *a* niebieski
bluff *v. t* blefować
bluff *n.* blef
blunder *n.* gafa
blunder *v.i* popełniać gafę
blunt *a* tępy (nóż)
blur *n.* zamazany obraz
blurt *v. t* wypaplać
blush *n.* rumieniec
blush *v.i* rumienić się
boar *n.* knur, dzik
board *n.* tablica ogłoszeń
board *n.* pokład
board *v. t.* wsiadać (na statek)
boast *v.i* chwalić się
boast *n.* chwalenie się
boat *n.* łódź
boat *v.i* jechać łodzią
bodice *n.* stanik
bodily *a* cielesny
bodily *adv.* cieleśnie
body *n.* ciało
bodyguard *n.* ochroniarz

bog *n.* bagno
bogle *n.* straszydło
bogus *a* zmyślony
boil *n.* czyrak
boil *v.i.* wrzeć
boiler *n.* bojler
bold *a.* śmiały
boldness *n.* śmiałość
bolt *n.* sworzeń
bolt *v. t* umykać
bomb *n.* bomba
bomb *v. t* bombardować
bombard *v. t* bombardować
bombardment *n.* bombardowanie
bomber *n.* bombowiec
bonafide *adv.* prawdziwie
bonafide *a* prawdziwy
bond *n.* więź
bondage *n.* niewola
bone *n.* kość
bonfire *n.* ognisko
bonnet *n.* maska samochodu
bonus *n.* premia
book *n.* książka
book *v. t.* rezerwować
book-keeper *n.* księgowy
book-mark *n.* zakładka
book-seller *n.* księgarz
book-worm *n.* mól książkowy
bookish *a.* książkowy
booklet *n.* broszura
boon *n.* łaska
boor *n.* gbur
boost *n.* zwiększenie
boost *v. t* zwiększać
boot *n.* but
booth *n.* kabina (telefoniczna)
booty *n.* łup
booze *v. i* upijać się
border *n.* granica
border *v.t* graniczyć
bore *v. t* wiercić
bore *v. t* nudzić
bore *n.* średnica otworu
bore *n.* nudziarz
born *a.* urodzony
borrow *v. t* pożyczać (od kogoś)
bosom *n.* łono
boss *n.* szef
botany *n.* botanika
botch *v. t* partaczyć
both *adv.* zarówno
both *pron.* obaj, obie, oboje
bother *v. t* dręczyć
botheration *n.* udręka
bottle *n.* butelka
bottom *n.* dno
bough *n.* konar
boulder *n.* głaz
bouncer *n.* ochroniarz
bound *n.* skok
boundary *n.* granica
bountiful *a* obfity
bounty *n.* hojność
bouquet *n.* bukiet
bout *n.* atak (choroby)
bow *v. t* kłaniać się
bow *n.* łuk
bow *n.* dziób statku
bowel *n.* jelito
bower *n.* buduar
bowl *n.* miska
bowl *v.i* rzucić kulą (w krykiecie)
box *n.* pudełko
boxing *n.* boks
boy *n.* chłopiec
boycott *v. t.* bojkotować
boycott *n.* bojkot
boyhood *n.* wiek chłopięcy
brace *n.* klamra
bracelet *n.* bransoletka
brag *v. i* chełpić się
brag *n.* chełpliwość

braille *n.* alfabet dla niewidomych
brain *n.* mózg
brake *n.* hamulec
brake *v. t* hamować
branch *n.* gałąź
brand *n.* marka towaru
brandy *n.* koniak
brash *a.* zuchwały
brass *n.* mosiądz
brave *a* odważny
bravery *n.* odwaga
brawl *v. i. & n.* awanturować się
bray *n.* ryk (osła)
bray *v. i* ryczeć (o ośle)
breach *n.* naruszenie
bread *n.* chleb
breaded *a.* posypany tartą bułką
breadth *n.* szerokość
break *v. t* łamać
break *n.* przerwa
breakage *n.* złamanie
breakdown *n.* załamanie się
breakfast *n.* śniadanie
breakneck *a.* na złamanie karku
breast *n.* pierś
breath *n.* oddech
breathe *v. i.* oddychać
breeches *n.* bryczesy
breed *v.t* płodzić
breed *n.* rasa
breeze *n.* wietrzyk
breviary *n.* brewiarz
brevity *n.* zwięzłość
brew *v. t.* warzyć (piwo), zaparzać (herbatę)
brewery *n.* browar
bribe *n.* łapówka
bribe *v. t.* przekupywać
brick *n.* cegła
bride *n.* panna młoda
bridegroom *n.* pan młody
bridge *n.* most
bridle *n.* cugle
brief *a.* krótki
brigade *n.* brygada
brigadier *n.* dowódca brygady
bright *a* jasny
brighten *v. t* rozjaśniać
brilliance *n.* blask
brilliant *a* znakomity
brim *n.* rondo (kapelusza)
brine *n.* solanka
bring *v. t* przynosić
brinjall *n.* bakłażan
brink *n.* brzeg
brisk *a.* rześki
bristle *n.* szczecina
British *a.* brytyjski
brittle *a.* kruchy
broad *a* szeroki
broadcast *n.* transmisja
broadcast *v. t* transmitować
brocade *n.* brokat
broccoli *n.* brokuły
brochure *n.* broszura
broker *n.* makler
brood *n.* stado
brook *n.* strumyk
broom *n.* miotła
bronze *n. & a.* brąz, z brązu
broth *n.* rosół
brothel *n.* dom publiczny
brother *n.* brat
brotherhood *n.* braterstwo
brow *n.* brew
brown *a* brązowy
brown *n.* kolor brązowy
browse *n.* wertować
bruise *n.* siniak
bruit *n.* pogłoska
brush *n.* pędzel
brush *v. t* szczotkować
brutal *a* brutalny

brute *n.* brutal
bubble *n.* bańka
bucket *n.* wiadro
buckle *n.* klamra
bud *n.* pączek (rośliny)
budge *v. i. & n.* ruszać (się)
budget *n.* budżet
buff *n.* skóra bawola
buffalo *n.* bawół
buffoon *n.* bufon
bug *n.* robak
bugle *n.* róg myśliwski
build *v. t* budować
build *n.* konstrukcja
building *n.* budynek
bulb *n.* cebulka (rośliny)
bulb *n.* żarówka
bulk *n.* ogrom
bulky *a* zajmujący dużo miejsca
bull *n.* byk
bulldog *n.* buldog
bull's eye *n.* środek tarczy strzelniczej
bullet *n.* pocisk
bulletin *n.* biuletyn
bullock *n.* wół
bully *n.* tyran
bully *v. t.* tyranizować
bulwark *n.* wał ochronny
bumper *n.* zderzak
bumpy *a.* wyboısty
bunch *n.* bukiet
bundle *n.* pęk
bungalow *n.* domek parterowy
bungle *v. t* partaczyć
bungle *n.* fuszerka
bunk *n.* koja na statku
bunker *n.* bunkier
buoy *n.* boja
buoyancy *n.* pławność
burden *n.* brzemię
burden *v. t* obarczać
burdensome *a* uciążliwy
bureau *n.* biuro
Bureacuracy *n.* biurokracja
bureaucrat *n.* biurokrata
burglar *n.* włamywacz
burglary *n.* włamanie
burial *n.* pogrzeb
burly *a* krzepki
burn *v. t* palić
burner *n.* palnik
burrow *n.* jama
burst *v. i.* wybuchać
burst *n.* pęknięcie
bury *v. t.* pogrzebać
bus *n.* autobus
bush *n.* krzak
business *n.* przedsiębiorstwo
businessman *n.* biznesmen
bustle *v. t* krzątać się
busy *a* zajęty
but *prep.* oprócz
but *conj.* ale
butcher *n.* rzeźnik
butcher *v. t* zarzynać
butter *n.* masło
butter *v. t* smarować masłem
butterfly *n.* motyl
buttermilk *n.* maślanka
buttock *n.* pośladek
button *n.* guzik
button *v. t.* zapinać na guziki
buy *v. t.* kupować
buyer *n.* kupujący
buzz *v. i* brzęczeć
buzz *n.* brzęczenie
by *prep* przy
by *adv.* w pobliżu
bye-bye *interj.* do widzenia!
by-election *n.* wybory dodatkowe
bylaw, bye-law *n.* przepisy
bypass *n.* szosa omijająca miasto

by-product *n.* produkt uboczny
byre *n.* obora
byword *n.* powiedzenie

cab *n.* taksówka
cabaret *n.* kabaret
cabbage *n.* kapusta
cabin *n.* kabina
cabinet *n.* sekretarzyk
cable *n.* kabel
cable *v. t.* przekablować
cache *n.* kryjówka
cachet *n.* kapsułka
cackle *v. i* gdakać
cactus *n.* kaktus
cad *n.* podły człowiek
cadet *n.* kadet
cadge *v. i* żebrać
cadmium *n.* kadm
cafe *n.* kawiarnia
cage *n.* klatka
Cain *n.* Kain
cake *n.* ciastko
calamity *n.* nieszczęście
calcium *n.* wapń
calculate *v. t.* obliczać
calculator *n.* kalkulator
calculation *n.* obliczenie
calendar *n.* kalendarz
calf *n.* cielę
calf *n.* łydka
call *v. t.* wołać
call *v. t.* telefonować
call *n.* wołanie
call *n.* rozmowa telefoniczna
caller *n.* osoba odwiedzająca
caller *n.* osoba telefonująca
calligraphy *n.* kaligrafia
calling *n.* powołanie
callow *a* nieopierzony
callous *a.* gruboskórny
calm *n.* spokój
calm *a* spokojny
calm *v. t.* uspokajać
calmative *a.* uspokajający
calorie *n.* kaloria
calumniate *v. t.* szkalować
camel *n.* wielbłąd
camera *n.* aparat fotograficzny
camlet *n.* kamlot
camp *n.* obóz
camp *v. i.* obozować
campaign *n.* kampania
camphor *n.* kamfora
can *n.* puszka
can *v. t.* robić konserwy
can *v.* móc
canal *n.* kanał
canard *n.* kaczka dziennikarska
cancel *v. t.* odwoływać
cancellation *n.* odwołanie
cancer *n.* rak
Cancer *n.* Rak (znak zodiaku)
candid *a.* szczery
candidate *n.* kandydat
candle *n.* świeca
candour *n.* szczerość
candy *n.* cukierek
candy *v. t.* kandyzować
cane *n.* trzcina
cane *v. t.* chłostać
canister *n.* puszka (na herbatę itp.)
cannon *n.* armata
cannonade *n. v. & t* kanonada; ostrzeliwać z dział
canon *n.* kanon
canopy *n.* baldachim
canteen *n.* stołówka

canter *n.* cwał
canton *n.* kanton
cantonment *n.* kwatery wojskowe
canvas *n.* płótno
canvass *v. t.* werbować
cap *n.* czapka
cap *v. t.* witać się z kimś (przez uchylenie kapelusza)
capability *n.* zdolność
capable *a.* zdolny
capacious *a.* przestronny
capacity *n.* pojemność
cape *n.* peleryna
capital *n.* stolica
capital *a.* kapitalny
capitalist *n.* kapitalista
capitulate *v. t* kapitulować
caprice *n.* kaprys
capricious *a.* kapryśny
Capricorn *n.* Koziorożec (znak zodiaku)
capsicum *n.* pieprz turecki
capsize *v. i.* wywrócić się dnem do góry
capsular *a.* torebkowaty
captain *n.* kapitan
captaincy *n.* ranga kapitana
caption *n.* podpis (pod obrazkiem)
captivate *v. t.* urzekać
captive *n.* jeniec
captive *a.* ujęty
captivity *n.* niewola
capture *v. t.* pojmować
capture *n.* zdobycz
car *n.* samochód
carat *n.* karat
caravan *n.* przyczepa kempingowa
carbide *n.* karbid
carbon *n.* węgiel (pierwiastek)
card *n.* karta
cardamom *n.* kardamon
cardboard *n.* tektura
cardiac *a* sercowy
cardinal *a.* zasadniczy
cardinal *n.* kardynał
care *n.* opieka
care *v. i.* opiekować się kimś
career *n.* kariera
careful *a* ostrożny
careless *a.* nierozważny
caress *v. t.* pieścić
cargo *n.* ładunek
caricature *n.* karykatura
carious *a.* próchniczy
carman *n.* woźnica
carnage *n.* rzeź
carnival *n.* karnawał
carol *n.* kolęda
carpal *a.* nadgarstkowy
carpenter *n.* cieśla
carpentry *n.* stolarka
carpet *n.* dywan
carriage *n.* wóz
carrier *n.* roznosiciel (ogłoszeń itp.)
carrot *n.* marchew
carry *v. t.* przenosić
cart *n.* furmanka
cartage *n.* koszty przewozu
carton *n.* karton
cartoon *n.* kreskówka
cartridge *n.* nabój
carve *v. t.* rzeźbić
cascade *n.* kaskada
case *n.* sprawa
case *n.* skrzynia
cash *n.* gotówka
cash *v. t.* spieniężyć
cashier *n.* kasjer
casing *n.* obudowa
cask *n.* beczułka
casket *n.* szkatułka

cassette *n.* kaseta
cast *v. t.* rzucać
cast *v. t.* robić odlew
cast *n.* odlew
caste *n.* kasta
castigate *v. t.* karać
casting *n.* kasting
cast-iron *n.* lane żelazo
castle *n.* zamek (budowla)
castor oil *n.* rycyna
castrate *v.t.* kastrować
casual *a.* przypadkowy
casualty *n.* ofiara (wypadku)
cat *n.* kot
catalogue *n.* katalog
cataract *n.* karatakta
catch *v. t.* łapać
catch *n.* połów
categorical *a.* kategoryczny
category *n.* kategoria
cater *v. i* zaopatrywać w żywność
caterpillar *n.* gąsienica
cathedral *n.* katedra
catholic *a.* katolicki
cattle *n.* bydło
cauliflower *n.* kalafior
causal *a.* przyczynowy
causality *n.* przyczynowość
cause *n.* powód
cause *v.t* powodować
causeway *n.* grobla
caustic *a.* kaustyczny
caution *n.* ostrożność
caution *v. t.* ostrzegać
cautious *a.* ostrożny
cavalry *n.* kawaleria
cave *n.* jaskinia
cavern *n.* pieczara
cavil *v. t* czepiać się (drobiazgów itp.)
cavity *n.* wydrążenie, jama
caw *n.* krakanie
caw *v. i.* krakać
cease *v. i.* wstrzymywać
ceaseless *a.* nieustanny
cedar *n.* cedr
ceiling *n.* sufit
celebrate *v. t. & i.* obchodzić, świętować
celebration *n.* uroczystość
celebrity *n.* sławna osoba
celestial *a.* niebiański
celibacy *n.* celibat
cell *n.* komórka
cellar *n.* piwnica
cellular *a.* komórkowy
cement *n.* cement
cement *v. t.* cementować
cemetery *n.* cmentarz
cense *v. t* kadzić
censer *n.* kadzielnica
censor *n.* cenzor
censor *v. t.* cenzurować
censorious *a.* skory do krytyki
censorship *n.* cenzura
censure *n.* krytyka
censure *v. t.* krytykować
census *n.* spis ludności
cent *n.* cent
centenarian *n.* stuletni człowiek
centenary *n.* stulecie
centennial *a.* stuletni
centigrade *a.* stustopniowy
centipede *n.* stonoga
central *a.* centralny
centre *n.* środek
centrifugal *a.* odśrodkowy
centuple *a.* stokrotny
century *n.* wiek (stulecie)
ceramics *n.* ceramika
cereal *n.* zboże
cerebral *a.* mózgowy
ceremonial *a.* ceremonialny
ceremonious *a.* ugrzeczniony

ceremony *n.* ceremonia
certain *a* pewny
certainly *adv.* na pewno
certainty *n.* pewność
certificate *n.* świadectwo
certify *v. t.* poświadczać
cerumen *n.* woskowina uszna
cesspool *n.* kloaka
chain *n.* łańcuch
chair *n.* krzesło
chairman *n.* prezes
chaise *n.* bryczka
challenge *n.* wyzwanie
challenge *v. t.* rzucać wyzwanie
chamber *n.* komora, sala
chamberlain *n.* szambelan
champion *n.* mistrz
champion *v. t.* być orędownikiem (w jakiejś sprawie)
chance *n.* traf
chance *n.* szansa
chancellor *n.* kanclerz
chancery *n.* sąd Lorda Kanclerza
change *v. t.* zmieniać
change *n.* zmiana
channel *n.* kanał
chant *n.* monotonny śpiew
chaos *n.* chaos
chaotic *adv.* chaotyczny
chapel *n.* kaplica
chapter *n.* rozdział
character *n.* charakter
charge *v. t.* pobierać (od kogoś pewną kwotę)
charge *v. t.* oskarżać
charge *n.* koszt
charge *n.* oskarżenie
chariot *n.* rydwan
charitable *a.* dobroczynny
charity *n.* instytucja dobroczynna
charm *n.* urok
charm *v. t.* oczarować
chart *n.* wykres
charter *n.* przywilej
chase *v. t.* ścigać
chase *n.* pogoń
chaste *a.* cnotliwy
chastity *n.* niewinność
chat *n.* pogawędka
chat *v. i.* gawędzić
chatter *v.i.* szczebiotać
chauffeur *n.* szofer
cheap *a* tani
cheapen *v. t.* obniżać cenę
cheat *v. t.* oszukiwać
cheat *n.* oszust
check *v. t.* sprawdzać
check *n.* kontrola
checkmate *n.* szach i mat
cheek *n.* policzek
cheep *v. i* piszczeć
cheer *n.* usposobienie
cheer *v. t.* wiwatować
cheerful *a.* pogodny (o człowieku)
cheerless *a* posępny
cheese *n.* ser
chemical *a.* chemiczny
chemical *n.* produkt chemiczny
chemise *n.* koszula damska
chemist *n.* aptekarz
chemistry *n.* chemia
cheque *n.* czek
cherish *v. t.* pielęgnować, miłować
cheroot *n.* krótkie cygaro
chess *n.* szachy
chest *n.* pierś (klatka piersiowa)
chestnut *n.* kasztan
chew *v. t* żuć
chevalier *n.* kawaler (orderu)
chicken *n.* kurczę
chide *v. t.* strofować
chief *a.* główny

chieftain *n.* wódz
child *n.* dziecko
childhood *n.* dzieciństwo
childish *a.* dziecinny
chill *n.* ziąb
chilli *n.* czerwony pieprz
chilly *a* chłodny
chiliad *n.* tysiąclecie
chimney *n.* komin
chimpanzee *n.* szympans
chin *n.* podbródek
china *n.* porcelana
chirp *v.i.* ćwierkać
chirp *n.* ćwierkanie
chisel *n.* dłuto
chisel *v. t.* rzeźbić (dłutem)
chit *n.* kwitek
chivalrous *a.* rycerski
chivalry *n.* rycerskość
chlorine *n.* chlor
chloroform *n.* chloroform
choice *n.* wybór
choir *n.* chór
choke *v. t.* dusić
cholera *n.* cholera
chocolate *n.* czekolada
choose *v. t.* wybierać
chop *v. t* siekać
chord *n.* struna
choroid *n.* naczyniówka
chorus *n.* refren
Christ *n.* Chrystus
Christendom *n.* chrześcijaństwo
Christian *n.* chrześcijanin
Christian *a.* chrześcijański
Christianity *n.* chrześcijaństwo
Christmas *n.* Boże Narodzenie
chrome *n.* chrom
chronic *a.* chroniczny
chronicle *n.* kronika
chronology *n.* chronologia
chronograph *n.* chronograf
chuckle *v. i* chichotać
chum *n.* towarzysz
church *n.* kościół
churchyard *n.* dziedziniec kościelny
churl *n.* gbur
churn *v.t.* robić masło
churn *n.* maślnica
cigar *n.* cygaro
cigarette *n.* papieros
cinema *n.* kino
cinnabar *n.* cynober
cinnamon *n.* cynamon
cipher, cypher *n.* szyfr
circle *n.* krąg
circuit *n.* obwód (elektryczny)
circumfluent *a.* otaczający
circumspect *a.* przezorny
circular *a* kolisty
circular *n.* okólnik
circulate *v. i.* puszczać w obieg
circulation *n.* obieg
circumference *n.* obwód
circumstance *n.* okoliczność
circus *n.* cyrk
cist *n.* grobowiec
citadel *n.* cytadela
cite *v. t* cytować
citizen *n.* obywatel
citizenship *n.* obywatelstwo
citric *a.* cytrynowy
city *n.* miasto
civic *a* obywatelski
civics *n.* nauka o prawach i obowiązkach obywatela
civil *a* cywilny
civilian *n.* cywil
civilization *n.* cywilizacja
civilize *v. t* cywilizować
clack *n. & v. i* klekotać, klekot
claim *n.* żądanie, reklamacja
claim *v. t* żądać, twierdzić

claimant *n.* roszczący sobie prawo do czegoś
clamber *v. i* wspinać się
clamour *n.* wrzawa
clamour *v. i.* domagać się krzykiem
clamp *n.* klamra
clandestine *a.* potajemny
clap *v. i.* klaskać
clap *n.* klaśnięcie, trzepnięcie
clarify *v. t* wyjaśniać
clarification *n.* wyjaśnienie
clarion *n.* trąbka
clarity *n.* klarowność
clash *n.* sprzeczność
clash *v. t.* kolidować ze sobą (o poglądach)
clasp *n.* sprzączka
class *n.* klasa
classic *a* klasyczny
classic *n.* klasyk
classical *a* klasyczny
classification *n.* klasyfikacja
classify *v. t* klasyfikować
clause *n.* klauzula
claw *n.* pazur (zwierzęcia)
clay *n.* glina
clean *a.* czysty
clean *v. t* czyścić
cleanliness *n.* czystość
cleanse *v. t* oczyszczać
clear *a* jasny, zrozumiały
clear *v. t* oczyszczać
clear *v. t* objaśniać
clearance *n.* oczyszczenie
clearance *n.* załatwienie formalności celnych
clearly *adv.* wyraźnie
cleft *n.* rozpadlina
clergy *n.* kler
clerical *a* klerykalny
clerk *n.* urzędnik
clever *a.* inteligentny
clew *n.* kłębek nici
click *n.* kliknięcie (klawiszem komputera)
client *n.* klient
cliff *n.* urwisko
climate *n.* klimat
climax *n.* punkt kulminacyjny
climb *n.* wspinanie się
climb *v.i* wspinać się
cling *v. i.* przylegać (do czegoś)
clinic *n.* klinika
clink *n.* brzęk (szkła)
cloak *n.* peleryna
clock *n.* zegar
clod *n.* grudka ziemi
cloister *n.* klasztor
close *n.* zakończenie
close *a.* zamknięty
close *v. t* zamykać
closet *n.* szafka
closure *n.* zamknięcie
clot *n.* skrzep
clot *v. t* krzepnąć
cloth *n.* tkanina
clothe *v. t* ubierać
clothes *n.* ubranie
clothing *n.* odzież
cloud *n.* chmura
cloudy *a* pochmurny
clove *n.* ząbek (czosnku)
clown *n.* klaun
club *n.* klub
clue *n.* wskazówka (do rozwizania zagadki)
clumsy *a* niezdarny
cluster *n.* pęk
cluster *v. i.* gromadzić się w grupy
clutch *n.* sprzęgło
clutter *v. t* zaśmiecać
coach *n.* autokar

coach *n.* trener
coachman *n.* woźnica
coal *n.* węgiel
coalition *n.* koalicja
coarse *a* nieokrzesany
coast *n.* wybrzeże
coat *n.* płaszcz
coating *n.* warstwa (farby itp.)
coax *v. t* przymilać się
cobalt *n.* kobalt
cobbler *n.* szewc
cobra *n.* kobra
cobweb *n.* pajęczyna
cocaine *n.* kokaina
cock *n.* kogut
cockle *v. i* marszczyć się
cock-pit *n.* kokpit
cockroach *n.* karaluch
coconut *n.* orzech kokosowy
code *n.* kod
co-education *n.* koedukacja
coefficient *n.* mnożnik
co-exist *v. i* koegzystować
co-existence *n.* koegzystencja
coffee *n.* kawa
coffin *n.* trumna
cog *n.* ząb (koła zębatego)
cogent *a.* przekonywający (argument)
cognate *a.* pokrewny
cognizance *n.* wiedza
cohabit *v. t* żyć jak mąż z żoną
coherent *a* spójny
cohesive *a.* spójny
coif *n.* czepiec
coin *n.* moneta
coinage *n.* bicie pieniędzy
coincide *v. i* zbiegać się (o okolicznościach)
coir *n.* włókna kokosowe
coke *v. t* koksować
cold *a* zimny
cold *n.* zimno
cold *n.* przeziębienie
collaborate *v. i* współpracować
collaboration *n.* współpraca
collapse *v. i* załamywać się
collar *n.* kołnierz
colleague *n.* współpracownik
collect *v. t* gromadzić
collection *n.* kolekcja
collective *a* kolektywny
collector *n.* kolekcjoner
college *n.* kolegium (uczelnia)
collide *v. i.* zderzać się
collision *n.* kolizja
collusion *n.* zmowa
colon *n.* okrężnica
colon *n.* dwukropek
colonel *n.* pułkownik
colonial *a* kolonialny
colony *n.* kolonia
colour *n.* kolor
colour *v. t* kolorować
colt *n.* źrebię
column *n.* kolumna
coma *n.* śpiączka
comb *n.* grzebień
combat *n.* walka
combat *v. t.* walczyć
combatant *n.* kombatant
combatant *a.* bojowy
combination *n.* kombinacja
combine *v. t* połączyć
come *v. i.* przychodzić, przyjeżdżać
comedian *n.* komik
comedy *n.* komedia
comet *n.* kometa
comfit *n.* cukierek zawierający orzech
comfort *n.* pociecha
comfort *n.* wygoda
comfort *v. t* pocieszać

comfortable *a* wygodny
comic *a* komiczny
comic *n.* komik
comical *a* komiczny
comma *n.* przecinek
command *n.* rozkaz
command *v. t* rozkazywać
commandant *n.* komendant
commander *n.* dowódca
commemorate *v. t.* upamiętniać
commemoration *n.* uczczenie pamięci
commence *v. t* zaczynać
commencement *n.* rozpoczęcie
commend *v. t* pochwalać
commendable *a.* chwalebny
commendation *n.* pochwała
comment *v. i* komentować
comment *n.* komentarz
commentary *n.* komentowanie
commentator *n.* komentator
commerce *n.* handel
commercial *a* reklama telewizyjna lub radiowa
commiserate *v. t* współczuć
commission *n.* komisja
commission *n.* prowizja
commissioner *n.* członek komisji
commissure *n.* spoidło
commit *v. t.* popełniać (czyn)
committee *n.* komitet
commodity *n.* towar
common *a.* powszechny
commoner *n.* członek Izby Gmin
commonplace *a.* pospolity
commonwealth *n.* wspólnota polityczna
commotion *n.* zamieszanie
commove *v. t* wzburzać
communal *a* komunalny
commune *v. t* obcować
communicate *v. t* komunikować
communication *n.* komunikacja
communiqué *n.* komunikat
communism *n.* komunizm
community *n.* wspólnota (społeczność)
commute *v. t* dojeżdżać (do pracy)
compact *a.* zwarty
compact *n.* ugoda
companion *n.* towarzysz
company *n.* towarzystwo
comparative *a* porównawczy
compare *v. t* porównywać
comparison *n.* porównanie
compartment *n.* przedział (w wagonie)
compass *n.* kompas
compassion *n.* współczucie
compel *v. t* zmuszać
compensate *v.t* wynagradzać (stratę itp.)
compensation *n.* odszkodowanie
compete *v. i* współzawodniczyć
competence *n.* kompetencja
competent *a.* kompetentny
competition *n.* konkurencja
competitive *a* konkurencyjny
compile *v. t* kompilować
complacent *a.* zadowolony z siebie
complain *v. i* narzekać
complaint *n.* skarga
complaisance *n.* uprzejmość
complaisant *a.* uprzejmy
complement *n.* uzupełnienie
complementary *a* uzupełniający
complete *a* całkowity
complete *v. t* uzupełniać
completion *n.* zakończenie
complex *a* złożony
complex *n.* kompleks
complexion *n.* cera

compliance *n.* zastosowanie się
compliant *a.* zgodny
complicate *v. t* komplikować
complication *n.* komplikacja
compliment *n.* komplement
compliment *v. t* komplementować
comply *v. i* stosować się (do czegoś)
component *n.* składnik
compose *v. t* komponować
composition *n.* kompozycja
compositor *n.* składacz (zecer)
compost *n.* kompost
composure *n.* opanowanie
compound *n.* związek chemiczny
compound *a* złożony
compound *n.* ogrodzony obręb domu
compound *v. i* zmieszać
compounder *n.* osoba, która doprowadza do ugody
comprehend *v. t* rozumieć
comprehension *n.* zrozumienie
comprehensive *a* wszechstronny
compress *v. t.* ściskać
compromise *n.* kompromis
compromise *v. t* iść na kompromis
compulsion *n.* przymus
compulsory *a* przymusowy
compunction *n.* skrucha
computation *n.* obliczenie
compute *v.t.* obliczać
comrade *n.* towarzysz
conation *n.* akt woli
concave *a.* wklęsły
conceal *v. t.* ukrywać
concede *v.t.* przyznawać (że...)
conceit *n.* zarozumiałość
conceive *v. t* począć (dziecko)
concentrate *v. t* koncentrować
concentration *n.* koncentracja
concept *n.* koncepcja
conception *n.* poczęcie
concern *v. t* dotyczyć
concern *n.* zaniepokojenie
concert *n.* koncert
concession *n.* koncesja
conch *n.* koncha
conciliate *v.t.* pojednywać
concise *a* zwięzły
conclude *v. t* kończyć
conclusion *n.* zakończenie
conclusive *a* rozstrzygający
concoct *v. t* sporządzać
concoction *n.* mikstura
concord *n.* zgoda
concrescence *n.* zrośnięcie się
concrete *n.* beton
concrete *a* konkretny
concrete *a* betonowy
concrete *v. t* betonować
concubinage *n.* konkubinat
concubine *n.* konkubina
concussion *n.* wstrząs
condemn *v. t.* potępiać
condemnation *n.* potępienie
condense *v. t* skraplać
condiment *n.* przyprawa
condition *n.* warunek
conditional *a* warunkowy
condole *v. i.* wyrażać kondolencje
condolence *n.* kondolencje
condonation *n.* przebaczenie
conduct *n.* zachowanie się
conduct *v. t* zachowywać się
conductor *n.* dyrygent
cone *n.* stożek
confectioner *n.* cukiernik
confectionery *n.* cukiernia
confer *v. i* naradzać się

conference *n.* konferencja
confess *v. t.* przyznawać się (do czegoś)
confession *n.* spowiedź
confidant *n.* powiernik
confide *v. i* zwierzać się
confidence *n.* zaufanie
confident *a.* ufny
confidential *a.* poufny
confine *v. t* ograniczać
confinement *n.* uwięzienie
confirm *v. t* potwierdzać
confirmation *n.* potwierdzenie
confiscate *v. t* konfiskować
confiscation *n.* konfiskata
conflict *n.* konflikt
conflict *v. i* być w sprzeczności (z czymś)
confluence *n.* miejsce połączenia się rzek
confluent *a.* zlewający się (o rzekach)
conformity *n.* zgodność
confraternity *n.* bractwo
confrontation *n.* konfrontacja
confuse *v. t* konfundować
confusion *n.* zamieszanie
confute *v.t.* odpierać (argumenty)
conge *n.* zwolnienie ze służby
congenial *a* pokrewny
congratulate *v. t* gratulować
congratulation *n.* gratulacja
congress *n.* kongres
conjecture *n.* domniemanie
conjecture *v. t* mniemać
conjugal *a* małżeński
conjugate *v.t. & i.* koniugować
conjunct *a.* połączony
conjunctiva *n.* spojówka
conjuncture *n.* zbieg okoliczności
conjure *v.t.* błagać
conjure *v.i.* czarować
connect *v. t.* łączyć
connection *n.* połączenie
connivance *n.* pobłażanie
conquer *v. t* zdobyć (podbić)
conquest *n.* podbój
conscience *n.* sumienie
conscious *a* świadomy
consecrate *v.t.* poświęcać (np. chleb)
consecutive *a.* kolejny
consecutively *adv.* kolejno
consensus *n.* zgoda
consent *n.* pozwolenie
consent *v. i* zezwalać
consequence *n.* konsekwencja
consequent *a* konsekwentny
conservative *a* konserwatywny
conservative *n.* konserwatysta
conserve *v. t* konserwować
consider *v. t* rozważać
considerable *a* znaczny
considerate *a.* taktowny
consideration *n.* rozwaga
considering *prep.* zważywszy
consign *v.t.* wysyłać
consignment *n.* wysyłka
consist *v. i* składać się (z czegoś)
consistence,-cy *n.* zgodność
consistent *a* zgodny
consolation *n.* pociecha
console *v. t* pocieszać
consolidate *v. t.* konsolidować
consolidation *n.* konsolidacja
consonance *n.* konsonans
consonant *n.* spółgłoska
consort *n.* małżonek/małżonka panującego monarchy
conspectus *n.* konspekt
conspicuous *a.* widoczny
conspiracy *n.* konspiracja
conspirator *n.* spiskowiec

conspire *v. i.* spiskować
constable *n.* posterunkowy
constant *a* stały
constellation *n.* konstelacja
constipation *n.* zaparcie
constituency *n.* okręg wyborczy
constituent *n.* wyborca
constituent *a.* składowy
constitute *v. t* stanowić
constitution *n.* konstytucja
constrict *v.t.* zaciskać
construct *v. t.* budować
construction *n.* konstrukcja
consult *v. t* konsultować
consultation *n.* konsultacja
consume *v. t* konsumować
consumption *n.* konsumpcja
contact *n.* kontakt
contact *v. t* kontaktować się
contagious *a* zakaźny
contain *v.t.* zawierać
contaminate *v.t.* zakażać
contemplate *v. t* rozważać coś
contemplation *n.* rozważanie (czegoś)
contemporary *a* współczesny
contempt *n.* pogarda
contemptuous *a* pogardliwy
contend *v. i* współzawodniczyć
content *a.* zadowolony
content *v. t* zadowalać się czymś
content *n.* zawartość
contention *n.* spór
contentment *n.* zadowolenie
contest *v. t* spierać się
contest *n.* rywalizacja
context *n.* kontekst
continent *n.* kontynent
continental *a* kontynentalny
contingency *n.* wypadek nieprzewidziany
continual *a.* ciągły
continuation *n.* kontynuacja
continue *v. i.* kontynuować
continuity *n.* ciągłość
continuous *a* ciągły
contour *n.* kontur
contraception *n.* antykoncepcja
contract *n.* kontrakt
contract *v. t* zakontraktować
contraposition *n.* antyteza
contractor *n.* kontrahent
contradict *v. t* zaprzeczać
contradiction *n.* zaprzeczenie
contrary *a* przeciwny
contrast *v. t* przeciwstawiać (czemuś)
contrast *n.* kontrast
contribute *v. t* przyczyniać się
contribution *n.* wkład
control *n.* kontrola
control *v. t* kontrolować
controller *n.* sterownik
controversy *n.* kontrowersja
contuse *v.t.* kontuzjować
conundrum *n.* zagadka
convene *v. t* zwołać (zebranie)
convenience *n.* dogodność
convenient *a* dogodny
convent *n.* klasztor
convention *n.* konwencja
conversant *a* biegły
conversation *n.* konwersacja
converse *v.t.* rozmawiać
conversion *n.* przemiana
convert *v. t* przeliczać (na inne jednostki)
convert *n.* neofita
convey *v. t.* komunikować
conveyance *n.* przewóz
convict *v. t.* skazywać
convict *n.* skazaniec
conviction *n.* skazanie
convince *v. t* przekonywać

convivial *a.* towarzyski (o człowieku)
convocation *n.* zgromadzenie
convoke *v.t.* zwoływać
convolve *v.i.* zwinąć się
coo *n.* gruchanie
coo *v. i* gruchać
cook *v. t* gotować
cook *n.* kucharz
cooker *n.* kuchenka
cool *a* chłodny
cool *v. i.* studzić się
cooler *n.* chłodnica
coolie *n.* kulis
co-operate *v. i* współpracować
co-operation *n.* współpraca
co-operative *a* chętny do współpracy
co-ordinate *a.* współrzędny
co-ordinate *v. t* koordynować
co-ordination *n.* koordynacja
coot *n.* łyska
co-partner *n.* wspólnik
cope *v. i* radzić sobie (z czymś)
copper *n.* policjant (w slangu)
coppice *n.* zagajnik
coprology *n.* koprologia
copulate *v.i.* kopulować
copy *n.* kopia
copy *v. t* kopiować
coral *n.* koral
cord *n.* powróz
cordial *a* serdeczny
corbel *n.* konsola
cordate *a.* sercowaty
core *n.* jądro, rdzeń
coriander *n.* kolendra
Corinth *n.* Korynt
cork *n.* korek
cormorant *n.* kormoran
corn *n.* zboże
cornea *n.* rogówka
corner *n.* róg (ulicy)
corner *n.* kąt (pokoju)
cornet *n.* trąbka
coronation *n.* koronacja
corporal *a* cielesny
corporate *a.* zbiorowy
corporation *n.* korporacja
corps *n.* korpus
corpse *n.* zwłoki
correct *a* poprawny
correct *v. t* poprawiać
correction *n.* poprawka
correlate *v.t.* skorelować
correlation *n.* korelacja
correspond *v. i* zgadzać się (z czymś)
correspondence *n.* korespondencja
correspondent *n.* korespondent
corridor *n.* korytarz
corroborate *v.t.* potwierdzać
corrosive *a.* żrący
corrupt *v. t.* korumpować
corrupt *a.* skorumpowany
corruption *n.* korupcja
corset *n.* gorset
cosmetic *a.* kosmetyczny
cosmetic *n.* kosmetyk
cosmic *a.* kosmiczny
cost *v.t.* ustalać koszt
cost *n.* koszt
costal *a.* żebrowy
cote *n.* szopa
costly *a.* kosztowny
costume *n.* kostium
cosy *a.* przytulny
cot *n.* łóżeczko dziecinne
cottage *n.* chata
cotton *n.* bawełna
couch *n.* kanapa
cough *n.* kaszel
cough *v. i.* kaszleć

council *n.* rada (instytucja)
councillor *n.* radny
counsel *n.* porada
counsel *v. t.* doradzać
counsellor *n.* doradca
count *n.* hrabia
count *v. t.* liczyć
countenance *n.* oblicze
counter *n.* lada
counter *v. t* sprzeciwiać się
counteract *v.t.* przeciwdziałać
countercharge *n.* przeciwnatarcie
counterfeit *a.* sfałszowany
counterfeiter *n.* fałszerz
countermand *v.t.* odwoływać (nakaz)
counterpart *n.* odpowiednik
countersign *v. t.* kontrasygnować
countess *n.* hrabina
countless *a.* niezliczony
country *n.* kraj
county *n.* hrabstwo
coup *n.* mistrzowskie posunięcie
couple *n.* para
couple *v. t* łączyć ze sobą (dwie rzeczy)
couplet *n.* dwuwiersz
coupon *n.* kupon
courage *n.* odwaga
courageous *a.* odważny
courier *n.* kurier
course *n.* kurs
court *n.* sąd
court *v. t.* chodzić ze sobą (chłopak z dziewczyną)
courteous *a.* uprzejmy
courtesan *n.* kurtyzana
courtesy *n.* uprzejmość
courtier *n.* dworzanin
courtship *n.* zaloty
courtyard *n.* dziedziniec
cousin *n.* kuzyn
covenant *n.* konwencja
cover *v. t.* przykrywać
cover *n.* pokrywka
coverlet *n.* kołderka
covet *v.t.* pożądać
cow *n.* krowa
cow *v. t.* zastraszać
coward *n.* tchórz
cowardice *n.* tchórzostwo
cower *v.i.* kulić się (ze strachu)
crab *n.* krab
crack *n.* pęknięcie
crack *v. i* pękać
cracker *n.* petarda
crackle *v.t.* trzeszczeć
cradle *n.* kołyska
craft *n.* rzemiosło
craftsman *n.* rzemieślnik
crafty *a* chytry
cram *v. t* napychać
crambo *n.* zabawa w szukanie rymów do zadanych słów
crane *n.* dźwig
crankle *v.t.* wyginać
crash *v. i* zderzyć się
crash *n.* zderzenie
crass *a.* okropny
crate *n.* paka (do przewożenia towarów)
crave *v.t.* łaknąć czegoś
craw *v.t.* krakać
crawl *v. t* pełzać
crawl *n.* pełzanie
craze *n.* szał
crazy *a* szalony
creak *v. i* skrzypieć
creak *n.* skrzypienie
cream *n.* krem
cream *n.* śmietanka
crease *n.* fałda
create *v. t* tworzyć

creation *n.* tworzenie
creative *a.* twórczy
creator *n.* twórca
creature *n.* stworzenie
credible *a* wiarygodny
credit *n.* kredyt
creditable *a* zaszczytny
creditor *n.* wierzyciel
credulity *a.* łatwowierność
creed *n.* kredo
creed *n.* wyznanie
creek *n.* strumień
creep *v. i* czołgać się
creeper *n.* pnącze
cremate *v. t* spalić w krematorium
cremation *n.* kremacja
crest *n.* szczyt (grzbietu górskiego)
crew *n.* załoga
crib *n.* łóżeczko dziecinne
cricket *n.* krykiet
crime *n.* zbrodnia
crimp *n.* fałdka
crimple *v.t.* plisować
criminal *n.* przestępca
criminal *a* kryminalny
crimson *n.* szkarłat
cringe *v. i.* kurczyć się ze strachu
cripple *n.* kaleka
crisis *n.* kryzys
crisp *a* chrupiący
criterion *n.* kryterium
critic *n.* krytyk
critical *a* krytyczny
criticism *n.* krytyka
criticize *v. t* krytykować
croak *n.* rechotanie (żab)
crockery *n.* naczynia
crocodile *n.* krokodyl
crook *n.* hak
crop *n.* plon
cross *v. t* krzyżować
cross *n.* krzyż
cross *a* niezadowolony
crossing *n.* przejście (przez ulicę)
crotchet *n.* zachcianka
crouch *v. i.* kucać
crow *n.* wrona
crow *v. i* krakać
crowd *n.* tłum
crown *n.* koronacja
crown *v. t* koronować
crucial *a.* decydujący
crude *a* surowy, niewykończony
cruel *a* okrutny
cruelty *n.* okrucieństwo
cruise *n.* rejs
cruiser *n.* krążownik
crumb *n.* okruszyna
crumble *v. t* kruszyć
crump *n.* silne uderzenie
crusade *n.* krucjata
crush *v. t* miażdżyć
crust *n.* skorupa, skórka na chlebie
crutch *n.* kula (kulawego)
cry *n.* płacz
cry *v. i* płakać
cryptography *n.* kryptografia
crystal *n.* kryształ
cub *n.* młode zwierzę (np. lwiątko)
cube *n.* sześcian, kostka
cubical *a* sześcienny
cuboid *n.* prostopadłościan
cuckold *n.* zdradzony mąż (rogacz)
cuckoo *n.* kukułka
cucumber *n.* ogórek
cudgel *n.* maczuga
cue *n.* wskazówka
cuff *n.* mankiet
cuff *v. t* uderzyć

cuisine *n.* kuchnia (sposób gotowania)
cullet *n.* tłuczone szkło
culminate *v.i.* kulminować
culpable *a* winny (czegoś)
culprit *n.* winowajca
cult *n.* kult
cultivate *v. t* uprawiać (ziemię)
cultivated *a.* kulturalny
cultural *a* kulturowy
culture *n.* kultura
culvert *n.* dren odwadniający
cunning *a* chytry
cunning *n.* chytrość
cup *n.* filiżanka
cupboard *n.* kredens
Cupid *n.* kupidynek
cupidity *n.* chciwość
curable *a* uleczalny
curative *a* leczniczy
curb *n.* krawężnik
curb *v. t* powstrzymywać
curcuma *n.* kurkuma
curd *n.* twaróg
cure *n.* lekarstwo
cure *v. t.* wyleczyć
curfew *n.* godzina policyjna
curiosity *n.* ciekawość
curious *a* ciekawy
curl *n.* pukiel
currant *n.* porzeczka
currency *n.* waluta
current *n.* prąd (nurt)
current *a* aktualny
curriculum *n.* program (nauki)
curse *n.* klątwa
curse *v. t* przeklinać
cursory *a* pobieżny
curt *a* szorstki (w obejściu)
curtail *v. t* ukrócić
curtain *n.* kotara, zasłona
curve *n.* zakręt
curve *v. t* wyginać
cushion *n.* poduszka
cushion *v. t* wyściełać
custard *n.* krem z mleka i jaj
custodian *n.* kustosz (muzeum)
custody *n.* opieka
custody *n.* areszt
custom *n.* zwyczaj
customary *a* zwyczajowy
customer *n.* klient
cut *v. t* ciąć
cut *n.* cięcie
cutis *n.* skóra
cuvette *n.* miseczka
cycle *n.* cykl
cycle *n.* rower
cyclic *a* cykliczny
cyclist *n.* rowerzysta
cyclone *n.* cyklon
cyclostyle *n.* cyklostyl
cyclostyle *v. t* powielać
cylinder *n.* cylinder, walec
cynic *n.* cynik
cypher *n.* szyfr
cypress *n.* cyprys

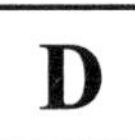

D

dabble *v. i.* moczyć
dacoit *n.* rozbójnik (w Indiach, Burmie)
dacoity *n.* rozbój (w Indiach)
dad, daddy *n.* tatuś
daffodil *n.* żonkil
daft *a.* głupi
dagger *n.* sztylet
daily *a* codzienny
daily *adv.* codziennie
daily *n.* dziennik (gazeta)

dainty *a.* filigranowy
dainty *n.* przysmak
dairy *n.* mleczarnia
dairy *n.* nabiał
dais *n.* podium
daisy *n.* stokrotka
dale *n.* dolina górska
dam *n.* tama
damage *n.* uszkodzenie
damage *v. t.* uszkodzić
damn *v. t.* przeklinać
damnation *n.* potępienie
damp *a* wilgotny
damp *n.* wilgoć
damp *v. t.* zwilżać
damsel *n.* panienka
dance *n.* taniec
dance *v. t.* tańczyć
dandelion *n.* mlecz
dandle *v.t.* niańczyć
dandruff *n.* łupież
dandy *n.* dandys
danger *n.* niebezpieczeństwo
dangerous *a.* niebezpieczny
dangle *v. t* zwisać
dank *a.* zawilgocony
dap *v.i.* łowić ryby na przynętę pływającą po wodzie
dare *v. i.* ośmielać się
daring *n.* odwaga
daring *a* odważny
dark *a* ciemny
dark *n.* ciemność
darkle *v.i.* pociemnieć
darling *n.* ulubieniec
darling *a* ukochany
dart *n.* strzałka (rzucana do tarczy)
dash *v. i.* przebiegać pędem
dash *n.* pęd
date *n.* data
date *n.* daktyl
date *v. t* datować
date *v. t* chodzić z kimś na randki
daub *n.* kicz
daub *v. t.* mazać
daughter *n.* córka
daunt *v. t* nastraszyć
dauntless *a* nieustraszony
dawdle *v.i.* mitrężyć czas
dawn *n.* świt
dawn *v. i.* świtać
day *n.* dzień
daze *n.* oszołomienie
daze *v. t* oszałamiać
dazzlement *n.* oślepienie
dazzle *v. t.* oślepiać
deacon *n.* diakon
dead *a* martwy
deadlock *n.* impas
deadly *a* śmiertelny
deaf *a* głuchy
deal *n.* interes (transakcja)
deal *v. i* postępować
dealer *n.* dealer, makler
dealing *n.* postępowanie
dean *n.* dziekan
dear *a* drogi (kochany)
dearth *n.* niedostatek
death *n.* śmierć
debar *v. t.* zakazywać
debase *v. t.* poniżać
debate *n.* debata
debate *v. t.* debatować
debauch *v. t.* deprawować
debauch *n.* rozpusta
debauchee *n.* rozpustnik
debauchery *n.* rozpusta
debility *n.* niemoc
debit *n.* debet
debit *v. t* obciążać (czyjś rachunek)
debris *n.* szczątki
debt *n.* dług

debtor *n.* dłużnik
decade *n.* dekada
decadent *a* dekadencki
decamp *v. i* ulatniać się
decay *n.* próchnica,
decay *n.* niszczenie
decay *v. i* niszczeć
decease *n.* zgon
decease *v. i* umrzeć
deceit *n.* oszustwo
deceive *v. t* oszukiwać
December *n.* grudzień
decency *n.* przyzwoitość
decennary *n.* dziesięciolecie
decent *a* przyzwoity
deception *n.* oszukiwanie
decide *v. t* decydować
deciduous *a* krótkotrwały
decimal *a* dziesiętny
decimate *v.t.* dziesiątkować
decision *n.* decyzja
decisive *a* decydujący
deck *n.* pokład (statku)
deck *v. t* ozdabiać
declaration *n.* deklaracja
declare *v. t.* oznajmiać
decline *n.* schyłek
decline *v. t.* odrzucać (propozycję)
declivous *a.* pochylony
decompose *v. t.* rozkładać się
decomposition *n.* rozkład
decontrol *v.t.* wyjmować spod reglamentacji
decorate *v. t* dekorować
decoration *n.* dekoracja
decorum *n.* dobre obyczaje
decrease *v. t* zmniejszać
decrease *n.* zmniejszenie
decree *n.* dekret
decree *v. i* dekretować
decrement *n.* ubytek
dedicate *v. t.* dedykować
dedication *n.* dedykacja
deduct *v.t.* odejmować (kwotę)
deed *n.* czyn
deem *v.t.* uważać (kogoś/coś za...)
deep *a.* głęboki
deer *n.* jeleń, sarna
defamation *n.* zniesławienie
defame *v. t.* zniesławiać
default *n.* brak
defeat *n.* porażka
defeat *v. t.* pokonywać
defect *n.* defekt
defence *n.* obrona
defend *v. t* bronić
defendant *n.* pozwany
defensive *a.* obronny
deference *n.* szacunek
defiance *n.* opór
deficit *n.* deficyt
deficient *a.* wadliwy
defile *n.* wąwóz
define *v. t* definiować
definite *a* określony
definition *n.* definicja
deflation *n.* deflacja
deflect *v.t. & i.* odchylać się, wyginać
deft *a.* zwinny
degrade *v. t* degradować
degree *n.* stopień
dehydrate *v.t.* odwadniać
deist *n.* deista
deity *n.* bóstwo
deject *v. t* zniechęcać
dejection *n.* zniechęcenie
delay *v.t. & i.* opóźniać, zwlekać
delegate *n.* delegat
delegate *v. t* delegować
delegation *n.* delegacja
delete *v. t* usuwać
deliberate *v. i* rozważać

deliberate *a* rozmyślny
deliberation *n.* naradzanie się
delicate *a* delikatny
delicious *a* wyśmienity
delight *n.* zachwyt
delight *v. t.* zachwycać
deliver *v. t* dostarczać
delivery *n.* dostawa
delta *n.* delta
delude *v.t.* omamiać
delusion *n.* ułuda
demand *n.* żądanie
demand *v. t* żądać
demarcation *n.* wytyczenie granic
dement *v.t* doprowadzać do szaleństwa
demerit *n.* przewinienie
democracy *n.* demokracja
democratic *a* demokratyczny
demolish *v. t.* demolować
demon *n.* demon
demonetize *v.t.* demonetyzować
demonstrate *v. t* demonstrować
demonstration *n.* demonstracja
demoralize *v. t.* deprawować
demur *n.* sprzeciw
demur *v. t* sprzeciwiać się
demurrage *n.* przestój (wagonu na kolei itp.)
den *n.* legowisko (zwierzęcia)
dengue *n.* dunga (gorączka tropikalna)
denial *n.* zaprzeczenie
denote *v. i* oznaczać (coś)
denounce *v. t* denuncjować
dense *a.* gęsty
density *n.* gęstość
dentist *n.* dentysta
denude *v.t.* obnażać
denunciation *n.* zadenuncjowanie
deny *v. t.* zaprzeczać
depart *v. i.* odchodzić, odjeżdżać
department *n.* dział
departure *n.* odjazd
depauperate *v.t.* zubożyć
depend *v. i.* zależeć
dependant *n.* osoba będąca na czyimś utrzymaniu
dependence *n.* uzależnienie
dependent *a* zależny
depict *v. t.* przedstawiać
deplorable *a* żałosny
deploy *v.t.* stosować (sprzęt)
deponent *n.* świadek
deport *v.t.* deportować
depose *v. t* usuwać (kogoś ze stanowiska)
deposit *n.* depozyt
deposit *v. t* deponować
depot *n.* skład (towarów)
depreciate *v.t.* obniżać wartość
depredation *n.* rabunek
depress *v. t* naciskać (pedał)
depression *n.* depresja
deprive *v. t* pozbawiać
depth *n.* głębokość
deputation *n.* wydelegowanie kogoś
depute *v. t* wydelegować
deputy *n.* zastępca
derail *v. t.* wykolejać
derive *v. t.* czerpać (przyjemność z czegoś)
descend *v. i.* schodzić
descendant *n.* potomek
descent *n.* schodzenie
describe *v. t* opisywać
description *n.* opis
descriptive *a* opisowy
desert *v. t.* opuszczać
desert *n.* pustynia
deserve *v. t.* zasługiwać
design *v. t.* projektować

design *n.* projekt, design
desirable *a* pożądany
desire *n.* pragnienie
desire *v.t* pragnąć
desirous *a* pragnący
desk *n.* biurko
despair *n.* rozpacz
despair *v. i* rozpaczać
desperate *a* rozpaczliwy
despicable *a* podły
despise *v. t* gardzić
despot *n.* despota
destination *n.* cel (podróży)
destiny *n.* przeznaczenie
destroy *v. t* niszczyć
destruction *n.* zniszczenie
detach *v. t* odłączać
detachment *n.* odłączenie
detail *n.* szczegół
detail *v. t* wyszczególniać
detain *v. t* zatrzymywać
detect *v. t* wykrywać
detective *a* wykrywający
detective *n.* detektyw
determination *n.* determinacja
determine *v. t* określać
dethrone *v. t* detronizować
develop *v. t.* rozwijać
development *n.* rozwój
deviate *v. i* zbaczać
deviation *n.* dewiacja
device *n.* przyrząd
devil *n.* diabeł
devise *v. t* wymyślać
devoid *a* pozbawiony
devote *v. t* poświęcać
devotee *n.* entuzjasta
devotion *n.* poświęcenie
devour *v. t* pożerać
dew *n.* rosa
diabetes *n.* cukrzyca
diagnose *v. t* rozpoznawać (chorobę)
diagnosis *n.* diagnoza
diagram *n.* wykres
dial *n.* tarcza (instrumentu)
dialect *n.* dialekt
dialogue *n.* dialog
diameter *n.* średnica
diamond *n.* diament
diarrhoea *n.* biegunka
diary *n.* pamiętnik
dice *n.* kości (do gry)
dice *v. i.* krajać (np. jarzyny) w kostkę
dictate *v. t* dyktować
dictation *n.* dyktando
dictator *n.* dyktator
diction *n.* dykcja
dictionary *n.* słownik
dictum *n.* powiedzenie
didactic *a* dydaktyczny
die *v. i* umrzeć
die *n.* kostka do gry
diet *n.* dieta
differ *v. i* różnić się
difference *n.* różnica
different *a* różny
difficult *a* trudny
difficulty *n.* trudność
dig *n.* uwaga, aluzja
dig *v.t.* kopać
digest *v. t.* trawić
digest *n.* streszczenie
digestion *n.* trawienie
digit *n.* cyfra
dignify *v.t* uczcić
dignity *n.* godność
dilemma *n.* dylemat
diligence *n.* pilność
diligent *a* pilny
dilute *v. t* rozcieńczać
dilute *a* rozcieńczony

dim *a* przyćmiony
dim *v. t* przyciemniać
dimension *n.* rozmiar
diminish *v. t* zmiejszać
din *n.* łoskot
dine *v. t.* nakarmić obiadem
dinner *n.* obiad
dip *n.* zanurzenie
dip *v. t* zanurzać
diploma *n.* dyplom
diplomacy *n.* dyplomacja
diplomat *n.* dyplomata
diplomatic *a* dyplomatyczny
dire *a* straszny
direct *a* bezpośredni
direct *v. t* kierować (coś/kogoś do...)
direction *n.* kierunek
director *n.* kierownik
directory *n.* książka telefoniczna
dirt *n.* brud
dirty *a* brudny
disability *n.* niepełnosprawność
disable *v. t* unieszkodliwiać
disabled *a* niepełnosprawny
disadvantage *n.* niekorzyść
disagree *v. i* nie zgadzać się
disagreeable *a.* nieprzyjemny
disagreement *n.* niezgoda
disappear *v. i* znikać
disappearance *n.* zniknięcie
disappoint *v. t.* rozczarowywać
disapproval *n.* dezaprobata
disapprove *v. t* nie pochwalać
disarm *v. t* rozbroić
disarmament *n.* rozbrojenie
disaster *n.* katastrofa
disastrous *a* katastrofalny
disc *n.* dysk
discard *v. t* wyzbyć się czegoś
discharge *v. t* rozładowywać
discharge *n.* rozładowanie
disciple *n.* uczeń
discipline *n.* dyscyplina
disclose *v. t* ujawniać
discomfort *n.* niewygoda
disconnect *v. t* rozłączać
discontent *n.* niezadowolenie
discontinue *v. t* zaprzestać
discord *n.* niezgoda
discount *n.* rabat
discourage *v. t.* zniechęcać
discourse *n.* przemówienie
discourteous *a* nieuprzejmy
discover *v. t* odkrywać
discovery *n.* odkrycie
discretion *n.* uznanie, sąd
discriminate *v. t.* dyskryminować
discrimination *n.* dyskryminacja
discuss *v. t.* dyskutować
disdain *n.* pogarda
disdain *v. t.* pogardzać
disease *n.* choroba
disguise *n.* przebranie
disguise *v. t* przebierać (się)
dish *n.* potrawa
dishearten *v. t* zniechęcać
dishonest *a* nieuczciwy
dishonesty *n.* nieuczciwość
dishonour *v. t* pohańbić
dishonour *n.* hańba
dislike *v. t* nie lubić
dislike *n.* niechęć
disloyal *a* nielojalny
dismiss *v. t.* zwolnić (pracownika)
dismissal *n.* zwolnienie (dymisja)
disobey *v. t* nie słuchać (kogoś)
disorder *n.* nieporządek
disparity *n.* różnica
dispensary *n.* apteka
disperse *v. t* rozpraszać

displace *v. t* przenosić
display *v. t* wystawiać na pokaz
display *n.* wystawa (sklepowa)
displease *v. t* urazić (kogoś)
displeasure *n.* niezadowolenie
disposal *n.* pozbycie się
dispose *v. t* pozbywać się
disprove *v. t* odpierać dowody
dispute *n.* spór
dispute *v. i* spierać się
disqualification *n.* dyskwalifikacja
disqualify *v. t.* dyskwalifikować
disquiet *n.* niepokój
disregard *n.* lekceważenie
disregard *v. t* lekceważyć
disrepute *n.* zła reputacja
disrespect *n.* brak szacunku
disrupt *v. t* zakłócać (np. wydarzenie)
dissatisfaction *n.* niezadowolenie
dissatisfy *v. t.* wywoływać niezadowolenie
dissect *v. t* robić sekcję
dissection *n.* sekcja (zwłok)
dissimilar *a* niepodobny
dissolve *v.t* rozpuszczać
dissuade *v. t* wyperswadować
distance *n.* odległość
distant *a* odległy
distil *v. t* destylować
distillery *n.* gorzelnia
distinct *a* wyraźny
distinction *n.* odróżnienie
distinguish *v. i* odróżniać
distort *v. t* spaczyć
distress *n.* strapienie
distress *v. t* trapić
distribute *v. t* rozprowadzać
distribution *n.* dystrybucja
district *n.* okręg
distrust *n.* nieufność
distrust *v. t.* nie dowierzać (komuś)
disturb *v. t* przeszkadzać (komuś)
ditch *n.* rów
ditto *n.* to samo
dive *v. i* nurkować
dive *n.* nurkowanie
diverse *a* rozmaity
divert *v. t* zmieniać kierunek
divide *v. t* dzielić
divine *a* boski
divinity *n.* bóstwo
division *n.* dział, dywizja
divorce *n.* rozwód
divorce *v. t* rozwodzić (kogoś)
divulge *v. t* wyjawiać (tajemnicę)
do *v. t* robić
docile *a* łagodny (o zwierzęciu)
dock *n.* dok
doctor *n.* doktor
doctorate *n.* doktorat
doctrine *n.* doktryna
document *n.* dokument
dodge *n.* unik
dodge *v. t* uchylać się (od czegoś)
doe *n.* łania
dog *n.* pies
dog *v. t* tropić
dogma *n.* dogmat
dogmatic *a* dogmatyczny
doll *n.* lalka
dollar *n.* dolar
domain *n.* dziedzina
dome *n.* kopuła
domestic *a* domowy
domestic *n.* służący
domicile *n.* miejsce stałego zamieszkania
dominant *a* dominujący
dominate *v. t* dominować
domination *n.* dominacja
dominion *n.* panowanie

donate *v. t* darować
donation *n.* darowizna
donkey *n.* osioł
donor *n.* dawca
doom *n.* przeznaczenie
doom *v. t.* skazywać z góry
door *n.* drzwi
dose *n.* dawka
dot *n.* kropka
dot *v. t* stawiać kropkę
double *a* podwójny
double *v. t.* podwajać
double *n.* zdwojona liczba
doubt *v. i* wątpić
doubt *n.* wątpliwość
dough *n.* ciasto
dove *n.* gołąb
down *adv.* na dół
down *prep* w, do
down *v. t* położyć (przeciwnika)
downfall *n.* klęska
downpour *n.* ulewa
downright *adv.* całkowicie
downright *a* całkowity
downward *a* skierowany w dół
downward *adv.* w dół
downwards *adv.* ku dołowi
dowry *n.* posag
doze *n.* drzemka
doze *v. i* drzemać
dozen *n.* tuzin
draft *v. t* naszkicować
draft *n.* szkic
draftsman *a* rysownik
drag *n.* uciążliwa osoba
drag *v. t* ciągnąć
dragon *n.* smok
drain *n.* ściek
drain *v. t* drenować
drainage *n.* odwodnienie (zdrenowanie)
dram *n.* drachma (jednostka masy)
drama *n.* dramat
dramatic *a* dramatyczny
dramatist *n.* dramaturg
draper *n.* sukiennik
drastic *a* drastyczny
draught *n.* przeciąg
draw *v.t* rysować
draw *n.* losowanie
drawback *n.* wada
drawer *n.* szuflada
drawing *n.* rysunek
drawing-room *n.* salon
dread *n.* przerażenie
dread *v.t* bać się czegoś
dread *a* straszny
dream *n.* sen, marzenie
dream *v. i.* śnić
dream *v. i.* marzyć
drench *v. t* przemoczyć
dress *n.* sukienka
dress *v. t* ubierać
dressing *n.* opatrunek
drill *n.* wiertarka
drill *v. t.* wiercić
drink *n.* napój
drink *v. t* pić
drip *n.* kapanie
drip *v. i* kapać
drive *v. t* kierować (samochodem)
drive *n.* przejażdżka
driver *n.* kierowca
drizzle *n.* mżawka
drizzle *v. i* mżyć
drop *n.* kropla
drop *v. i* kapać
drought *n.* susza
drown *v.i* topić się
drug *n.* lekarstwo
drug *n.* narkotyk

druggist *n.* aptekarz
drum *n.* bęben
drum *v.i.* bębnić
drunkard *n.* pijak
dry *a* suchy
dry *v. i.* suszyć się
dual *a* podwójny
duck *n.* kaczka
duck *v.i.* zrobić unik
due *a* należny
due *n.* należność
duel *n.* pojedynek
duel *v. i* pojedynkować się
duke *n.* książę
dull *a* nudny
dull *v. t.* stępiać
duly *adv.* należycie
dumb *a* głupi
dunce *n.* osioł (nieuk)
dung *n.* łajno
duplicate *a* podwójny
duplicate *n.* duplikat
duplicate *v. t* kopiować
duplicity *n.* obłuda
durable *a* trwały
duration *n.* czas trwania
during *prep* podczas
dusk *n.* zmierzch
dust *n.* kurz
dust *v.t.* okryć kurzem
duster *n.* ścierka do kurzu
dutiful *a* sumienny
duty *n.* obowiązek
dwarf *n.* karzeł
dwell *v. i* mieszkać
dwelling *n.* mieszkanie
dwindle *v.i.* zmniejszać się
dye *v. t* farbować
dye *n.* barwnik
dynamic *a* dynamiczny
dynamics *n.* dynamika
dynamite *n.* dynamit
dynamo *n.* dynamo
dynasty *n.* dynastia
dysentery *n.* biegunka

E

each *a* każdy
each *pron.* każdy
eager *a* chętny (coś zrobić)
eagle *n.* orzeł
ear *n.* ucho
early *adv.* wcześnie
early *a* wczesny
earn *v. t* zarabiać
earnest *a* poważny, przejęty
earth *n.* ziemia
earthen *a* gliniany
earthly *a* ziemski
earthquake *n.* trzęsienie ziemi
ease *n.* wygoda
ease *v. t* przynosić ulgę
east *n.* wschód
east *adv.* na wschód
east *a* wschodni
Easter *n.* Wielkanoc
eastern *a* wschodni
easy *a* łatwy
eat *v. t* jeść
eatables *n.* prowiant
eatable *a* jadalny
ebb *n.* odpływ (morza)
ebb *v. i* odpływać (o morzu)
ebony *n.* heban
echo *n.* echo
echo *v. t* odbijać (głos)
eclipse *n.* zaćmienie
economic *a* ekonomiczny
economical *a* oszczędny
economics *n.* ekonomika

economy *n.* gospodarka
edge *n.* krawędź
edible *a* jadalny
edifice *n.* gmach
edit *v. t* redagować
edition *n.* wydanie
editor *n.* redaktor
editorial *a* redakcyjny
editorial *n.* artykuł wstępny
educate *v. t* kształcić
education *n.* edukacja
efface *v. t* ścierać
effect *n.* efekt
effect *v. t* wykonywać
effective *a* skuteczny
effeminate *a* zniewieściały
efficacy *n.* skuteczność
efficiency *n.* wydajność
efficient *a* wydajny
effigy *n.* kukła
effort *n.* wysiłek
egg *n.* jajko
ego *n.* jaźń
egotism *n.* egotyzm
eight *adj.* osiem
eighteen *a* osiemnaście
eighty *a.* osiemdziesiąt
either *a.* obaj, obie, oboje
either *adv.* też (nie)
eject *v. t.* wyrzucać
elaborate *v. t* opracowywać w szczegółach
elaborate *a* drobiazgowy
elapse *v. t* przeminąć
elastic *a* elastyczny
elbow *n.* łokieć
elder *a* starszy (z dwóch)
elder *n.* starszy
elderly *a* w starszym wieku
elect *v. t* wybierać
election *n.* wybory
electorate *n.* elektorat
electric *a* elektryczny
electricity *n.* elektryczność
electrify *v. t* elektryzować
elegance *n.* elegancja
elegant *a.* elegancki
elegy *n.* elegia
element *n.* element
element *n.* żywioł
elementary *a* zasadniczy
elephant *n.* słoń
elevate *v. t* podnosić
elevation *n.* podniesienie
eleven *adj.* jedenaście
elf *n.* elf
eligible *a* odpowiedni
eliminate *v. t* eliminować
elimination *n.* eliminacja
elope *v. i* uciec z ukochaną osobą
eloquence *n.* elokwencja
eloquent *a* elokwentny
else *adv.* inaczej
elucidate *v. t* wyjaśniać
elude *v. t* unikać (czegoś)
elusion *n.* uniknięcie
elusive *a* nieuchwytny
emancipation *n.* emancypacja
embalm *v. t* balsamować
embankment *n.* nabrzeże
embark *v. t* zaokrętować
embarrass *v. t* kłopotać
embassy *n.* ambasada
embitter *v. t* rozgoryczać
emblem *n.* godło
embodiment *n.* uosobienie
embody *v. t.* uosabiać
embolden *v. t.* ośmielać
embrace *v. t.* uściskać
embrace *n.* uścisk
embroidery *n.* haft
embryo *n.* zarodek
emerald *n.* szmaragd
emerge *v. i* ukazywać się

emergency *n.* nagły wypadek
eminence *n.* znakomitość
eminent *a* znakomity
emissary *n.* wysłannik
emit *v. t* wydawać (dźwięk itp.)
emolument *n.* honorarium
emotion *n.* uczucie
emotional *a* emocjonalny
emperor *n.* cesarz
emphasis *n.* nacisk
emphasize *v. t* uwydatniać
emphatic *a* wymowny
empire *n.* imperium
employ *v. t* zatrudniać
employee *n.* pracownik
employer *n.* pracodawca
employment *n.* zatrudnienie
empower *v. t* upoważniać (kogoś do czegoś)
empress *n.* cesarzowa
empty *a* pusty
empty *v* opróżniać
emulate *v. t* naśladować
enable *v. t* umożliwiać
enact *v. t* uchwalać (prawo)
enamel *n.* emalia
enamour *v. t* rozkochać
encase *v. t* zamykać coś (w futerale itp.)
enchant *v. t* zachwycać
encircle *v. t.* otaczać
enclose *v. t* załączać coś (w liście)
enclosure *n.* załącznik (w liście)
encompass *v. t* zawierać (w sobie)
encounter *n.* spotkanie
encounter *v. t* spotykać
encourage *v. t* zachęcać
encroach *v. i* zawłaszczać
encumber *v. t.* przeszkadzać
encyclopaedia *n.* encyklopedia
end *v. t* kończyć
end *n.* koniec
endanger *v. t.* narazić na niebezpieczeństwo
endear *v.t* przywiązywać (kogoś do siebie)
endearment *n.* urok
endeavour *n.* próba
endeavour *v.i* usiłować
endorse *v. t.* popierać
endow *v. t* zapisać (coś komuś)
endurable *a* znośny
endurance *n.* wytrzymałość
endure *v.t.* znosić
enemy *n.* wróg
energetic *a* energiczny
energy *n.* energia
enfeeble *v. t.* osłabiać
enforce *v. t.* zmuszać kogoś do czegoś
enfranchise *v.t.* uwłaszczać
engage *v. t* angażować
engagement *n.* zaręczyny
engine *n.* silnik
engineer *n.* inżynier
English *n.* język angielski
engrave *v. t* grawerować
engross *v.t* absorbować (czyjąś uwagę)
engulf *v.t* pochłaniać
enigma *n.* zagadka
enjoy *v. t* cieszyć się (czymś)
enjoyment *n.* uciecha
enlarge *v. t* powiększać
enlighten *v. t.* objaśniać (coś komuś)
enlist *v. t* pozyskiwać
enliven *v. t.* ożywiać
enmity *n.* wrogość
ennoble *v. t.* nobilitować
enormous *a* ogromny
enough *a* wystarczający
enough *adv.* wystarczająco
enrage *v. t* rozwścieczyć

enrapture *v. t* oczarować
enrich *v. t* wzbogacać
enrol *v. t* wpisać do rejestru
enshrine *v. t* czcić jak świętość
enslave *v.t.* uczynić kogoś niewolnikiem
ensue *v.i* następować
ensure *v. t* zapewniać
entangle *v. t* gmatwać
enter *v. t* wchodzić
enterprise *n.* przedsiębiorstwo
entertain *v. t* zabawiać
entertainment *n.* rozrywka
enthrone *v. t* intronizować
enthusiasm *n.* entuzjazm
enthusiastic *a* entuzjastyczny
entice *v. t.* wabić
entire *a* cały
entirely *adv.* całkowicie
entitle *v. t.* upoważniać (kogoś do czegoś)
entity *n.* istota
entomology *n.* entomologia
entrails *n.* wnętrzności
entrance *n.* wejście
entrap *v. t.* usidlać
entreat *v. t.* błagać
entreaty *n.* błaganie
entrust *v. t* powierzać
entry *n.* wstęp
enumerate *v. t.* wyliczać
envelop *v. t* owijać
envelope *n.* koperta
enviable *a* godny pozazdroszczenia
envious *a* zawistny
environment *n.* otoczenie
environment *n.* środowisko
envy *n.* zawiść
envy *v. t* zazdrościć
epic *n.* epika
epidemic *n.* epidemia
epigram *n.* epigramat
epilepsy *n.* epilepsja
epilogue *n.* epilog
episode *n.* epizod
epitaph *n.* epitafium
epoch *n.* epoka
equal *a* równy (czemuś)
equal *v. t* równać się
equal *n.* człowiek równy innemu
equality *n.* równość
equalize *v. t.* zrównywać
equate *v. t* zrównywać
equation *n.* równanie
equator *n.* równik
equilateral *a* równoboczny
equip *v. t* wyposażać
equipment *n.* sprzęt
equitable *a* słuszny
equivalent *a* równoważny
equivocal *a* dwuznaczny
era *n.* era
eradicate *v. t* wykorzeniać
erase *v. t* zmazywać
erect *v. t* wznosić
erect *a* wyprostowany
erection *n.* erekcja
erode *v. t* wyżerać
erosion *n.* erozja
erotic *a* erotyczny
err *v. i* błądzić
errand *n.* sprawunek
erroneous *a* mylny
error *n.* błąd
erupt *v. i* wybuchać (o wulkanie)
eruption *n.* wybuch (wulkanu)
escape *n.* ucieczka
escape *v.i* uciekać
escort *n.* eskorta
escort *v. t* eskortować
especial *a* specjalny
essay *n.* esej
essay *v. t.* wypróbowywać

essayist *n.* eseista
essence *n.* esencja
essential *a* zasadniczy
establish *v. t.* ustalać
establishment *n.* zakład (np. produkcyjny)
estate *n.* mienie
esteem *n.* szacunek
esteem *v. t* szanować
estimate *n.* oszacowanie
estimate *v. t* szacować
estimation *n.* oszacowanie
etcetera i tak dalej
eternal *a* wieczny
eternity *n.* wieczność
ether *n.* eter
ethical *a* etyczny
ethics *n.* etyka
etiquette *n.* etykieta
etymology *n.* etymologia
eunuch *n.* eunuch
evacuate *v. t* ewakuować
evacuation *n.* ewakuacja
evade *v. t* uchylać się od czegoś
evaluate *v. t* oceniać
evaporate *v. i* wyparować
evasion *n.* uniknięcie
even *a* równy
even *a* parzysty (o liczbie)
even *v. t* wyrównywać
even *adv.* nawet
evening *n.* wieczór
event *n.* wydarzenie
eventually *adv.* ostatecznie
ever *adv.* kiedykolwiek
evergreen *a* wiecznie zielony
evergreen *n.* roślina wiecznie zielona
everlasting *a.* nieustanny
every *a* każdy
evict *v. t* eksmitować
eviction *n.* eksmisja
evidence *n.* dowód
evident *a.* oczywisty
evil *n.* zło
evil *a* zły
evoke *v. t* wywoływać (wspomnienia)
evolution *n.* rozwój
evolve *v.t* rozwijać
ewe *n.* owca
exact *a* dokładny
exaggerate *v. t.* przesadzać (w czymś)
exaggeration *n.* przesada
exalt *v. t* chwalić
examination *n.* egzamin
examine *v. t* egzaminować
examinee *n.* osoba poddawana egzaminowi
examiner *n.* egzaminator
example *n.* przykład
excavate *v. t.* wykopywać
excavation *n.* prace wykopaliskowe
exceed *v.t* przekraczać
excel *v.i* celować (w czymś)
excellence *n.* doskonałość
excellency *n.* ekscelencja
excellent *a.* doskonały
except *v. t* wykluczać
except *prep* oprócz
exception *n.* wyjątek
excess *n.* nadmiar
excess *a* nadmierny
exchange *n.* wymiana
exchange *v. t* wymieniać
excise *n.* akcyza
excite *v. t* podniecać
exclaim *v.i* wykrzykiwać
exclamation *n.* okrzyk
exclude *v. t* wykluczać
exclusive *a* wyłączny

excommunicate *v. t.* ekskomunikować
excursion *n.* wycieczka
excuse *v.t* wybaczać
excuse *n.* wytłumaczenie
execute *v. t* stracić (skazańca)
execution *n.* egzekucja
executioner *n.* kat
exempt *v. t.* zwalniać (od czegoś)
exempt *a* wolny (od czegoś)
exercise *n.* ćwiczenie
exercise *v. t* ćwiczyć
exhaust *v. t.* wyczerpywać (kogoś)
exhibit *n.* eksponat
exhibit *v. t* wystawiać (na pokaz)
exhibition *n.* wystawa
exile *n.* wygnanie
exile *v. t* skazywać na wygnanie
exist *v.i* istnieć
existence *n.* egzystencja
exit *n.* wyjście
expand *v.t.* rozszerzać
expansion *n.* ekspansja
ex-parte *a* jednostronny
ex-parte *adv.* jednostronnie
expect *v. t* oczekiwać
expectation *n.* oczekiwanie
expedient *a* celowy
expedite *v. t.* szybko załatwiać
expedition *n.* wyprawa
expel *v. t.* wyganiać
expend *v. t* wydawać (pieniądze)
expenditure *n.* wydatek
expense *n.* wydatek
expensive *a* drogi
experience *n.* doświadczenie
experience *v. t.* doświadczać
experiment *n.* eksperyment
expert *a* biegły
expert *n.* ekspert
expire *v.i.* wygasać (o terminie ważności)
expiry *n.* końcowy termin
explain *v. t.* wyjaśniać
explanation *n.* wyjaśnienie
explicit *a.* wyraźny
explode *v. t.* wybuchać
exploit *n.* wyczyn
exploit *v. t* eksploatować
exploration *n.* poszukiwanie
explore *v.t* badać, poszukiwać
explosion *n.* eksplozja
explosive *n.* materiał wybuchowy
explosive *a* wybuchowy
exponent *n.* wykładnik (potęgowy)
export *n.* eksport
export *v. t.* eksportować
expose *v. t* demaskować
express *v. t.* wyrażać
express *a* wyraźny
express *n.* ekspres
expression *n.* wyrażenie
expressive *a.* wyrazisty
expulsion *n.* wygnanie
extend *v. t* powiększać
extent *n.* zakres
external *a* zewnętrzny
extinct *a* wymarły
extinguish *v.t* zgasić (ogień)
extol *v. t.* wychwalać
extra *a* dodatkowy
extra *adv.* nadzwyczajnie
extract *n.* ekstrakt
extract *v. t* wyrywać (ząb)
extraordinary *a.* nadzwyczajny
extravagance *n.* ekstrawagancja
extravagant *a* ekstrawagancki
extreme *a* ekstremalny
extreme *n.* skrajność
extremist *n.* ekstremista
exult *v. i* triumfować

eye *n.* oko
eyeball *n.* gałka oczna
eyelash *n.* rzęsa
eyelet *n.* oczko
eyewash *n.* płyn do przemywania oczu

F

fable *n.* bajka
fabric *n.* tkanina
fabricate *v.t* fałszować
fabrication *n.* fałszowanie
fabulous *a* bajeczny
facade *n.* fasada
face *n.* twarz
face *v.i* być zwróconym (w kierunku czegoś)
facet *n.* aspekt
facial *a* twarzowy
facile *a* łatwy
facilitate *v.t* ułatwiać
facility *n.* łatwość
fac-simile *n.* faks
fact *n.* fakt
faction *n.* frakcja
factious *a* wichrzycielski
factor *n.* czynnik
factory *n.* fabryka
faculty *n.* wydział (na uniwersytecie)
fad *n.* fanaberia
fade *v.i* zanikać
faeces *n.* kał
fail *v.i* zepsuć się
failure *n.* fiasko
faint *a* nikły
faint *v.i* zemdleć
fair *a* jasny
fair *a* rzetelny
fair *n.* targowisko
fairly *adv.* zupełnie, całkowicie
fairy *n.* wróżka
faith *n.* wiara
faithful *a* wierny
falcon *n.* sokół
fall *v.i.* upadać
fall *n.* upadek
fallacy *n.* złuda
fallow *n.* ugór
false *a* fałszywy
falter *v.i* załamywać się
fame *n.* sława
familiar *a* znajomy
family *n.* rodzina
famine *n.* głód
famous *a* sławny
fan *n.* miłośnik
fan *n.* wentylator
fanatic *a* fanatyczny
fanatic *n.* fanatyk
fancy *n.* fantazja
fancy *v.t* mieć ochotę na coś
fantastic *a* fantastyczny
far *adv.* daleko
far *a* daleki
farce *n.* farsa
fare *n.* opłata za przejazd
farewell *n.* pożegnanie
farewell *interj.* żegnaj/cie!
farm *n.* gospodarstwo
farmer *n.* rolnik
fascinate *v.t* fascynować
fascination *n.* fascynacja
fashion *n.* moda
fashionable *a* modny
fast *a* szybki
fast *adv.* szybko
fast *n.* post
fast *v.i* pościć

fasten *v.t* zapinać (pasy bezpieczeństwa)
fat *a* tłusty
fat *n.* tłuszcz
fatal *a* śmiertelny
fate *n.* los
father *n.* ojciec
fathom *v.t* pojmować
fathom *n.* sążeń (miara głębokości lub objętości)
fatigue *n.* zmęczenie
fatigue *v.t* męczyć
fault *n.* usterka
fault *n.* wina
faulty *a* wadliwy
fauna *n.* fauna
favour *n.* przysługa
favour *v.t* faworyzować
favourable *a* pomyślny
favourite *a* ulubiony
favourite *n.* ulubieniec
fear *n.* strach
fear *v.i* obawiać się
fearful *a.* bojaźliwy
feasible *a* wykonalny
feast *n.* uczta
feast *v.i* biesiadować
feat *n.* wyczyn
feather *n.* pióro (u ptaka)
feature *n.* cecha
Fcbruary *n.* luty
federal *a* federalny
federation *n.* federacja
fee *n.* opłata
feeble *a* słaby
feed *v.t* karmić
feed *n.* pokarm
feel *v.t* czuć
feeling *n.* uczucie
feign *v.t* udawać
felicitate *v.t* gratulować
felicity *n.* szczęście
fell *v.t* powalić
fellow *n.* towarzysz
female *a* żeński
female *n.* samica
feminine *a* kobiecy
fence *n.* ogrodzenie
fence *v.t* ogradzać
fend *v.t* bronić (przed czymś)
ferment *n.* ferment
ferment *v.t* fermentować
fermentation *n.* fermentacja
ferocious *a* dziki
ferry *n.* prom
ferry *v.t* przewozić promem
fertile *a* płodny
fertility *n.* płodność
fertilize *v.t* nawozić
fertilizer *n.* nawóz
fervent *a* płomienny
fervour *n.* zapał
festival *n.* festiwal
festive *a* uroczysty
festivity *n.* uroczystość
festoon *n.* girlanda
fetch *v.t* sprowadzać
fetter *n.* okowy
fetter *v.t* zakuwać w kajdany
feud *n.* nienawiść
feudal *a* feudalny
fever *n.* gorączka
few *a* mało, niewielu
fiasco *n.* fiasko
fibre *n.* włókno
fickle *a* niestały
fiction *n.* fikcja
fictitious *a* fikcyjny
fiddle *n.* skrzypce
fiddle *v.i* grać na skrzypcach
fidelity *n.* wierność
fie *interj* fe! wstyd!
field *n.* pole
fiend *n.* nikczemnik

fierce *a* zawzięty
fiery *a* płomienny
fifteen *a.* piętnaście
fifty *a.* pięćdziesiąt
fig *n.* figa
fight *n.* walka
fight *v.t* walczyć
figment *n.* wymysł
figurative *a* symboliczny
figure *n.* figura
figure *v.t* wyobrażać coś sobie
file *n.* akta
file *v.t* przechowywać w aktach
file *n.* pilnik
file *v.t* piłować pilnikiem
file *n.* rząd
file *v.i.* iść rzędem
fill *v.t* napełniać
film *n.* film
film *v.t* filmować
filter *n.* filtr
filter *v.t* fitrować
filth *n.* brud
filthy *a* brudny
fin *n.* płetwa
final *a* końcowy
finance *n.* finanse
finance *v.t* finansować
financial *a* finansowy
financier *n.* finansista
find *v.t* znajdować
fine *n.* grzywna
fine *v.t* karać grzywną
fine *a* ładny
fine *a* cienki, drobny
finger *n.* palec
finger *v.t* dotykać palcami
finish *v.t* kończyć
finish *n.* koniec
finite *a* skończony
fir *n.* jodła
fire *n.* ogień
fire *v.t* strzelać
firm *a* jędrny
firm *n.* firma
first *a* pierwszy
first *n.* pierwszy (człowiek, rzecz)
first *adv.* po pierwsze
fiscal *a* skarbowy
fish *n.* ryba
fish *v.i* łowić ryby
fisherman *n.* rybak
fissure *n.* szczelina
fist *n.* pięść
fistula *n.* przetoka
fit *v.t* pasować
fit *a* nadający się
fit *n.* napad (choroby)
fitful *a* kapryśny
fitter *n.* monter
five *a.* pięć
fix *v.t* przymocowywać
fix *v.t* naprawiać
fix *n.* działka (narkotyku)
flabby *a* sflaczały
flag *n.* flaga
flagrant *a* skandaliczny
flame *n.* płomień
flame *v.i* buchnąć plomieniem
flannel *n.* flanela
flare *v.i* zapłonąć
flare *n.* raca
flash *n.* błysk
flash *v.t* błysnąć
flask *n.* piersiówka
flat *a* płaski
flat *n.* mieszkanie
flatter *v.t* pochlebiać
flattery *n.* pochlebstwo
flavour *n.* smak, zapach
flaw *n.* skaza
flea *n.* pchła
flee *v.i* uciekać

fleece *n.* wełna
fleece *v.t* złupić
fleet *n.* flota
flesh *n.* ciało
flexible *a* elastyczny
flicker *n.* migotanie
flicker *v.t* migotać
flight *n.* lot
flimsy *a* lichy
fling *v.t* ciskać
flippancy *n.* nonszalancja
flirt *n.* flirt
flirt *v.i* flirtować
float *v.i* unosić się (na wodzie)
flock *n.* stado
flock *v.i* tłoczyć się
flog *v.t* chłostać
flood *n.* powódź
flood *v.t* zalewać
floor *n.* podłoga
floor *n.* piętro
floor *v.t* powalić (przeciwnika)
flora *n.* flora
florist *n.* kwiaciarz
flour *n.* mąka
flourish *v.i* kwitnąć
flow *n.* przepływ
flow *v.i* płynąć
flower *n.* kwiat
flowery *a* kwiecisty
fluent *a* biegły
fluid *a* płynny
fluid *n.* płyn
flush *v.i* trysnąć
flush *n.* strumień (wody)
flute *n.* flet
flute *v.i* grać na flecie
flutter *n.* trzepotanie
flutter *v.t* trzepotać
fly *n.* mucha
fly *v.i* lecieć
foam *n.* piana
foam *v.t* pienić się
focal *a* ogniskowy
focus *n.* ognisko (w optyce)
focus *v.t* skupiać się
fodder *n.* pasza
foe *n.* wróg
fog *n.* mgła
foil *v.t* udaremniać
fold *n.* fałd (zagięcie)
fold *v.t* zginać
foliage *n.* listowie
follow *v.t* następować (po kimś/ czymś)
follower *n.* zwolennik
folly *n.* szaleństwo
foment *v.t* podżegać
fond *a* zamiłowany
fondle *v.t* pieścić
food *n.* żywność
fool *n.* głupiec
foolish *a* głupi
foolscap *n.* papier drukarski
foot *n.* stopa
for *prep* dla
for *conj.* ponieważ
forbid *v.t* zabraniać
force *n.* siła
force *v.t* zmuszać
forceful *a* gwałtowny
forcible *a* siłowy
forearm *n.* przedramię
forearm *v.t* uzbrajać kogoś (w oczekiwaniu niebezpieczeństwa)
forecast *n.* prognoza
forecast *v.t* zapowiadać
forefather *n.* przodek
forefinger *n.* palec wskazujący
forehead *n.* czoło
foreign *a* zagraniczny
foreigner *n.* obcokrajowiec
foreknowledge *n.* przeczucie

foreleg *n.* przednia noga
forelock *n.* lok włosów nad czołem
foreman *n.* kierownik warsztatu
foremost *a* czołowy
forenoon *n.* przedpołudnie
forerunner *n.* zwiastun
foresee *v.t* przewidywać
foresight *n.* przewidywanie
forest *n.* las
forestall *v.t* ubiegać (kogoś/coś)
forester *n.* leśniczy
forestry *n.* leśnictwo
foretell *v.t* przepowiadać
forethought *n.* przezorność
forever *adv.* na zawsze
forewarn *v.t* przestrzegać
foreword *n.* przedmowa
forfeit *v.t* postradać
forfeit *n.* konfiskata
forfeiture *n.* konfiskata
forge *n.* kuźnia
forge *v.t* ukuć
forgery *n.* fałszerstwo
forget *v.t* zapominać
forgetful *a* zapominalski
forgive *v.t* przebaczać
forgo *v.t* zrzekać się
forlorn *a* opuszczony
form *n.* kształt
form *v.t.* kształtować
formal *a* formalny
format *n.* format
formation *n.* formacja
former *a* dawny
former *pron.* pierwszy (z dwóch)
formerly *adv.* dawniej
formidable *a* groźny
formula *n.* formuła
formulate *v.t* formułować
forsake *v.t.* zaniechać
forswear *v.t.* wypierać się
fort *n.* fort
forte *n.* mocna strona
forth *adv.* naprzód
forthcoming *a.* nadchodzący
forthwith *adv.* natychmiast
fortify *v.t.* umacniać
fortitude *n.* hart (ducha)
fort-night *n.* dwa tygodnie
fortress *n.* forteca
fortunate *a.* pomyślny
fortune *n.* fortuna
forty *a.* czterdzieści
forum *n.* forum
forward *a.* przedni
forward *adv.* naprzód
forward *v.t* przesyłać dalej
fossil *n.* skamielina
foster *v.t.* opiekować się
foul *a.* cuchnący
found *v.t.* zakładać
foundation *n.* fundacja
founder *n.* fundator
foundry *n.* odlewnia
fountain *n.* fontanna
four *a.* cztery
fourteen *a.* czternaście
fowl *n.* drób
fowler *n.* ptasznik
fox *n.* lis
fraction *n.* ułamek
fracture *n.* złamanie
fracture *v.t* złamać się
fragile *a.* kruchy
fragment *n.* fragment
fragrance *n.* zapach
fragrant *a.* wonny
frail *a.* kruchy
frame *v.t.* obramowywać
frame *n.* rama
franchise *n.* koncesja
frank *a.* szczery
frantic *a.* oszalały

fraternal *a.* braterski
fraternity *n.* braterstwo
fratricide *n.* bratobójstwo
fraud *n.* oszustwo
fraudulent *a.* oszukańczy
fraught *a.* pełen (czegoś)
fray *n.* burda
free *a.* wolny
free *a.* bezpłatny
free *v.t* uwalniać
freedom *n.* wolność
freeze *v.i.* zamrażać
freight *n.* fracht
French *a.* francuski
French *n.* język francuski
frenzy *n.* szał
frequency *n.* częstotliwość
frequent *n.* częsty
fresh *a.* świeży
fret *n.* zgryzota
fret *v.t.* trapić się
friction *n.* tarcie
Friday *n.* piątek
fridge *n.* lodówka
friend *n.* przyjaciel
fright *n.* strach
frighten *v.t.* przerażać
frigid *a.* lodowaty
frill *n.* falbanka
fringe *n.* grzywka
fringe *v.t* przybierać frędzlami
frivolous *a.* frywolny
frock *n.* sukienka
frog *n.* żaba
frolic *n.* figiel
frolic *v.i.* figlować
from *prep.* z
front *n.* przód
front *a* przedni
front *v.t* stawiać czoło (czemuś/ komuś)
frontier *n.* granica
frost *n.* mróz
frown *n.* zmarszczenie brwi
frown *v.i* zmarszczyć brwi
frugal *a.* oszczędny
fruit *n.* owoc
fruitful *a.* owocny
frustrate *v.t.* frustrować
frustration *n.* frustracja
fry *v.t.* smażyć
fry *n.* rój (pszczół)
fuel *n.* paliwo
fugitive *a.* krótkotrwały
fugitive *n.* uciekinier
fulfil *v.t.* spełniać (warunek)
fulfilment *n.* spełnienie (warunku)
full *a.* pełny
full *adv.* w pełni
fullness *n.* pełność
fully *adv.* całkowicie
fumble *v.i.* gmerać
fun *n.* uciecha
function *n.* funkcja
function *v.i* funkcjonować
functionary *n.* funkcjonariusz
fund *n.* fundusz
fundamental *a.* zasadniczy
funeral *n.* pogrzeb
fungus *n.* grzyb
funny *n.* zabawny
fur *n.* futro
furious *a.* wściekły
furl *v.t.* zwijać
furlong *n.* miara długości (220 jardów)
furnace *n.* palenisko
furnish *v.t.* wyposażać
furniture *n.* meble
furrow *n.* bruzda
further *adv.* dalej
further *a* dalszy
further *v.t* popierać

fury *n.* wściekłość
fuse *v.t.* zespalać
fuse *n.* bezpiecznik
fusion *n.* fuzja
fuss *n.* zamieszanie
fuss *v.i* robić zamieszanie
futile *a.* daremny
futility *n.* daremność
future *a.* przyszły
future *n.* przyszłość

G

gabble *v.i.* mamrotać
gadfly *n.* giez
gag *v.t.* kneblować komuś usta
gag *n.* knebel
gaiety *n.* wesołość
gain *v.t.* zyskiwać
gain *n.* zysk
gainsay *v.t.* zaprzeczać czemuś
gait *n.* chód
galaxy *n.* galaktyka
gale *n.* sztorm
gallant *a.* elegancki
gallant *n.* galant
gallantry *n.* galanteria
gallery *n.* galeria
gallon *n.* galon
gallop *n.* galop
gallop *v.t.* galopować
gallows *n.*. szubienica
galore *adv.* w bród
galvanize *v.t.* galwanizować
gamble *v.i.* uprawiać hazard
gamble *n.* hazard
gambler *n.* hazardzista
game *n.* gra
game *v.i* uprawiać hazard
gander *n.* gąsior
gang *n.* gang
gangster *n.* gangster
gap *n.* luka
gape *v.i.* gapić się
garage *n.* garaż
garb *n.* odzież
garb *v.t* odziewać się
garbage *n.* śmieci
garden *n.* ogród
gardener *n.* ogrodnik
gargle *v.i.* płukać gardło
garland *n.* wieniec
garland *v.t.* nakładać wieniec
garlic *n.* czosnek
garment *n.* część garderoby
garter *n.* podwiązka
gas *n.* gaz
gasket *n.* uszczelka
gasp *n.* chwytanie powietrza
gasp *v.i* chwytać powietrze
gassy *a.* gazowy
gastric *a.* żołądkowy
gate *n.* brama
gather *v.t.* zbierać
gaudy *a.* jaskrawy
gauge *n.* wskaźnik
gauntlet *n.* rękawica
gay *a.* wesoły
gaze *v.t.* przypatrywać się
gaze *n.* spojrzenie
gazette *n.* gazeta
gear *n.* bieg (w samochodzie)
geld *v.t.* kastrować (zwierzę)
gem *n.* klejnot
Gemini *n.* Bliźnięta (znak zodiaku)
gender *n.* rodzaj, płeć
general *a.* ogólny
generally *adv.* ogólnie
generate *v.t.* tworzyć
generation *n.* pokolenie

generator *n.* prądnica
generosity *n.* hojność
generous *a.* hojny
genius *n.* geniusz
gentle *a.* łagodny
gentleman *n.* dżentelmen
gentry *n.* szlachta
genuine *a.* autentyczny
geographer *n.* geograf
geographical *a.* geograficzny
geography *n.* geografia
geological *a.* geologiczny
geologist *n.* geolog
geology *n.* geologia
geometrical *a.* geometryczny
geometry *n.* geometria
germ *n.* drobnoustrój
germicide *n.* środek bakteriobójczy
germinate *v.i.* kiełkować
germination *n.* kiełkowanie
gerund *n.* gerundium
gesture *n.* gest
get *v.t.* otrzymywać
ghastly *a.* upiorny
ghost *n.* duch
giant *n.* olbrzym
gibbon *n.* gibbon
gibe *v.i.* drwić
gibe *n.* drwina
giddy *a.* skołowany
gift *n.* prezent
gifted *a.* utalentowany
gigantic *a.* gigantyczny
giggle *v.i.* chichotać
gild *v.t.* pozłacać
gilt *a.* pozłota
ginger *n.* imbir
giraffe *n.* żyrafa
gird *v.t.* opasywać
girder *n.* dźwigar
girdle *n.* obręcz
girdle *v.t* opasać
girl *n.* dziewczyna
girlish *a.* dziewczęcy
gist *n.* główna treść, esencja
give *v.t.* dawać
glacier *n.* lodowiec
glad *a.* zadowolony
gladden *v.t.* uradować
glamour *n.* splendor
glance *n.* spojrzenie
glance *v.i.* spojrzeć
gland *n.* gruczoł
glare *n.* spojrzenie piorunujące
glare *v.i* spoglądać gniewnie
glass *n.* szkło
glass *n.* szklanka
glaucoma *n.* jaskra
glaze *v.t.* glazurować
glaze *n.* glazura
glazier *n.* szklarz
glee *n.* radość
glide *v.t.* ślizgać się
glider *n.* szybowiec
glimpse *n.* przelotne spojrzenie
glitter *v.i.* błyszczeć
glitter *n.* blask
global *a.* globalny
globe *n.* kula ziemska
gloom *n.* mrok
gloomy *a.* ponury
glorification *n.* gloryfikacja
glorify *v.t.* gloryfikować
glorious *a.* sławny
glory *n.* sława
gloss *n.* połysk
glossary *n.* glosariusz
glossy *a.* połyskujący
glove *n.* rękawica
glow *v.i.* jarzyć się
glow *n.* jasność
glucose *n.* glukoza
glue *n.* klej

glut *v.t.* nasycać
glut *n.* przesyt
glutton *n.* żarłok
gluttony *n.* żarłoczność
glycerine *n.* gliceryna
go *v.i.* iść, jechać
goad *n.* bodziec
goad *v.t* podjudzać
goal *n.* cel
goat *n.* koza
gobble *n.* gulgot (indyka)
goblet *n.* puchar
god *n.* bóg
goddess *n.* bogini
godhead *n.* bóstwo
godly *a.* pobożny
godown *n.* magazyn towarów (w Indiach i na Dalekim Wschodzie)
godsend *n.* wybawienie
goggles *n.* okulary ochronne
gold *n.* złoto
golden *a.* złoty
goldsmith *n.* złotnik
golf *n.* golf
gong *n.* gong
good *a.* dobry
good *n.* dobro
good-bye *interj.* do widzenia
goodness *n.* dobroć
goodwill *n.* życzliwość
goose *n.* gęś
gooseberry *n.* agrest
gorgeous *a.* przepiękny
gorilla *n.* goryl
gospel *n.* ewangelia
gossip *n.* plotka
gourd *n.* tykwa
gout *n.* podagra
govern *v.t.* rządzić
governance *n.* rządy
governess *n.* guwernantka
government *n.* rząd
governor *n.* gubernator
gown *n.* toga
grab *v.t.* chwytać
grace *n.* wdzięk
grace *v.t.* zaszczycać
gracious *a.* łaskawy
gradation *n.* stopniowanie
grade *n.* stopień
grade *v.t* stopniować
gradual *a.* stopniowy
graduate *v.i.* kończyć wyższe studia
graduate *n.* absolwent
graft *n.* przeszczep
graft *v.t* przeszczepiać
grain *n.* ziarno
grammar *n.* gramatyka
grammarian *n.* gramatyk
gramme *n.* gram
gramophone *n.* gramofon
granary *n.* spichlerz
grand *a.* wielki
grandeur *n.* majestat
grant *v.t.* przyznawać (nagrodę)
grant *n.* darowizna
grape *n.* winogrono
graph *n.* wykres
graphic *a.* graficzny
grapple *n.* walka wręcz
grapple *v.i.* mocować się z kimś
grasp *v.t.* chwycić
grasp *n.* chwyt
grass *n.* trawa
grate *n.* ruszt
grate *v.t* ucierać na tarce
grateful *a.* wdzięczny
gratification *n.* satysfakcja
gratis *adv.* gratis
gratitude *n.* wdzięczność
gratuity *n.* napiwek
grave *n.* grób

grave *a.* poważny, uroczysty
gravitate *v.i.* grawitować
gravitation *n.* grawitacja
gravity *n.* powaga (sytuacji)
graze *v.i.* paść
graze *n.* zadrapanie
grease *n.* smar
grease *v.t* smarować
greasy *a.* tłusty
great *a* wielki
great *a* świetny
greed *n.* chciwość
greedy *a.* chciwy
Greek *n.* język grecki
Greek *a* grecki
green *a.* zielony
green *n.* zieleń
greenery *n.* zieleń
greet *v.t.* pozdrawiać
grenade *n.* granat
grey *a.* szary
greyhound *n.* chart
grief *n.* smutek
grievance *n.* krzywda, skarga
grieve *v.t.* boleć nad czymś
grievous *a.* ciężki (o błędzie, ranie)
grind *v.i.* mleć
grinder *n.* szlifierka
grip *v.t.* chwycić
grip *n.* chwyt
groan *v.i.* jęczeć
groan *n.* jęk
grocer *n.* właściciel sklepu spożywczego
grocery *n.* sklep spożywczy
groom *n.* pan młody
groom *v.t* stroić się, pielęgnować
groove *n.* rowek
groove *v.t* rowkować
grope *v.t.* iść po omacku
gross *n.* brutto
gross *a* obrzydlliwy
grotesque *a.* groteskowy
ground *n.* podstawa, podłoże
group *n.* grupa
group *v.t.* grupować
grow *v.t.* rosnąć
grower *n.* hodowca
growl *v.i.* warczeć
growl *n.* warczenie
growth *n.* wzrost
grudge *v.t.* żałować, zazdrościć
grudge *n.* uraza
grumble *v.i.* gderać
grunt *n.* chrząknięcie
grunt *v.i.* chrząkać
guarantee *n.* gwarancja
guarantee *v.t* gwarantować
guard *v.i.* zabezpieczać się
guard *v.t.* pilnować
guardian *n.* opiekun, kurator
guava *n.* guawa
guerilla *n.* partyzantka
guess *n.* przypuszczenie
guess *v.i* przypuszczać
guest *n.* gość
guidance *n.* instrukcja
guide *v.t.* pokierować
guide *n.* przewodnik
guild *n.* gildia
guile *n.* chytrość
guilt *n.* wina
guilty *a.* winny
guise *n.* ubiór
guitar *n.* gitara
gulf *n.* zatoka
gull *n.* mewa
gull *n.* frajer
gull *v.t* wystrychnąć na dudka
gulp *n.* łyk
gum *n.* dziąsło
gum *n.* guma
gun *n.* rewolwer

gust *n.* poryw (wiatru)
gutter *n.* rynsztok
guttural *a.* gardłowy (dźwięk)
gymnasium *n.* sala gimnastyczna
gymnast *n.* gimnastyk
gymnastic *a.* gimnastyczny
gymnastics *n.* gimnastyka

H

habeas corpus *n.* ustawa zabraniająca aresztowania obywatela bez zgody sądu
habit *n.* zwyczaj
habitable *a.* mieszkalny
habitat *n.* środowisko
habitation *n.* zamieszkiwanie
habituate *v. t.* przyzwyczajać (kogoś/się) do czegoś
hack *v.t.* siekać
hag *n.* jędza
haggard *a.* zmizerowany (o twarzy)
haggle *v.i.* targować się
hail *n.* grad
hail *v.i* padać (o gradzie)
hail *v.t* spuszczać grad (uderzeń) na kogoś
hair *n.* włos
hale *a.* krzepki
half *n.* połowa
half *a* pół
hall *n.* sala
hallmark *n.* znak stempla probierczego
hallow *v.t.* poświęcać
halt *v. t.* zatrzymywać
halt *n.* postój
halve *v.t.* przepoławiać
hamlet *n.* sioło
hammer *n.* młotek
hammer *v.t* bić młotem
hand *n.* ręka, dłoń
hand *v.t* wręczać
handbill *n.* ulotka
handbook *n.* podręcznik
handcuff *n.* kajdany
handcuff *v.t* zakuć w kajdany
handful *n.* garść (czegoś)
handicap *v.t.* upośledzać
handicap *n.* przeszkoda
handicraft *n.* rękodzieło
handiwork *n.* praca ręczna
handkerchief *n.* chusteczka do nosa
handle *n.* klamka
handle *v.t* obchodzić się z czymś
handsome *a.* przystojny
handy *a.* przydatny
hang *v.t.* wieszać
hanker *v.i.* wzdychać
haphazard *a.* przypadkowy
happen *v.i.* zdarzać się
happening *n.* wydarzenie
happiness *n.* szczęście
happy *a.* szczęśliwy
harass *v.t.* dokuczać
harassment *n.* nękanie
harbour *n.* przystań
harbour *v.t* ochraniać
hard *a.* twardy
hard *a.* trudny
harden *v.t.* wzmacniać
hardihood *n.* czelność
hardly *adv.* z trudem
hardship *n.* trud
hardy *a.* odważny
hare *n.* zając
harm *n.* szkoda
harm *v.t* krzywdzić
harmonious *a.* harmonijny

harmonium *n.* fisharmonia
harmony *n.* harmonia
harness *n.* uprząż
harness *v.t* nakładać uprząż
harp *n.* harfa
harsh *a.* szorstki
harvest *n.* żniwa
harvester *n.* żniwiarka
haste *n.* pośpiech
hasten *v.i.* śpieszyć się
hasty *a.* pośpieszny
hat *n.* kapelusz
hatchet *n.* siekiera
hate *n.* nienawiść
hate *v.t.* nienawidzić
haughty *a.* wyniosły
haunt *v.t.* straszyć (o duchach)
haunt *n.* miejsce często odwiedzane
have *v.t.* mieć
haven *n.* przystań
havoc *n.* dewastacja
hawk *n.* jastrząb, sokół
hawker *n.* sokolnik
hawthorn *n.* głóg
hay *n.* siano
hazard *n.* ślepy traf
hazard *n.* hazard
hazard *v.t* ryzykować
haze *n.* mgiełka
hazy *a.* mglisty
he *pron.* on
head *n.* głowa
head *v.t* być na czele
headache *n.* ból głowy
heading *n.* nagłówek
headlong *adv.* (upaść) głową naprzód
headstrong *a.* uparty
heal *v.i.* zagoić się (o ranie)
health *n.* zdrowie
healthy *a.* zdrowy
heap *n.* stos
heap *v.t* nagromadzić
hear *v.t.* słyszeć
hearsay *n.* pogłoska
heart *n.* serce
hearth *n.* palenisko
heartily *adv.* serdecznie
heat *n.* upał
heat *v.t* ogrzewać
heave *v.i.* podnosić się
heaven *n.* niebiosa
heavenly *a.* niebiański
hedge *n.* żywopłot
hedge *v.t* ogradzać żywopłotem
heed *v.t.* uważać (na kogoś/coś)
heed *n.* uwaga (baczenie)
heel *n.* pięta
heel *n.* obcas
hefty *a.* mocny
height *n.* wysokość
height *n.* wzrost
heighten *v.t.* podwyższać
heinous *a.* ohydny
heir *n.* dziedzic
hell *n.* piekło
helm *n.* ster
helmet *n.* hełm
help *v.t.* pomagać
help *n.* pomoc
helpful *a.* pomocny
helpless *a.* bezradny
helpmate *n.* pomocnik
hemisphere *n.* półkula
hemp *n.* konopie
hen *n.* kura
hence *adv.* skutkiem tego
henceforth *adv.* odtąd
henceforward *adv.* odtąd
henchman *n.* stronnik
henpecked *a.* (o mężu) siedzący pod pantoflem
her *pron.* ją, jej

her *a* jej
herald *n.* zwiastun
herald *v.t* zwiastować
herb *n.* zioło
herculean *a.* herkulesowy
herd *n.* stado
herdsman *n.* pasterz
here *adv.* tutaj
hereabouts *adv.* w tych stronach
hereafter *adv.* poniżej (w książce)
hereditary *n.* dziedziczny
heredity *n.* dziedziczność
heritable *a.* dziedziczny
heritage *n.* dziedzictwo
hermit *n.* pustelnik
hermitage *n.* pustelnia
hernia *n.* przepuklina
hero *n.* bohater
heroic *a.* bohaterski
heroine *n.* bohaterka
heroism *n.* bohatcrstwo
herring *n.* śledź
hesitant *a.* niezdecydowany
hesitate *v.i.* wahać się
hesitation *n.* wahanie
hew *v.t.* ciosać
heyday *n.* szczyt (sławy)
hibernation *n.* hibernacja
hiccup *n.* czkawka
hide *n.* skóra (zwierzęcia)
hide *v.t* ukrywać
hideous *a.* szkaradny
hierarchy *n.* hierarchia
high *a.* wysoki
highly *adv.* wysoko
Highness *n.* (w tytule) Jego/Jej Wysokość
highway *n.* autostrada
hilarious *a.* wesoły
hilarity *n.* wesołość
hill *n.* wzgórze
hillock *n.* pagórek
him *pron.* jego, go, jemu, mu
hinder *v.t.* zawadzać (komuś w czymś)
hindrance *n.* zawada
hint *n.* wzmianka
hint *v.i* napomykać
hip *n.* biodro
hire *n.* najem
hire *v.t* wynajmować
hireling *n.* najemnik
his *pron.* jego
hiss *n.* syk
hiss *v.i* syczeć
historian *n.* historyk
historic *a* . historyczny
historical *a.* historyczny
history *n.* historia
hit *v.t.* uderzać
hit *n.* uderzenie
hit *n.* przebój, hit
hitch *n.* komplikacja
hither *adv.* dotąd
hitherto *adv.* dotychczas
hive *n.* ul
hoarse *a.* zachrypły
hoax *n.* oszustwo
hoax *v.t* oszukiwać
hobby *n.* hobby
hobby-horse *n.* konik na kiju (zabawka)
hockey *n.* hokej
hoist *v.t.* podnosić
hold *n.* chwyt
hold *v.t* trzymać
hole *n.* dziura
hole *v.t* dziurawić
holiday *n.* święto
holiday *n.* urlop
hollow *a.* wydrążony
hollow *n.* wydrążenie
hollow *v.t* wydrążać

holocaust *n.* Holokaust
holy *a.* święty
homage *n.* hołd
home *n.* dom
homicide *n.* zabójstwo
homoeopath *n.* homeopata
homoeopathy *n.* homeopatia
homogeneous *a.* jednorodny
honest *a.* uczciwy
honesty *n.* uczciwość
honey *n.* miód
honeycomb *n.* plaster miodu
honeymoon *n.* miesiąc miodowy
honorarium *n.* honorarium
honorary *a.* honorowy
honour *n.* honor
honour *v. t* honorować
honourable *a.* zaszczytny
hood *n.* kaptur
hoodwink *v.t.* oszukiwać
hoof *n.* kopyto
hook *n.* hak
hooligan *n.* chuligan
hoot *n.* hukanie
hoot *v.i* hukać
hop *v. i* skakać
hop *n.* podskok
hope *v.t.* mieć nadzieję
hope *n.* nadzieja
hopeful *a.* pełen nadziei
hopeless *a.* beznadziejny
horde *n.* horda
horizon *n.* horyzont
horn *n.* róg
hornet *n.* szerszeń
horrible *a.* okropny
horrify *v.t.* przerażać
horror *n.* horror
horse *n.* koń
horticulture *n.* ogrodnictwo
hose *n.* wąż (do polewania)
hosiery *n.* wyroby pończosznicze
hospitable *a.* gościnny
hospital *n.* szpital
hospitality *n.* gościnność
host *n.* gospodarz (pan domu)
hostage *n.* zakładnik
hostel *n.* schronisko
hostile *a.* wrogi
hostility *n.* wrogość
hot *a.* gorący
hotchpotch *n.* galimatias
hotel *n.* hotel
hound *n.* pies gończy
hour *n.* godzina
house *n.* dom
house *v.t* dawać komuś mieszkanie
how *adv.* jak
however *adv.* jakkolwiek
howl *v.t.* wyć
howl *n.* wycie
hub *n.* centrum
hubbub *n.* zgiełk
huge *a.* ogromny
hum *v. i* szumieć
hum *n.* szumieć
human *a.* ludzki
humane *a.* humanitarny
humanitarian *a* humanitarny
humanity *n.* ludzkość
humble *a.* pokorny
humble *a.* skromny
humdrum *a.* monotonny
humid *a.* wilgotny
humidity *n.* wilgoć
humiliate *v.t.* upokarzać
humiliation *n.* upokorzenie
humility *n.* pokora
humorist *n.* żartowniś
humorous *a.* zabawny
humour *n.* humor
hunch *n.* przeczucie
hundred *a.* sto

hunger *n.* głód
hungry *a.* głodny
hunt *v.t.* polować
hunt *n.* polowanie
hunter *n.* myśliwy
huntsman *n.* myśliwy
hurdle *n.* płotek
hurdle *v.t* ogradzać płotkiem
hurl *v.t.* ciskać
hurrah *interj.* hura!
hurricane *n.* huragan
hurry *v.t.* ponaglać
hurry *n.* pośpiech
hurt *v.t.* skaleczyć
hurt *n.* ból, ujma
husband *n.* mąż
husbandry *n.* rolnictwo
hush *n.* spokój
hush *v.i* uciszać
husk *n.* łuska
husky *a.* ochrypły (o głosie)
hut *n.* szałas
hyaena, hyena *n.* hiena
hybrid *a.* skrzyżowany (o gatunku)
hybrid *n.* hybryda
hydrogen *n.* wodór
hygiene *n.* higiena
hygienic *a.* higieniczny
hymn *n.* hymn
hyperbole *n.* hiperbola
hypnotism *n.* hipnotyzm
hypnotize *v.t.* hipnotyzować
hypocrisy *n.* hipokryzja
hypocrite *n.* hipokryta
hypocritical *a.* dwulicowy
hypothesis *n.* hipoteza
hypothetical *a.* hipotetyczny
hysteria *n.* histeria
hysterical *a.* histeryczny

I

I *pron.* ja
ice *n.* lód
iceberg *n.* góra lodowa
icicle *n.* sopel lodu
icy *a.* lodowaty
idea *n.* pomysł
ideal *a.* idealny
ideal *n.* ideał
idealism *n.* idealizm
idealist *n.* idealista
idealistic *a.* idealistyczny
idealize *v.t.* idealizować
identical *a.* identyczny
identification *n.* identyfikacja
identify *v.t.* identyfikować
identity *n.* tożsamość
idiocy *n.* idiotyzm
idiom *n.* idiom
idiomatic *a.* idiomatyczny
idiot *n.* idiota
idiotic *a.* idiotyczny
idle *a.* bezczynny
idleness *n.* bezczynność
idler *n.* próżniak
idol *n.* idol
idolater *n.* wielbiciel
if *conj.* jeśli
ignoble *a.* haniebny
ignorance *n.* ignorancja
ignorant *a.* nieświadomy czegoś
ignore *v.t.* ignorować
ill *a.* chory
ill *adv.* źle
ill *n.* zło
illegal *a.* nielegalny
illegibility *n.* nieczytelność
illegible *a.* nieczytelny
illegitimate *a.* nieprawny

illicit *a.* niedozwolony
illiteracy *n.* analfabetyzm
illiterate *a.* niepiśmienny
illness *n.* choroba
illogical *a.* nielogiczny
illuminate *v.t.* oświecać
illumination *n.* oświecenie
illusion *n.* iluzja
illustrate *v.t.* ilustrować
illustration *n.* ilustracja
image *n.* wizerunek
imagery *n.* podobizny
imaginary *a.* urojony
imagination *n.* wyobraźnia
imaginative *a.* obdarzony wyobraźnią
imagine *v.t.* wyobrażać sobie
imitate *v.t.* naśladować
imitation *n.* imitacja
imitator *n.* naśladowca
immaterial *a.* niematerialny
immature *a.* niedojrzały
immaturity *n.* niedojrzałość
immeasurable *a.* niezmierzony
immediate *a* natychmiastowy
immemorial *a.* odwieczny
immense *a.* ogromny
immensity *n.* ogrom
immerse *v.t.* zanurzać
immersion *n.* zanurzenie
immigrant *n.* imigrant
immigrate *v.i.* imigrować
immigration *n.* imigracja
imminent *a.* nadciągający
immodest *a.* nieskromny
immodesty *n.* nieskromność
immoral *a.* niemoralny
immorality *n.* niemoralność
immortal *a.* nieśmiertelny
immortality *n.* nieśmiertelność
immortalize *v.t.* uwieczniać
immovable *a.* nieruchomy
immune *a.* uodporniony
immunity *n.* odporność
immunize *v.t.* uodparniać
impact *n.* wpływ
impart *v.t.* wydzielać (np. gaz)
impartial *a.* bezstronny
impartiality *n.* bezstronność
impassable *a.* nie do przebycia (o terenie)
impasse *n.* impas
impatience *n.* niecierpliwość
impatient *a.* niecierpliwy
impeach *v.t.* oskarżać
impeachment *n.* oskarżenie
impede *v.t.* utrudniać
impediment *n.* utrudnienie
impenetrable *a.* nieprzenikniony
imperative *a.* niezbędny
imperfect *a.* niedoskonały
imperfection *n.* niedoskonałość
imperial *a.* cesarski
imperialism *n.* imperializm
imperil *v.t.* narażać na niebepieczeństwo
imperishable *a.* niezniszczalny
impersonal *a.* bezosobowy
impersonate *v.t.* uosabiać
impersonation *n.* uosobienie
impertinence *n.* zuchwalstwo
impertinent *a.* zuchwały
impetuosity *n.* zapalczywość
impetuous *a.* zapalczywy
implement *n.* przyrząd
implement *v.t.* wprowadzać w życie
implicate *v.t.* wplątać (kogoś w coś)
implication *n.* implikacja
implicit *a.* domniemany
implore *v.t.* błagać
imply *v.t.* dawać do zrozumienia
impolite *a.* nieuprzejmy

import *v.t.* importować
import *n.* import
importance *n.* ważność
important *a.* ważny
impose *v.t.* narzucać (warunki)
imposing *a.* imponujący
imposition *n.* nakładanie (podatków)
impossibility *n.* niemożliwość
impossible *a.* niemożliwy
impostor *n.* oszust
imposture *n.* oszustwo
impotence *n.* impotencja
impotent *a.* nieudolny
impoverish *v.t.* zubażać
impracticability *n.* niewykonalność
impracticable *a.* niewykonalny
impress *v.t.* zrobić (na kimś) wrażenie
impression *n.* wrażenie
impressive *a.* imponujący
imprint *v.t.* odcisnąć piętno
imprint *n.* piętno
imprison *v.t.* uwięzić
improper *a.* niestosowny
impropriety *n.* rzecz niestosowna
improve *v.t.* poprawiać
improvement *n.* poprawa
imprudence *n.* nieostrożność
imprudent *a.* nieostrożny
impulse *n.* impuls
impulsive *a.* impulsywny
impunity *n.* bezkarność
impure *a.* nieczysty
impurity *n.* nieczystość
impute *v.t.* zarzucać (coś komuś)
in *prep.* w, we
inability *n.* niezdolność
inaccurate *a.* nieścisły
inaction *n.* bezczynność
inactive *a.* bezczynny
inadmissible *a.* niedopuszczalny
inanimate *a.* nieożywiony
inapplicable *a.* nieodpowiedni
inattentive *a.* nieuważny
inaudible *a.* niesłyszalny
inaugural *a.* inauguracyjny
inauguration *n.* inauguracja
inauspicious *a.* złowróżbny
inborn *a.* wrodzony
incalculable *a.* nieobliczalny
incapable *a.* niezdolny
incapacity *n.* niezdolność
incarnate *a.* wcielony
incarnate *v.t.* wcielać
incarnation *n.* wcielenie
incense *v.t.* rozdrażniać
incense *n.* kadzidło
incentive *n.* bodziec
inception *n.* początek
inch *n.* cal
incident *n.* incydent
incidental *a.* przypadkowy
incite *v.t.* zachęcać
inclination *n.* skłonność
incline *v.i.* nachylać się
include *v.t.* zawierać
inclusion *n.* włączenie
inclusive *a.* zawierający
incoherent *a.* chaotyczny
income *n.* dochód
incomparable *a.* nieporównywalny
incompetent *a.* niekompetentny
incomplete *a .* niezupełny
inconsiderate *a.* nieuprzejmy
inconvenient *a.* niedogodny
incorporate *v.t.* zawierać
incorporate *a.* zarejestrowany (o towarzystwie)
incorporation *n.* zarejestrowanie
incorrect *a.* niepoprawny

incorrigible *a.* nie dający się poprawić
incorruptible *a.* nieprzekupny
increase *v.t.* zwiększać
increase *n.* przyrost
incredible *a.* niewiarygodny
increment *n.* przyrost
incriminate *v.t.* obwiniać
incubate *v.i.* przechodzić proces inkubacji
inculcate *v.t.* wpajać
incumbent *n.* beneficjent
incumbent *a* ciążący (na kimś)
incur *v.t.* ponosić (koszty)
incurable *a.* nieuleczalny
indebted *a.* zadłużony
indecency *n.* nieprzyzwoitość
indecent *a.* nieprzyzwoity
indecision *n.* niezdecydowanie
indeed *adv.* rzeczywiście
indefensible *a.* nie do obronienia
indefinite *a.* nieograniczony
indemnity *n.* odszkodowanie
independence *n.* niezależność
independent *a.* niezależny
indescribable *a.* nieopisany
index *n.* spis alfabetyczny
index *n.* palec wskazujący
Indian *a.* indyjski
indicate *v.t.* wskazywać
indication *n.* wskazówka
indicative *a.* wskazujący (na coś)
indicator *n.* wskazówka (przyrządu)
indict *v.t.* oskarżać
indictment *n.* oskarżenie
indifference *n.* obojętność
indifferent *a.* obojętny
indigenous *a.* tubylczy
indigestible *a.* niestrawny
indigestion *n.* niestrawność
indignant *a.* oburzony
indignation *n.* oburzenie
indigo *n.* indygo
indirect *a.* pośredni
indiscipline *n.* niesubordynacja
indiscreet *a.* niedyskretny
indiscretion *n.* niedyskrecja
indiscriminate *a.* niewybredny
indispensable *a.* niezbędny
indisposed *a.* niezdrów
indisputable *a.* bezsporny
indistinct *a.* niewyraźny
individual *a.* indywidualny
individualism *n.* indywidualizm
individuality *n.* indywidualność
indivisible *a.* niepodzielny
indolent *a.* opieszały
indomitable *a.* nieposkromiony
indoor *a.* domowy (o życiu)
indoors *adv.* w domu, pod dachem
induce *v.t.* powodować
induce *v.t.* nakłaniać
inducement *n.* pobudka
induct *v.t.* wprowadzać (na urząd)
induction *n.* wprowadzenie (na urząd)
indulge *v.t.* pobłażać (komuś)
indulgence *n.* pobłażanie
indulgent *a.* pobłażliwy
industrial *a.* przemysłowy
industrious *a.* pracowity
industry *n.* przemysł
ineffective *a.* bezskuteczny
inert *a.* bezwładny
inertia *n.* bezwładność
inevitable *a.* nieunikniony
inexact *a.* niedokładny
inexorable *a.* nieubłagany
inexpensive *a.* niedrogi
inexperience *n.* niedoświadczenie

inexplicable *a.* niewyjaśniony
infallible *a.* nieomylny
infamous *a.* niecny
infamy *n.* hańba
infancy *n.* niemowlęctwo
infant *n.* niemowlę
infanticide *n.* dzieciobójstwo
infantile *a.* infantylny
infantry *n.* piechota (w wojsku)
infatuate *v.t.* rozkochać
infatuation *n.* zakochanie
infect *v.t.* zakażać
infection *n.* zakażenie
infectious *a.* zakaźny
infer *v.t.* wnioskować
inference *n.* wniosek
inferior *a.* niższy (jakość, stanowisko)
inferiority *n.* niższość
infernal *a.* piekielny
infinite *a.* nieskończony
infinity *n.* nieskończoność
infirm *a.* niedołężny
infirmity *n.* niedołęstwo
inflame *v.t.* zagrzewać (pobudzać)
inflammable *a.* palny
inflammation *n.* zapalenie
inflammatory *a.* zapalny
inflation *n.* inflacja
inflexible *a.* nieelastyczny
inflict *v.t.* zadawać (ból)
influence *n.* wpływ
influence *v.t.* wpływać
influential *a.* wpływowy
influenza *n.* grypa
influx *n.* napływ
inform *v.t.* informować
informal *a.* nieformalny
information *n.* informacja
informative *a.* pouczający
informer *n.* donosiciel
infringe *v.t.* naruszać (prawo)
infringement *n.* naruszenie (prawa)
infuriate *v.t.* rozwścieczać
infuse *v.t.* natchnąć (odwagą)
infusion *n.* napar
ingrained *a.* wrodzony
ingratitude *n.* niewdzięczność
ingredient *n.* składnik
inhabit *v.t.* zamieszkiwać
inhabitable *a.* mieszkalny
inhabitant *n.* mieszkaniec
inhale *v.i.* wdychać
inherent *a.* nieodłączony
inherit *v.t.* dziedziczyć
inheritance *n.* spadek
inhibit *v.t.* powstrzymywać
inhibition *n.* hamulec (psychiczny)
inhospitable *a.* niegościnny
inhuman *a.* nieludzki
inimical *a.* nieprzyjazny
inimitable *a.* niezrównany
initial *a.* początkowy
initial *n.* inicjał
initial *v.t* parafować
initiate *v.t.* inicjować
initiative *n.* inicjatywa
inject *v.t.* wstrzykiwać
injection *n.* zastrzyk
injudicious *a.* nierozsądny
injunction *n.* nakaz (sądowy)
injure *v.t.* skaleczyć
injurious *a.* szkodliwy
injury *n.* uraz
injustice *n.* niesprawiedliwość
ink *n.* atrament
inkling *n.* przeczucie
inland *a.* śródlądowy
inland *adv.* w głębi kraju
in-laws *n.* powinowaci
inmate *n.* współwięzień

inmost *a.* najskrytszy
inn *n.* gospoda
innate *a.* wrodzony
inner *a.* wewnętrzny
innermost *a.* najskrytszy
innocence *n.* niewinność
innocent *a.* niewinny
innovate *v.t.* wprowadzać innowacje
innovation *n.* innowacja
innovator *n.* innowator
innumerable *a.* niezliczony
inoculate *v.t.* szczepić
inoculation *n.* szczepienie
inoperative *a.* nieczynny
inopportune *a.* niewczesny
input *n.* wkład
inquest *n.* dochodzenie (przyczyny zgonu)
inquire *v.t.* dowiadywać się
inquiry *n.* zapytanie
inquisition *n.* śledztwo
inquisitive *a.* wścibski
insane *a.* szalony
insanity *n.* szaleństwo
insatiable *a.* nienasycony
inscribe *v.t.* wpisać
inscription *n.* napis
insect *n.* owad
insecticide *n.* środek owadobójczy
insecure *a.* niepewny
insecurity *n.* niepewność
insensibility *n.* niewrażliwość
insensible *a.* niewrażliwy
inseparable *a.* nierozłączny
insert *v.t.* wkładać (coś do czegoś)
insertion *n.* insercja
inside *n.* wnętrze
inside *prep.* wewnątrz
inside *a* wewnętrzny
inside *adv.* wewnątrz
insight *n.* intuicja
insignificance *n.* błahość
insignificant *a.* nieznaczny
insincere *a.* nieszczery
insincerity *n.* nieszczerość
insinuate *v.t.* insynuować
insinuation *n.* insynuacja
insipid *a.* mdły
insipidity *n.* bezbarwność
insist *v.t.* nalegać
insistence *n.* naleganie
insistent *a.* natarczywy
insolence *n.* zuchwalstwo
insolent *a.* zuchwały
insoluble *n.* nierozpuszczalny
insolvency *n.* niewypłacalność
insolvent *a.* niewypłacalny
inspect *v.t.* kontrolować
inspection *n.* inspekcja
inspector *n.* inspektor
inspiration *n.* inspiracja
inspire *v.t.* inspirować
instability *n.* niestabilność
install *v.t.* instalować
installation *n.* instalacja
instalment *n.* rata
instance *n.* przykład
instant *n.* chwila
instant *a.* błyskawiczny (o potrawach)
instantaneous *a.* momentalny
instantly *adv.* natychmiast
instigate *v.t.* podżegać
instigation *n.* podżeganie
instil *v.t.* wpajać
instinct *n.* instynkt
instinctive *a.* instynktowny
institute *n.* instytut
institution *n.* instytucja
instruct *v.t.* pouczać
instruction *n.* instrukcja

instructor *n.* instruktor
instrument *n.* instrument
instrumental *a.* instrumentalny
instrumentalist *n.* muzyk
insubordinate *a.* niesubordynowany
insubordination *n.* niesubordynacja
insufficient *a.* niewystarczający
insular *a.* ograniczony (w poglądach)
insularity *n.* ograniczenie (w poglądach)
insulate *v.t.* izolować
insulation *n.* izolacja
insulator *n.* izolator
insult *n.* obraza
insult *v.t.* obrażać
insupportable *a.* nieznośny
insurance *n.* ubezpieczenie
insure *v.t.* ubezpieczać
insurgent *a.* powstańczy
insurgent *n.* powstaniec
insurmountable *a.* nieprzezwyciężony
insurrection *n.* powstanie
intact *a.* nietknięty
intangible *a.* nieuchwytny
integral *a.* integralny
integrity *n.* prawość
intellect *n.* intelekt
intellectual *a.* intelektualny
intellectual *n.* intelektualista
intelligence *n.* inteligencja
intelligent *a.* inteligentny
intelligentsia *n.* warstwy wykształcone społeczeństwa
intelligible *a.* zrozumiały
intend *v.t.* zamierzać
intense *a.* intensywny
intensify *v.t.* nasilać
intensity *n.* intensywność
intensive *a.* intensywny
intent *n.* zamiar
intent *a.* zdeterminowany
intention *n.* zamiar
intentional *a.* zamierzony
intercept *v.t.* przechwycić (samolot)
interception *n.* przechwycenie (samolotu)
interchange *n.* wymiana (myśli)
interchange *v.* wymieniać (towary, myśli)
intercourse *n.* stosunek (obcowanie)
interdependence *n.* współzależność
interdependent *a.* współzależny
interest *n.* zainteresowanie
interested *a.* zainteresowany
interesting *a.* interesujący
interfere *v.i.* wtrącać się (do czegoś)
interference *n.* zakłócenie
interim *n.* okres tymczasowy
interior *a.* wewnętrzny
interior *n.* wnętrze
interjection *n.* wykrzyknik
interlock *v.t.* sprzęgać
interlude *n.* przerwa
intermediary *n.* pośrednik
intermediate *a.* pośredni
interminable *a.* nie kończący się
intermingle *v.t.* zmieszać
intern *v.t.* internować
internal *a.* wewnętrzny
international *a.* międzynarodowy
interplay *n.* oddziaływanie wzajemne
interpret *v.t.* interpretować
interpreter *n.* tłumacz (ustny)
interrogate *v.t.* indagować

interrogation *n.* przesłuchiwanie
interrogative *a.* pytający
interrupt *v.t.* przerywać
interruption *n.* przerwa
intersect *v.i.* przecinać się
intersection *n.* skrzyżowanie
interval *n.* odstęp
intervene *v.i.* interweniować
intervention *n.* interwencja
interview *n.* wywiad
interview *v.t.* przeprowadzać wywiad
intestinal *a.* jelitowy
intestine *n.* jelito
intimacy *n.* intymność
intimate *a.* intymny
intimate *v.t.* oznajmiać
intimation *n.* zawiadomienie
intimidate *v.t.* zastraszać
intimidation *n.* zastraszanie
into *prep.* do (czegoś)
intolerable *a.* nieznośny
intolerance *n.* nietolerancja
intolerant *a.* nietolerancyjny
intoxicant *n.* trunek
intoxicate *v.t.* upajać
intoxication *n.* upojenie (alkoholem)
intransitive *a.* *(verb)* nieprzechodni
intrepid *a.* nieustraszony
intrepidity *n.* nieustraszoność
intricate *a.* zawiły
intrigue *v.t.* intrygować
intrigue *n.* intryga
intrinsic *a.* wewnętrzny
introduce *v.t.* przedstawiać (kogoś komuś)
introduction *n.* przedstawienie (kogoś komuś)
introduction *n.* wstęp
introductory *a.* wstępny
introspect *v.i.* oddawać się badaniom introspektywnym
introspection *n.* introspekcja
intrude *v.t.* wtrącać się (do czegoś)
intrusion *n.* wtargnięcie
intuition *n.* intuicja
intuitive *a.* intuicyjny
invade *v.t.* najeżdżać
invalid *a.* nieważny
invalid *a.* (obłożnie) chory
invalid *n.* kaleka
invalidate *v.t.* unieważniać
invaluable *a.* bezcenny
invasion *n.* inwazja
invective *n.* obelga
invent *v.t.* wynajdować
invention *n.* wynalazek
inventive *a.* pomysłowy
inventor *n.* wynalazca
invert *v.t.* odwracać
invest *v.t.* inwestować
investigate *v.t.* prowadzić dochodzenie
investigation *n.* dochodzenie
investment *n.* inwestycja
invigilate *v.t.* nadzorować
invigilation *n.* nadzór (studentów w czasie egzaminu)
invigilator *n.* sygnalizator
invincible *a.* niepokonany
inviolable *a.* nietykalny
invisible *a.* niewidoczny
invitation *n.* zaproszenie
invite *v.t.* zapraszać
invocation *n.* wezwanie (inwokacja)
invoice *n.* faktura
invoke *v.t.* wzywać
involve *v.t.* wciągać (kogoś w coś)
inward *a.* wewnętrzny

inwards *adv.* do wnętrza
irate *a.* zirytowany
ire *n.* gniew
Irish *a.* irlandzki
Irish *n.* język irlandzki
irksome *a.* przykry
iron *n.* żelazo
iron *v.t.* prasować
ironical *a.* ironiczny
irony *n.* ironia
irradiate *v.i.* naświetlać (pacjenta)
irrational *a.* irracjonalny
irreconcilable *a.* nie do pogodzenia
irrecoverable *a.* nie do odzyskania
irrefutable *a.* niezbity
irregular *a.* nieregularny
irregularity *n.* nieregularność
irrelevant *a.* nieistotny
irrespective *a.* niezależny
irresponsible *a.* nieodpowiedzialny
irrigate *v.t.* nawadniać
irrigation *n.* nawadnianie
irritable *a.* drażliwy
irritant *a.* drażniący
irritant *n.* środek drażniący
irritate *v.t.* irytować
irritation *n.* irytacja
irruption *n.* wtargnięcie
island *n.* wyspa
isle *n.* wyspa
isobar *n.* izobara
isolate *v.t.* izolować
isolation *n.* izolacja
issue *v.i.* wydawać (publikację)
issue *n.* wydanie
it *pron.* to, ono
Italian *a.* włoski
Italian *n.* język włoski
italics *n.* kursywa
itch *n.* swędzenie
itch *v.i.* swędzić
item *n.* pozycja (punkt programu)
ivory *n.* kość słoniowa
ivy *n.* bluszcz

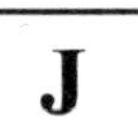

jab *v.t.* kłuć
jabber *v.i.* trajkotać
jack *n.* podnośnik
jack *v.t.* podnosić lewarkiem
jackal *n.* szakal
jacket *n.* kurtka
jade *n.* nefryt
jail *n.* więzienie
jailer *n.* strażnik więzienny
jam *n.* dżem
jam *n.* ścisk
jam *v.t.* zablokować
January *n.* styczeń
jar *n.* słoik
jargon *n.* żargon
jasmine, jessamine *n.* jaśmin
jaundice *n.* żółtaczka
jaundice *v.t.* napełniać zawiścią
javelin *n.* oszczep
jaw *n.* szczęka
jay *n.* sójka
jealous *a.* zazdrosny
jealousy *n.* zazdrość
jean *n.* drelich
jeer *v.i.* wyśmiewać
jelly *n.* galareta
jeopardize *v.t.* narażać na niebezpieczeństwo
jeopardy *n.* ryzyko
jerk *n.* szarpnięcie

jerkin *n.* kaftan
jerky *a.* gwałtowny (o ruchach)
jersey *n.* sweter
jest *n.* dowcip
jest *v.i.* żartować
jet *n.* odrzutowiec
Jew *n.* Żyd
jewel *n.* klejnot
jewel *v.t.* przybierać klejnotami
jeweller *n.* jubiler
jewellery *n.* biżuteria
jingle *n.* dzwonienie
jingle *v.i.* dzwonić
job *n.* praca
jobber *n.* robotnik zatrudniony na krótki okres czasu
jobbery *n.* maklerstwo
jocular *a.* figlarny
jog *v.t.* trącać (kogoś)
join *v.t.* połączyć
joiner *n.* stolarz
joint *n.* staw (np. w kolanie)
jointly *adv.* wspólnie
joke *n.* żart
joke *v.i.* żartować
joker *n.* joker (w kartach)
jollity *n.* zabawa
jolly *a.* wesoły
jolt *n.* wstrząs
jolt *v.t.* trząść się (o pojeździe)
jostle *n.* szturchnięcie
jostle *v.t.* szturchać
jot *n.* odrobina
jot *v.t.* notować
journal *n.* dziennik
journalism *n.* dziennikarstwo
journalist *n.* dziennikarz
journey *n.* podróż
journey *v.i.* podróżować
jovial *a.* jowialny
joviality *n.* jowialność
joy *n.* radość
joyful, joyous *n.* radosny
jubilant *a.* pełen triumfu
jubilation *n.* triumfowanie
jubilee *n.* jubileusz
judge *n.* sędzia
judge *v.i.* sądzić
judgement *n.* orzeczenie
judicature *n.* jurysdykcja
judicial *a.* sądowy
judiciary *n.* sądownictwo
judicious *a.* rozsądny
jug *n.* kubek
juggle *v.i.* żonglować
juggler *n.* kuglarz
juice *n.* sok
juicy *a.* soczysty
July *n.* lipiec
jumble *n.* galimatias
jumble *v.t.* pogmatwać
jump *n.* skok
jump *v.i* skakać
junction *n.* skrzyżowanie
juncture *n.* krytyczna chwila
June *n.* czerwiec
jungle *n.* dżungla
junior *a.* młodszy (wiekiem, stopniem)
junior *n.* junior
junk *n.* złom
Jupiter *n.* Jowisz
jurisdiction *n.* jurysdykcja
jurisprudence *n.* prawoznawstwo
jurist *n.* prawnik
juror *n.* juror
jury *n.* sąd przysięgłych
juryman *n.* członek sądu przysięgłych
just *a.* sprawiedliwy
just *adv.* właśnie
justice *n.* sprawiedliwość
justifiable *a.* uzasadniony

justification *n.* uzasadnienie
justify *v.t.* uzasadniać
justly *adv.* słusznie
jute *n.* juta
juvenile *a.* małoletni

keen *a.* gorliwy
keenness *n.* gorliwość
keep *v.t.* trzymać
keeper *n.* dozorca
keepsake *n.* upominek
kennel *n.* schronisko dla psów
kerchief *n.* chustka do nosa
kernel *n.* jądro (owocu)
kerosene *n.* nafta oczyszczona
ketchup *n.* keczup
kettle *n.* czajnik
key *n.* klucz
key *v.t* klinować
kick *n.* kopnięcie
kick *v.t.* kopać
kid *n.* dziecko
kidnap *v.t.* uprowadzać
kidney *n.* nerka
kill *v.t.* zabijać
kill *n.* dobicie (zwierzęcia)
kiln *n.* piec do wypalania
kin *n.* ród
kind *n.* rodzaj
kind *a* uprzejmy
kindergarten *n.* przedszkole
kindle *v.t.* rozpalać (ogień)
kindly *adv.* uprzejmie
king *n.* król
kingdom *n.* królestwo
kinship *n.* pokrewieństwo
kiss *n.* pocałunek
kiss *v.t.* całować
kit *n.* komplet
kitchen *n.* kuchnia
kite *n.* latawiec
kitten *n.* kociątko
knave *n.* walet (w kartach)
knavery *n.* szelmostwo
knee *n.* kolano
kneel *v.i.* klękać
knife *n.* nóż
knight *n.* rycerz
knight *v.t.* nobilitować
knit *v.t.* robić na drutach
knock *v.t.* pukać
knot *n.* węzeł
knot *v.t.* zawiązać
know *v.t.* wiedzieć
know *v.t.* znać (kogoś)
knowledge *n.* wiedza

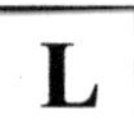

label *n.* etykieta
label *v.t.* etykietować
labial *a.* wargowy
laboratory *n.* laboratorium
laborious *a.* pracowity
labour *n.* praca
labour *v.i.* trudzić się
laboured *a.* wypracowany
labourer *n.* wyrobnik
labyrinth *n.* labirynt
lac, lakh *n.* 100.000 rupii (w Indiach)
lace *n.* sznurówka
lace *n.* koronka
lace *v.t.* sznurować
lacerate *v.t.* poszarpać
lachrymose *a.* płaczliwy

lack *n.* brak
lack *v.t.* nie posiadać czegoś
lackey *n.* lokaj
lacklustre *a.* przygasły
laconic *a.* lakoniczny
lactate *v.i.* karmić piersią
lactometer *n.* laktometr
lactose *n.* laktoza
lacuna *n.* rozstęp (w anatomii)
lacy *a.* koronkowy
lad *n.* chłopak
ladder *n.* drabina
lade *v.t.* zafrachtować
ladle *n.* chochla
ladle *v.t.* czerpać
lady *n.* dama
lag *v.i.* opóźniać się
laggard *n.* maruder
lagoon *n.* laguna
lair *n.* legowisko (zwierzęcia)
lake *n.* jezioro
lama *n.* lama
lamb *n.* jagnię
lambaste *v.t.* sprać kogoś
lame *a.* kulawy
lame *v.t.* okulawiać
lament *v.i.* lamentować
lament *n.* lament
lamentable *a.* żałosny
lamentation *n.* lament
lambkin *n.* jagniątko
laminate *v.t.* laminować
lamp *n.* lampa
lampoon *n.* paszkwil
lampoon *v.t.* pisać paszkwile
lance *n.* lanca
lance *v.t.* przebijać lancą
lancer *n.* lansjer
lancet *n.* lancet
land *n.* ląd
land *v.i.* lądować
landing *n.* lądowanie
landscape *n.* krajobraz
lane *n.* droga
lane *n.* pas ruchu drogowego
language *n.* język
languish *v.i.* omdlewać
lank *a.* mizerny
lantern *n.* latarnia
lap *n.* łono
lapse *v.i.* zaniedbać (obowiązku)
lapse *n.* pomyłka
lard *n.* słonina
large *a.* duży
largesse *n.* hojność
lark *n.* skowronek
lascivious *a.* lubieżny
lash *n.* bicz
lass *n.* panienka
last *a.* ostatni
last *adv.* ostatnio
last *v.i.* trwać
last *n.* ostatni (z wymienionych)
lastly *adv.* na końcu
lasting *a.* trwały
latch *n.* klamka
late *a.* późny
late *adv.* późno
lately *adv.* ostatnio
latent *a.* utajony
lath *n.* listwa
lathe *n.* tokarnia
lathe *n.* obrabiarka
lather *n.* piana
latitude *n.* szerokość geograficzna
latrine *n.* latryna
latter *a.* drugi (z wymienionych)
lattice *n.* krata drewniania
laud *v.t.* chwalić
laud *n.* chwała
laudable *a.* chwalebny
laugh *n.* śmiech
laugh *v.i* śmiać się

laughable *a.* śmiechu wart
laughter *n.* śmiech
launch *v.t.* uruchamiać
launch *n.* uruchomienie
launder *v.t.* wyprać
laundress *n.* praczka
laundry *n.* pralnia
laurel *n.* laur
laureate *n.* laureat
lava *n.* lawa
lavatory *n.* umywalnia
lavender *n.* lawenda
lavish *a.* hojny
lavish *v.t.* szafować
law *n.* prawo
lawful *a.* prawowity
lawless *a.* bezprawny
lawn *n.* trawnik
lawyer *n.* prawnik
lax *a.* luźny
laxative *n.* środek na przeczyszczenie
laxative *a* przeczyszczający
laxity *n.* swoboda
lay *v.t.* położyć
lay *a.* laicki
layer *n.* warstwa
layman *n.* laik
laze *v.i.* próżnować
laziness *n.* lenistwo
lazy *n.* leniwy
lea *n.* polana
leach *v.t.* ługować
lead *n.* prowadzenie
lead *v.t.* prowadzić
lead *n.* ołów
leaden *a.* ołowiany
leader *n.* lider
leadership *n.* przywództwo
leaf *n.* liść
leaflet *n.* ulotka
leafy *a.* liściasty
league *n.* liga
leak *n.* przeciek (nieoficjalne informacje)
leak *v.i.* przeciekać
leakage *n.* przeciek
lean *a* szczupły
lean *v.i.* opierać się o coś
leap *v.i.* skakać
leap *n.* skok
learn *v.i.* uczyć się
learned *a.* uczony
learner *n.* uczeń
learning *n.* nauka
lease *n.* dzierżawa
lease *v.t.* dzierżawić
least *a.* najmniejszy
least *adv.* najmniej
leather *n.* skóra (wyprawiona)
leave *n.* zwolnienie (z obowiązku)
leave *v.t.* odchodzić, odjeżdżać
lecture *n.* wykład
lecture *v* prowadzić wykład
lecturer *n.* wykładowca
ledger *n.* księga główna
lee *n.* schronienie
leech *n.* pijawka
leek *n.* por
left *a.* lewy
left *n.* lewa strona
leftist *n.* lewicowiec
leg *n.* noga
legacy *n.* spuścizna
legal *a.* legalny
legality *n.* legalność
legalize *v.t.* legalizować
legend *n.* legenda
legendary *a.* legendarny
leghorn *n.* kapelusz słomkowy
legible *a.* czytelny
legibly *adv.* czytelnie
legion *n.* legion

legionary *n.* legionista
legislate *v.i.* wprowadzać ustawodawstwo
legislation *n.* ustawodawstwo
legislative *a.* ustawodawczy
legislator *n.* ustawodawca
legislature *n.* ciało ustawodawcze
legitimacy *n.* ślubne pochodzenie (dziecka)
legitimate *a.* prawowity
leisure *n.* wolny czas
leisured *a* bezczynny
leisurely *a.* powolny
leisurely *adv.* powoli
lemon *n.* cytryna
lemonade *n.* lemoniada
lend *v.t.* pożyczać (coś komuś)
length *n.* długość
lengthen *v.t.* wydłużać
lengthy *a.* rozwlekły
lenience, leniency *n.* wyrozumiałość
lenient *a.* wyrozumiały
lens *n.* soczewka
lentil *n.* soczewica
Leo *n.* Lew (znak zodiaku)
leonine *a* lwi
leopard *n.* lampart
leper *n.* trędowaty
leprosy *n.* trąd
leprous *a.* trędowaty
less *a.* mniejszy
less *n.* coś mniejszego
less *adv.* mniej
less *prep.* bez (czegoś)
lessee *n.* dzierżawca
lessen *v.t* zmniejszać
lesser *a.* mniejszy
lesson *n.* lekcja
lest *conj.* żeby nie
let *v.t.* pozwalać
let *v.t.* wynajmować (np. dom)
lethal *a.* śmiertelny
lethargic *a.* letargiczny
lethargy *n.* letargia
letter *n.* list
letter *n.* litera
level *n.* poziom
level *a* poziomy
level *v.t.* poziomować
lever *n.* dźwignia
lever *v.t.* podważać
leverage *n.* siła dźwigni
levity *n.* lekkomyślność
levy *v.t.* pobierać (należność)
levy *n.* pobór (należności)
lewd *a.* lubieżny
lexicography *n.* leksykografia
lexicon *n.* leksykon
liability *n.* obciążenie, pasywa
liable *a.* odpowiedzialny
liaison *n.* romans
liar *n.* kłamca
libel *n.* zniesławienie
libel *v.t.* zniesławiać
liberal *a.* liberalny
liberalism *n.* liberalizm
liberality *n.* liberalność
liberate *v.t.* uwalniać
liberation *n.* uwolnienie
liberator *n.* wybawca
libertine *n.* wolnomyśliciel
liberty *n.* wolność
Libra *n.* Waga (znak zodiaku)
librarian *n.* bibliotekarz
library *n.* biblioteka
licence *n.* licencja
license *v.t.* udzielać pozwolenia
licensee *n.* właściciel licencji
licentious *a.* rozpasany
lick *v.t.* lizać
lick *n.* liźnięcie
lid *n.* powieka

lie *v.i.* kłamać
lie *v.i* leżeć
lie *n.* kłamstwo
lien *n.* prawo zastawne
lieu *n.* zastaw
lieutenant *n.* porucznik
life *n.* życie
lifeless *a.* bez życia
lifelong *a.* trwający całe życie
lift *n.* winda
lift *v.t.* podnosić
light *n.* światło
light *a* lekki
light *v.t.* oświetlać
lighten *v.i.* odciążyć
lighter *n.* zapalniczka
lightly *adv.* lekko
lightning *n.* piorun
lignite *n.* węgiel brunatny
like *a.* podobny
like *n.* sympatia
like *v.t.* lubić
likelihood *n.* prawdopodobieństwo
likely *a.* prawdopodobny
liken *v.t.* przyrównywać
likeness *n.* podobieństwo
likewise *adv.* również
liking *n.* upodobanie
lilac *n.* bez
lily *n.* lilia
limb *n.* kończyna
limber *v.t.* przyczepić działo do przodka (w wojsku)
limber *n.* przodek działa
lime *n.* wapno
lime *v.t* wapnić
lime *n.* lipa
limelight *n.* centrum zainteresowania
limit *n.* limit
limit *v.t.* ograniczać
limitation *n.* ograniczenie
limited *a.* ograniczony
limitless *a.* bezgraniczny
line *n.* linia
line *v.t.* ustawiać (w szeregu)
line *v.t.* zakreślać
lineage *n.* pochodzenie
linen *n.* bielizna (pościelowa)
linger *v.i.* zwlekać
lingo *n.* żargon
lingua franca *n.* wspólny język
lingual *a.* językowy
linguist *n.* językoznawca
linguistic *a.* językowy
linguistics *n.* językoznawstwo
lining *n.* podszewka
link *n.* łącznik
link *v.t* łączyć
linseed *n.* siemię lniane
lintel *n.* nadproże
lion *n.* lew
lioness *n.* lwica
lip *n.* warga
liquefy *v.t.* skraplać
liquid *a.* płynny
liquid *n.* płyn
liquidate *v.t.* likwidować
liquidation *n.* likwidacja
liquor *n.* trunek
lisp *v.t.* seplenić
lisp *n.* seplenienie
list *n.* wykaz
list *v.t.* spisywać
listen *v.i.* słuchać
listener *n.* słuchacz
listless *a.* apatyczny
literacy *n.* piśmienność
literal *a.* dosłowny
literary *a.* literacki
literate *a.* piśmienny
literature *n.* literatura
litigant *n.* strona spierająca się

litigate *v.t.* kwestionować
litigation *n.* spór
litre *n.* litr
litter *n.* śmieci
litter *v.t.* śmiecić
little *a.* mały
little *adv.* mało
little *n.* niewielka ilość
littoral *a.* nadmorski
liturgical *a.* liturgiczny
live *v.i.* żyć
live *a.* żywy
livelihood *n.* utrzymanie
lively *a.* pełen życia
liver *n.* wątroba
livery *n.* liberia
living *a.* żyjący
living *n.* życie
lizard *n.* jaszczurka
load *n.* ładunek
load *v.t.* ładować
loadstar *n.* gwiazda polarna
loadstone *n.* magnetyt
loaf *n.* bochenek
loaf *v.i.* próżnować
loafer *n.* obibok
loan *n.* pożyczka
loan *v.t.* pożyczać (coś komuś)
loath *a.* niechętny
loathe *v.t.* nienawidzić
loathsome *a.* ohydny
lobby *n.* hall
lobe *n.* płatek (ucha), płat (mózgu)
lobster *n.* homar
local *a.* lokalny
locale *n.* miejsce akcji
locality *n.* miejscowość
localize *v.t.* lokalizować
locate *v.t.* umieszczać
location *n.* umiejscowienie
lock *n.* zamek (u drzwi)
lock *v.t* zamykać
lock *n.* lok
locker *n.* szafka
locket *n.* medalionik
locomotive *n.* lokomotywa
locus *n.* położenie
locust *n.* szarańcza
locution *n.* wyrażenie
lodge *n.* portiernia
lodge *v.t.* kwaterować
lodging *n.* zakwaterowanie
loft *n.* poddasze
lofty *a.* wyniosły
log *n.* dziennik (log)
logarithm *n.* logarytm
loggerhead *n.* dureń
logic *n.* logika
logical *a.* logiczny
logician *n.* logik
loin *n.* lędźwie
loiter *v.i.* włóczyć się
loll *v.i.* rozwalać się
lollipop *n.* lizak
lone *a.* odludny (o miejscu)
loneliness *n.* samotność
lonely *a.* samotny
lonesome *a.* odludny, samotny
long *a.* długi
long *adv.* długo
long *v.i* pragnąć (czegoś)
longevity *n.* długowieczność
longing *n.* pragnienie (czegoś)
longitude *n.* długość geograficzna
look *v.i* patrzeć
look *n.* spojrzenie
loom *n.* krosno tkackie
loom *v.i.* zagrażać
loop *n.* pętla
loop-hole *n.* kruczek prawny
loose *a.* luźny
loose *v.t.* rozluźniać

loosen *v.t.* obluzowywać
loot *n.* łup
loot *v.i.* złupić
lop *v.t.* opuszczać (uszy)
lop *n.* plusk wody
lord *n.* władca
lordly *a.* dostojny
lordship *n.* dobra ziemskie
lore *n.* wiedza
lorry *n.* ciężarówka
lose *v.t.* gubić
loss *n.* strata
lot *n.* los
lots *n.* wiele
lotion *n.* balsam
lottery *n.* loteria
lotus *n.* lotos
loud *a.* głośny
lounge *v.i.* rozwalać się
lounge *n.* poczekalnia
lounge *n.* hala odlotów (na lotnisku)
louse *n.* wesz
lovable *a.* sympatyczny
love *n.* miłość
love *v.t.* kochać
lovely *a.* uroczy
lover *n.* kochanek
loving *a.* kochający
low *a.* niski
low *adv.* nisko
low *n.* niski stan
lower *v.t.* obniżać
lowliness *n.* pokora
lowly *a.* pokorny
loyal *a.* lojalny
loyalist *n.* lojalista
loyalty *n.* lojalność
lubricant *n.* smar
lubricate *v.t.* smarować
lubrication *n.* smarowanie
lucent *a.* świecący
lucerne *n.* lucerna
lucid *a.* klarowny
lucidity *n.* klarowność
luck *n.* traf, los
luckily *adv.* szczęśliwie
luckless *a.* niefortunny
lucky *a.* szczęśliwy
lucrative *a.* intratny
lucre *n.* zysk
luggage *n.* bagaż
lukewarm *a.* letni (o temperaturze)
lull *v.t.* uciszać
lull *n.* chwila spokoju
lullaby *n.* kołysanka
luminary *n.* luminarz
luminous *a.* świecący
lump *n.* guzek (w medycynie)
lump *v.t.* zgromadzić
lunacy *n.* obłąkanie
lunar *a.* księżycowy
lunatic *n.* obłąkaniec
lunatic *a.* obłąkany
lunch *n.* lunch
lunch *v.i.* jeść lunch
lung *n.* płuco
lunge *n.* wypad, atak
lunge *v.i* zrobić gwałtowny ruch do przodu
lurch *n.* pochylenie
lurch *v.i.* pochylać się
lure *n.* przynęta
lure *v.t.* wabić
lurk *v.i.* czyhać
luscious *a.* soczysty
lush *a.* bujny
lust *n.* żądza
lustful *a.* lubieżny
lustre *n.* połysk
lustrous *a.* błyszczący
lusty *a.* krzepki
lute *n.* lutnia

luxuriance *n.* obfitość
luxuriant *a.* obfity
luxurious *a.* luksusowy
luxury *n.* luksus
lynch *v.t.* linczować
lyre *n.* lira
lyric *a.* liryczny
lyric *n.* liryka
lyrical *a.* liryczny
lyricist *n.* liryk

magical *a.* magiczny
magician *n.* magik
magisterial *a.* sędziowski
magistracy *n.* urząd sędziego
magistrate *n.* sędzia
magnanimity *n.* wielkoduszność
magnanimous *a.* wielkoduszny
magnate *n.* magnat
magnet *n.* magnes
magnetic *a.* magnetyczny
magnetism *n.* magnetyzm
magnificent *a.* wspaniały
magnify *v.t.* powiększać (obraz)
magnitude *n.* ogrom
magpie *n.* sroka
mahogany *n.* mahoń
mahout *n.* kornak (przewodnik słoni)
maid *n.* służąca
maiden *n.* dziewica
maiden *a* niezamężna
mail *n.* poczta (przesyłki)
mail *v.t.* wysyłać pocztą
main *a* główny
mains *n.* sieć elektryczna
mainly *adv.* głównie
mainstay *n.* ostoja
maintain *v.t.* utrzymywać (np. porządek)
maintenance *n.* utrzymanie
maintenance *n.* alimenty
maize *n.* kukurydza
majestic *a.* majestatyczny
majesty *n.* majestat
major *a.* główny
major *n.* osoba pełnoletnia
majority *n.* większość
make *v.t.* robić
make *n.* marka
maker *n.* producent
maladjustment *n.* niedopasowanie
maladministration *n.* wadliwa administracja
malady *n.* choroba
malaria *n.* malaria
maladroit *a.* niezdarny
mala fide *a.* dokonany w złej wierze
mala fide *adv.* w złej wierze
malaise *n.* złe samopoczucie
malcontent *a.* niezadowolony
malcontent *n.* malkontent
male *a.* męski
male *n.* mężczyzna, samiec
malediction *n.* złorzeczenie
malefactor *n.* złoczyńca
maleficent *a.* szkodliwy
malice *n.* złośliwość
malicious *a.* złośliwy
malign *v.t.* oczerniać
malign *a* szkodliwy
malignancy *n.* złośliwość
malignant *a.* zjadliwy
malignity *n.* zjadliwość
malleable *a.* podatny
malmsey *n.* małmazja
malnutrition *n.* niedożywienie

malpractice *n.* niewłaściwe leczenie
malt *n.* słód
maltreatment *n.* maltretowanie
mamma *n.* sutek
mammal *n.* ssak
mammary *a.* piersiowy
mammon *n.* mamona
mammoth *n.* mamut
mammoth *a* olbrzymi
man *n.* mężczyzna
man *n.* człowiek
man *v.t.* obsadzać ludźmi
manage *v.t.* kierować
manageable *a.* wykonalny
management *n.* kierownictwo
manager *n.* kierownik
managerial *a.* kierowniczy
mandate *n.* mandat
mandatory *a.* obowiązkowy
mane *n.* grzywa
manes *n.* cienie przodków
manful *a.* odważny
manganese *n.* mangan
manger *n.* koryto
mangle *v.t.* kaleczyć
mango *n.* mango
manhandle *v.t.* poniewierać
manhole *n.* właz
manhood *n.* męskość
mania *n.* mania
maniac *n.* maniak
manicure *n.* manicure
manifest *a.* oczywisty
manifest *v.t.* manifestować
manifestation *n.* manifestacja
manifesto *n.* manifest
manifold *a.* wieloraki
manipulate *v.t.* manipulować
manipulation *n.* manipulacja
mankind *n.* ludzkość
manlike *a.* męski
manly *a.* mężny
manna *n.* manna
mannequin *n.* manekin
manner *n.* sposób
mannerism *n.* maniera
mannerly *a.* grzeczny
manoeuvre *n.* manewr
manoeuvre *v.i.* manewrować
manor *n.* rezydencja ziemska
manorial *a.* dworski
mansion *n.* rezydencja
mantel *n.* obramowanie kominka
mantle *n.* osłona
mantle *v.t* osłaniać
manual *a.* ręczny
manual *n.* podręcznik
manufacture *v.t.* wyrabiać
manufacture *n.* wyrób
manufacturer *n.* producent
manumission *n.* wyzwolenie (niewolnika)
manumit *v.t.* wyzwalać (niewolnika)
manure *n.* nawóz
manure *v.t.* nawozić
manuscript *n.* rękopis
many *a.* dużo
map *n.* mapa
map *v.t.* sporządzać mapę
mar *v.t.* zepsuć
marathon *n.* maraton
maraud *v.i.* grasować
marauder *n.* maruder
marble *n.* marmur
march *n.* marsz
March *n.* marzec
march *v.i.* maszerować
mare *n.* klacz
margarine *n.* margaryna
margin *n.* margines
marginal *a.* marginalny
marigold *n.* nagietek

marine *a.* morski
mariner *n.* marynarz
marionette *n.* marionetka
marital *a.* małżeński
maritime *a.* morski
mark *n.* znak
mark *v.t* oznakowywać
marker *n.* marker
market *n.* rynek
market *v.t* promować
marketable *a.* nadający się do sprzedaży
marksman *n.* strzelec
marl *n.* margiel
marmalade *n.* marmolada
maroon *n.* kolor kasztanowy
maroon *a* kasztanowaty
maroon *v.t* wysadzać na odludnej wyspie
marriage *n.* małżeństwo
marriageable *a.* na wydaniu (o pannie)
marry *v.t.* udzielać ślubu
Mars *n.* Mars
marsh *n.* bagno
marshal *n.* marszałek
marshal *v.t* zbierać
marshy *a.* bagnisty
marsupial *n.* torbacz
mart *n.* targowisko
marten *n.* kuna
martial *a.* wojenny
martinet *n.* służbista
martyr *n.* męczennik
martyrdom *n.* męczeństwo
marvel *n.* cud
marvel *v.i* podziwiać
marvellous *a.* cudowny
mascot *n.* maskotka
masculine *a.* męski
mash *n.* papka
mash *v.t* utłuc na papkę
mask *n.* maska
mask *v.t.* maskować
mason *n.* murarz
masonry *n.* murarstwo
masquerade *n.* maskarada
mass *n.* masa
mass *v.i* gromadzić się
massacre *n.* masakra
massacre *v.t.* zmasakrować
massage *n.* masaż
massage *v.t.* masować
masseur *n.* masażysta
massive *a.* ogromny
massy *a.* masywny
mast *n.* maszt
master *n.* pan (czegoś)
master *v.t.* opanować (umiejętność)
masterly *a.* mistrzowski
masterpiece *n.* arcydzieło
mastery *n.* opanowanie (przedmiotu)
masticate *v.t.* żuć
masturbate *v.i.* masturbować
mat *n.* mata
matador *n.*. matador
match *n.* mecz
match *v.i.* być podobnym
match *n.* zapałka
matchless *a.* niezrównany
mate *n.* kumpel
mate *v.t.* łączyć się w pary
mate *n.* małżonek
material *a.* materialny
material *n.* materiał
materialism *n.* materializm
materialize *v.t.* materializować
maternal *a.* matczyny
maternity *n.* macierzyństwo
mathematical *a.* matematyczny
mathematician *n.* matematyk
mathematics *n.* matematyka

matinee *n.* poranek (seans)
matriarchy *n.* matriarchat
matricide *n.* matkobójstwo
matriculate *v.t.* immatrykulować
matriculation *n.* immatrykulacja
matrimonial *a.* matrymonialny
matrimony *n.* małżeństwo
matrix *n.* matryca
matron *n.* gospodyni
matter *n.* sprawa
matter *v.i.* mieć znaczenie
mattock *n.* oskard
mattress *n.* materac
mature *a.* dojrzały
mature *v.i* dojrzewać
maturity *n.* dojrzałość
maudlin *a* sentymentalny
maul *n.* młot drewniany
maul *v.t* poturbować
maulstick *n.* kij do opierania ręki przy malowaniu
maunder *v.i.* błąkać się
mausoleum *n.* mauzoleum
mawkish *a.* sentymentalny
maxilla *n.* kość szczękowa górna
maxim *n.* maksyma
maximize *v.t.* maksymalizować
maximum *a.* maksymalny
maximum *n.* maksimum
May *n.* maj
may *v* być może, może być
mayor *n.* burmistrz
maze *n.* labirynt
me *pron.* mnie, mi
mead *n.* miód pitny
meadow *n.* łąka
meagre *a.* skromny
meal *n.* posiłek
mealy *a.* mączysty
mean *a.* podły
mean *n.* środek
mean *v.t* oznaczać
meander *v.i.* wić się (o rzece)
meaning *n.* znaczenie
meaningful *a.* pełen znaczenia
meaningless *a.* bez znaczenia
meanness *n.* podłość
means *n.* środki
meanwhile *adv.* tymczasem
measles *n.* odra
measurable *a.* wymierny
measure *n.* miara
measure *v.t* mierzyć
measureless *a.* niezmierny
measurement *n.* pomiar
meat *n.* mięso
mechanic *n.* mechanik
mechanic *a* mechaniczny
mechanical *a.* mechaniczny
mechanics *n.* mechanika
mechanism *n.* mechanizm
medal *n.* medal
medallist *n.* medalista
meddle *v.i.* wtrącać się
medieval *a.* średniowieczny
median *a.* środkowy
mediate *v.i.* pośredniczyć
mediation *n.* mediacja
mediator *n.* pośrednik
medical *a.* medyczny
medicament *n.* lek
medicinal *a.* leczniczy
medicine *n.* medycyna
mediocre *a.* mierny
mediocrity *n.* mierność
meditate *v.t.* medytować
meditation *n.* medytacja
meditative *a.* medytacyjny
medium *n.* medium
medium *a* średni
meek *a.* potulny
meet *n.* spotkanie
meet *v.t.* spotykać
meeting *n.* spotkanie

megalith *n.* megalit
megalithic *a.* megalityczny
megaphone *n.* megafon
melancholia *n.* melancholia
melancholic *a.* melancholijny
melancholy *n.* melancholia
melancholy *a.* smutny
melee *n.* bijatyka
meliorate *v.t.* ulepszać
mellow *a.* łagodny
melodious *a.* melodyjny
melodrama *n.* melodramat
melodramatic *a.* melodramatyczny
melody *n.* melodia
melon *n.* melon
melt *v.i.* topić
member *n.* członek
membership *n.* członkostwo
membrane *n.* membrana
memento *n.* pamiątka
memoir *n.* praca naukowa
memorable *a.* pamiętny
memorandum *n.* memorandum
memorial *n.* pomnik
memorial *a* pamiątkowy
memory *n.* pamięć
menace *n.* groźba
menace *v.t* grozić
mend *v.t.* naprawiać
mendacious *a.* kłamliwy
menial *a.* służebny
menial *n.* służący
meningitis *n.* zapalenie opon mózgowych
menopause *n.* menopauza
menses *n.* miesiączka
menstrual *a.* miesiączkowy
menstruation *n.* menstruacja
mental *a.* umysłowy
mentality *n.* mentalność
mention *n.* wzmianka
mention *v.t.* wzmiankować
mentor *n.* mentor
menu *n.* jadłospis
mercantile *a.* handlowy
mercenary *a.* interesowny
mercerise *v.t.* merceryzować
merchandise *n.* towar
merchant *n.* kupiec
merciful *a.* litościwy
merciless *a.* bezlitosny
mercurial *a.* rtęciowy
mercury *n.* rtęć
mercy *n.* litość
mere *a.* zwykły
merge *v.t.* łączyć
merger *n.* fuzja
meridian *a.* południowy
merit *n.* zasługa
merit *v.t* zasługiwać na coś
meritorious *a.* zasłużony
mermaid *n.* syrena
merman *n.* tryton
merriment *n.* uciecha
merry *a* wesoły
mesh *n.* oczko sieci
mesh *v.t* złapać w sieci
mesmerism *n.* hipnotyzm
mesmerize *v.t.* hipnotyzować
mess *n.* nieład
mess *v.i* jadać w kantynie
message *n.* wiadomość
messenger *n.* posłaniec
Messiah *n.* Mesjasz
Messrs *n.* panowie (w adresie)
metabolism *n.* metabolizm
metal *n.* metal
metallic *a.* metaliczny
metallurgy *n.* metalurgia
metamorphosis *n.* metamorfoza
metaphor *n.* metafora
metaphysical *a.* metafizyczny
metaphysics *n.* metafizyka

mete *v.t* mierzyć
meteor *n.* meteor
meteoric *a.* meteoryczny
meteorologist *n.* meteorolog
meteorology *n.* meteorologia
meter *n.* licznik
method *n.* metoda
methodical *a.* metodyczny
metre *n.* metr
metric *a.* metryczny
metrical *a.* miarowy
metropolis *n.* metropolia
metropolitan *a.* stołeczny
metropolitan *n.* mieszkaniec stolicy
mettle *n.* usposobienie
mettlesome *a.* krewki
mew *v.i.* miauczeć
mew *n.* miauczenie
mezzanine *n.* półpiętro
mica *n.* mika
microfilm *n.* mikrofilm
micrology *n.* mikrologia
micrometer *n.* mikrometr
microphone *n.* mikrofon
microscope *n.* mikroskop
microscopic *a.* mikroskopijny
microwave *n.* mikrofala
mid *a.* średni
midday *n.* południe
middle *a.* środkowy
middle *n.* środek
middleman *n.* pośrednik
middling *a.* pośredni
midget *n.* karzeł
midland *n.* środkowa część kraju
midnight *n.* północ
midriff *n.* przepona brzuszna
midst *n.* środek
midsummer *n.* połowa lata
midwife *n.* położna
might *n.* potęga
mighty *a.* potężny
migraine *n.* migrena
migrant *n.* emigrant
migrate *v.i.* emigrować
migration *n.* emigracja
milch *a.* dojny
mild *a.* łagodny
mildew *n.* pleśń
mile *n.* mila
mileage *n.* milaż
milestone *n.* kamień milowy
milieu *n.* otoczenie
militant *a.* wojowniczy
military *a.* wojskowy
military *n.* wojsko
militate *v.i.* walczyć
militia *n.* milicja
milk *n.* mleko
milk *v.t.* doić
milky *a.* mleczny
mill *n.* młyn
mill *v.t.* mleć
millennium *n.* tysiąclecie
miller *n.* młynarz
millet *n.* proso
milliner *n.* modniarka
millinery *n.* modniarstwo
million *n.* milion
millionaire *n.* milioner
millipede *n.* stonoga
mime *n.* mim
mime *v.i* naśladować
mimesis *n.* naśladownictwo
mimic *a.* mimiczny
mimic *n.* mimik
mimic *v.t* naśladować
mimicry *n.* mimika
minaret *n.* minaret
mince *v.t.* siekać (mięso)
mind *n.* umysł
mind *v.t.* zważać na coś
mindful *a.* dbały

mindless *a.* niedbały
mine *pron.* mój, moja, moje
mine *n.* kopalnia
miner *n.* górnik
mineral *n.* minerał
mineral *a* mineralny
mineralogist *n.* mineralog
mineralogy *n.* mineralogia
mingle *v.t.* mieszać
miniature *n.* miniatura
miniature *a.* miniaturowy
minim *n.* półnuta
minimal *a.* minimalny
minimize *v.t.* minimalizować
minimum *n.* minimum
minimum *a* minimalny
minion *n.* faworyt
minister *n.* minister
minister *v.i.* pielegnować (kogoś)
ministration *n* posługa
ministry *n.* ministerstwo
mink *n.* norka (zwierzę)
minor *a.* pomniejszy
minor *n.* osoba niepełnoletnia
minority *n.* mniejszość
minster *n.* katedra
mint *n.* mennica
mint *n.* mięta
mint *v.t.* bić pieniądze
minus *prep.* minus
minus *n.* minus
minuscule *n.* mała litera
minute *a.* znikomy
minute *n.* minuta
minutely *adv.* drobiazgowo
minx *n.* psotnica
miracle *n.* cud
miraculous *a.* cudowny
mirage *n.* miraż
mire *n.* bagno
mire *v.t.* wciągać w błoto
mirror *n.* lustro
mirror *v.t.* odbijać obraz
mirth *n.* radość
mirthful *a.* radosny
misadventure *n.* nieszczęście
misalliance *n.* mezalians
misanthrope *n.* mizantrop
misapplication *n.* złe zastosowanie
misapprehend *v.t.* źle zrozumieć
misapprehension *n.* nieporozumienie
misappropriate *v.t.* sprzeniewierzyć
misappropriation *n.* sprzeniewierzenie
misbehave *v.i.* być niegrzecznym
misbehaviour *n.* złe zachowanie się
misbelief *n.* mylne zdanie
miscalculate *v.t.* źle obliczać
miscalculation *n.* złe obliczenie
miscall *v.t.* błędnie kogoś nazwać
miscarriage *n.* poronienie
miscarry *v.i.* poronić
miscellaneous *a.* rozmaity
miscellany *n.* zbieranina
mischance *n.* pech
mischief *n.* psota
mischievous *a.* psotny
misconceive *v.t.* źle zrozumieć
misconception *n.* nieporozumienie
misconduct *n.* złe sprawowanie się
misconstrue *v.t.* źle zinterpretować
miscreant *n.* niegodziwiec
misdeed *n.* przestępstwo
misdemeanour *n.* wykroczenie
misdirect *v.t.* źle skierować
misdirection *n.* niewłaściwe pokierowanie

miser *n.* skąpiec
miserable *a.* nieszczęsny
miserly *a.* skąpy
misery *n.* niedola
misfire *v.i.* nie wypalać (o broni)
misfit *n.* człowiek niedostosowany do otoczenia
misfortune *n.* pech
misgive *v.t.* wzbudzać obawy
misgiving *n.* obawa
misguide *v.t.* skierować na niewłaściwą drogę
mishap *n.* nieszczęście
misjudge *v.t.* źle osądzić
mislead *v.t.* wprowadzać w błąd
mismanagement *n.* złe kierownictwo
mismatch *v.t.* źle dopasowywać
misnomer *n.* niewłaściwa nazwa
misplace *v.t.* położyć na niewłaściwym miejscu
misprint *n.* błąd drukarski
misprint *v.t.* błędnie wydrukować
misrepresent *v.t.* fałszywie przedstawić
misrule *n.* złe rządy
miss *n.* panna
miss *v.t.* tęsknić
missile *n.* pocisk
mission *n.* misja
missionary *n.* misjonarz
missis, missus *n.* pani
missive *n.* pismo (oficjalne)
mist *n.* mgła
mistake *n.* pomyłka
mistake *v.t.* pomylić się
mister *n.* pan (przed nazwiskiem)
mistletoe *n.* jemioła
mistreat *v.t.* źle się obchodzić
mistress *n.* kochanka
mistrust *n.* nieufność
mistrust *v.t.* nie ufać
misty *a.* mglisty
misunderstand *v.t.* źle zrozumieć
misunderstanding *n.* nieporozumienie
misuse *n.* niewłaściwe użycie
misuse *v.t.* niewłaściwie użyć
mite *n.* roztocze
mithridatize *v.t.* uodparniać na truciznę
mitigate *v.t.* łagodzić (ból)
mitigation *n.* łagodzenie
mitre *n.* infuła
mitten *n.* mitenka
mix *v.i* mieszać się
mixture *n.* mikstura
moan *v.i.* jęczeć
moan *n.* jęk
moat *n.* fosa
moat *v.t.* otaczać fosą
mob *n.* motłoch
mob *v.t.* gromadzić się tłumnie
mobile *a.* ruchomy
mobility *n.* ruchliwość
mobilize *v.t.* mobilizować
mock *v.i.* wykpiwać
mock *a.* udawany
mockery *n.* kpiny
modality *n.* modalność
mode *n.* tryb
model *n.* model
model *v.t.* modelować
moderate *a.* umiarkowany
moderate *v.t.* powściągać
moderation *n.* umiar
modern *a.* nowoczesny
modernity *n.* nowoczesność
modernize *v.t.* modernizować
modest *a.* skromny
modesty *n.* skromność
modicum *n.* odrobina

modification *n.* modyfikacja
modify *v.t.* modyfikować
modulate *v.t.* modulować
moil *v.i.* mozolić się
moist *a.* wilgotny
moisten *v.t.* nawilżać
moisture *n.* wilgoć
molar *n.* ząb trzonowy
molar *a* trzonowy
molasses *n.* melasa
mole *n.* kret
molecular *a.* molekularny
molecule *n.* molekuł
molest *v.t.* molestować
molestation *n.* molestowanie
molten *a.* stopiony
moment *n.* moment
momentary *a.* chwilowy
momentous *a.* doniosły
momentum *n.* siła rozpędu
monarch *n.* monarcha
monarchy *n.* monarchia
monastery *n.* klasztor
monasticism *n.* życie klasztorne
Monday *n.* poniedziałek
monetary *a.* monetarny
money *n.* pieniądze
monger *n.* kupiec
mongoose *n.* mangusta
mongrel *a* mieszanych ras
monitor *n.* monitor
monitory *a.* ostrzegawczy
monk *n.* mnich
monkey *n.* małpa
monochromatic *a.* monochromatyczny
monocle *n.* monokl
monocular *a.* jednooki
monody *n.* monodia
monogamy *n.* monogamia
monogram *n.* monogram
monograph *n.* monografia
monogyny *n.* monoginia
monolith *n.* monolit
monologue *n.* monolog
monopolist *n.* monopolista
monopolize *v.t.* monopolizować
monopoly *n.* monopol
monosyllable *n.* monosylaba
monosyllabic *a.* jednozgłoskowy
monotheism *n.* monoteizm
monotheist *n.* monoteista
monotonous *a.* monotonny
monotony *n.* monotonia
monsoon *n.* monsun
monster *n.* potwór
monstrous *a.* potworny
month *n.* miesiąc
monthly *a.* miesięczny
monthly *adv.* co miesiąc
monthly *n.* miesięcznik
monument *n.* monument
monumental *a.* monumentalny
moo *v.i* ryczeć (o krowie)
mood *n.* nastrój
moody *a.* zmiennego usposobienia (o człowieku)
moon *n.* księżyc
moor *n.* wrzosowisko
moor *v.t* cumować
moorings *n.* miejsce do cumowania
moot *n.* inscenizacja rozprawy sądowej (dla studentów)
mop *n.* mop (rodzaj miotły)
mop *v.t.* wycierać
mope *v.i.* poddawać się przygnębieniu
moral *a.* moralny
moral *n.* morał
morale *n.* morale
moralist *n.* moralista
morality *n.* moralność
moralize *v.t.* moralizować

morbid *a.* chorobowy
morbidity *n.* chorobliwość
more *a.* więcej
more *adv.* bardziej
moreover *adv.* ponadto
morganatic *a.* morganatyczny
morgue *n.* kostnica
moribund *a.* umierający
morning *n.* poranek
moron *n.* kretyn
morose *a.* posępny
morphia *n.* morfina
morrow *n.* następny dzień
morsel *n.* kęs
mortal *a.* śmiertelny
mortal *n.* śmiertelnik
mortality *n.* śmiertelność
mortar *v.t.* wiązać zaprawą (kamienie)
mortgage *n.* hipoteka
mortgage *v.t.* oddać w zastaw hipoteczny
mortagagee *n.* wierzyciel hipoteczny
mortgator *n.* dłużnik hipoteczny
mortify *v.t.* zawstydzać
mortuary *n.* kostnica
mosaic *n.* mozaika
mosque *n.* meczet
mosquito *n.* komar
moss *n.* mech
most *a.* najwięcej, najbardziej
most *adv.* nadzwyczajnie
most *n.* największa część
mote *n.* pyłek
motel *n.* motel
moth *n.* mól
mother *n.* matka
mother *v.t.* matkować (komuś)
motherhood *n.* macierzyństwo
motherless *a.* bez matki
motherly *a.* macierzyński
motif *n.* motyw
motion *n.* ruch
motion *v.i.* dawać znak
motionless *a.* unieruchomiony
motivate *v* motywować
motivation *n.* motywacja
motive *n.* motyw
motley *a.* różnorodny
motor *n.* silnik
motor *v.i.* prowadzić samochód
motorist *n.* kierowca
mottle *n.* cętka
motto *n.* motto
mould *n.* forma odlewnicza
mould *v.t.* odlewać
mould *n.* pleśń
mould *v.i.* pleśnieć
mouldy *a.* spleśniały
moult *v.i.* linieć
mound *n.* kopiec
mount *n.* wzgórek
mount *v.t.* wchodzić do góry
mount *n.* góra
mountain *n.* góra
mountaineer *n.* alpinista
mountainous *a.* górzysty
mourn *v.i.* lamentować
mourner *n.* żałobnik
mournful *n.* żałobny
mourning *n.* żałoba
mouse *n.* mysz
moustache *n.* wąs
mouth *n.* usta
mouth *v.t.* deklamować
mouthful *n.* kęs
movable *a.* ruchomy
movables *n.* ruchomości
move *n.* ruch
move *v.t.* poruszać
movement *n.* poruszenie się
mover *n.* siła napędowa
movies *n.* kino

mow *v.t.* strzyc (trawę)
much *a* dużo
much *adv.* wiele
mucilage *n.* klej roślinny
muck *n.* brud
mucous *a.* śluzowy
mucus *n.* śluz
mud *n.* błoto
muddle *n.* bałagan
muddle *v.t.* bałaganić
muffle *v.t.* kneblować usta
muffler *n.* tłumik
mug *n.* kubek
muggy *a.* parny (o powietrzu)
mulatto *n.* Mulat
mulberry *n.* morwa
mule *n.* muł
mulish *a.* uparty
mull *n.* fuszerka
mull *v.t.* fuszerować
mullah *n.* mułła
mullion *n.* laska w oknie (w architekturze)
multifarious *a.* wieloraki
multiform *n.* wielokształtny
multilateral *a.* wieloboczny
multiparous *a.* wielorodny
multiple *a.* wielokrotny
multiple *n.* wielokrotność
multiplex *a.* wielokrotny
multiplicand *n.* mnożna
multiplication *n.* mnożenie
multiplicity *n.* różnorodność
multiply *v.t.* mnożyć
multitude *n.* mnogość
mum *a.* milczący
mum *n.* mamusia
mumble *v.i.* mamrotać
mummer *n.* aktor (pogardliwie)
mummy *n.* mumia
mummy *n.* mamusia
mumps *n.* świnka (choroba)
munch *v.t.* chrupać
mundane *a.* doczesny
municipal *a.* miejski
municipality *n.* zarząd miasta
munificent *a.* hojny
muniments *n.* pisemne dowody posiadanych praw
munitions *n.* amunicja
mural *a.* ścienny
mural *n.* fresk
murder *n.* morderstwo
murder *v.t.* mordować
murderer *n.* morderca
murderous *a.* morderczy
murmur *n.* pomruk
murmur *v.t.* mruczeć
muscle *n.* mięsień
Muscovite *n.* moskwiczanin
muscular *a.* mięśniowy
muse *v.i.* dumać
muse *n.* muza
museum *n.* muzeum
mush *n.* papka
mushroom *n.* grzyb
music *n.* muzyka
musical *a.* muzyczny
musician *n.* muzyk
musk *n.* piżmo
musket *n.* muszkiet
musketeer *n.* muszkieter
muslin *n.* muślin
must *v.* musieć
must *n.* konieczność
mustache *n.* wąs
mustang *n.* mustang
mustard *n.* musztarda
muster *v.t.* gromadzić
muster *n.* zgromadzenie
musty *a.* spleśniały
mutation *n.* mutacja
mute *a.* niemy
mute *n.* niemowa

mutilate *v.t.* kaleczyć
mutilation *n.* okaleczenie
mutinous *a.* buntowniczy
mutiny *n.* bunt
mutiny *v. i* buntować się
mutter *v.i.* szemrać
mutton *n.* baranina
mutual *a.* wzajemny
muzzle *n.* kaganiec
muzzle *v.t* nałożyć kaganiec
my *a.* mój, moja, moje
myalgia *n.* ból mięśniowy
myopia *n.* krótkowzroczność
myopic *a.* krótkowzroczny
myriad *n.* miriada
myriad *a* niezliczony
myrrh *n.* mirra
myrtle *n.* mirt
myself *pron.* się, siebie, sobie
mysterious *a.* tajemniczy
mystery *n.* tajemnica
mystic *a.* mistyczny
mystic *n.* mistyk
mysticism *n.* mistycyzm
mystify *v.t.* okrywać tajemnicą
myth *n.* mit
mythical *a.* mityczny
mythological *a.* mitologiczny
mythology *n.* mitologia

N

nab *v.t.* złapać
nabob *n.* nabab
nadir *n.* nadir
nag *n.* zrzęda
nag *v.t.* dokuczać komuś
nail *n.* paznokieć
nail *n.* gwóźdź
nail *v.t.* przybijać gwoździem
naive *a.* naiwny
naivete *n.* naiwność
naivety *n.* naiwność
naked *a.* nagi
name *n.* nazwisko
name *v.t.* nazywać
namely *adv.* mianowicie
namesake *n.* imiennik
nap *v.i.* drzemać
nap *n.* drzemka
nap *n.* puch
nape *n.* kark
napkin *n.* serwetka
narcissism *n.* narcyzm
narcissus *n.* narcyz
narcosis *n.* narkoza
narcotic *n.* narkotyczny
narrate *v.t.* opowiadać
narration *n.* opowiadanie
narrative *n.* opowiadanie
narrative *a.* gawędziarski
narrator *n.* narrator
narrow *a.* wąski
narrow *v.t.* zwężać
nasal *a.* nosowy
nasal *n.* głoska nosowa
nascent *a.* powstający
nasty *a.* przykry
natal *a.* rodzinny (o kraju)
natant *a.* pływający
nation *n.* naród
national *a.* narodowy
nationalism *n.* nacjonalizm
nationalist *n.* nacjonalista
nationality *n.* narodowość
nationalization *n.* nacjonalizacja
nationalize *v.t.* nacjonalizować
native *a.* ojczysty
native *n.* tubylec
nativity *n.* narodzenie
natural *a.* naturalny

naturalist *n.* naturalista
naturalize *v.t.* naturalizować
naturally *adv.* naturalnie
nature *n.* natura
naughty *a.* niegrzeczny
nausea *n.* nudności
nautic(al) *a.* morski
naval *a.* okrętowy
nave *n.* nawa (kościoła)
navigable *a.* żeglowny
navigate *v.i.* żeglować
navigation *n.* nawigacja
navigator *n.* nawigator
navy *n.* marynarka wojenna
nay *adv.* nie
neap *a.* mały (przypływ i odpływ)
near *a.* bliski
near *prep.* w pobliżu
near *adv.* blisko
near *v.t.* zbliżać się
nearly *adv.* prawie (że)
neat *a.* schludny
nebula *n.* mgławica
necessary *n.* (to, co jest) konieczne
necessary *a* konieczny
necessitate *v.t.* wymagać (czegoś)
necessity *n.* nieodzowność
neck *n.* szyja
neck *n.* kark
necklace *n.* naszyjnik
necklet *n.* naszyjnik
necromancer *n.* czarnoksiężnik
necropolis *n.* cmentarz
nectar *n.* nektar
need *n.* potrzeba
need *v.t.* potrzebować
needful *a.* potrzebny
needle *n.* igła
needless *a.* zbyteczny
needs *adv.* koniecznie
needy *a.* potrzebujący
nefarious *a.* nikczemny
negation *n.* zaprzeczenie
negative *a.* negatywny
negative *n.* negatyw
negative *v.t.* sprzeciwiać się czemuś
neglect *v.t.* zaniedbywać
neglect *n.* zaniedbanie
negligence *n.* zaniedbanie
negligent *a.* niedbały
negligible *a.* nieistotny
negotiable *a.* możliwy do sprzedania
negotiate *v.t.* negocjować
negotiation *n.* negocjacja
negotiator *n.* negocjator
Negress *n.* Murzynka
Negro *n.* Murzyn
neigh *v.i.* rżeć
neigh *n.* rżenie
neighbour *n.* sąsiad
neighbourhood *n.* sąsiedztwo
neighbourly *a.* życzliwy
neither *conj.* ani jeden, ani drugi
neolithic *a.* neolityczny
neon *n.* neon
nephew *n.* siostrzeniec
nephew *n.* bratanek
nepotism *n.* nepotyzm
Neptune *n.* Neptun
nerve *n.* nerw
nerveless *a.* bez wigoru
nervous *a.* nerwowy
nescience *n.* niewiedza
nest *n.* gniazdo
nest *v.t.* gnieździć się
nether *a.* dolny
nestle *v.i.* gnieździć się
nestling *n.* pisklę
net *n.* sieć

net *v.t.* zarabiać na czysto
net *a* netto
nettle *n.* pokrzywa
nettle *v.t.* sparzyć pokrzywą
network *n.* sieć (kolejowa itp.)
neurologist *n.* neurolog
neurology *n.* neurologia
neurosis *n.* nerwica
neuter *a.* neutralny
neuter *n.* człowiek bezstronny
neutral *a.* neutralny
neutralize *v.t.* neutralizować
neutron *n.* neutron
never *adv.* nigdy
nevertheless *conj.* niemniej jednak
new *a.* nowy
news *n.* wiadomości
next *a.* następny
next *adv.* następnie
nib *n.* stalówka
nibble *v.t.* ogryzać
nibble *n.* ogryzanie
nice *a.* miły
nicety *n.* wybredność
niche *n.* nisza
nick *n.* nacięcie
nickel *n.* nikiel
nickname *n.* przydomek
nickname *v.t.* nadawać przydomek
nicotine *n.* nikotyna
niece *n.* siostrzenica
niece *n.* bratanica
niggard *n.* skąpiec
niggardly *a.* skąpy
nigger *n.* Murzyn (pogardliwie)
night *n.* noc
nightingale *n.* słowik
nightly *adv.* nocny
nightmare *n.* koszmar
nightie *n.* koszula nocna
nihilism *n.* nihilizm
nil *n.* zero
nimble *a.* zwinny
nimbus *n.* nimb
nine *a.* dziewięć
nineteen *a.* dziewiętnaście
nineteenth *a.* dziewiętnasty
ninetieth *a.* dziewięćdziesiąty
ninth *a.* dziewiąty
ninety *a.* dziewięćdziesiąt
nip *v.t* uszczypnąć
nipple *n.* sutek
nitrogen *n.* azot
no *a.* nie
no *adv.* nie
no *n.* odmowa
nobility *n.* szlachta
noble *a.* szlachetny
nobleman *n.* szlachcic
nobody *pron.* nikt
nocturnal *a.* nocny
nod *v.i.* kiwać głową
node *n.* węzeł (w medycynie)
noise *n.* hałas
noisy *a.* hałaśliwy
nomad *n.* koczownik
nomadic *a.* koczowniczy
nomenclature *n.* nomenklatura
nominal *a.* nominalny
nominate *v.t.* mianować
nomination *n.* nominacja
nominee *n.* wyznaczony kandydat
non-attendance *n.* nieobecność
nonchalance *n.* nonszalancja
nonchalant *a.* nonszalancki
none *pron.* żaden, nikt
none *adv.* bynajmniej nie
nonentity *n.* niebyt
nonetheless *adv.* jednakże
nonpareil *a.* niezrównany
nonpareil *n.* unikat
nonplus *v.t.* zakłopotać

nonsense *n.* nonsens
nonsensical *a.* nonsensowny
nook *n.* kącik
noon *n.* południe
noose *n.* pętla
noose *v.t.* złapać w pętlę
nor *conj.* też nie
norm *n.* norma
normal *a.* normalny
normalcy *n.* normalność
normalize *v.t.* normalizować
north *n.* północ
north *a* północny
north *adv.* na północ
northerly *a.* północny
northerly *adv.* na północ
northern *a.* północny
nose *n.* nos
nose *v.t* węszyć
nosegay *n.* bukiet
nosey *a.* wścibski
nosy *a.* wścibski
nostalgia *n.* nostalgia
nostril *n.* nozdrze
nostrum *n.* panaceum
not *adv.* nie
notability *n.* znakomitość (o człowieku)
notable *a.* znakomity
notary *n.* notariusz
notation *n.* notacja
notch *n.* nacięcie
note *n.* notatka
note *n.* nuta
note *v.t.* notować
noteworthy *a.* godny uwagi
nothing *n.* nic
nothing *adv.* nic
notice *n.* zawiadomienie
notice *v.t.* zauważać
notification *n.* zawiadomienie
notify *v.t.* zawiadamiać
notion *n.* pojęcie
notional *a.* pojęciowy
notoriety *n.* rozgłos
notorious *a.* znany
notwithstanding *prep.* pomimo czegoś
notwithstanding *adv.* jednakże
nought *n.* nic, zero
noun *n.* rzeczownik
nourish *v.t.* żywić
nourishment *n.* pożywienie
novel *a.* nowatorski
novel *n.* powieść
novelette *n.* nowela
novelist *n.* powieściopisarz
novelty *n.* nowość
November *n.* listopad
novice *n.* nowicjusz
now *adv.* teraz
now *conj.* teraz gdy
nowhere *adv.* nigdzie
noxious *a.* szkodliwy
nozzle *n.* dysza
nuance *n.* niuans
nubile *a.* dojrzały wiek (stosowny do zamążpójścia)
nuclear *a.* nuklearny
nucleus *n.* jądro
nude *a.* nagi
nude *n.* akt (malarski)
nudity *n.* nagość
nudge *v.t.* trącać łokciem
nugget *n.* bryłka
nuisance *n.* rzecz przykra
null *a.* niebyły
nullification *n.* unieważnienie
nullify *v.t.* unieważniać
numb *a.* odrętwiały
number *n.* liczba
number *v.t.* liczyć
numberless *a.* niezliczony
numeral *a.* liczbowy

numerator *n.* licznik
numerical *a.* liczbowy
numerous *a.* liczny
nun *n.* zakonnica
nunnery *n.* klasztor żeński
nuptial *a.* weselny
nuptials *n.* wesele
nurse *n.* pielęgniarka
nurse *v.t* pielegnować (chorego)
nursery *n.* pokój dziecinny
nursery *n.* przedszkole
nurture *n.* wychowanie
nurture *v.t.* wychowywać
nut *n.* orzech
nutrition *n.* odżywianie
nutritious *a.* odżywczy
nutritive *a.* pożywny
nuzzle *v.* węszyć
nylon *n.* nylon
nymph *n.* nimfa

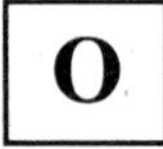

oak *n.* dąb
oar *n.* wiosło
oarsman *n.* wioślarz
oasis *n.* oaza
oat *n.* owies
oath *n.* przysięga
obduracy *n.* nieczułość
obdurate *a.* nieczuły
obedience *n.* posłuszeństwo
obedient *a.* posłuszny
obeisance *n.* hołd
obesity *n.* otyłość
obey *v.t.* być posłusznym
obituary *a.* pośmiertny
object *n.* przedmiot
object *v.t.* zarzucać (coś komuś)
objection *n.* sprzeciw
objectionable *a.* niewłaściwy
objective *n.* cel
objective *a.* obiektywny
oblation *n.* oblacja
obligation *n.* zobowiązanie
obligatory *a.* obowiązkowy
oblige *v.t.* zobowiązywać
oblique *a.* ukośny
obliterate *v.t.* wymazywać
obliteration *n.* wymazanie
oblivion *n.* zapomnienie
oblivious *a.* niepomny
oblong *a.* podłużny
oblong *n.* prostokąt
obnoxious *a.* wstrętny
obscene *a.* sprośny
obscenity *n.* sprośność
obscure *a.* mroczny
obscure *v.t.* zaciemniać
obscurity *n.* ciemność
observance *n.* przestrzeganie (przepisów)
observant *a.* spostrzegawczy
observation *n.* obserwacja
observatory *n.* obserwatorium
observe *v.t.* obserwować
observe *v.t.* przestrzegać (przepisów)
obsess *v.t.* prześladować (o myśli)
obsession *n.* obsesja
obsolete *a.* przestarzały
obstacle *n.* przeszkoda
obstinacy *n.* upór
obstinate *a.* uparty
obstruct *v.t.* zagradzać
obstruction *n.* zagrodzenie
obstructive *a.* zawadzający
obtain *v.t.* otrzymać
obtainable *a.* możliwy do nabycia

obtuse *a.* tępy
obvious *a.* oczywisty
occasion *n.* okazja
occasion *v.t* spowodować
occasional *a.* sporadyczny
occasionally *adv.* sporadycznie
Occident *n.* Zachód (geograficzno-kulturalny)
occidental *a.* zachodni
occult *a.* tajemny
occupancy *n.* zajmowanie
occupant *n.* lokator
occupation *n.* zawód
occupier *n.* lokator
occupy *v.t.* zajmować
occur *v.i.* zdarzać się
occurrence *n.* zdarzenie
ocean *n.* ocean
oceanic *a.* oceaniczny
octagon *n.* ośmiokąt
octane *n.* oktan
octave *n.* oktawa
October *n.* październik
octogenarian *n.* człowiek osiemdziesięcioletni
octogenarian *a* osiemdziesięcioletni
octroi *n.* lokalny podatek na towary konsumpcyjne
ocular *a.* oczny
oculist *n.* okulista
odd *a.* dziwny
odd *a.* nieparzysty (o liczbie)
oddity *n.* osobliwość
odds *n.* przewaga
ode *n.* oda
odious *a.* wstrętny
odium *n.* odium
odorous *a.* pachnący
odour *n.* zapach
offence *n.* obraza
offend *v.t.* obrażać
offender *n.* przestępca
offensive *a.* obraźliwy
offensive *n.* ofensywa
offer *v.t.* oferować
offer *n.* oferta
offering *n.* ofiara
office *n.* biuro
officer *n.* oficer
officer *n.* urzędnik
official *a.* oficjalny
official *n.* urzędnik
officially *adv.* oficjalnie
officiate *v.i.* celebrować (w kościele)
officious *a.* natrętny
offing *n.* pełne morze
offset *v.t.* wyrównywać (stratę)
offset *n.* wyrównanie (straty)
offshoot *n.* odrośl
offspring *n.* potomstwo
oft *adv.* częstokroć
often *adv.* często
ogle *v.t.* wlepiać wzrok
ogle *n.* perskie oko
oil *n.* olej
oil *n.* smar
oil *v.t* smarować
oily *a.* oleisty
ointment *n.* maść
old *a.* stary
oligarchy *n.* oligarchia
olive *n.* oliwka (owoc)
olympiad *n.* olimpiada
omega *n.* omega
omelette *n.* omlet
omen *n.* omen
ominous *a.* złowieszczy
omission *n.* pominięcie (czegoś)
omit *v.t.* pomijać (coś)
omnipotence *n.* wszechmoc
omnipotent *a.* wszechmocny

omnipresence *n.* wszechobecność
omnipresent *a.* wszechobecny
omniscience *n.* wszechwiedza
omniscient *a.* wszechwiedzący
on *prep.* na
on *adv.* włączony (urządzenie)
once *adv.* jeden raz
one *a.* jeden
oneness *n.* jedność
onerous *a.* uciążliwy
onion *n.* cebula
on-looker *n.* widz
only *a.* jedyny
only *adv.* tylko
only *conj.* tylko że
onomatopoeia *n.* onomatopeja
onrush *n.* szturm
onset *n.* początek
onslaught *n.* gwałtowny atak
onus *n.* ciężar
onward *a.* naprzód (o ruchu)
onwards *adv.* naprzód
ooze *n.* wyciek
ooze *v.i.* sączyć się
opacity *n.* nieprzezroczystość
opal *n.* opal
opaque *a.* nieprzezroczysty
open *a.* otwarty
open *v.t.* otwierać
opening *n.* otwór
opening *n.* otwarcie
openly *adv.* szczerze
opera *n.* opera
operate *v.t.* operować
operate *v.t.* działać
operation *n.* operacja
operative *a.* operacyjny
operator *n.* operator
opine *v.i.* uważać, że
opinion *n.* opinia
opium *n.* opium
opponent *n.* przeciwnik
opportune *a.* właściwy
opportunism *n.* oportunizm
opportunity *n.* dogodna okazja
oppose *v.t.* sprzeciwiać się
opposite *a.* przeciwny
opposition *n.* sprzeciw
opposition *n.* opozycja
oppress *v.t.* gnębić
oppression *n.* gnębienie
oppressive *a.* uciążliwy
oppressor *n.* gnębiciel
opt *v.i.* optować
optic *a.* optyczny
optician *n.* optyk
optimism *n.* optymizm
optimist *n.* optymista
optimistic *a.* optymistyczny
optimum *n.* optimum
optimum *a* optymalny
option *n.* opcja
optional *a.* opcjonalny
opulence *n.* obfitość
opulent *a.* obfity
oracle *n.* wyrocznia
oracular *a.* proroczy
oral *a.* ustny
orally *adv.* ustnie
orange *n.* pomarańcza
orange *a* pomarańczowy
oration *n.* oracja
orator *n.* orator
oratorical *a.* krasomówczy
oratory *n.* kaplica
orb *n.* ciało niebieskie
orbit *n.* orbita
orchard *n.* sad
orchestra *n.* orkiestra
orchestral *a.* orkiestralny
ordeal *n.* ciężkie doświadczenie
order *n.* porządek
order *n.* zamówienie

order *v.t* porządkować
order *v.t* zamawiać
orderly *a.* uporządkowany
orderly *n.* sanitariusz
ordinance *n.* rozporządzenie
ordinarily *adv.* zazwyczaj
ordinary *a.* zwykły
ordnance *n.* artyleria
ore *n.* ruda (kruszec)
organ *n.* organy
organ *n.* narząd
organic *a.* organiczny
organism *n.* organizm
organization *n.* organizacja
organize *v.t.* organizować
orient *n.* (Bliski) Wschód
orient *v.t.* orientować
oriental *a.* wschodni
Oriental *n.* mieszkaniec Bliskiego Wschodu
orientate *v.t.* orientować
origin *n.* pochodzenie
original *a.* oryginalny
original *a.* pierwotny
original *n.* oryginał
originality *n.* oryginalność
originate *v.t.* zapoczątkowywać
originator *n.* inicjator
ornament *n.* ozdoba
ornament *v.t.* ozdabiać
ornamental *a.* dekoracyjny
ornamentation *n.* zdobnictwo
orphan *n.* sierota
orphan *v.t* osierocić
orphanage *n.* sierociniec
orthodox *a.* ortodoksyjny
orthodox *a.* prawosławny
orthodoxy *n.* ortodoksja
oscillate *v.i.* oscylować
oscillation *n.* oscylacja
ossify *v.t.* skostnieć
ostracize *v.t.* wykluczyć z towarzystwa
ostrich *n.* struś
other *a.* inny
other *pron.* inny
otherwise *adv.* inaczej
otherwise *conj.* bo inaczej
otter *n.* wydra
ottoman *n.* otomana
ounce *n.* uncja
our *pron.* nasz, nasza, nasze
oust *v.t.* wyganiać
out *adv.* na zewnątrz
outbalance *v.t.* przeważać
outbid *v.t.* przelicytować
outbreak *n.* wybuch (wojny, choroby)
outburst *n.* wybuch (gniewu, śmiechu)
outcast *n.* wygnaniec
outcast *a* wygnany
outcome *n.* rezultat
outcry *n.* wrzask
outdated *a.* przestarzały
outdo *v.t.* prześcignąć (kogoś w czymś)
outdoor *a.* na wolnym powietrzu (o sportach)
outer *a.* zewnętrzny
outfit *n.* sprzęt
outfit *v.t* wyposażać
outgrow *v.t.* wyrastać (np. z ubrania)
outhouse *n.* przybudówka
outing *n.* wycieczka
outlandish *a.* dziwaczny
outlaw *n.* banita
outlaw *v.t* wyjąć spod prawa
outline *n.* zarys
outline *v.t.* nakreślać
outlive *v.i.* przeżyć
outlook *n.* perspektywa
outmoded *a.* niemodny

outnumber *v.t.* mieć przewagę liczebną
outpatient *n.* pacjent ambulatoryjny
outpost *n.* placówka
output *n.* wydajność
outrage *n.* zniewaga
outrage *v.t.* obrażać
outright *adv.* całkowicie
outright *a* całkowity
outrun *v.t.* wyprzedzać
outset *n.* początek
outshine *v.t.* zaćmić
outside *a.* zewnętrzny
outside *n.* zewnętrzna strona
outside *adv.* zewnętrznie
outside *prep* na zewnątrz
outsider *n.* człowiek obcy
outsize *a.* ponadwymiarowy
outskirts *n.pl.* peryferie
outspoken *a.* szczery
outstanding *a.* wybitny
outward *a.* zewnętrzny
outward *adv.* na zewnątrz
outwards *adv.* na zewnątrz
outwardly *adv.* zewnętrznie
outweigh *v.t.* przeważać
outwit *v.t.* przechytrzać
oval *a.* owalny
oval *n.* owal
ovary *n.* jajnik
ovation *n.* owacja
oven *n.* piec
over *prep.* na
over *adv.* ponad
over *n.* nadwyżka
overact *v.t.* szarżować
overall *n.* kitel (lekarza)
overall *a* całkowity
overawe *v.t.* onieśmielać
overboard *adv.* za burtę
overburden *v.t.* przeciążać
overcast *a.* zachmurzony
overcharge *v.t.* policzyć zbyt dużo
overcharge *n.* przeładowanie
overcoat *n.* płaszcz
overcome *v.t.* pokonywać
overdo *v.t.* przesadzić (w czymś)
overdose *n.* zbyt duża dawka
overdose *v.t.* przedawkować
overdraft *n.* przekroczenie konta (bankowego)
overdraw *v.t.* przekroczyć konto
overdue *a.* zaległy
overhaul *v.t.* dokonywać gruntownego remontu
overhaul *n.* gruntowny remont
overhear *v.t.* podsłuchać
overjoyed *a* rozradowany
overlap *v.t.* zazębiać się
overlap *n.* zachodzenie na siebie
overleaf *adv.* na odwrocie (strony)
overload *v.t.* przeładowywać
overload *n.* przeciążenie
overlook *v.t.* przeoczyć
overnight *adv.* przez noc
overnight *a* nocny
overpower *v.t.* przezwyciężać
overrate *v.t.* przeceniać
overrule *v.t.* uchylić (wniosek)
overrun *v.t* przekraczać (koszty)
oversee *v.t.* nadzorować
overseer *n.* nadzorca
overshadow *v.t.* zaćmiewać
oversight *n.* przeoczenie
overt *a.* jawny
overtake *v.t.* wyprzedzać (samochód)
overthrow *v.t.* powalić (przeciwnika)
overthrow *n.* obalenie
overtime *adv.* nadprogramowo

overtime *n.* nadgodziny
overture *n.* uwertura
overwhelm *v.t.* przytłaczać (o uczuciu)
overwork *v.i.* przemęczać się
overwork *n.* przemęczenie
owe *v.t* być dłużnym
owl *n.* sowa
own *a.* własny
own *v.t.* posiadać
owner *n.* właściciel
ownership *n.* własność
ox *n.* wół
oxygen *n.* tlen
oyster *n.* ostryga

pace *n.* krok
pace *n.* tempo
pace *v.i.* kroczyć
pacific *a.* pokojowy
pacify *v.t.* złagodzić
pack *n.* paczka
pack *v.t.* pakować
package *n.* pakunek
packet *n.* paczka
packing *n.* pakowanie
pact *n.* pakt
pad *n.* podkładka
pad *v.t.* wyściełać
padding *n.* wyściółka
paddle *v.i.* wiosłować
paddle *n.* krótkie wiosło
paddy *n.* ryż niełuskany
page *n.* strona
page *v.t.* wezwać kogoś pagerem
pageant *n.* widowisko
pageantry *n.* przepych
pagoda *n.* pagoda
pail *n.* ceber
pain *n.* ból
pain *v.t.* zadawać ból
painful *a.* bolesny
painstaking *a.* staranny
paint *n.* farba
paint *v.t.* malować
painter *n.* malarz
painting *n.* obraz
pair *n.* para
pair *v.t.* łączyć w pary
pal *n.* kumpel
palace *n.* pałac
palanquin *n.* palankin
palatable *a.* smakowity
palatal *a.* podniebienny
palate *n.* podniebienie
palatial *a.* pałacowy
pale *n.* pal
pale *a* blady
pale *v.i.* blednąć
palette *n.* paleta
palm *n.* palma
palm *n.* dłoń
palm *v.t.* manipulować
palmist *n.* chiromanta
palmistry *n.* chiromancja
palpable *a.* namacalny
palpitate *v.i.* drżeć (o sercu)
palpitation *n.* palpitacja
palsy *n.* paraliż
paltry *a.* marny
pamper *v.t.* rozpieszczać
pamphlet *n.* broszura
pamphleteer *n.* autor broszur
panacea *n.* panaceum
pandemonium *n.* pandemonium
pane *n.* szyba
panegyric *n.* panegiryk
panel *n.* płyta
panel *n.* komitet

panel *v.t.* wykładać (boazerią)
pang *n.* ból (przelotny)
panic *n.* panika
panorama *n.* panorama
pant *v.i.* dyszeć
pant *n.* zadyszka
pantheism *n.* panteizm
pantheist *n.* panteista
panther *n.* pantera
pantomime *n.* pantomima
pantry *n.* spiżarnia
papacy *n.* papiestwo
papal *a.* papieski
paper *n.* papier
par *n.* równość
parable *n.* przypowieść
parachute *n.* spadochron
parachutist *n.* spadochroniarz
parade *n.* parada
parade *v.t.* przeprowadzać (drogą)
paradise *n.* raj
paradox *n.* paradoks
paradoxical *a.* paradoksalny
paraffin *n.* parafina
paragon *n.* niedościgniony wzór
paragraph *n.* akapit
parallel *a.* równoległy
parallel *v.t.* porównywać
parallelism *n.* paralelizm
parallelogram *n.* równoległobok
paralyse *v.t.* paraliżować
paralysis *n.* paraliż
paralytic *a.* paralityczny
paramount *a.* najważniejszy
paramour *n.* kochanek
paraphernalia *n. pl* przedmioty osobistego użytku
paraphrase *n.* parafraza
paraphrase *v.t.* parafrazować
parasite *n.* pasożyt
parcel *n.* paczka
parcel *v.t.* parcelować
parch *v.t.* przypiekać
pardon *v.t.* wybaczać
pardon *n.* wybaczenie
pardonable *a.* wybaczalny
parent *n.* rodzic
parentage *n.* pochodzenie
parental *a.* rodzicielski
parenthesis *n.* nawias
parish *n.* parafia
parity *n.* równość
park *n.* park
park *v.t.* parkować
parlance *n.* mowa
parley *n.* pertraktacje
parley *v.i* pertraktować
parliament *n.* parlament
parliamentarian *n.* parlamentarz
parliamentary *a.* parlamentarny
parlour *n.* salon
parody *n.* parodia
parody *v.t.* parodiować
parole *n.* słowo honoru
parole *v.t.* zwalniać warunkowo (z aresztu)
parricide *n.* ojcobójstwo
parrot *n.* papuga
parry *v.t.* odparowywać
parry *n.* odparowanie (ciosu)
parson *n.* pastor
part *n.* część
part *v.t.* dzielić
partake *v.i.* brać udział
partial *a.* częściowy
partial *a.* stronniczy
partiality *n.* stronniczość
participate *v.i.* uczestniczyć
participant *n.* uczestnik
participation *n.* uczestnictwo
particle *n.* cząstka
particular *a.* szczególny
particular *n.* szczegół

partisan *n.* stronnik
partition *n.* przegroda
partition *v.t.* dzielić
partner *n.* partner
partnership *n.* partnerstwo
party *n.* partia
party *n.* impreza
pass *v.i.* przechodzić
pass *v.i.* zdawać egzamin
pass *n.* przepustka
passage *n.* przejście
passenger *n.* pasażer
passion *n.* pasja
passionate *a.* żarliwy
passive *a.* bierny
passport *n.* paszport
past *a.* przeszły
past *n.* przeszłość
past *prep.* za (czymś)
paste *n.* pasta
paste *v.t.* skleić
pastel *n.* pastel
pastime *n.* rozrywka
pastoral *a.* pasterski
pasture *n.* pastwisko
pasture *v.t.* wypasać
pat *v.t.* poklepać
pat *n.* klepanie
pat *adv.* trafnie
patch *v.t.* załatać
patch *n.* łata
patent *a.* patentowy
patent *n.* patent
patent *v.t.* opatentować
paternal *a.* ojcowski
path *n.* ścieżka
pathetic *a.* patetyczny
pathos *n.* patos
patience *n.* cierpliwość
patient *a.* cierpliwy
patient *n.* pacjent
patricide *n.* ojcobójstwo
patrimony *n.* ojcowizna
patriot *n.* patriota
patriotic *a.* patriotyczny
partiotism *n.* patriotyzm
patrol *v.i.* patrolować
patrol *n.* patrol
patron *n.* patron
patron *n.* stały klient
patronage *n.* patronat
patronize *v.t.* traktować protekcjonalnie
pattern *n.* wzór
paucity *n.* ubóstwo
pauper *n.* żebrak
pause *n.* pauza
pause *v.i.* pauzować
pave *v.t.* brukować
pavement *n.* chodnik
pavilion *n.* pawilon
paw *n.* łapa
paw *v.t.* skrobać łapą (o zwierzęciu)
pay *v.t.* płacić
pay *n.* płaca
payable *a.* płatny
payee *n.* beneficjent
payment *n.* płatność
pea *n.* groch
peace *n.* pokój
peaceable *a.* spokojny (o człowieku)
peaceful *a.* spokojny
peach *n.* brzoskwinia
peacock *n.* paw
peahen *n.* pawica
peak *n.* szczyt
pear *n.* gruszka
pearl *n.* perła
peasant *n.* wieśniak
peasantry *n.* chłopstwo
pebble *n.* kamyk
peck *n.* dziobnięcie

peck *v.i.* dziobać
peculiar *a.* osobliwy
peculiarity *n.* osobliwość
pecuniary *a.* pieniężny
pedagogue *n.* pedagog
pedagogy *n.* pedagogika
pedal *n.* pedał
pedal *v.t.* pedałować
pedant *n.* pedant
pedantic *adj.* pedantyczny
pedantry *n.* pedanteria
pedestal *n.* piedestał
pedestrian *n.* pieszy
pedigree *n.* rodowód
peel *v.t.* obierać (owoc)
peel *n.* skórka (owocu)
peep *v.i.* zerkać
peep *n.* zerknięcie
peer *n.* rówieśnik
peerless *a.* niezrównany
peg *n.* kołek
peg *v.t.* przymocowywać kołkami
pelf *n.* mamona
pell-mell *adv.* bezładnie
pen *n.* pióro
pen *v.t.* napisać
penal *a.* karny
penalize *v.t.* karać
penalty *n.* kara
pencil *n.* ołówek
pencil *v.t.* rysować
pending *prep.* podczas
pending *a* będący w toku
pendulum *n.* wahadło
penetrate *v.t.* przenikać
penetration *n.* penetracja
penis *n.* penis
penniless *a.* bez grosza
penny *n.* pens
pension *n.* emerytura
pension *v.t.* przyznawać emeryturę
pensioner *n.* emeryt
pensive *a.* zamyślony
pentagon *n.* pięciokąt
peon *n.* posłaniec (w Indiach)
people *n.* naród
people *v.t.* zaludniać
pepper *n.* pieprz
pepper *v.t.* popieprzyć
per *prep.* za pośrednictwem
perambulator *n.* wózek dziecinny
perceive *v.t.* spostrzegać
perceptible *a.* dostrzegalny
per cent *adv.* procent
percentage *n.* odsetek
perception *n.* percepcja
perceptive *a.* spostrzegawczy
perch *n.* grzęda
perch *v.i.* siadać (o ptaku)
perennial *a.* trwały
perennial *n.* bylina
perfect *a.* doskonały
perfect *v.t.* doskonalić
perfection *n.* doskonałość
perfidy *n.* perfidia
perforate *v.t.* przedziurawiać
perforce *adv.* z konieczności
perform *v.t.* wykonywać
performance *n.* przedstawienie (np. w teatrze)
performer *n.* wykonawca
perfume *n.* perfumy
perfume *v.t.* perfumować
perhaps *adv.* być może
peril *n.* niebezpieczeństwo
peril *v.t.* narażać na niebezpieczeństwo
perilous *a.* ryzykowny
period *n.* okres
periodical *n.* periodyk
periodical *a.* okresowy
periphery *n.* peryferie

perish *v.i.* przepadać
perishable *a.* psujący się (o towarze)
perjure *v.i.* krzywoprzysięgać
perjury *n.* krzywoprzysięstwo
permanence *n.* trwałość
permanent *a.* trwały
permissible *a.* dozwolony
permission *n.* pozwolenie
permit *v.t.* pozwalać
permit *n.* pozwolenie
permutation *n.* przemiana
pernicious *a.* szkodliwy
perpendicular *a.* prostopadły
perpendicular *n.* linia prostopadła
perpetual *a.* nieustanny
perpetuate *v.t.* uwieczniać
perplex *v.t.* kłopotać
perplexity *n.* zakłopotanie
persecute *v.t.* prześladować
persecution *n.* prześladowanie
perseverance *n.* wytrwałość
persevere *v.i.* wytrwać
persist *v.i.* upierać się
persistence *n.* uporczywość
persistent *a.* uporczywy
person *n.* osoba
personage *n.* osobistość
personal *a.* osobisty
personality *n.* osobistość
personification *n.* usosobienie
personify *v.t.* uosabiać
personnel *n.* personel
perspective *n.* perspektywa
perspiration *n.* pocenie się
perspire *v.i.* pocić się
persuade *v.t.* przekonywać
persuasion *n.* przekonywanie
pertain *v.i.* odnosić się (do czegoś)
pertinent *a.* odnoszący się (do czegoś)
perturb *v.t.* zakłócać
perusal *n.* przeczytanie (uważne)
peruse *v.t.* czytać (uważnie)
pervade *v.t.* przenikać
perverse *a.* perwersyjny
perversion *n.* perwersja
perversity *n.* perwersja
pervert *v.t.* deprawować
pessimism *n.* pesymizm
pessimist *n.* pesymista
pessimistic *a.* pesymistyczny
pest *n.* szkodnik
pesticide *n.* pestycyd
pestilence *n.* zaraza
pet *n.* zwierzę domowe
pet *v.t.* pieścić
petal *n.* płatek (kwiatu)
petition *n.* petycja
petition *v.t.* wnosić petycję
petitioner *n.* petent
petrol *n.* benzyna
petroleum *n.* ropa naftowa
petticoat *n.* halka
petty *a.* pomniejszy
petulance *n.* drażliwość
petulant *a.* drażliwy
phantom *n.* widmo
pharmacy *n.* apteka
phase *n.* faza
phenomenal *a.* fenomenalny
phenomenon *n.* fenomen
phial *n.* fiolka
philanthropic *a.* filantropijny
philanthropist *n.* filantrop
philanthropy *n.* filantropia
philological *a.* filologiczny
philologist *n.* filolog
philology *n.* filologia
philosopher *n.* filozof
philosophical *a.* filozoficzny

philosophy *n.* filozofia
phone *n.* telefon
phone *n.* głoska
phonetic *a.* fonetyczny
phonetics *n.* fonetyka
phosphate *n.* fosforan
phosphorus *n.* fosfor
photo *n.* fotografia
photograph *v.t.* fotografować
photograph *n.* fotografia
photographer *n.* fotograf
photographic *a.* fotograficzny
photography *n.* fotografia (sztuka fotografowania)
phrase *n.* wyrażenie
phrase *v.t.* wyrażać
phraseology *n.* frazeologia
physic *n.* lekarstwo
physic *v.t.* dawać (komuś) lekarstwo
physical *a.* fizyczny
physician *n.* lekarz
physicist *n.* fizyk
physics *n.* fizyka
physiognomy *n.* fizjonomia
physique *n.* budowa ciała
pianist *n.* pianista
piano *n.* fortepian
pick *v.t.* wybierać
pick *n.* wybrana część
picket *n.* pikieta
picket *v.t.* pikietować
pickle *n.* marynata
pickle *v.t* marynować
picnic *n.* piknik
picnic *v.i.* urządzać piknik
pictorial *a.* malowniczy
picture *n.* obraz
picture *n.* zdjęcie
picture *v.t.* przedstawiać (na rysunku)
picturesque *a.* malowniczy
piece *n.* kawałek
piece *v.t.* sztukować
pierce *v.t.* przebijać
piety *n.* pobożność
pig *n.* świnia
pigeon *n.* gołąb
pigmy *n.* Pigmej
pile *n.* sterta
pile *v.t.* nagromadzić
piles *n.* hemoroidy
pilfer *v.t.* zwędzić
pilgrim *n.* pielgrzym
pilgrimage *n.* pielgrzymka
pill *n.* pigułka
pillar *n.* filar
pillow *n.* poduszka
pillow *v.t.* opierać głowę
pilot *n.* pilot
pilot *v.t.* pilotować
pimple *n.* krosta
pin *n.* szpilka
pin *v.t.* przypinać
pinch *v.t.* szczypać
pinch *v.* uszczypnięcie
pine *n.* sosna
pine *v.i.* marnieć
pineapple *n.* ananas
pink *n.* róż
pink *a* różowy
pinkish *a.* różowawy
pinnacle *n.* szczyt (dosłownie i w przenośni)
pioneer *n.* pionier
pioneer *v.t.* torować drogę
pious *a.* pobożny
pipe *n.* rura
pipe *n.* fajka
pipe *v.i* świstać
piquant *a.* pikantny
piracy *n.* piractwo
pirate *n.* pirat

pirate *v.t* wydać cudze dzieło bez zezwolenia autora
Pisces *n.* Ryby (znak zodiaku)
pistol *n.* pistolet
piston *n.* tłok
pit *n.* dół
pit *v.t.* wkładać do dołu
pitch *n.* boisko
pitch *v.t.* rzucać
pitcher *n.* dzban
piteous *a.* nędzny
pitfall *n.* pułapka
pitiable *a.* żałosny
pitiful *a.* żałosny
pitiless *a.* bezlitosny
pitman *n.* górnik
pittance *n.* psie pieniądze
pity *n.* litość
pity *n.* szkoda
pity *v.t.* zlitować się
pivot *n.* oś
pivot *v.t.* osadzić coś na osi
place *n.* miejsce
place *v.t.* umieszczać
placid *a.* łagodny
plague *n.* plaga
plague *v.t.* trapić (kogoś)
plain *a.* zrozumiały
plain *a.* zwyczajny
plain *n.* równina
plaintiff *n.* powód (w sądzie)
plan *n.* plan
plan *v.t.* planować
plane *n.* samolot
plane *n.* płaszczyzna
plane *v.t.* wygładzać
plane *a.* płaski
planet *n.* planeta
planetary *a.* planetarny
plank *n.* deska
plank *v.t.* pokryć deskami
plant *n.* roślina
plant *n.* fabryka
plant *v.t.* sadzić (rośliny)
plantain *n.* banan (drzewo i owoc)
plantation *n.* plantacja
plaster *n.* tynk
plaster *n.* plaster
plaster *v.t.* otynkować
plate *n.* płyta
plate *n.* talerz
plate *v.t.* platerować
plateau *n.* płaskowyż
platform *n.* platforma
platonic *a.* platoniczny
platoon *n.* pluton
play *n.* zabawa
play *v.i.* bawić się
player *n.* gracz
plea *n.* obrona (sądowa)
plead *v.i.* bronić sprawy (w sądzie)
pleader *n.* obrońca (adwokat)
pleasant *a.* przyjemny
pleasantry *n.* żart
please *v.t.* sprawiać (komuś) przyjemność
pleasure *n.* przyjemność
plebiscite *n.* plebiscyt
pledge *n.* zastaw
pledge *v.t.* zastawiać
plenty *n.* obfitość
plight *n.* tarapaty
plod *v.i.* ciężko stąpać
plot *n.* parcela
plot *n.* spisek
plot *v.t.* knuć
plough *n.* pług
plough *v.i* orać (ziemię)
ploughman *n.* oracz
pluck *v.t.* wyrywać (włos)
pluck *n.* szarpnięcie
plug *n.* zatyczka

plug *v.t.* zatykać
plum *n.* śliwka
plumber *n.* hydraulik
plunder *v.t.* plądrować
plunder *n.* grabież
plunge *v.t.* zanurzać
plunge *n.* skok do wody
plural *a.* mnogi
plurality *n.* mnogość
plus *a.* dodatni
plus *n.* plus
ply *v.t.* wykonywać (zajęcie)
ply *n.* warstwa
pneumonia *n.* zapalenie płuc
pocket *n.* kieszeń
pocket *v.t.* wkładać do kieszeni
pod *n.* strąk
poem *n.* wiersz
poesy *n.* poezja
poet *n.* poeta
poetaster *n.* wierszokleta
poetess *n.* poetka
poetic *a.* poetycki
poetics *n.* poetyka
poetry *n.* poezja
poignancy *n.* ostrość (bólu)
poignant *a.* dotkliwy (o bólu)
point *n.* punkt
point *v.t.* wskazywać
poise *v.t.* ustawiać
poise *n.* postawa
poison *n.* trucizna
poison *v.t.* otruć
poisonous *a.* trujący
poke *v.t.* szturchać
poke *n.* szturchnięcie
polar *n.* (krzywa) biegunowa
pole *n.* słupek
pole *n.* biegun
police *n.* policja
policeman *n.* policjant
policy *n.* polityka (linia postępowania)
polish *v.t.* polerować
polish *n.* politura
polite *a.* uprzejmy
politeness *n.* uprzejmość
politic *a.* dyplomatyczny
political *a.* polityczny
politician *n.* polityk
politics *n.* polityka
polity *n.* ustrój
poll *n.* głosowanie
poll *v.t.* zbierać głosy
pollen *n.* pyłek kwiatowy
pollute *v.t.* zanieczyszczać
pollution *n.* zanieczyszczenie
polo *n.* polo
polygamous *a.* poligamiczny
polygamy *n.* poligamia
polyglot *n.* poliglota
polyglot *a.* wielojęzyczny
polytechnic *a.* politechniczny
polytechnic *n.* politechnika
polytheism *n.* politeizm
polytheist *n.* politeista
polytheistic *a.* politeistyczny
pomp *n.* pompa
pomposity *n.* pompatyczność
pompous *a.* pompatyczny
pond *n.* staw
ponder *v.t.* rozważać
pony *n.* kucyk
poor *a.* biedny
pop *v.i.* pęknąć z trzaskiem
pop *n.* wystrzał (korka z butelki)
pope *n.* papież
poplar *n.* topola
poplin *n.* popelina
populace *n.* pospólstwo
popular *a.* popularny
popularity *n.* popularność
popularize *v.t.* popularyzować

populate *v.t.* zaludniać
population *n.* ludność
populous *a.* ludny
porcelain *n.* porcelana
porch *n.* ganek
pore *n.* por (skóry)
pork *n.* wieprzowina
porridge *n.* owsianka
port *n.* port
portable *a.* przenośny
portage *n.* przewóz
portal *n.* portal
portend *v.t.* zapowiadać (nieszczęście)
porter *n.* bagażowy
portfolio *n.* portfel papierów wartościowych
portico *n.* portyk
portion *n.* porcja
portion *v.t.* porcjować
portrait *n.* portret
portraiture *n.* opisywanie
portray *v.t.* portretować
portrayal *n.* sportretowanie
pose *v.i.* pozować
pose *n.* poza
position *n.* pozycja
position *v.t.* umieszczać
positive *a.* pozytywny
possess *v.t.* posiadać
possession *n.* posiadanie
possibility *n.* możliwość
possible *a.* możliwy
post *n.* poczta
post *v.t.* nadawać pocztą
post *n.* stanowisko
post *v.t.* opublikować
post *adv.* (jechać) cwałem
postage *n.* opłata pocztowa
postal *a.* pocztowy
post-date *v.t.* postdatować
poster *n.* plakat
posterity *n.* potomność
posthumous *a.* pośmiertny
postman *n.* listonosz
postmaster *n.* naczelnik poczty
post-mortem *a.* pośmiertny
post-mortem *n.* sekcja zwłok
post-office *n.* poczta (budynek)
postpone *v.t.* odraczać
postponement *n.* odroczenie
postscript *n.* dopisek
posture *n.* postawa
pot *n.* garnek
pot *v.t.* zaprawiać w słoikach
potash *n.* potaż
potassium *n.* potas
potato *n.* ziemniak
potency *n.* potęga
potent *a.* potężny
potential *a.* potencjalny
potential *n.* potencjał
pontentiality *n.* możliwość
potter *n.* garncarz
pottery *n.* garncarstwo
pouch *n.* woreczek
poultry *n.* drób
pounce *v.i.* rzucić się (na coś/na kogoś)
pounce *n.* szpon (ptaka)
pound *n.* funt
pound *v.t.* ucierać
pour *v.t.* lać (o deszczu)
poverty *n.* ubóstwo
powder *n.* proszek
powder *v.t.* proszkować
power *n.* moc
powerful *a.* potężny
practicability *n.* wykonalność
practicable *a.* wykonalny
practical *a.* praktyczny
practice *n.* praktyka
practise *v.t.* stosować w praktyce
practitioner *n.* lekarz

pragmatic *a.* pragmatyczny
pragmatism *n.* pragmatyzm
praise *n.* pochwała
praise *v.t.* chwalić
praiseworthy *a.* chwalebny
prank *n.* psota
prattle *v.i.* szczebiotać
prattle *n.* szczebiot
pray *v.i.* modlić się
prayer *n.* modlitwa
preach *v.i.* mówić kazanie
preacher *n.* kaznodzieja
preamble *n.* wstęp
precaution *n.* ostrożność
precautionary *a.* zapobiegawczy
precede *v.* poprzedzać
precedence *n.* pierwszeństwo
precedent *n.* poprzedzający
precept *n.* nakaz
preceptor *n.* nauczyciel
precious *a.* cenny
precis *n.* streszczenie
precise *n.* precyzyjny
precision *n.* precyzja
precursor *n.* prekursor
predecessor *n.* poprzednik
predestination *n.* predestynacja
predetermine *v.t.* z góry postanawiać
predicament *n.* kłopotliwe położenie
predicate *n.* orzeczenie
predict *v.t.* przepowiadać
prediction *n.* przepowiednia
predominance *n.* przewaga
predominant *a.* przeważający
predominate *v.i.* przeważać
pre-eminence *n.* przewaga
pre-eminent *a.* przewyższający
preface *n.* przedmowa
preface *v.t.* napisać przedmowę
prefect *n.* prefekt
prefer *v.t.* preferować
preference *n.* preferencja
preferential *a.* preferencyjny
prefix *n.* przedrostek
prefix *v.t.* umieszczać coś przed czymś
pregnancy *n.* ciąża
pregnant *a.* ciężarna
prehistoric *a.* prehistoryczny
prejudice *n.* uprzedzenie
prelate *n.* prałat
preliminary *a.* wstępny
preliminary *n.* wstęp
prelude *n.* wstęp
prelude *v.t.* zapowiadać
premarital *a.* przedmałżeński
premature *a.* przedwczesny
premeditate *v.t.* obmyślać
premeditation *n.* premedytacja
premier *a.* pierwszy
premier *n.* premier
premiere *n.* premiera
premium *n.* składka (ubezpieczeniowa)
premonition *n.* przeczucie
preoccupation *n.* zaabsorbowanie
preoccupy *v.t.* absorbować
preparation *n.* przygotowanie
preparatory *a.* przygotowawczy
prepare *v.t.* przygotowywać
preponderance *n.* przewaga
preponderate *v.i.* przeważać
preposition *n.* przyimek
prerequisite *a.* wymagany jako warunek wstępny
prerequisite *n.* przesłanka
prerogative *n.* przywilej
prescience *n.* przewidywanie
prescribe *v.t.* przepisywać
prescription *n.* recepta
presence *n.* obecność

present *a.* obecny
present *n.* prezent
present *v.t.* prezentować
presentation *n.* prezentacja
presently *adv.* obecnie
preservation *n.* ochrona
preservative *n.* konserwant
preservative *a.* konserwujący
preserve *v.t.* zabezpieczać
preserve *n.* rezerwat
preside *v.i.* przewodniczyć
president *n.* prezydent
presidential *a.* prezydencki
press *v.t.* naciskać
press *n.* prasa
pressure *n.* nacisk
pressure *n.* ciśnienie
pressurize *v.t.* wywierać presję
prestige *n.* prestiż
prestigious *a.* prestiżowy
presume *v.t.* przypuszczać
presumption *n.* przypuszczenie
presuppose *v.t.* zakładać (z góry)
presupposition *n.* założenie
pretence *n.* roszczenie
pretend *v.t.* udawać
pretension *n.* aspiracje
pretentious *a.* pretensjonalny
pretext *n.* pretekst
prettiness *n.* uroda
pretty *a* ładny
pretty *adv.* dosyć
prevail *v.i.* brać górę
prevalence *n.* przewaga
prevalent *a.* przeważający
prevent *v.t.* zapobiegać
prevention *n.* zapobieganie
preventive *a.* zapobiegawczy
previous *a.* poprzedni
prey *n.* zdobycz
prey *v.i.* żerować
price *n.* cena
price *v.t.* określać cenę
prick *n.* ukłucie
prick *v.t.* ukłuć
pride *n.* duma
pride *v.t.* szczycić się
priest *n.* kapłan
priestess *n.* kapłanka
priesthood *n.* kapłaństwo
prim *a* wymuskany
primarily *adv.* głównie
primary *a.* główny
prime *a.* najważniejszy
prime *n.* rozkwit
primer *n.* farba gruntująca
primeval *a.* pradawny
primitive *a.* prymitywny
prince *n.* książę
princely *a.* książęcy
princess *n.* księżniczka
principal *n.* dyrektor
principal *a* główny
principle *n.* zasada
print *v.t.* drukować
print *n.* druk
printer *n.* drukarka
prior *a.* uprzedni
prior *n.* przeor
prioress *n.* przeorysza
priority *n.* pierwszeństwo
prison *n.* więzienie
prisoner *n.* więzień
privacy *n.* prywatność
private *a.* prywatny
privation *n.* pozbawienie
privilege *n.* przywilej
prize *n.* nagroda
prize *v.t.* cenić sobie
probability *n.* prawdopodobieństwo
probable *a.* prawdopodobny
probably *adv.* prawdopodobnie
probation *n.* kuratela

probationer *n.* osoba pod dozorem sądowym
probe *v.t.* sondować
probe *n.* sonda
problem *n.* problem
problematic *a.* problematyczny
procedure *n.* procedura
proceed *v.i.* prowadzić dalej (postępowanie)
proceeding *n.* postępowanie
proceeds *n.* zysk
process *n.* proces
procession *n.* procesja
proclaim *v.t.* proklamować
proclamation *n.* proklamacja
proclivity *n.* skłonność
procrastinate *v.i.* zwlekać
procrastination *n.* zwlekanie
proctor *n.* cenzor
procure *v.t.* nabywać
procurement *n.* nabycie
prodigal *a.* rozrzutny
prodigality *n.* rozrzutność
produce *v.t.* produkować
produce *n.* produkt
product *n.* produkt
production *n.* produkcja
productive *a.* produktywny
productivity *n.* produktywność
profane *a.* bluźnierczy
profane *v.t.* profanować
profess *v.t.* twierdzić
profession *n.* zawód
professional *a.* profesjonalny
professor *n.* profesor
proficiency *n.* biegłość
proficient *a.* biegły
profile *n.* profil
profile *v.t.* narysować w profilu
profit *n.* zysk
profit *v.t.* przynosić zysk
profitable *a.* zyskowny
profiteer *n.* spekulant
profiteer *v.i.* spekulować
profligacy *n.* rozwiązłość
profligate *a.* rozwiązły
profound *a.* dogłębny
profuse *a.* hojny
profusion *n.* hojność
progeny *n.* potomstwo
programme *n.* program
programme *v.t.* programować
progress *n.* postęp
progress *v.i.* postępować
progressive *a.* progresywny
prohibit *v.t.* zakazywać
prohibition *n.* zakaz
prohibitive *a.* zakazujący
prohibitory *a.* prohibicyjny
project *n.* projekt
project *v.t.* projektować
projectile *n.* pocisk
projectile *a* balistyczny
projection *n.* projekcja
projector *n.* projektor
proliferate *v.i.* rozmnażać się
proliferation *n.* rozmnażanie
prolific *a.* płodny
prologue *n.* prolog
prolong *v.t.* przedłużać
prolongation *n.* przedłużenie
prominence *n.* wybitność
prominent *a.* wybitny
promise *n.* obietnica
promise *v.t* obiecywać
promising *a.* obiecujący
promissory *a.* promisoryjny
promote *v.t.* promować
promotion *n.* promocja
prompt *a.* szybki
prompt *v.t.* nakłaniać
prompter *n.* sufler (w teatrze)
prone *a.* skłonny
pronoun *n.* zaimek

pronounce *v.t.* wymawiać
pronunciation *n.* wymowa
proof *n.* dowód
proof *a* odporny
prop *n.* podpórka
prop *v.t.* podpierać
propaganda *n.* propaganda
propagandist *n.* propagandzista
propagate *v.t.* propagować
propagation *n.* propagowanie
propel *v.t.* poruszać coś
proper *a.* właściwy
property *n.* nieruchomość
prophecy *n.* proroctwo
prophesy *v.t.* prorokować
prophet *n.* prorok
prophetic *a.* proroczy
proportion *n.* proporcja
proportion *v.t.* dozować
proportional *a.* proporcjonalny
proportionate *a.* proporcjonalny
proposal *n.* propozycja
propose *v.t.* proponować
proposition *n.* twierdzenie
propound *v.t.* przedkładać
proprietary *a.* opatentowany
proprietor *n.* właściciel
propriety *n.* stosowność
prorogue *v.t.* przedłużać termin
prosaic *a.* prozaiczny
prose *n.* proza
prosecute *v.t.* oskarżać
prosecution *n.* oskarżenie
prosecutor *n.* oskarżyciel
prosody *n.* prozodia
prospect *n.* perspektywa
prospective *a.* przyszły
prospectus *n.* prospekt
prosper *v.i.* prosperować
prosperity *n.* powodzenie
prosperous *a.* prosperujący
prostitute *n.* prostytutka
prostitute *v.t.* prostytuować
prostitution *n.* prostytucja
prostrate *a.* załamany psychicznie
prostrate *v.t.* powalać
prostration *n.* zdruzgotanie
protagonist *n.* protagonista
protect *v.t.* chronić
protection *n.* ochrona
protective *a.* ochronny
protector *n.* obrońca
protein *n.* proteina
protest *n.* protest
protest *v.i.* protestować
protestation *n.* protest
prototype *n.* prototyp
proud *a.* dumny
prove *v.t.* udowadniać
proverb *n.* przysłowie
proverbial *a.* przysłowiowy
provide *v.i.* zabezpieczać się
providence *n.* przezorność
provident *a.* przezorny
providential *a.* opatrznościowy
province *n.* prowincja
provincial *a.* prowincjonalny
provincialism *n.* prowincjonalizm
provision *n.* zaopatrzenie
provisional *a.* tymczasowy
proviso *n.* zastrzeżenie
provocation *n.* prowokacja
provocative *a.* prowokacyjny
provoke *v.t.* prowokować
prowess *n.* dzielność
proximate *a.* najbliższy
proximity *n.* bliskość
proxy *n.* pełnomocnik
prude *n.* świętoszek
prudence *n.* rozwaga
prudent *a.* rozważny
prudential *a.* rozważny

prune *v.t.* przycinać (roślinę)
pry *v.i.* podpatrywać
psalm *n.* psalm
pseudonym *n.* pseudonim
psyche *n.* psyche
psychiatrist *n.* psychiatra
psychiatry *n.* psychiatria
psychic *a.* psychiczny
psychological *a.* psychologiczny
psychologist *n.* psycholog
psychology *n.* psychologia
psychopath *n.* psychopata
psychosis *n.* psychoza
psychotherapy *n.* psychoterapia
puberty *n.* pokwitanie
public *a.* publiczny
public *n.* publiczność
publication *n.* publikacja
publicity *n.* reklama
publicize *v.t.* reklamować
publish *v.t.* publikować
publisher *n.* wydawca
pudding *n.* pudding
puddle *n.* kałuża
puddle *v.t.* bałaganić
puerile *a.* dziecinny
puff *n.* dmuchnięcie
puff *v.i.* dmuchać
pull *v.t.* ciągnąć
pull *n.* pociągnięcie
pulley *n.* krążek
pullover *n.* pulower
pulp *n.* miazga
pulp *v.t.* rozcierać na miazgę
pulpit *n.* ambona
pulpy *a.* mięsisty
pulsate *v.i.* pulsować
pulsation *n.* pulsowanie
pulse *n.* puls
pulse *v.i.* pulsować
pulse *n.* roślina strączkowa
pump *n.* pompa
pump *v.t.* pompować
pumpkin *n.* dynia
pun *n.* kalambur
pun *v.i.* robić kalambury
punch *n.* uderzenie pięścią
punch *v.t.* uderzyć pięścią
punctual *a.* punktualny
punctuality *n.* punktualność
punctuate *v.t.* stawiać znaki przestankowe
punctuation *n.* interpunkcja
puncture *n.* przekłucie
puncture *v.t.* przekłuwać
pungency *n.* ostrość (zapachu)
pungent *a.* ostry (o zapachu)
punish *v.t.* karać
punishment *n.* kara
punitive *a.* karny
puny *a.* drobny
pupil *n.* uczeń
pupil *n.* źrenica
puppet *n.* marionetka
puppy *n.* szczenię
purblind *a.* ślepawy
purchase *n.* zakup
purchase *v.t.* kupować
pure *a* czysty
purgation *n.* przeczyszczenie
purgative *n.* środek na przeczyszczenie
purgative *a* przeczyszczający
purgatory *n.* czyściec
purge *v.t.* oczyszczać
purification *n.* oczyszczenie
purify *v.t.* oczyszczać
purist *n.* purysta
puritan *n.* purytanin
puritanical *a.* purytański
purity *n.* czystość
purple *n.* szkarłat
purple *adj.* szkarłatny
purport *n.* znaczenie

purport *v.t.* oznaczać
purpose *n.* cel
purpose *v.t.* zamierzać
purposely *adv.* celowo
purr *n.* pomruk
purr *v.i.* mruczeć
purse *n.* torebka (damska)
purse *v.t.* zaciskać (usta)
pursuance *n.* dążenie
pursue *v.t.* puszczać się w pogoń (za kimś)
pursuit *n.* pogoń
purview *n.* zakres
pus *n.* ropa (w medycynie)
push *v.t.* pchać
push *n.* pchnięcie
put *v.t.* kłaść
puzzle *n.* łamigłówka
puzzle *v.t.* intrygować
pygmy *n.* pigmej
pyorrhoea *n.* ropotok
pyramid *n.* piramida
pyre *n.* stos (pogrzebowy)
python *n.* pyton

quack *v.i.* kwakać
quack *n.* kwakanie
quackery *n.* znachorstwo
quadrangle *n.* czworokąt
quadrangular *a.* czworokątny
quadrilateral *a.* czteroboczny
quadruped *n.* czworonóg
quadruple *a.* czterokrotny
quadruple *v.t.* pomnożyć przez cztery
quail *n.* przepiórka
quaint *a.* osobliwy
quake *v.i.* trząść się
quake *n.* trzęsienie (ziemi)
qualification *n.* kwalifikacja
qualify *v.i.* kwalifikować
qualitative *a.* jakościowy
quality *n.* jakość
quandary *n.* dylemat
quantitative *a.* ilościowy
quantity *n.* ilość
quantum *n.* kwantum
quarrel *n.* kłótnia
quarrel *v.i.* kłócić się
quarrelsome *a.* kłótliwy
quarry *n.* kamieniołom
quarry *v.t.* wydobywać
quarter *n.* ćwierć
quarter *v.t.* ćwiartować
quarterly *a.* kwartalny
queen *n.* królowa
queer *a.* dziwny
quell *v.t.* tłumić
quench *v.t.* gasić (pragnienie)
query *n.* zapytanie
query *v.t* kwestionować
quest *n.* poszukiwanie
quest *v.t.* udawać się na poszukiwanie
question *n.* pytanie
question *v.t.* przesłuchiwać
questionable *a.* niejasny
questionnaire *n.* kwestionariusz
queue *n.* kolejka
quibble *n.* wykręt
quibble *v.i.* używać wybiegów
quick *a.* szybki
quick *n.* sedno sprawy
quicksand *n.* lotne piaski
quicksilver *n.* rtęć
quiet *a.* spokojny
quiet *n.* spokój
quiet *v.t.* uspokajać
quilt *n.* kołdra

quinine *n.* chinina
quintessence *n.* kwintesencja
quit *v.t.* odchodzić
quite *adv.* całkowicie
quiver *n.* drżenie
quiver *v.i.* drżeć
quixotic *a.* donkiszotowski
quiz *n.* quiz
quiz *v.t.* zadawać pytania
quorum *n.* kworum
quota *n.* udział
quotation *n.* cytat
quote *v.t.* cytować
quotient *n.* iloraz

R

rabbit *n.* królik
rabies *n.* wścieklizna
race *n.* rasa
race *n.* wyścig
race *v.i* ścigać się
racial *a.* rasowy
racialism *n.* rasizm
rack *v.t.* torturować
rack *n.* stojak
racket *n.* rakieta (w sporcie)
radiance *n.* blask
radiant *a.* promieniejący
radiate *v.t.* promieniować
radiation *n.* promieniowanie
radical *a.* radykalny
radio *n.* radio
radio *v.t.* nadawać przez radio
radish *n.* rzodkiewka
radium *n.* rad
radius *n.* promień (w geometrii)
rag *n.* szmata
rag *v.t.* besztać
rage *n.* wściekłość
rage *v.i.* szaleć
raid *n.* najazd
raid *v.t.* najeżdżać
rail *n.* szyna
rail *v.t.* złorzeczyć
railing *n.* balustrada
raillery *n.* drwiny
railway *n.* kolej
rain *v.i.* padać (o deszczu)
rain *n.* deszcz
rainy *a.* deszczowy
raise *v.t.* podnosić
raisin *n.* rodzynek
rally *v.t.* zwoływać
rally *n.* zebranie zwolenników
ram *n.* baran
ram *v.t.* taranować
ramble *v.i.* wędrować
ramble *n.* wędrówka
rampage *v.i.* miotać się
rampagc *n.* miotanic się w szale
rampant *a.* gwałtowny
rampart *n.* wał obronny
rancour *n.* uraza
random *a.* przypadkowy
range *v.t.* klasyfikować
range *n.* zakres
ranger *n.* strażnik leśny
rank *n.* szereg
rank *v.t.* zaszeregowywać
rank *a* cuchnący
ransack *v.t.* przetrząsać
ransom *n.* okup
ransom *v.t.* zapłacić okup
rape *n.* gwałt
rape *v.t.* gwałcić
rapid *a.* szybki
rapidity *n.* szybkość
rapier *n.* rapier
rapport *n.* relacja
rapt *a.* zachwycony

rapture *n.* zachwyt
rare *a.* rzadki
rascal *n.* łotr
rash *a.* pochopny
rat *n.* szczur
rate *v.t.* oceniać
rate *n.* wskaźnik
rather *adv.* raczej
ratify *v.t.* ratyfikować
ratio *n.* współczynnik
ration *n.* racja (żywnościowa)
rational *a.* racjonalny
rationale *n.* przesłanki
rationality *n.* racjonalność
rationalize *v.t.* racjonalizować
rattle *v.i.* grzechotać
rattle *n.* grzechotka
ravage *n.* dewastacja
ravage *v.t.* dewastować
rave *v.i.* bredzić
raven *n.* kruk
ravine *n.* wąwóz
raw *a.* surowy
ray *n.* promień (słońca)
raze *v.t.* burzyć
razor *n.* brzytwa
reach *v.t.* dosięgać
react *v.i.* reagować
reaction *n.* reakcja
reactionary *a.* reakcyjny
read *v.t.* czytać
reader *n.* czytelnik
readily *adv.* chętnie
readiness *n.* gotowość
ready *a.* gotowy
real *a.* prawdziwy
realism *n.* realizm
realist *n.* realista
realistic *a.* realistyczny
reality *n.* rzeczywistość
realization *n.* realizacja
realize *v.t.* realizować
really *adv.* naprawdę
realm *n.* dziedzina
ream *n.* ryza (papieru)
reap *v.t.* zbierać (plon)
reaper *n.* żniwiarz
rear *n.* tył
rear *v.t.* wznosić
reason *n.* powód
reason *n.* rozum
reason *v.i.* rozumować
reasonable *a.* rozsądny
reassure *v.t.* uspokajać
rebate *n.* rabat
rebel *v.i.* buntować się
rebel *n.* buntownik
rebellion *n.* bunt
rebellious *a.* buntowniczy
rebirth *n.* odrodzenie
rebound *v.i.* odbijać się (o piłce)
rebound *n.* odbicie się (piłki)
rebuff *n.* odmowa
rebuff *v.t.* odtrącić
rebuke *v.t.* strofować
rebuke *n.* nagana
recall *v.t.* przypominać sobie
recall *v.t.* wymieniać (sprzęt z powodu defektu)
recall *n.* wymiana (sprzętu z powodu defektu)
recede *v.i.* wycofywać się
receipt *n.* pokwitowanie
receive *v.t.* otrzymywać
receiver *n.* odbiorca
recent *a.* niedawny
recently *adv.* niedawno
reception *n.* recepcja
reception *n.* przyjmowanie
receptive *a.* chłonny (o umyśle)
recess *n.* przerwa (w szkole)
recession *n.* recesja
recipe *n.* przepis (kulinarny)
recipient *n.* odbiorca

reciprocal *a.* wzajemny
reciprocate *v.t.* odwzajemniać
recital *n.* recital
recitation *n.* recytacja
recite *v.t.* recytować
reckless *a.* nierozważny
reckon *v.t.* uważać (sądzić)
reclaim *v.t.* zgłaszać reklamację
reclamation *n.* rekultywacja (gruntu)
recluse *n.* odludek
recognition *n.* uznanie
recognition *n.* rozpoznanie
recognize *v.t.* uznawać
recognize *v.t.* rozpoznawać
recoil *v.i.* wycofywać się
recoil *n.* cofnięcie się
recollect *v.t.* pamiętać
recollection *n.* wspomnienie
recommend *v.t.* zalecać
recommendation *n.* zalecenie
recompense *v.t.* rekompensować
recompense *n.* rekompensata
reconcile *v.t.* pojednywać
reconciliation *n.* pojednanie
record *v.t.* notować
record *n.* zapis
record *n.* rekord
recorder *n.* urządzenie rejestrujące
recount *v.t.* przeliczać
recoup *v.t.* odzyskiwać
recourse *n.* uciekanie się (do czegoś)
recover *v.t.* odzyskiwać
recovery *n.* odzyskanie
recreation *n.* wypoczynek
recruit *n.* rekrut
recruit *v.t.* rekrutować
rectangle *n.* prostokąt
rectangular *a.* prostokątny
rectification *n.* sprostowanie
rectify *v.i.* sprostować
rectum *n.* odbytnica
recur *v.i.* powtarzać się
recurrence *n.* powtarzanie się (zjawiska)
recurrent *a.* powtarzający się
red *a.* czerwony
red *n.* czerwień
redden *v.t.* czerwienić
reddish *a.* czerwonawy
redeem *v.t.* wykupywać
redemption *n.* wykup
redouble *v.t.* podwajać
redress *v.t.* naprawiać (krzywdę)
redress *n.* rekompensata
reduce *v.t.* redukować
reduction *n.* redukcja
redundance *n.* zbędność
redundant *a.* zbędny
reel *n.* szpula
reel *v.i.* wirować
refer *v.t.* kierować (np. na badania)
referee *n.* sędzia (w sporcie)
reference *n.* odniesienie
referendum *n.* referendum
refine *v.t.* uszlachetniać
refinement *n.* wyrafinowanie
refinery *n.* rafineria
reflect *v.t.* odzwierciedlać
reflection *n.* odzwierciedlenie
reflective *a.* odbijający
reflector *n.* zwierciadło
reflex *n.* refleks
reflex *a* odbity
reflexive *a* zwrotny (o zaimku)
reform *v.t.* reformować
reform *n.* reforma
reformation *n.* usprawnienie
reformatory *n.* zakład poprawczy
reformatory *a* poprawczy

reformer *n.* reformator
refrain *v.i.* powstrzymywać się
refrain *n.* refren
refresh *v.t.* odświeżać
refreshment *n.* odświeżenie
refrigerate *v.t.* schładzać
refrigeration *n.* chłodzenie
refrigerator *n.* lodówka
refuge *n.* schronienie
refugee *n.* uciekinier
refulgence *n.* blask
refulgent *a.* błyszczący
refund *v.t.* refundować
refund *n.* zwrot pieniędzy
refusal *n.* odmowa
refuse *v.t.* odmawiać
refuse *n.* odpadki
refutation *n.* zaprzeczenie
refute *v.t.* zaprzeczać
regal *a.* królewski
regard *v.t.* uważać (kogoś za coś)
regard *n.* poważanie
regenerate *v.t.* odnawiać
regeneration *n.* regeneracja
regicide *n.* królobójstwo
regime *n.* reżim
regiment *n.* pułk
regiment *v.t.* formować w pułk
region *n.* region
regional *a.* regionalny
register *n.* rejestr
register *v.t.* rejestrować
registrar *n.* rejestrator
registration *n.* rejestracja
registry *n.* urząd stanu cywilnego
regret *v.i.* żałować
regret *n.* żal
regular *a.* regularny
regularity *n.* regularność
regulate *v.t.* regulować
regulation *n.* regulacja
regulation *n.* przepis
regulator *n.* regulator
rehabilitate *v.t.* rehabilitować
rehabilitation *n.* rehabilitacja
rehearsal *n.* próba (w teatrze)
rehearse *v.t.* robić próbę (w teatrze)
reign *v.i.* panować (o królu itp.)
reign *n.* panowanie
reimburse *v.t.* zwracać (pieniądze)
rein *n.* lejce
rein *v.t.* powstrzymywać
reinforce *v.t.* wzmacniać
reinforcement *n.* wzmocnienie
reinstate *v.t.* przywracać (na stanowisko)
reinstatement *n.* przywrócenie (na stanowisko)
reiterate *v.t.* wielokrotnie powtarzać
reiteration *n.* wielokrotnie powtarzanie
reject *v.t.* odrzucać
rejection *n.* odrzucenie
rejoice *v.i.* radować się
rejoin *v.t.* połączyć na nowo
rejoinder *n.* replika
rejuvenate *v.t.* odmładzać
rejuvenation *n.* odmłodzenie
relapse *v.i.* popadać z powrotem (w nałóg/chorobę)
relapse *n.* nawrót (nałogu/ choroby)
relate *v.t.* powiązać
relation *n.* związek
relative *a.* względny
relative *n.* krewny
relax *v.t.* rozluźniać
relaxation *n.* odprężenie
relay *n.* sztafeta
relay *v.t.* transmitować
release *v.t.* uwalniać

release *n.* uwolnienie
relent *v.i.* ustępować
relentless *a.* nieustępliwy
relevance *n.* związek (z omawianą sprawą)
relevant *a.* stosowny
reliable *a.* rzetelny
reliance *n.* zaufanie
relic *n.* relikt
relief *n.* ulga
relieve *v.t.* ulżyć
religion *n.* religia
religious *a.* religijny
relinquish *v.t.* zaniechać
relish *v.t.* rozkoszować się
relish *n.* przyjemność
reluctance *n.* niechęć
reluctant *a.* niechętny
rely *v.i.* polegać (na kimś/czymś)
remain *v.i.* pozostawać
remainder *n.* pozostałość
remains *n.* szczątki
remand *v.t.* odesłać (winnego) do aresztu
remand *n.* areszt
remark *n.* uwaga
remark *v.t.* zauważyć
remarkable *a.* nadzwyczajny
remedial *a.* zaradczy
remedy *n.* lekarstwo
remedy *v.t* zaradzić
remember *v.t.* pamiętać
remembrance *n.* pamięć
remind *v.t.* przypominać
reminder *n.* przypomnienie
reminiscence *n.* wspomnienie
reminiscent *a.* przypominający (kogoś/coś)
remission *n.* remisja
remission *n.* darowanie (kary)
remit *v.t.* darować (karę)
remittance *n.* należność
remorse *n.* skrucha
remote *a.* odległy
removable *a.* usuwalny
removal *n.* usunięcie
remove *v.t.* usuwać
remunerate *v.t.* wynagradzać
remuneration *n.* wynagrodzenie
remunerative *a.* dochodowy
renaissance *n.* odrodzenie
render *v.t.* świadczyć (usługi)
rendezvous *n.* umówione spotkanie
renew *v.t.* wznawiać
renewal *n.* wznowienie
renounce *v.t.* wyrzekać się (czegoś)
renovate *v.t.* odnawiać
renovation *n.* renowacja
renown *n.* sława
renowned *a.* sławny
rent *n.* czynsz
rent *v.t.* wynajmować
renunciation *n.* wyrzeczenie się
repair *v.t.* naprawiać
repair *n.* naprawa
reparable *a.* możliwy do naprawienia
repartee *n.* cięta odpowiedź
repatriate *v.t.* repatriować
repatriate *n.* repatriant
repatriation *n.* repatriacja
repay *v.t.* spłacać (dług)
repayment *n.* spłata
repeal *v.t.* znosić (ustawę)
repeal *n.* zniesienie (ustawy)
repeat *v.t.* powtarzać
repel *v.t.* odtrącać
repellent *a.* odpychający
repellent *n.* odstraszacz (na owady)
repent *v.i.* okazywać skruchę
repentance *n.* skrucha

repentant *a.* skruszony
repercussion *n.* następstwo
repetition *n.* powtarzanie
replace *v.t.* zastępować (coś czymś)
replacement *n.* zastąpienie (czegoś czymś)
replenish *v.t.* uzupełniać (zapas)
replete *a.* pełny
replica *n.* replika
reply *v.i.* odpowiadać
reply *n.* odpowiedź
report *v.t.* zawiadamiać
report *n.* raport
reporter *n.* reporter
repose *n.* odpoczynek
repose *v.i.* odpoczywać
repository *n.* skład (magazyn)
represent *v.t.* reprezentować
representation *n.* reprezentacja
representative *n.* przedstawiciel
representative *a.* przedstawiający
repress *v.t.* tłumić
repression *n.* tłumienie
reprimand *n.* nagana
reprimand *v.t.* strofować
reprint *v.t.* przedrukowywać
reprint *n.* przedruk
reproach *v.t.* zarzucać (coś komuś)
reproach *n.* wyrzut
reproduce *v.t.* reprodukować
reproduction *n.* reprodukcja
reproductive *a.* reprodukcyjny
reproof *n.* nagana
reptile *n.* gad
republic *n.* republika
republican *a.* republikański
republican *n.* republikanin
repudiate *v.t.* wypierać się (czegoś/kogoś)
repudiation *n.* wyparcie się (czegoś/kogoś)
repugnance *n.* wstręt
repugnant *a.* odrażający
repulse *v.t.* odrzucać (ofertę)
repulse *n.* odrzucenie (oferty)
repulsion *n.* niechęć
repulsive *a.* odpychający
reputation *n.* reputacja
repute *v.t.* uważać (kogoś za coś)
repute *n.* reputacja
request *v.t.* prosić (o coś)
request *n.* prośba
requiem *n.* requiem
require *v.t.* żądać
requirement *n.* wymaganie
requisite *a.* wymagany
requisite *n.* rzecz konieczna
requisition *n.* żądanie
requisition *v.t.* rekwirować
requite *v.t.* wynagradzać
rescue *v.t.* ratować
rescue *n.* ratunek
research *v.i.* prowadzić badania
research *n.* badania
resemblance *n.* podobieństwo
resemble *v.t.* przypominać (kogoś/coś)
resent *v.t.* nie lubić
resentment *n.* uraza
reservation *n.* rezerwacja
reserve *v.t.* rezerwować
reservoir *n.* zbiornik
reside *v.i.* przebywać
residence *n.* miejsce zamieszkania
resident *a.* przebywający stale
resident *n.* rezydent
residual *a.* pozostały
residue *n.* pozostałość
resign *v.t.* rezygnować

resign *v.t.* ustąpić ze stanowiska
resignation *n.* ustąpienie ze stanowiska
resist *v.t.* opierać się (czemuś)
resistance *n.* opór
resistant *a.* odporny
resolute *a.* zdecydowany
resolution *n.* postanowienie
resolve *v.t.* rozwiązywać (zadanie)
resonance *n.* oddźwięk
resonant *a.* donośny
resort *v.i.* uciekać się (do czegoś)
resort *n.* uciekanie się (do czegoś)
resound *v.i.* rozbrzmiewać
resources *n.* zasoby
resourceful *a.* zaradny
respect *v.t.* szanować
respect *n.* szacunek
respectful *a.* pełen szacunku
respective *a.* poszczególny
respiration *n.* oddychanie
respire *v.i.* oddychać
resplendent *a.* olśniewający
respond *v.i.* odpowiadać
respondent *n.* pozwany (w sądzie)
response *n.* odpowiedź
responsibility *n.* odpowiedzialność
responsible *a.* odpowiedzialny
rest *v.i.* odpoczywać
rest *n.* odpoczynek
restaurant *n.* restauracja
restive *a.* narowisty
restoration *n.* odrestaurowanie
restore *v.t.* odrestaurowywać
restrain *v.t.* powstrzymywać
restrict *v.t.* ograniczać
restriction *n.* ograniczenie
restrictive *a.* ograniczający
result *v.i.* wynikać
result *n.* wynik
resume *v.t.* podejmować na nowo
resume *n.* streszczenie
resumption *n.* ponowne podejmowanie
resurgence *n.* odrodzenie się
resurgent *a.* wskrzeszony
retail *v.t.* sprzedawać detalicznie
retail *n.* handel detaliczny
retail *adv.* detalicznie
retail *a* detaliczny
retailer *n.* detalista
retain *v.t.* zatrzymywać
retaliate *v.i.* mścić się
retaliation *n.* zemsta
retard *v.t.* opóźniać
retardation *n.* opóźnienie
retention *n.* zatrzymanie
retentive *a.* trwały (o pamięci)
reticence *n.* małomówność
reticent *a.* małomówny
retina *n.* siatkówka (oka)
retinue *n.* świta
retire *v.i.* odchodzić (na emeryturę)
retirement *n.* emerytura
retort *v.t.* odpłacać się
retort *n.* riposta
retouch *v.t.* retuszować
retrace *v.t.* cofnąć się do początków
retread *v.t.* odbyć ponownie (przebytą drogę)
retread *n.* opona z nowym bieżnikiem
retreat *v.i.* wycofywać się
retrench *v.t.* redukować
retrenchment *n.* redukcja
retrieve *v.t.* odzyskiwać
retrospect *n.* rzut oka wstecz
retrospection *n.* rzut oka wstecz

retrospective *a.* retrospektywny
return *v.i.* wracać
return *n.* powrót
revel *v.i.* hulać
revel *n.* hulanka
revelation *n.* rewelacja
reveller *n.* zabawowicz
revelry *n.* hulanka
revenge *v.t.* pomścić
revenge *n.* zemsta
revengeful *a.* mściwy
revenue *n.* dochód
revere *v.t.* czcić
reverence *n.* cześć (hołd)
reverend *a.* czcigodny
reverent *a.* pełen czci
reverential *a.* pełen czci
reverie *n.* zamyślenie
reversal *n.* odwrócenie
reverse *a.* wsteczny
reverse *n.* odwrotność
reverse *v.t.* odwracać
reversible *a.* dwustronny (materiał)
revert *v.i.* powracać (do czegoś)
review *v.t.* robić przegląd
review *n.* przegląd
revise *v.t.* rewidować
revision *n.* rewizja
revival *n.* odżycie
revive *v.i.* odżyć
revocable *a.* odwołalny
revocation *n.* odwołanie
revoke *v.t.* odwoływać
revolt *v.i.* buntować się
revolt *n.* bunt
revolution *n.* rewolucja
revolutionary *a.* rewolucyjny
revolutionary *n.* rewolucjonista
revolve *v.i.* obracać się
revolver *n.* rewolwer
reward *n.* nagroda
reward *v.t.* nagradzać
rhetoric *n.* retoryka
rhetorical *a.* retoryczny
rheumatic *a.* reumatyczny
rheumatism *n.* reumatyzm
rhinoceros *n.* nosorożec
rhyme *n.* rym
rhyme *v.i.* rymować się
rhymester *n.* wierszokleta
rhythm *n.* rytm
rhythmic *a.* rytmiczny
rib *n.* żebro
ribbon *n.* wstążka
rice *n.* ryż
rich *a.* bogaty
riches *n.* bogactwa
richness *n.* obfitość
rick *n.* sterta (siana)
rickets *n.* krzywica
rickety *a.* chybotliwy
rickshaw *n.* riksza
rid *v.t.* pozbywać się
riddle *n.* zagadka
riddle *v.i.* mówić zagadkami
ride *v.t.* jeździć (na koniu/ rowerze)
ride *n.* przejażdżka
rider *n.* jeździec
ridge *n.* grzbiet (górski/nosa)
ridicule *v.t.* wyśmiewać
ridicule *n.* pośmiewisko
ridiculous *a.* absurdalny
rifle *v.t.* plądrować
rifle *n.* strzelba
rift *n.* szczelina
right *a.* prawy
right *a.* prosty (o kącie)
right *a.* właściwy
right *adv.* właściwie
right *n.* prawa strona
right *n.* prawo
right *v.t.* naprawić (krzywdę)

righteous *a.* prawy (o człowieku)
rigid *a.* sztywny
rigorous *a.* rygorystyczny
rigour *n.* rygor
rim *n.* obrzeże
ring *n.* pierścień
ring *v.t.* dzwonić
ringlet *n.* loczek
ringworm *n.* grzybica skóry
rinse *v.t.* płukać
riot *n.* rozruchy
riot *v.t.* wszczynać bunt
rip *v.t.* rozrywać
ripe *a* dojrzały
ripen *v.i.* dojrzewać
ripple *n.* falowanie (powierzchni wody)
ripple *v.t.* falować
rise *v.i.* rosnąć
rise *n.* wzrost
risk *v.t.* ryzykować
risk *n.* ryzyko
risky *a.* ryzykowny
rite *n.* rytuał
ritual *n.* rytuał
ritual *a.* rytualny
rival *n.* rywal
rival *v.t.* rywalizować
rivalry *n.* rywalizacja
river *n.* rzeka
rivet *n.* nit
rivet *v.t.* nitować
rivulet *n.* strumyczek
road *n.* droga
roam *v.i.* wędrować
roar *n.* ryk
roar *v.i.* ryczeć
roast *v.t.* piec (mięso)
roast *a* pieczony
roast *n.* pieczeń
rob *v.t.* okradać
robber *n.* złodziej
robbery *n.* włamanie
robe *n.* szata
robe *v.t.* ubierać w szatę (ceremonialną)
robot *n.* robot
robust *a.* mocny
rock *v.t.* kołysać
rock *n.* skała
rocket *n.* rakieta
rod *n.* pręt
rodent *n.* gryzoń
roe *n.* sarna
rogue *n.* łobuz
roguery *n.* łajdactwo
roguish *a.* łajdacki
role *n.* rola
roll *n.* zwój
roll *v.i.* toczyć się
roll-call *n.* apel wojskowy
roller *n.* wałek
romance *n.* romans
romantic *a.* romantyczny
romp *v.i.* baraszkować
romp *n.* swawola
rood *n.* krucyfiks
roof *n.* dach
roof *v.t.* pokryć dachem
rook *n.* oszust
rook *v.t.* oszukiwać
room *n.* pokój
roomy *a.* przestronny
roost *n.* kurnik
roost *v.i.* siedzieć na grzędzie
root *n.* korzeń
root *v.i.* zakorzeniać się
rope *n.* sznur
rope *v.t.* wiązać
rosary *n.* różaniec
rose *n.* róża
roseate *a.* różowy
rostrum *n.* mównica
rosy *a.* różowy

rot *n.* gnicie
rot *v.i.* gnić
rotary *a.* rotacyjny
rotate *v.i.* obracać się
rotation *n.* rotacja
rouble *n.* rubel
rough *a.* szorstki
round *a.* okrągły
round *adv.* w koło
round *n.* runda
round *v.t.* zaokrąglać
rouse *v.i.* poderwać (do walki)
rout *v.t.* rozgramiać
rout *n.* pogrom
route *n.* trasa
routine *n.* rutyna
routine *a* rutynowy
rove *v.i.* wędrować
rover *n.* wędrowiec
row *n.* kłótnia
row *v.t.* wiosłować
row *n.* szereg (rząd)
rowdy *a.* awanturniczy
royal *a.* królewski
royalist *n.* rojalista
royalty *n.* członkowie rodziny królewskiej
rub *v.t.* pocierać
rub *n.* tarcie
rubber *n.* gumka
rubbish *n.* śmieci
rubble *n.* gruzy
ruby *n.* rubin
rude *a.* niegrzeczny
rudiment *n.* szczątek
rudimentary *a.* szczątkowy
rue *v.t.* żałować
rueful *a.* smutny
ruffian *n.* chuligan
ruffle *v.t.* zmierzwić
rug *n.* dywanik
rugged *a.* nierówny (o terenie)
ruin *n.* ruina
ruin *v.t.* rujnować
rule *n.* reguła
rule *n.* rządzenie
rule *v.t.* zarządzać
ruler *n.* linijka
ruling *n.* orzeczenie (sądu)
rum *n.* rum
rum *a* dziwny
rumble *v.i.* grzmieć
rumble *n.* grzmot
ruminant *a.* przeżuwający (o zwierzęciu)
ruminant *n.* przeżuwacz
ruminate *v.i.* zastanawiać się
rumination *n.* przemyśliwanie
rummage *v.i.* szperać
rummage *n.* szperanie
rummy *n.* remik (gra w karty)
rumour *n.* pogłoska
rumour *v.t.* puszczać pogłoskę
run *v.i.* biec
run *n.* bieg
rung *n.* szczebel (drabiny)
runner *n.* biegacz
rupee *n.* rupia
rupture *n.* zerwanie
rupture *v.t.* zrywać
rural *a.* wiejski
ruse *n.* podstęp
rush *n.* pośpiech
rush *v.t.* popędzać
rush *n.* szczytowy okres
rust *n.* rdza
rust *v.i* rdzewieć
rustic *a.* wiejski
rustic *n.* wieśniak
rusticate *v.t.* relegować (studenta)
rustication *n.* zawieszenie (studenta)
rusticity *n.* nieokrzesanie

rusty *a.* zardzewiały
rut *n.* koleina
ruthless *a.* bezlitosny
rye *n.* żyto

S

sabbath *n.* szabas
sabotage *n.* sabotaż
sabotage *v.t.* sabotować
sabre *n.* szabla
sabre *v.t.* ciąć szablą
saccharin *n.* sacharyna
saccharine *a.* cukrowy
sack *n.* worek
sack *n.* zwolnienie z pracy
sack *v.t.* zwolnić z pracy
sacrament *n.* sakrament
sacred *a.* święty
sacrifice *n.* poświęcenie
sacrifice *v.t.* poświęcać
sacrificial *a.* ofiarny
sacrilege *n.* świętokradztwo
sacrilegious *a.* świętokradczy
sacrosanct *a.* święty (o osobie/ miejscu)
sad *a.* smutny
sadden *v.t.* zasmucać
saddle *n.* siodło
saddle *v.t.* siodłać
sadism *n.* sadyzm
sadist *n.* sadysta
safe *a.* bezpieczny
safe *n.* sejf
safeguard *n.* zabezpieczenie
safety *n.* bezpieczeństwo
saffron *n.* szafran
saffron *a* szafranowy
sagacious *a.* bystry
sagacity *n.* bystrość
sage *n.* szałwia
sage *n.* mędrzec
sage *a.* mądry
Sagittarius *n.* Strzelec (znak zodiaku)
sail *n.* żagiel
sail *v.i.* żeglować
sailor *n.* marynarz
saint *n.* święty
saintly *a.* święty
salable *a.* chodliwy (o towarze)
salad *n.* sałata
salary *n.* pensja
sale *n.* sprzedaż
salesman *n.* sprzedawca
salient *a.* wystający
saline *a.* solny
salinity *n.* zasolenie
saliva *n.* ślina
sally *n.* wycieczka
sally *v.i.* robić wycieczkę
saloon *n.* sedan (rodzaj samochodu)
salt *n.* sól
salt *v.t* solić
salty *a.* słony
salutary *a.* zbawienny
salutation *n.* pozdrowienie
salute *v.t.* pozdrawiać
salute *n.* pozdrowienie
salvage *n.* ocalenie
salvage *v.t.* ocalić
salvation *n.* zbawienie
same *a.* ten sam
sample *n.* próbka
sample *v.t.* wypróbowywać
sanatorium *n.* sanatorium
sanctification *n.* uświęcenie
sanctify *v.t.* uświęcać
sanction *n.* sankcja
sanction *v.t.* sankcjonować

sanctity *n.* świętość
sanctuary *n.* sanktuarium
sand *n.* piasek
sandal *n.* sandał
sandalwood *n.* drewno sandałowe
sandwich *n.* kanapka
sandwich *v.t.* wciskać (jakiś przedmiot między dwa inne)
sandy *a.* piaszczysty
sane *a.* przy zdrowych zmysłach
sanguine *a.* rumiany (kolor)
sanitary *a.* higieniczny
sanity *n.* zdrowie psychiczne
sap *n.* sok roślin
sap *v.t.* wysysać (siły życiowe)
sapling *n.* młode drzewo
sapphire *n.* szafir
sarcasm *n.* sarkazm
sarcastic *a.* sarkastyczny
sardonic *a.* sardoniczny
satan *n.* szatan
satchel *n.* tornister
satellite *n.* satelita
satiable *a.* możliwy do zaspokojenia
satiate *v.t.* zaspokajać
satiety *n.* sytość
satire *n.* satyra
satirical *a.* satyryczny
satirist *n.* satyryk
satirize *v.t.* satyryzować
satisfaction *n.* satysfakcja
satisfactory *a.* zadowalający
satisfy *v.t.* zadowalać
saturate *v.t.* nasycać
saturation *n.* nasycenie
Saturday *n.* sobota
sauce *n.* sos
saucer *n.* spodek
saunter *v.i.* przechadzać się
savage *a.* dziki
savage *n.* dzikus
savagery *n.* dzikość
save *v.t.* ratować
save *prep* oprócz
saviour *n.* zbawiciel
savour *n.* smak
savour *v.t.* delektować się (czymś)
saw *n.* piła
saw *v.t.* piłować
say *v.t.* mówić
scabbard *n.* pochwa miecza
scabies *n.* świerzb
scaffold *n.* rusztowanie
scale *n.* skala
scale *v.t.* wspinać się
scalp *n.* skalp
scamper *v.i* pędzić
scamper *n.* ucieczka
scan *v.t.* przeglądać
scandal *n.* skandal
scandalize *v.t.* oburzać
scant *a.* niewielki
scanty *a.* ograniczony
scapegoat *n.* kozioł ofiarny
scar *n.* blizna
scar *v.t.* pokiereszować
scarce *a.* rzadki
scarcely *adv.* zaledwie
scarcity *n.* niedostatek
scare *n.* panika
scare *v.t.* przestraszyć
scarf *n.* szalik
scatter *v.t.* rozrzucać
scavenger *n.* zamiatacz ulic
scene *n.* scena
scenery *n.* sceneria
scenic *a.* malowniczy
scent *n.* zapach
scent *v.t.* zwietrzyć
sceptic *n.* sceptyk
sceptical *a.* sceptyczny

scepticism *n.* sceptycyzm
sceptre *n.* berło
schedule *n.* harmonogram
schedule *v.t.* planować
scheme *n.* schemat
scheme *v.i.* knuć
schism *n.* schizma
scholar *n.* uczeń
scholarly *a.* uczony
scholarship *n.* stypendium
scholastic *a.* nauczycielski
school *n.* szkoła
science *n.* nauka
scientific *a.* naukowy
scientist *n.* naukowiec
scintillate *v.i.* iskrzyć się
scintillation *n.* iskrzenie (się)
scissors *n.* nożyczki
scoff *n.* kpina
scoff *v.i.* kpić
scold *v.t.* besztać
scooter *n.* hulajnoga
scope *n.* zakres
scorch *v.t.* przypalać
score *n.* wynik (testu)
score *v.t.* osiągać (liczbę punktów)
scorer *n.* zdobywca punktów
scorn *n.* pogarda
scorn *v.t.* gardzić
Scorpio *n.* Skorpion (znak zodiaku)
scorpion *n.* skorpion
Scot *n.* Szkot
scotch *a.* szkocki
scotch *n.* szkocka whisky
scot-free *a.* nietknięty
scoundrel *n.* łotr
scourge *n.* bicz
scourge *v.t.* biczować
scout *n.* harcerz
scout *v.i* robić rozpoznanie
scowl *v.i.* patrzeć spode łba
scowl *n.* groźne spojrzenie
scramble *v.i.* gramolić się
scramble *n.* szamotanina
scrap *n.* kawałek
scratch *n.* zadrapanie
scratch *v.t.* drapać
scrawl *v.t.* gryzmolić
scrawl *n.* bazgranina
scream *v.i.* wrzeszczeć
scream *n.* wrzask
screen *n.* ekran
screen *v.t.* osłaniać
screw *n.* śruba
screw *v.t.* śrubować
scribble *v.t.* gryzmolić
scribble *n.* bazgranina
script *n.* rękopis
script *n.* scenariusz filmowy
scripture *n.* Pismo Święte
scroll *n.* zwój
scrutinize *v.t.* szczegółowo badać
scrutiny *n.* szczegółowe badanie
scuffle *n.* bójka
scuffle *v.i.* bić się
sculptor *n.* rzeźbiarz
sculptural *a.* rzeźbiarski
sculpture *n.* rzeźba
scythe *n.* kosa
scythe *v.t.* kosić
sea *n.* morze
seal *n.* foka
seal *n.* pieczęć
seal *v.t.* pieczętować
seam *n.* szew
seam *v.t.* zszywać
seamy *a.* z widocznym szwem (o części ubrania)
search *n.* poszukiwanie
search *v.t.* przeszukiwać
season *n.* pora roku
season *v.t.* przyprawiać (potrawę)

seasonable *a.* odpowiedni dla danej pory roku (o pogodzie)
seasonal *a.* sezonowy
seat *n.* siedzenie
seat *v.t.* sadzać
secede *v.i.* odłączać się
secession *n.* secesja
secessionist *n.* secesjonista
seclude *v.t.* odosabniać
secluded *a.* odosobniony
seclusion *n.* odosobnienie
second *a.* drugi
second *n.* sekunda
second *v.t.* sekundować
secondary *a.* drugorzędny
seconder *n.* popierający wniosek (o osobie)
secrecy *n.* dyskrecja
secret *a.* tajny
secret *n.* tajemnica
secretariat (e) *n.* sekretariat
secretary *n.* sekretarz
secrete *v.t.* wydzielać
secretion *n.* wydzielina
secretive *a.* tajemniczy
sect *n.* sekta
sectarian *a.* sekciarski
section *n.* sekcja
sector *n.* sektor
secure *a.* bezpieczny
secure *v.t.* zabezpieczać
security *n.* bezpieczeństwo
sedan *n.* sedan (rodzaj samochodu)
sedate *a.* stateczny
sedate *v.t.* podawać środek uspokajający
sedative *a.* uspokajający (o środku)
sedative *n.* środek uspokajający
sedentary *a.* siedzący (o trybie życia)
sediment *n.* osad
sedition *n.* bunt
seditious *a.* buntowniczy
seduce *v.t.* uwodzić
seduction *n.* uwodzenie
seductive *a* kuszący
see *v.t.* widzieć
seed *n.* nasiono
seed *v.t.* obsiewać (pole)
seek *v.t.* szukać
seem *v.i.* wydawać się
seemly *a.* właściwy
seep *v.i.* przeciekać
seer *n.* jasnowidz
seethe *v.i.* wrzeć (gniewem)
segment *n.* segment
segment *v.t.* dzielić na odcinki
segregate *v.t.* segregować
segregation *n.* segregacja
seismic *a.* sejsmiczny
seize *v.t.* konfiskować
seizure *n.* konfiskata
seizure *n.* atak (apopleksji itp.)
seldom *adv.* rzadko
select *v.t.* wybierać
select *a* doborowy
selection *n.* selekcja
selective *a.* selekcyjny
self *n.* jaźń
selfish *a.* samolubny
selfless *a.* bezinteresowny
sell *v.t.* sprzedawać
seller *n.* sprzedawca
semblance *n.* pozory
semen *n.* sperma
semester *n.* semestr
seminal *a.* nasienny
seminar *n.* seminarium
senate *n.* senat
senator *n.* senator
senatorial *a.* senatorski
send *v.t.* wysyłać

senile *a.* starczy
senility *n.* starość
senior *a.* starszy (rangą)
senior *n.* senior
seniority *n.* starszeństwo
sensation *n.* sensacja
sensational *a.* sensacyjny
sense *n.* zmysł
sense *v.t.* wyczuwać
senseless *a.* nieprzytomny
sensibility *n.* wrażliwość
sensible *a.* rozsądny
sensitive *a.* wrażliwy
sensual *a.* zmysłowy
sensualist *n.* sensualista
sensuality *n.* zmysłowość
sensuous *a.* czuciowy
sentence *n.* zdanie
sentence *n.* wyrok
sentence *v.t.* skazywać (kogoś)
sentience *n.* odczuwanie zmysłami
sentient *a.* odczuwający
sentiment *n.* sentyment
sentimental *a.* sentymentalny
sentinel *n.* wartownik
sentry *n.* wartownik
separable *a.* rozłączny
separate *v.t.* rozdzielać
separate *a.* oddzielny
separation *n.* rozdzielenie
sepsis *n.* posocznica
September *n.* wrzesień
septic *a.* septyczny
sepulchre *n.* grób
sepulture *n.* grzebanie (martwych)
sequel *n.* następstwo
sequence *n.* kolejność
sequester *v.t.* odizolować
serene *a.* spokojny
serenity *n.* spokój
serf *n.* chłop pańszczyźniany
serge *n.* serża (ubraniowa)
sergeant *n.* sierżant
serial *a.* seryjny
serial *n.* serial
series *n.* seria
serious *a* poważny
sermon *n.* kazanie
sermonize *v.i.* wygłaszać kazanie
serpent *n.* wąż
serpentine *n.* serpentyna
servant *n.* służący
serve *v.t.* służyć
serve *n.* zagrywka (w sporcie)
service *n.* usługa
service *v.t* obsługiwać
serviceable *a.* solidny
servile *a.* służalczy
servility *n.* służalczość
session *n.* sesja
set *v.t* ustawiać
set *a* ustalony
set *n.* zestaw
settle *v.i.* sadowić się
settlement *n.* porozumienie
settlement *n.* osada
settler *n.* osadnik
seven *n.* siódemka
seven *a* siedem
seventeen *a.* siedemnaście
seventeenth *a.* siedemnasty
seventh *a.* siódmy
seventieth *a.* siedemdziesiąty
seventy *a.* siedemdziesiąt
sever *v.t.* odrywać
several *a* kilka
severance *n.* oderwanie
severe *a.* surowy
severity *n.* surowość
sew *v.t.* szyć
sewage *n.* ścieki
sewer *n.* kanał ściekowy

sewerage *n.* kanalizacja
sex *n.* płeć
sex *n.* seks
sexual *a.* seksualny
sexuality *n.* seksualność
sexy *a.* seksowny
shabby *a.* marny
shackle *n.* klamra
shackle *v.t.* zakuwać w kajdany
shade *n.* cień
shade *v.t.* zacieniać
shadow *n.* cień
shadow *v.t* zacieniać
shadowy *a.* cienisty
shaft *n.* szyb (w kopalni)
shake *v.i.* trząść się
shake *n.* potrząsanie
shaky *a.* chwiejny
shallow *a.* płytki
sham *v.i.* symulować
sham *n.* symulowanie
sham *a* symulowany
shame *n.* wstyd
shame *v.t.* zawstydzać
shameful *a.* haniebny
shameless *a.* bezwstydny
shampoo *n.* szampon
shampoo *v.t.* umyć (włosy) szamponem
shanty *n.* szanta
shape *n.* kształt
shape *v.t* modelować
shapely *a.* kształtny
share *n.* udział
share *v.t.* dzielić
share *n.* część
shark *n.* rekin
sharp *a.* ostry
sharp *adv.* ostro
sharpen *v.t.* ostrzyć
sharpener *n.* przyrząd do ostrzenia
sharper *n.* oszust
shatter *v.t.* gruchotać
shave *v.t.* golić
shave *n.* ogolenie
shawl *n.* szal
she *pron.* ona
sheaf *n.* snop (zboża)
shear *v.t.* strzyc
shears *n. pl.* nożyce
shed *v.t.* zrzucać z siebie (odzież)
shed *n.* szopa
sheep *n.* owca
sheepish *a.* nieśmiały
sheer *a.* przejrzysty (o tkaninie)
sheer *a.* zwyczajny
sheet *n.* prześcieradło
sheet *n.* kartka papieru
sheet *v.t.* przykrywać prześcieradłem
shelf *n.* półka
shell *n.* skorupa
shell *v.t.* łuskać
shelter *n.* schronienie
shelter *v.t.* chronić
shelve *v.t.* odkładać (sprawę do szuflady)
shepherd *n.* pasterz
shield *n.* tarcza
shield *v.t.* osłaniać
shift *v.t.* przesuwać
shift *n.* przesunięcie
shift *n.* zmiana (w systemie pracy zmianowej)
shifty *a.* chytry
shilling *n.* szyling
shilly-shally *v.i.* wahać się
shilly-shally *n.* niezdecydowanie
shin *n.* goleń
shine *v.i.* świecić się
shine *n.* blask
shiny *a.* błyszczący

ship *n.* statek
ship *v.t.* dostarczać (sprzedawać)
shipment *n.* wysyłka
shire *n.* hrabstwo
shirk *v.t.* wykręcać się
shirker *n.* bumelant
shirt *n.* koszula
shiver *v.i.* drżeć
shoal *n.* ławica ryb
shoal *n.* mielizna
shock *n.* szok
shock *v.t.* szokować
shoe *n.* but
shoe *v.t.* obuwać
shoot *v.t.* zastrzelić
shoot *n.* odrost
shop *n.* sklep
shop *v.i.* robić zakupy
shore *n.* brzeg
short *a.* krótki
short *adv.* krótko
shortage *n.* niedobór
shortcoming *n.* niedociągnięcie
shorten *v.t.* skracać
shortly *adv.* wkrótce
shorts *n. pl.* szorty
shot *n.* strzał
shoulder *n.* ramię
shoulder *v.t.* brać (coś) na siebie
shout *n.* krzyk
shout *v.i.* krzyczeć
shove *v.t.* pchać
shove *n.* pchnięcie
shovel *n.* szufla
shovel *v.t.* przerzucać (szuflą)
show *v.t.* pokazywać
show *n.* przedstawienie
shower *n.* prysznic
shower *v.t.* brać prysznic
shrew *n.* sekutnica
shrewd *a.* przebiegły
shriek *n.* wrzask
shriek *v.i.* wrzeszczeć
shrill *a.* piskliwy
shrine *n.* kapliczka
shrink *v.i* kurczyć się
shrinkage *n.* kurczenie się
shroud *n.* całun
shroud *v.t.* okrywać całunem
shrub *n.* krzew
shrug *v.t.* wzruszać (ramionami)
shrug *n.* wzruszenie (ramionami)
shudder *v.i.* wzdrygnąć się
shudder *n.* dreszcz
shuffle *v.i.* szurać nogami
shuffle *n.* szuranie
shun *v.t.* unikać
shunt *n.* stłuczka
shut *v.t.* zamykać
shutter *n.* okiennica
shuttle *n.* wahadłowiec
shuttle *v.t.* kursować
shuttlecock *n.* lotka do badmintona
shy *a.* nieśmiały
shy *v.i.* lękać się (czegoś)
sick *a.* chory
sickle *n.* sierp
sickly *a.* chorowity
sickness *n.* choroba
side *n.* bok
side *v.i.* stanąć po (czyjejś) stronie
siege *n.* oblężenie
siesta *n.* sjesta
sieve *n.* sito
sieve *v.t.* przesiewać
sift *v.t.* przesiewać
sigh *n.* westchnienie
sigh *v.i.* wzdychać
sight *n.* wzrok
sight *v.t.* dostrzegać
sightly *a.* urodziwy
sign *n.* znak

sign *v.t.* podpisywać
signal *n.* sygnał
signal *a.* sygnalizacyjny
signal *v.t.* sygnalizować
signatory *n.* sygnatariusz
signature *n.* podpis
significance *n.* ważność
significant *a.* ważny
signification *n.* znaczenie
signify *v.t.* oznaczać
silence *n.* cisza
silence *v.t.* uciszać
silencer *n.* tłumik
silent *a.* cichy
silhouette *n.* sylwetka
silk *n.* jedwab
silken *a.* jedwabisty
silky *a.* jedwabisty
silly *a.* głupi
silt *n.* muł
silt *v.t.* zamulać
silver *n.* srebro
silver *a* srebrny
silver *v.t.* posrebrzać
similar *a.* podobny
similarity *n.* podobieństwo
simile *n.* porównanie
similitude *n.* podobieństwo
simmer *v.i.* dusić się (na wolnym ogniu)
simple *a.* prosty
simpleton *n.* prostaczek
simplicity *n.* prostota
simplification *n.* uproszczenie
simplify *v.t.* upraszczać
simultaneous *a.* jednoczesny
sin *n.* grzech
sin *v.i.* grzeszyć
since *prep.* od (oznaczonego czasu)
since *conj.* odkąd
since *adv.* od tego czasu
sincere *a.* szczery
sincerity *n.* szczerość
sinful *a.* grzeszny
sing *v.i.* śpiewać
singe *v.t.* osmalać
singer *n.* śpiewak
single *a.* pojedynczy
single *n.* osoba wolnego stanu
single-handed *a.* działający na własną rękę
singly *adv.* pojedynczo
singular *a.* pojedynczy
singularity *n.* osobliwość
sinister *a.* złowieszczy
sink *v.i.* tonąć
sink *n.* zlew
sinner *n.* grzesznik
sinuous *a.* kręty
sip *v.t.* popijać małymi łykami
sip *n.* mały łyk
siren *n.* syrena
sister *n.* siostra
sisterhood *n.* siostrzeństwo
sisterly *a.* siostrzany
sit *v.i.* siedzieć
site *n.* teren
situation *n.* sytuacja
six *a.* sześć
sixteen *a.* szesnaście
sixteenth *a.* szesnasty
sixth *a.* szósty
sixtieth *a.* sześćdziesiąty
sixty *a.* sześćdziesiąt
sizable *a.* spory
size *n.* rozmiar
size *v.t.* sortować według rozmiarów
sizzle *v.i.* skwierczeć
sizzle *n.* skwierczenie
skate *n.* łyżwa
skate *v.i.* jeździć na łyżwach
skein *n.* gmatwanina

skeleton *n.* szkielet
sketch *n.* szkic
sketch *v.t.* szkicować
sketchy *a.* szkicowy
skid *v.i.* ślizgać się
skid *n.* poślizg
skilful *a.* zręczny
skill *n.* zdolność
skin *n.* skóra
skin *v.t* obdzierać ze skóry
skip *v.i.* podskakiwać
skip *n.* podskok
skipper *n.* szyper
skirmish *n.* potyczka
skirmish *v.t.* staczać potyczkę
skirt *n.* spódnica
skirt *v.t.* iść skrajem
skit *n.* parodia
skull *n.* czaszka
sky *n.* niebo
skylight *n.* świetlik (w dachu)
slab *n.* płyta (kamienna)
slack *a.* opieszały
slacken *v.t.* zwalniać tempo
slacks *n.* spodnie (nie od garnituru)
slake *v.t.* gasić (pragnienie)
slam *v.t.* trzaskać (drzwiami)
slam *n.* trzask
slander *n.* zniesławienie
slander *v.t.* zniesławiać
slanderous *a.* oszczerczy
slang *n.* slang
slant *v.t.* nachylać
slant *n.* nachylenie
slap *n.* klepnięcie
slap *v.t.* wymierzyć (komuś) policzek
slash *v.t.* ciąć
slash *n.* cięcie
slate *n.* dachówka
slattern *n.* brudas
slatternly *a.* niechlujny
slaughter *n.* ubój
slaughter *v.t.* zarzynać
slave *n.* niewolnik
slave *v.i.* harować
slavery *n.* niewolnictwo
slavish *a.* niewolniczy
slay *v.t.* zabijać
sleek *a.* gładki
sleep *v.i.* spać
sleep *n.* sen
sleeper *n.* człowiek śpiący
sleepy *a.* senny
sleeve *n.* rękaw
sleight *n.* zręczność
slender *a.* wysmukły
slice *n.* kromka (chleba)
slice *v.t.* kroić
slick *a* zręczny
slide *v.i.* ślizgać się
slide *n.* zjeżdżalnia
slight *a.* nieznaczny
slight *n.* lekceważenie
slight *v.t.* lekceważyć
slim *a.* szczupły
slim *v.i.* szczupleć
slime *n.* szlam
slimy *a.* szlamowaty
sling *n.* temblak
slip *v.i.* poślizgnąć się
slip *n.* poślizgnięcie się
slipper *n.* pantofel
slippery *a.* śliski
slipshod *a.* niechlujny
slit *n.* rozcięcie
slit *v.t.* rozcinać
slogan *n.* slogan
slope *n.* stok (narciarski)
slope *v.i.* mieć nachylenie
sloth *n.* lenistwo
slothful *n.* leniwy
slough *n.* bagno

slough *n.* wylina
slough *v.t.* zrzucać skórę (o wężu)
slovenly *a.* niechlujny
slow *a* powolny
slow *v.i.* zwalniać tempo
slowly *adv.* powoli
slowness *n.* powolność
sluggard *n.* próżniak
sluggish *a.* powolny
sluice *n.* śluza
slum *n.* slumsy
slumber *v.i.* drzemać
slumber *n.* drzemka
slump *n.* spadek
slump *v.i.* nagle spadać (o cenach)
slur *n.* zamazanie (obrazu)
slush *n.* breja
slushy *a.* grząski
slut *n.* dziwka
sly *a.* chytry
smack *n.* klaps
smack *v.i.* trzaskać
smack *n.* cmoknięcie
smack *n.* policzek (uderzenie rk)
smack *v.t.* wymierzyć policzek
small *a.* mały
smallness *n.* drobne rozmiary
smallpox *n.* ospa
smart *a.* bystry
smart *v.i* szczypać
smart *n.* kłujący ból
smash *v.t.* rozbijać
smash *n.* rozbicie
smear *v.t.* smarować
smear *n.* rozmaz (w medycynie)
smell *n.* zapach
smell *v.t.* czuć zapach
smelt *v.t.* wytapiać
smile *n.* uśmiech
smile *v.i.* uśmiechać się
smith *n.* kowal
smock *n.* fartuch (lekarski)
smog *n.* smog
smoke *n.* dym
smoke *v.i.* palić
smoky *a.* zadymiony
smooth *a.* gładki
smooth *v.t.* wygładzać
smother *v.t.* tłumić
smoulder *v.i.* tlić się
smug *a.* zadowolony z siebie
smuggle *v.t.* przemycać
smuggler *n.* przemytnik
snack *n.* przekąska
snag *n.* przeszkoda
snail *n.* ślimak
snake *n.* wąż
snake *v.i.* wić się
snap *v.t.* pękać
snap *n.* trzask
snap *a* nagły
snare *n.* sidła
snare *v.t.* złapać w sidła
snarl *n.* warknięcie
snarl *v.i.* warknąć (o człowieku)
snatch *v.t.* chwytać
snatch *n.* urywek
sneak *v.i.* zakradać się
sneak *n.* donosiciel
sneer *v.i* szydzić
sneer *n.* szyderstwo
sneeze *v.i.* kichać
sneeze *n.* kichnięcie
sniff *v.i.* pociągać nosem
sniff *n.* pociągnięcie nosem
snob *n.* snob
snobbery *n.* snobizm
snobbish *v* snobistyczny
snore *v.i.* chrapać
snore *n.* chrapanie
snort *v.i.* parskać
snort *n.* parsknięcie

snout *n.* pysk
snow *n.* śnieg
snow *v.i.* padać (o śniegu)
snowy *a.* śnieżny
snub *v.t.* lekceważyć
snub *n.* afront
snuff *n.* tabaka
snug *a.* przytulny
so *adv.* w ten sposób
so *conj.* więc
soak *v.t.* moczyć
soak *n.* kąpiel, w której coś się moczy
soap *n.* mydło
soap *v.t.* namydlać
soapy *a.* mydlany
soar *v.i.* wznosić się
sob *v.i.* szlochać
sob *n.* szloch
sober *a.* trzeźwy
sobriety *n.* trzeźwość
sociability *n.* towarzyskość
sociable *a.* towarzyski
social *n.* socjalny
socialism *n.* socjalizm
socialist *n.* socjalista
socialist *a.* socjalistyczny
society *n.* społeczeństwo
sociology *n.* socjologia
sock *n.* skarpeta
socket *n.* gniazdko (elektryczne)
sod *n.* gnojek
sodomite *n.* sodomita
sodomy *n.* sodomia
sofa *n.* sofa
soft *a.* miękki
soften *v.t.* zmiękczać
soil *n.* gleba
soil *v.t.* brudzić
sojourn *v.i.* przebywać
sojourn *n.* pobyt
solace *v.t.* pocieszać
solace *n.* pocieszenie
solar *a.* słoneczny
solder *n.* cyna
solder *v.t.* lutować
soldier *n.* żołnierz
soldier *v.i.* służyć w wojsku
sole *n.* podeszwa
sole *v.t* podzelowywać
sole *a* jedyny
solemn *a.* uroczysty
solemnity *n.* uroczystość
solemnize *v.t.* zawrzeć (ślub)
solicit *v.t.* zabiegać (o coś)
solicitation *n.* nakłanianie
solicitor *n.* adwokat
solicitious *a.* pragnący
solicitude *n.* troska
solid *a.* solidny
solid *n.* ciało stałe
solidarity *n.* solidarność
soliloquy *n.* monolog
solitary *a.* samotny
solitude *n.* samotność
solo *n.* solo (w muzyce)
solo *a.* jednoosobowy
solo *adv.* w pojedynkę
soloist *n.* solista
solubility *n.* rozpuszczalność
soluble *a.* rozpuszczalny
solution *n.* rozwiązanie
solve *v.t.* rozwiązywać (zagadkę)
solvency *n.* wypłacalność
solvent *a.* wypłacalny
solvent *n.* rozpuszczalnik
sombre *a.* mroczny
some *a.* jakiś, jakaś, jakieś
some *pron.* niektórzy, niektóre
somebody *pron.* ktoś
somebody *n.* ważna osoba
somehow *adv.* jakoś
someone *pron.* ktoś
somersault *n.* salto

somersault *v.i.* przekoziołkować
something *pron.* coś
something *adv.* nieco
sometime *adv.* kiedyś
sometimes *adv.* czasami
somewhat *adv.* nieco
somewhere *adv.* gdzieś
somnambulism *n.* lunatyzm
somnambulist *n.* lunatyk
somnolence *n.* senność
somnolent *a.* senny
son *n.* syn
song *n.* piosenka
songster *n.* śpiewak
sonic *a.* dźwiękowy
sonnet *n.* sonet
sonority *n.* dźwięczność
soon *adv.* niebawem
soot *n.* sadza
soot *v.t.* pokrywać sadzą
soothe *v.t.* ukoić
sophism *n.* sofizmat
sophist *n.* sofista
sophisticate *v.t.* fałszować
sophisticated *a.* wyrafinowany
sophistication *n.* wyrafinowanie
sorcerer *n.* czarodziej
sorcery *n.* czary
sordid *a.* nikczemny
sore *a.* bolesny
sore *n.* rana
sorrow *n.* smutek
sorrow *v.i.* smucić się
sorry *a.* żałosny
sort *n.* rodzaj
sort *v.t* sortować
soul *n.* dusza
sound *a.* zdrowy
sound *v.i.* brzmieć
sound *n.* dźwięk
soup *n.* zupa
sour *a.* kwaśny
sour *v.t.* kwasić
source *n.* źródło
south *n.* południe (strona świata)
south *a.* południowy
south *adv.* na południe
southerly *a.* południowy
southern *a.* południowy
souvenir *n.* pamiątka
sovereign *n.* monarcha
sovereign *a* najwyższy (o władzy)
sovereignty *n.* najwyższa władza
sow *v.t.* siać
sow *n.* maciora
space *n.* przestrzeń
space *v.t.* rozstawiać
spacious *a.* przestronny
spade *n.* łopata
spade *v.t.* kopać (ziemię)
span *n.* rozpiętość
span *v.t.* obejmować
Spaniard *n.* Hiszpan
spaniel *n.* spaniel
Spanish *a.* hiszpański
Spanish *n.* język hiszpański
spanner *n.* płaski klucz do nakrętek
spare *v.t.* oszczędzić
spare *a* zapasowy
spare *n.* część zapasowa
spark *n.* iskra
spark *v.i.* iskrzyć się
sparkle *v.i.* iskrzyć się
sparkle *n.* iskierka
sparrow *n.* wróbel
sparse *a.* rzadki
spasm *n.* spazm
spasmodic *a.* spazmatyczny
spate *n.* natłok
spatial *a.* przestrzenny
spawn *n.* ikra
spawn *v.i.* ikrzyć się
speak *v.i.* mówić

speaker *n.* mówca
speaker *n.* głośnik
spear *n.* włócznia
spear *v.t.* przebijać włócznią
spearhead *n.* czołówka (w wojsku)
spearhead *v.t.* stać na czele
special *a.* specjalny
specialist *n.* specjalista
speciality *n.* specjalność
specialization *n.* specjalizacja
specialize *v.i.* specjalizować się
species *n.* gatunek
specific *a.* specyficzny
specification *n.* specyfikacja
specify *v.t.* określać
specimen *n.* okaz
speck *n.* plamka
spectacle *n.* spektakl
spectacular *a.* efektowny
spectator *n.* widz
spectre *n.* widmo
speculate *v.i.* spekulować
speculation *n.* spekulacja
speech *n.* mowa
speed *n.* prędkość
speed *v.i.* śpieszyć się
speedily *adv.* szybko
speedy *a.* szybki
spell *n.* zaklęcie
spell *v.t.* literować
spell *n.* okres
spend *v.t.* spędzać (czas)
spend *v.t.* wydawać (pieniądze)
spendthrift *n.* rozrzutnik
sperm *n.* sperma
sphere *n.* kula
spherical *a.* kulisty
spice *n.* przyprawa
spice *v.t.* przyprawiać
spicy *a.* pikantny
spider *n.* pająk
spike *n.* kolec
spike *v.t.* przebijać (ostrzem)
spill *v.i.* rozlewać się
spill *n.* wyciek
spin *v.i.* obracać się
spin *n.* wirowanie
spinach *n.* szpinak
spinal *a.* kręgowy
spindle *n.* wrzeciono
spine *n.* kręgosłup
spinner *n.* prząśnica
spinster *n.* stara panna
spiral *n.* spirala
spiral *a.* spiralny
spirit *n.* duch (człowieka)
spirit *n.* duch (istota nadprzyrodzona)
spirited *a.* ożywiony
spiritual *a.* duchowy
spiritualism *n.* spirytualizm
spiritualist *n.* spirytualista
spirituality *n.* duchowość
spit *v.i.* pluć
spit *n.* plwocina
spite *n.* uraza
spittle *n.* plwocina
spittoon *n.* spluwaczka
splash *v.i.* pluskać się
splash *n.* plusk
spleen *n.* śledziona
splendid *a.* znakomity
splendour *n.* wspaniałość
splinter *n.* drzazga
splinter *v.t.* rozszczepiać
split *v.i.* dzielić się
split *n.* rozpad
spoil *v.t.* psuć
spoil *n.* zdobycz
spoke *n.* szprycha
spokesman *n.* rzecznik
sponge *n.* gąbka
sponge *v.t.* wycierać gąbką

sponsor *n.* sponsor
sponsor *v.t.* sponsorować
spontaneity *n.* spontaniczność
spontaneous *a.* spontaniczny
spoon *n.* łyżka
spoon *v.t.* jeść łyżką
spoonful *n.* pełna łyżka (jedzenia)
sporadic *a.* sporadyczny
sport *n.* sport
sport *v.i.* rozerwać się
sportive *a.* żartobliwy
sportsman *n.* sportowiec
spot *n.* miejsce
spot *v.t.* dostrzegać
spotless *a.* nieskazitelny
spousal *a.* małżeński
spouse *n.* małżonek, małżonka
spout *n.* dziób (dzbanka)
spout *v.i.* tryskać
sprain *n.* zwichnięcie
sprain *v.t.* zwichnąć
spray *n.* pył wodny
spray *n.* gałązka
spray *v.t.* opryskiwać
spread *v.i.* rozciągać się
spread *n.* zasięg
spree *n.* hulanka
sprig *n.* gałązka
sprightly *a.* żwawy
spring *v.i.* skakać
spring *n.* wiosna
sprinkle *v. t.* pokropić
sprint *v.i.* sprintować
sprint *n.* sprint
sprout *v.i.* kiełkować
sprout *n.* kiełek
spur *n.* ostroga
spur *v.t.* zachęcać
spurious *a.* fałszywy
spurn *v.t.* odrzucać z pogardą
spurt *v.i.* tryskać
spurt *n.* struga
sputnik *n.* sputnik
sputum *n.* plwocina
spy *n.* szpieg
spy *v.i.* szpiegować
squad *n.* oddział (w wojsku)
squadron *n.* szwadron
squalid *a.* nędzny
squalor *n.* nędza
squander *v.t.* trwonić
square *n.* kwadrat
square *a* kwadratowy
square *v.t.* podnosić do kwadratu
squash *v.t.* zgniatać
squash *n.* miazga
squat *v.i.* kucać
squeak *v.i.* piszczeć
squeak *n.* pisk
squeeze *v.t.* ściskać
squint *v.i.* zezować
squint *n.* zez
squire *n.* giermek
squirrel *n.* wiewiórka
stab *v.t.* pchnąć nożem
stab *n.* pchnięcie nożem
stability *n.* stabilność
stabilization *n.* stabilizacja
stabilize *v.t.* stabilizować
stable *a.* stabilny
stable *n.* stajnia
stable *v.t.* trzymać (konie) w stajni
stadium *n.* stadion
staff *n.* personel
staff *v.t.* obsadzać personelem
stag *n.* jeleń
stage *n.* scena
stage *v.t.* inscenizować
stagger *v.i.* chwiać się
stagger *n.* zataczanie się
stagnant *a.* w zastoju
stagnate *v.i.* być w zastoju

stagnation *n.* stagnacja
staid *a.* stateczny
stain *n.* plama
stain *v.t.* plamić
stainless *a.* nierdzewny (o stali)
stair *n.* schodek
stake *n.* stawka
stake *v.t.* stawiać (zakładać się)
stale *a.* nieświeży
stale *v.i.* tracić świeżość
stalemate *n.* pat
stalk *n.* łodyga
stalk *v.i.* grasować
stall *n.* stragan
stall *v.t.* opóźniać
stallion *n.* ogier
stalwart *a.* mężny
stalwart *n.* podpora (organizacji)
stamina *n.* wigor
stammer *v.i.* jąkać się
stammer *n.* jąkanie się
stamp *n.* stempel
stamp *n.* znaczek pocztowy
stamp *v.i.* stąpać ciężko
stampede *n.* popłoch
stampede *v.i* pędzić w popłochu
stand *v.i.* stać
stand *n.* stoisko
stand *n.* opinia
standard *n.* standard
standard *a* standardowy
standardization *n.* normalizacja
standardize *v.t.* normalizować
standing *n.* pozycja
standpoint *n.* punkt widzenia
standstill *n.* martwy punkt
stanza *n.* strofa
staple *n.* klamra
staple *a* główny
star *n.* gwiazda
star *v.i.* występować w głównej roli
starch *n.* krochmal
starch *v.t.* krochmalić
stare *v.i.* gapić się
stare *n.* gapienie się
stark *a.* nagi
stark *adv.* całkowicie
starry *a.* gwiaździsty
start *v.t.* startować
start *n.* start
startle *v.t.* przestraszyć
starvation *n.* wygłodzenie
starve *v.i.* głodować
state *n.* sytuacja
state *n.* stan
state *v.t* oświadczać
stateliness *n.* okazałość
stately *a.* okazały
statement *n.* oświadczenie
statesman *n.* mąż stanu
static *n.* zakłócenia
statics *n.* statyka
station *n.* stacja
station *v.t.* wyznaczać (stanowisko)
stationary *a.* stacjonarny
stationer *n.* właściciel sklepu z materiałam piśmiennymi
stationery *n.* materiały piśmienne
statistical *a.* statystyczny
statistician *n.* statystyk
statistics *n.* statystyka
statue *n.* posąg
stature *n.* postawa
status *n.* status
statute *n.* ustawa
statutory *a.* ustawowy
staunch *a.* zagorzały
stay *v.i.* zostawać
stay *n.* pobyt
steadfast *a.* mocny
steadiness *n.* solidność

steady *a.* solidny
steady *v.t.* uspokajać
steal *v.i.* kraść
stealthily *adv.* ukradkiem
steam *n.* para (wodna)
steam *v.i.* parować
steamer *n.* parowiec
steed *n.* rumak
steel *n.* stal
steep *a.* stromy
steep *v.t.* moczyć
steeple *n.* iglica
steer *v.t.* sterować
stellar *a.* gwiezdny
stem *n.* łodyga
stem *v.i.* wynikać
stench *n.* smród
stencil *n.* szablon
stencil *v.i.* znaczyć przez szablon
stenographer *n.* stenograf
stenography *n.* stenografia
step *n.* krok
step *v.i.* kroczyć
steppe *n.* step
stereotype *n.* stereotyp
stereotype *v.t.* traktować stereotypowo
stereotyped *a.* stereotypowy
sterile *a.* sterylny
sterility *n.* bezpłodność
sterilization *n.* sterylizacja
sterilize *v.t.* sterylizować
sterling *a.* wartościowy (o człowieku)
sterling *n.* szterling
stern *a.* surowy
stern *n.* rufa
stethoscope *n.* stetoskop
stew *n.* gulasz
stew *v.t.* dusić (potrawę)
steward *n.* steward (w samolocie)
stick *n.* patyk
stick *v.t.* przyklejać
sticker *n.* naklejka
stickler *n.* pedant
sticky *n.* lepki
stiff *a.* sztywny
stiffen *v.t.* usztywniać
stifle *v.t.* tłumić
stigma *n.* piętno
still *a.* nieruchomy
still *adv.* jeszcze
still *v.t.* uspokajać
stillness *n.* spokój
stilt *n.* szczudło
stimulant *n.* bodziec
stimulate *v.t.* stymulować
stimulus *n.* bodziec
sting *v.t.* żądlić
sting *n.* żądło
stingy *a.* skąpy
stink *v.i.* śmierdzieć
stink *n.* smród
stipend *n.* wynagrodzenie
stipulate *v.t.* zażądać
stipulation *n.* żądanie
stir *v.i.* ruszać się
stirrup *n.* strzemię
stitch *n.* szew
stitch *v.t.* szyć
stock *n.* zapasy
stock *v.t.* mieć (towar) na składzie
stock *a.* ujednolicony
stocking *n.* pończocha
stoic *n.* stoik
stoke *v.t.* palić (w piecu)
stoker *n.* palacz
stomach *n.* żołądek
stomach *v.t.* ścierpieć
stone *n.* kamień
stone *v.t.* kamienować
stony *a.* kamienisty

stool *n.* taboret
stool *n.* stolec
stoop *v.i.* nachylać się
stoop *n.* nachylenie
stop *v.t.* zatrzymywać
stop *n.* przystanek
stoppage *n.* zatrzymanie
storage *n.* magazynowanie
store *n.* magazyn
store *v.t.* magazynować
storey *n.* piętro
stork *n.* bocian
storm *n.* burza
storm *v.i.* szaleć (o deszczu)
stormy *a.* burzowy
story *n.* historia
stout *a.* odważny
stove *n.* piec
stow *v.t.* pakować
straggle *v.i.* rozchodzić się (o grupie ludzi)
straggler *n.* maruder
straight *a.* prosty
straight *adv.* prosto
straighten *v.t.* wyprostowywać
straightforward *a.* łatwy
straightway *adv.* natychmiast
strain *v.t.* napinać
strain *n.* obciążenie
strait *n.* cieśnina
straiten *v.t.* zubożyć
strand *v.i.* osiadać na mieliźnie
strand *n.* pasmo
strange *a.* dziwny
stranger *n.* obcy człowiek
strangle *v.t.* udusić
strangulation *n.* uduszenie
strap *n.* rzemień
strap *v.t.* przypinać
stratagem *n.* podstęp
strategic *a.* strategiczny
strategist *n.* strateg
strategy *n.* strategia
stratum *n.* warstwa (społeczna)
straw *n.* słoma
strawberry *n.* truskawka
stray *v.i.* zabłąkać się
stray *a* zabłąkany
stray *n.* przybłęda
stream *n.* potok
stream *v.i.* płynąć
streamer *n.* chorągiew
streamlet *n.* potoczek
street *n.* ulica
strength *n.* siła
strengthen *v.t.* wzmacniać
strenuous *a.* męczący
stress *n.* stres
stress *v.t* zaznaczać
stretch *v.t.* rozciągać
stretch *n.* obszar
stretcher *n.* nosze
strew *v.t.* posypywać
strict *a.* ścisły
strict *a.* surowy
stricture *n.* zwężenie (w medycynie)
stride *v.i.* kroczyć
stride *n.* krok
strident *a.* piskliwy
strife *n.* zmagania
strike *v.t.* uderzać
strike *n.* uderzenie
striker *n.* napastnik (w piłce nożnej)
string *n.* sznurek
string *v.t.* zawiązywać
stringency *n.* surowość (przepisów)
stringent *a.* surowy (o przepisie)
strip *n.* pasek
strip *v.t.* obnażać
stripe *n.* prążek
stripe *v.t.* pomalować w prążki

strive *v.i.* usiłować
stroke *n.* udar
stroke *v.t.* głaskać
stroke *n.* uderzenie (zegara)
stroll *v.i.* przechadzać się
stroll *n.* przechadzka
strong *a.* silny
stronghold *n.* forteca
structural *a.* strukturalny
structure *n.* struktura
struggle *v.i.* zmagać się
struggle *n.* zmaganie się
strumpet *n.* ulicznica
strut *v.i.* dumnie stąpać
strut *n.* wyniosły chód
stub *n.* kikut
stubble *n.* szczecina (na twarzy)
stubborn *a.* uparty
stud *n.* ćwiek
stud *v.t.* nabijać ćwiekami
student *n.* student
studio *n.* studio
studious *a.* pilny
study *v.i.* studiować
study *n.* studia
stuff *n.* surowiec
stuff *v.t.* napychać (coś czymś)
stuffy *a.* duszny
stumble *v.i.* potykać się
stumble *n.* potknięcie
stump *n.* kikut
stump *v.t* zabijać klina w głowę
stun *v.t.* ogłuszać
stunt *v.t.* zahamowywać (rozwój)
stunt *n.* scena kaskaderska
stupefy *v.t.* ogłupiać
stupendous *a.* zdumiewający
stupid *a* głupi
stupidity *n.* głupota
sturdy *a.* mocny
sty *n.* chlew
stye *n.* jęczmień (w medycynie)
style *n.* styl
subdue *v.t.* okiełznać
subject *n.* temat
subject *a* narażony (na coś)
subjection *n.* podbój
subjective *a.* subiektywny
subjugate *v.t.* ujarzmiać
subjugation *n.* ujarzmienie
sublet *v.t.* podnajmować
sublimate *v.t.* sublimować
sublime *a.* wspaniały
sublime *n.* wzniosłość
sublimity *n.* wzniosłość
submarine *n.* łódź podwodna
submarine *a* podwodny
submerge *v.i.* zanurzać się
submission *n.* uległość
submissive *a.* uległy
submit *v.t.* przedkładać
subordinate *a.* podwładny
subordinate *n.* podwładny
subordinate *v.t.* podporządkowywać
subordination *n.* podporządkowanie
subscribe *v.t.* podpisywać
subscription *n.* prenumerata
subsequent *a.* kolejny
subservience *n.* służalczość
subservient *a.* służalczy
subside *v.i.* opadać (o wezbranej wodzie)
subsidiary *a.* pomocniczy
subsidize *v.t.* subwencjonować
subsidy *n.* subwencja
subsist *v.i.* egzystować
subsistence *n.* egzystencja
substance *n.* substancja
substantial *a.* istotny
substantially *adv.* znacznie
substantiate *v.t.* konkretyzować

substantiation *n.* skonkretyzowanie
substitute *n.* substytut
substitute *v.t.* zastępować (coś czymś)
substitution *n.* zastąpienie
subterranean *a.* podziemny
subtle *n.* subtelny
subtlety *n.* subtelność
subtract *v.t.* odejmować
subtraction *n.* odejmowanie
suburb *n.* przedmieście
suburban *a.* podmiejski
subversion *n.* obalenie
subversive *a.* wywrotowy
subvert *v.t.* obalać
succeed *v.i.* odnieść sukces
success *n.* sukces
successful *a* pomyślny
succession *n.* następstwo
successive *a.* kolejny
successor *n.* następca
succour *n.* odsiecz
succour *v.t.* przyjść (komuś) z pomocą
succumb *v.i.* ulegać (pokusie)
such *a.* taki
such *pron.* taki
suck *v.t.* ssać
suck *n.* ssanie
suckle *v.t.* karmić piersią
sudden *n.* nagły
suddenly *adv.* nagle
sue *v.t.* zaskarżać
suffer *v.t.* cierpieć
suffice *v.i.* wystarczać
sufficiency *n.* dostateczny zapas
sufficient *a.* wystaczający
suffix *n.* przyrostek
suffix *v.t.* umieszczać coś po czymś
suffocate *v.t* udusić
suffocation *n.* uduszenie
suffrage *n.* prawo głosowania
sugar *n.* cukier
sugar *v.t.* słodzić
suggest *v.t.* sugerować
suggestion *n.* sugestia
suggestive *a.* dwuznaczny
suicidal *a.* samobójczy
suicide *n.* samobójstwo
suit *n.* garnitur
suit *v.t.* dostosowywać
suitability *n.* stosowność
suitable *a.* stosowny
suite *n.* apartament hotelowy
suitor *n.* konkurent (o rękę kobiety)
sullen *a.* ponury
sulphur *n.* siarka
sulphuric *a.* siarkowy
sultry *a.* parny
sum *n.* suma
sum *v.t.* sumować
summarily *adv.* w trybie pilnym
summarize *v.t.* streszczać
summary *n.* streszczenie
summary *a* doraźny
summer *n.* lato
summit *n.* szczyt
summon *v.t.* wzywać
summons *n.* wezwanie
sumptuous *a.* okazały
sun *n.* słońce
sun *v.t.* wystawiać na działanie promieni słonecznych
Sunday *n.* niedziela
sunder *v.t.* odłączać
sun-dried *a.* suszony na słońcu
sunny *a.* słoneczny
sup *v.i.* jeść kolację
superabundance *n.* nadmiar
superabundant *a.* nadmierny
superb *a.* znakomity

superficial *a.* powierzchowny
superficiality *n.* powierzchowność
superfine *a.* najprzedniejszy
superfluity *n.* zbyteczność
superfluous *a.* zbyteczny
superhuman *a.* nadludzki
superintend *v.t.* nadzorować
superintendence *n.* nadzór
superintendent *n.* kierownik
superior *a.* wyższy
superiority *n.* wyższość
superlative *a.* najwyższy
superlative *n.* superlatywa
superman *n.* nadczłowiek
supernatural *a.* nadprzyrodzony
supersede *v.t.* zastępować (coś czymś)
supersonic *a.* ultradźwiękowy
superstition *n.* przesąd
superstitious *a.* przesądny
supertax *n.* domiar
supervise *v.t.* nadzorować
supervision *n.* nadzór
supervisor *n.* kierownik
supper *n.* kolacja
supple *a.* giętki
supplement *n.* dodatek
supplement *v.t.* uzupełniać
supplementary *a.* uzupełniający
supplier *n.* dostawca
supply *v.t.* dostarczać
supply *n.* dostawa
support *v.t.* wspierać
support *n.* wsparcie
suppose *v.t.* przypuszczać
supposition *n.* przypuszczenie
suppress *v.t.* tłumić
suppression *n.* stłumienie
supremacy *n.* zwierzchnictwo
supreme *a.* najwyższy
surcharge *n.* dopłata
surcharge *v.t.* dodatkowo obciążać
sure *a.* pewny
surely *adv.* pewnie
surety *n.* pewność
surf *n.* fale przybrzeżne
surface *n.* powierzchnia
surface *v.i* wypływać na powierzchnię
surfeit *n.* nadmiar
surge *n.* nagły przypływ
surge *v.i.* nagle wzrosnąć
surgeon *n.* chirurg
surgery *n.* operacja
surmise *n.* przypuszczenie
surmise *v.t.* przypuszczać
surmount *v.t.* przezwyciężać
surname *n.* nazwisko
surpass *v.t.* przekraczać
surplus *n.* nadwyżka
surprise *n.* niespodzianka
surprise *v.t.* zaskakiwać
surrender *v.t.* zrzekać się (czegoś)
surrender *n.* zrzeczenie się
surround *v.t.* otaczać
surroundings *n.* otoczenie
surtax *n.* domiar
surveillance *n.* nadzór
survey *n.* badanie (opinii publicznej)
survey *v.t.* przyglądać się
survival *n.* przetrwanie
survive *v.i.* przetrwać
suspect *v.t.* podejrzewać
suspect *a.* podejrzany
suspect *n.* człowiek podejrzany
suspend *v.t.* zawieszać
suspense *n.* niepewność
suspension *n.* zawieszenie
suspicion *n.* podejrzenie
suspicious *a.* podejrzany

sustain *v.t.* utrzymywać
sustenance *n.* wyżywienie
swagger *v.i.* przechwalać się
swagger *n.* przechwalanie się
swallow *v.t.* połykać
swallow *n.* połykanie
swallow *n.* jaskółka
swamp *n.* bagno
swamp *v.t.* zatapiać
swan *n.* łabędź
swarm *n.* rój
swarm *v.i.* roić się
swarthy *a.* śniady
sway *v.i.* kołysać się
sway *n.* kołysanie się
swear *v.i.* przysięgać
swear *v.i.* przeklinać
sweat *n.* pot
sweat *v.i.* pocić się
sweater *n.* sweter
sweep *v.i.* sunąć
sweep *n.* rozległa przestrzeń
sweeper *n.* zamiatacz
sweet *a.* słodki
sweet *n.* cukierek
sweeten *v.t.* słodzić
sweetmeat *n.* owoc kandyzowany
sweetness *n.* słodycz
swell *v.i.* puchnąć
swell *n.* obrzęk
swift *a.* szybki
swim *v.i.* pływać
swim *n.* pływanie
swimmer *n.* pływak
swindle *v.t.* oszukiwać
swindle *n.* oszustwo
swindler *n.* oszust
swine *n.* świnia
swing *v.i.* huśtać się
swing *n.* huśtawka
Swiss *n.* Szwajcar
swiss *a* szwajcarski
switch *n.* przełącznik
switch *v.t.* przełączać
swoon *n.* omdlenie
swoon *v.i* zemdleć
swoop *v.i.* pikować
swoop *n.* pikowanie
sword *n.* miecz
sycamore *n.* jawor
sycophancy *n.* pochlebstwo
sycophant *n.* pochlebca
syllabic *a.* sylabiczny
syllable *n.* sylaba
syllabus *n.* program (nauki)
sylph *n.* sylf
sylvan *a.* leśny
symbol *n.* symbol
symbolic *a.* symboliczny
symbolism *n.* symbolizm
symbolize *v.t.* symbolizować
symmetrical *a.* symetryczny
symmetry *n.* symetria
sympathetic *a.* współczujący
sympathize *v.i.* współczuć
sympathy *n.* współczucie
symphony *n.* symfonia
symposium *n.* sympozjum
symptom *n.* symptom
symptomatic *a.* symptomatyczny
synonym *n.* synonim
synonymous *a.* równoznaczny
synopsis *n.* streszczenie
syntax *n.* składnia
synthesis *n.* synteza
synthetic *a.* syntetyczny
synthetic *n.* środek syntetyczny
syringe *n.* strzykawka
syringe *v.t.* opryskiwać
syrup *n.* syrop
system *n.* system
systematic *a.* systematyczny
systematize *v.t.* systematyzować

T

table *n.* stół
table *v.t.* kłaść na stole
tablet *n.* tabliczka
taboo *n.* tabu
taboo *a* zakazany
taboo *v.t.* zakazywać
tabular *a.* tabelowy
tabulate *v.t.* układać w tabelę
tabulation *n.* tabulacja
tabulator *n.* tabulator
tacit *a.* milczący
taciturn *a.* małomówny
tackle *n.* przybory
tackle *v.t.* opanowywać
tact *n.* takt
tactful *a.* taktowny
tactician *n.* taktyk
tactics *n.* taktyka
tactile *a.* dotykowy
tag *n.* etykietka
tag *v.t.* oznaczać etykietką
tail *n.* ogon
tailor *n.* krawiec
tailor *v.t.* szyć
taint *n.* plama
taint *v.t.* splamić
take *v.t* brać
tale *n.* opowiadanie
talent *n.* talent
talisman *n.* talizman
talk *v.i.* mówić
talk *n.* rozmowa
talkative *a.* gadatliwy
tall *a.* wysoki
tallow *n.* łój
tally *n.* etykietka
tally *v.t.* etykietować
tamarind *n.* tamarynda
tame *a.* oswojony
tame *v.t.* oswajać
tamper *v.i.* wtrącać się
tan *v.i.* opalać się
tan *n.* opalenizna
tanned *a.* opalony (o człowieku)
tangent *n.* styczna
tangible *a.* namacalny
tangle *n.* plątanina
tangle *v.t.* zawikłać
tank *n.* zbiornik
tanker *n.* tankowiec
tanner *n.* garbarz
tannery *n.* garbarnia
tantalize *v.t.* dręczyć
tantamount *a.* równoznaczny
tap *n.* kurek
tap *v.t.* pukać
tape *n.* taśma
tape *v.t* owijać taśmą
taper *v.i.* zwężać się
taper *n.* stożkowatość
tapestry *n.* gobelin
tar *n.* smoła
tar *v.t.* smołować
target *n.* cel
tariff *n.* taryfa
tarnish *v.t.* splamić (reputację)
task *n.* zadanie
task *v.t.* wyznaczyć zadanie
taste *n.* smak
taste *v.t.* kosztować
tasteful *a.* gustowny
tasty *a.* smaczny
tatter *n.* łachman
tattoo *n.* tatuaż
tattoo *v.t.* tatuować
taunt *v.t.* wyśmiewać się
taunt *n.* wyśmiewanie się
Taurus *n.* Byk (znak zodiaku)
tavern *n.* tawerna
tax *n.* podatek

tax *v.t.* opodatkowywać
taxable *a.* podlegający opodatkowaniu
taxation *n.* opodatkowanie
taxi *n.* taksówka
taxi *v.i.* pojechać taksówką
tea *n.* herbata
teach *v.t.* uczyć
teacher *n.* nauczyciel
teak *n.* tek
team *n.* zespół
tear *v.t.* rozerwać
tear *n.* rozdarcie
tear *n.* łza
tearful *a.* zapłakany
tease *v.t.* drażnić
teat *n.* sutek
technical *a.* techniczny
technicality *n.* zawiłość
technician *n.* technik
technique *n.* technika
technological *a.* technologiczny
technologist *n.* technolog
technology *n.* technologia
tedious *a.* nudny
tedium *n.* nuda
teem *v.i.* obfitować
teenager *n.* nastolatek
teens *n. pl.* wiek dojrzewania
teethe *v.i.* ząbkować
teetotal *a.* abstynencki
teetotaller *n.* abstynent
tegument *n.* powłoka
telecommunications *n.* telekomunikacja
telegram *n.* telegram
telegraph *n.* telegraf
telegraph *v.t.* telegrafować
telegraphic *a.* telegraficzny
telegraphist *n.* telegrafista
telegraphy *n.* telegrafia
telepathic *a.* telepatyczny
telepathist *n.* telepata
telepathy *n.* telepatia
telephone *n.* telefon
telephone *v.t.* telefonować
telescope *n.* teleskop
telescopic *a.* teleskopowy
televise *v.t.* nadawać w telewizji
television *n.* telewizja
tell *v.t.* powiedzieć
teller *n.* narrator
temper *n.* usposobienie
temper *v.t.* łagodzić
temperament *n.* temperament
temperamental *a.* wybuchowy (o człowieku)
temperance *n.* umiar
temperate *a.* umiarkowany
temperature *n.* temperatura
tempest *n.* burza
tempestuous *a.* burzliwy
temple *n.* świątynia
temple *n.* skroń
temporal *a.* skroniowy
temporary *a.* tymczasowy
tempt *v.t.* kusić
temptation *n.* pokusa
tempter *n.* kusiciel
ten *a.* dziesięć
tenable *a.* możliwy do obrony
tenacious *a.* wytrwały
tenacity *n.* wytrwałość
tenancy *n.* najem
tenant *n.* lokator
tend *v.i.* zmierzać
tendency *n.* tendencja
tender *n.* oferta
tender *v.t.* oferować
tender *a* delikatny
tenet *n.* dogmat
tennis *n.* tenis
tense *n.* czas (w gramatyce)
tense *a.* napięty

tension *n.* napięcie
tent *n.* namiot
tentative *a.* próbny
tenure *n.* urzędowanie
term *n.* termin
term *v.t.* określać
terminable *a.* podlegający wypowiedzeniu
terminal *a.* końcowy
terminal *n.* terminal
terminate *v.t.* kończyć
termination *n.* zakończenie
terminological *a.* terminologiczny
terminology *n.* terminologia
terminus *n.* końcowa stacja (linii kolejowej)
terrace *n.* taras
terrible *a.* straszny
terrier *n.* terier
terrific *a.* wspaniały
terrify *v.t.* przerażać
territorial *a.* terytorialny
territory *n.* terytorium
terror *n.* terror
terrorism *n.* terroryzm
terrorist *n.* terrorysta
terrorize *v.t.* terroryzować
terse *a.* zwięzły
test *v.t.* testować
test *n.* test
testament *n.* testament
testicle *n.* jądro (w anatomii)
testify *v.i.* świadczyć
testimonial *n.* świadectwo
testimony *n.* oświadczenie
tete-a-tete *n.* rozmowa w cztery oczy
tether *n.* pęta
tether *v.t.* pętać
text *n.* tekst
textile *a.* tekstylny
textile *n.* tkanina
textual *a.* tekstowy
texture *n.* tekstura
thank *v.t.* dziękować
thankful *a.* wdzięczny
thankless *a.* niewdzięczny
that *a.* ten, ta, to
that *dem. pron.* to
that *rel. pron.* który, co
that *adv.* do tego stopnia
that *conj.* że
thatch *n.* strzecha
thatch *v.t.* pokryć strzechą
thaw *v.i* tajać
thaw *n.* odwilż
theatre *n.* teatr
theatrical *a.* teatralny
theft *n.* kradzież
their *a.* ich
theirs *pron.* ich
theism *n.* teizm
theist *n.* teista
them *pron.* im, ich
thematic *a.* tematyczny
theme *n.* temat
then *adv.* wtedy
then *a* ówczesny
thence *adv.* stamtąd
theocracy *n.* teokracja
theologian *n.* teolog
theological *a.* teologiczny
theology *n.* teologia
theorem *n.* twierdzenie
theoretical *a.* teoretyczny
theorist *n.* teoretyk
theorize *v.i.* teoretyzować
theory *n.* teoria
therapy *n.* terapia
there *adv.* tam
thereabouts *adv.* w tamtych stronach
thereafter *adv.* później

thereby *adv.* przez to
therefore *adv.* zatem
thermal *a.* cieplny
thermometer *n.* termometr
thermos (flask) *n.* termos
thesis *n.* teza
thick *a.* gruby
thick *adv.* grubo
thicken *v.i.* gęstnieć
thicket *n.* zarośla
thief *n.* złodziej
thigh *n.* udo
thimble *n.* naparstek
thin *a.* cienki
thin *v.t.* rozcieńczać
thing *n.* rzecz
think *v.t.* myśleć
thinker *n.* myśliciel
third *a.* trzeci
third *n.* jedna trzecia (część)
thirdly *adv.* po trzecie
thirst *n.* pragnienie
thirst *v.i.* pragnąć
thirsty *a.* spragniony
thirteen *n.* trzynastka
thirteen *a* trzynaście
thirteenth *a.* trzynasty
thirtieth *a.* trzydziesty
thirtieth *n.* jedna trzydziesta (część)
thirty *n.* trzydziestka
thirty *a* trzydzieści
thistle *n.* oset
thither *adv.* do tamtego miejsca
thorn *n.* cierń
thorny *a.* ciernisty
thorough *a* gruntowny
thoroughfare *n.* przejazd
though *conj.* chociaż
though *adv.* bądź co bądź
thought *n.* myśl
thoughtful *a.* zadumany
thousand *n.* tysiąc
thousand *a* tysiąc
thrall *n.* niewola
thrash *v.t.* młócić (kogoś)
thread *n.* nić
thread *v.t* nawlekać (igłę)
threadbare *a.* wyświechtany
threat *n.* groźba
threaten *v.t.* grozić
three *n.* trójka
three *a* trzy
thresh *v.t.* młócić zboże
thresher *n.* młockarnia
threshold *n.* próg
thrice *adv.* trzykrotnie
thrift *n.* oszczędność
thrifty *a.* oszczędny
thrill *n.* dreszcz
thrill *v.t.* wzruszać
thrive *v.i.* dobrze się rozwijać (o dziecku)
throat *n.* gardło
throaty *a.* gardłowy
throb *v.i.* pulsować
throb *n.* pulsowanie
throe *n.* gwałtowny ból
throne *n.* tron
throne *v.t.* osadzać na tronie
throng *n.* tłok
throng *v.t.* przewalać się (o tłumie)
throttle *n.* przepustnica
throttle *v.t.* dławić (przepływ)
through *prep.* przez
through *adv.* na wskroś
through *a* przelotowy
throughout *adv.* wszędzie
throughout *prep.* poprzez
throw *v.t.* rzucać
throw *n.* rzut
thrust *v.t.* popychać
thrust *n.* pchnięcie

thud *n.* głuchy odgłos
thud *v.i.* upadać z głuchym odgłosem
thug *n.* bandyta
thumb *n.* kciuk
thumb *v.t.* wertować (książkę)
thump *n.* grzmotnięcie
thump *v.t.* grzmotnąć
thunder *n.* grzmot
thunder *v.i.* grzmieć
thunderous *a.* burzliwy
Thursday *n.* czwartek
thus *adv.* w ten sposób
thwart *v.t.* udaremniać
tiara *n.* diadem
tick *n.* kleszcz
tick *v.i.* tykać
ticket *n.* bilet
tickle *v.t.* łaskotać
ticklish *a.* mający łaskotki
tidal *a.* pływowy
tide *n.* pływ
tidings *n. pl.* wieści
tidiness *n.* czystość
tidy *a.* czysty
tidy *v.t.* porządkować
tie *v.t.* wiązać
tie *n.* krawat
tier *n.* rząd
tiger *n.* tygrys
tight *a.* ciasny
tighten *v.t.* zaciskać
tigress *n.* tygrysica
tile *n.* kafel
tile *v.t.* wykładać kaflami
till *prep.* aż do
till *n. conj.* dopóki nie
till *v.t.* uprawiać (ziemię)
tilt *v.i.* nachylać się
tilt *n.* nachylenie
timber *n.* drewno
time *n.* czas
time *v.t.* zrobić coś w odpowiednim momencie
timely *a.* będący na czas
timid *a.* nieśmiały
timidity *n.* nieśmiałość
timorous *a.* nieśmiały
tin *n.* cyna
tin *n.* puszka blaszana
tin *v.t.* pakować do puszek
tincture *n.* nalewka
tincture *v.t.* zabarwiać
tinge *n.* odcień
tinge *v.t.* zabarwiać
tinker *n.* druciarz
tinsel *n.* błyskotka
tint *n.* odcień
tint *v.t.* zabarwiać
tiny *a.* maleńki
tip *n.* koniuszek
tip *n.* napiwek
tip *v.t.* dawać napiwek
tip *n.* podpowiedź
tip *v.t.* udzielić poufnej informacji
tip *n.* wysypisko (śmieci)
tip *v.t.* wywracać
tipsy *a.* podchmielony
tirade *n.* tyrada
tire *v.t.* męczyć
tiresome *a.* męczący
tissue *n.* tkanka
tissue *n.* chusteczka do nosa
titanic *a.* tytaniczny
tithe *n.* dziesiąta część (czegoś)
title *n.* tytuł
titular *a.* tytularny
toad *n.* ropucha
toast *n.* grzanka
toast *n.* toast
toast *v.t.* wznosić toast
tobacco *n.* tytoń
today *adv.* dzisiaj

today *n.* dzień dzisiejszy
toe *n.* palec u nogi
toe *v.t.* dotknąć palcem u nogi
toffee *n.* toffi
toga *n.* toga
together *adv.* razem
toil *n.* harówka
toil *v.i.* harować
toilet *n.* toaleta
toils *n. pl.* sidła
token *n.* żeton
token *n.* znak (przyjaźni)
tolerable *a.* znośny
tolerance *n.* tolerancja
tolerant *a.* tolerancyjny
tolerate *v.t.* tolerować
toleration *n.* tolerancja
toll *n.* opłata drogowa
toll *n.* straty
toll *v.t.* dzwonić (o dzwonie)
tomato *n.* pomidor
tomb *n.* grób
tomboy *n.* chłopczyca
tomcat *n.* kocur
tome *n.* tom
tomorrow *n.* dzień jutrzejszy
tomorrow *adv.* jutro
ton *n.* tona
tone *n.* ton
tone *v.t.* stroić (instrument)
tongs *n. pl.* szczypce
tongue *n.* język (w anatomii)
tonic *a.* krzepiący
tonic *n.* środek tonizujący
to-night *n.* dzisiejszy wieczór, dzisiejsza noc
tonight *adv.* dzisiaj wieczorem, tej nocy
tonnage *n.* tonaż
tonsil *n.* migdałek (w anatomii)
tonsure *n.* tonsura
too *adv.* zbyt
too *adv.* także
tool *n.* narzędzie
tooth *n.* ząb
toothache *n.* ból zębów
toothsome *a.* smaczny
top *n.* szczyt
top *n.* wierzchnia strona
top *v.t.* przewyższać (coś)
top *n.* bąk (zabawka)
topaz *n.* topaz
topic *n.* temat
topical *a.* tematyczny
topographer *n.* topograf
topographical *a.* topograficzny
topography *n.* topografia
topple *v.i.* przewracać się
topsy turvy *a.* chaotyczny
topsy turvy *adv.* do góry nogami
torch *n.* latarka
torment *n.* męka
torment *v.t.* męczyć
tornado *n.* tornado
torpedo *n.* torpeda
torpedo *v.t.* torpedować
torrent *n.* potok
torrential *a.* ulewny (o deszczu)
torrid *a.* silny (o uczuciu)
tortoise *n.* żółw
tortuous *a.* kręty (o drodze)
torture *n.* tortura
torture *v.t.* torturować
toss *v.t.* ciskać (coś komuś)
toss *n.* rzut
total *a.* całkowity
total *n.* suma
total *v.t.* sumować
totality *n.* suma
touch *v.t.* dotykać
touch *n.* dotyk
touchy *a.* drażliwy
tough *a.* trudny
toughen *v.t.* wzmacniać

tour *n.* objazd
tour *v.i.* objeżdżać
tourism *n.* turystyka
tourist *n.* turysta
tournament *n.* turniej
towards *prep.* w kierunku
towel *n.* ręcznik
towel *v.t.* wycierać ręcznikiem
tower *n.* wieża
tower *v.i.* górować
town *n.* miasto
township *n.* dzielnice miasta poza centrum
toy *n.* zabawka
toy *v.i.* igrać
trace *n.* ślad
trace *v.t.* wytyczać (plan)
traceable *a.* możliwy do odszukania
track *n.* szlak
track *n.* utwór muzyczny
track *v.t.* tropić
tract *n.* przewód (np. pokarmowy)
tract *n.* traktat
traction *n.* trakcja
tractor *n.* traktor
trade *n.* handel
trade *v.i* handlować
trader *n.* handlowiec
tradesman *n.* dostawca
tradition *n.* tradycja
traditional *a.* tradycyjny
traffic *n.* ruch (uliczny)
traffic *v.i.* handlować
tragedian *n.* tragediopisarz
tragedy *n.* tragedia
tragic *a.* tragiczny
trail *n.* ścieżka
trail *v.t.* wlec
trailer *n.* przyczepa
train *n.* pociąg
train *v.t.* szkolić
trainee *n.* praktykant
training *n.* szkolenie
trait *n.* cecha
traitor *n.* zdrajca
tram *n.* tramwaj
trample *v.t.* deptać
trance *n.* trans
tranquil *a.* spokojny
tranquility *n.* spokój
tranquillize *v.t.* uspokajać
transact *v.t.* przeprowadzać transakcję
transaction *n.* transakcja
transcend *v.t.* przewyższać
transcendent *a.* nieprześcigniony
transcribe *v.t.* przepisywać
transcription *n.* transkrypcja
transfer *n.* przeniesienie
transfer *v.t.* przenosić
transferable *a.* przenośny (o bilecie)
transfiguration *n.* przeobrażenie
transfigure *v.t.* przeobrażać
transform *v.* przekształcać
transformation *n.* przekształcenie
transgress *v.t.* naruszyć (prawo)
transgression *n.* naruszenie (prawa)
transit *n.* przejazd
transition *n.* stan przejściowy
transitive *a.* przechodni *(verb)*
transitory *a.* przemijający
translate *v.t.* tłumaczyć
translation *n.* tłumaczenie
translator *n.* tłumacz
transmigration *n.* przejazd emigranta (przez kraj)
transmission *n.* transmisja

transmit *v.t.* transmitować
transmitter *n.* przekaźnik
transparent *a.* przeźroczysty
transplant *v.t.* przesadzać (roślinę)
transport *v.t.* transportować
transport *n.* transport
transportation *n.* transport
trap *n.* pułapka
trap *v.t.* złapać w pułapkę
trash *n.* odpadki
travel *v.i.* podróżować
travel *n.* podróż
traveller *n.* podróżny
tray *n.* taca
treacherous *a.* zdradliwy (o drodze)
treachery *n.* zdradliwość
tread *v.t.* deptać
tread *n.* strzemię (w jeździectwie)
treason *n.* zdrada
treasure *n.* skarb
treasure *v.t.* cenić
treasurer *n.* skarbnik
treasury *n.* skarb państwa
treat *v.t.* traktować
treat *v.t.* leczyć
treat *n.* wielka przyjemność
treatise *n.* rozprawa naukowa
treatment *n.* traktowanie
treatment *n.* leczenie
treaty *n.* traktat
tree *n.* drzewo
trek *v.i.* wędrować
trek *n.* wędrówka
tremble *v.i.* trząść się
tremendous *a.* potężny
tremor *n.* drżenie
trench *n.* rów
trench *v.t.* przecinać rowami
trend *n.* trend
trespass *v.i.* bezprawnie wkroczyć na czyjś grunt
trespass *n.* bezprawne wkroczenie na czyjś grunt
trial *n.* próba
trial *n.* rozprawa sądowa
triangle *n.* trójkąt
triangular *a.* trójkątny
tribal *a.* plemienny
tribe *n.* plemię
tribulation *n.* utrapienie
tribunal *n.* trybunał
tributary *n.* dopływ
tributary *a.* dopływowy (o rzece)
trick *n.* podstęp
trick *v.t.* oszukiwać
trickery *n.* oszustwo
trickle *v.i.* sączyć się
trickster *n.* oszust
tricky *a.* niełatwy
tricolour *a.* trójbarwny
tricolour *n.* francuska flaga trójbarwna
tricycle *n.* trójkołowiec
trifle *n.* drobnostka
trifle *v.i* żartować
trigger *n.* spust (karabinu)
trim *a.* uporządkowany
trim *n.* nastrój
trim *v.t.* porządkować
trinity *n.* grupa trzyosobowa
trio *n.* trio
trip *v.t.* uruchamiać
trip *n.* podróż
tripartite *a.* trójdzielny
triple *a.* potrójny
triple *v.t.* potroić
triplicate *a.* wystawiony w trzech egzemplarzach
triplicate *n.* trzecia kopia (dokumentu)

triplicate *v.t.* wystawiać w trzech egzemplarzach
triplication *n.* wystawienie w trzech egzemplarzach
tripod *n.* trójnóg
triumph *n.* triumf
triumph *v.i.* triumfować
triumphal *a.* triumfalny
triumphant *a.* triumfalny
trivial *a.* trywialny
troop *n.* oddział wojskowy
troop *v.i* iść grupą
trooper *n.* policjant na koniu
trophy *n.* trofeum
tropic *n.* zwrotnik
tropical *a.* tropikalny
trot *v.i.* pobiec
trot *n.* kłus
trouble *n.* kłopot
trouble *v.t.* martwić (kogoś)
troublesome *a.* kłopotliwy
troupe *n.* trupa
trousers *n. pl* spodnie
trowel *n.* kielnia
truce *n.* rozejm
truck *n.* samochód ciężarowy
true *a.* prawdziwy
trump *n.* atut (w kartach)
trump *v.t.* przebijać atutem (w kartach)
trumpet *n.* trąbka
trumpet *v.i.* grać na trąbce
trunk *n.* pień (drzewa)
trunk *n.* tułów
trust *n.* zaufanie
trust *v.t* ufać
trustee *n.* powiernik
trustful *a.* ufny
trustworthy *a.* godny zaufania
trusty *a.* wierny
truth *n.* prawda
truthful *a.* prawdomówny
try *v.i.* próbować
try *n.* próba
trying *a.* nieznośny
tryst *n.* schadzka
tub *n.* wanna
tube *n.* rura
tuberculosis *n.* gruźlica
tubular *a.* rurowy
Tuesday *n.* wtorek
tug *v.t.* ciągnąć
tuition *n.* nauczanie
tumble *v.i.* runąć
tumble *n.* upadek
tumbler *n.* szklanka (alkoholu)
tumour *n.* nowotwór
tumult *n.* tumult
tumultuous *a.* burzliwy
tune *n.* melodia
tune *v.t.* stroić instrument
tunnel *n.* tunel
tunnel *v.i.* przekopywać tunel
turban *n.* turban
turbine *n.* turbina
turbulence *n.* turbulencja
turbulent *a.* niespokojny
turf *n.* murawa
turkey *n.* indyk
turmeric *n.* kurkuma
turmoil *n.* zamieszanie
turn *v.i.* obracać się
turn *n.* obrót
turn *n.* kolej (kolejka)
turner *n.* tokarz
turnip *n.* rzepa
turpentine *n.* terpentyna
turtle *n.* żółw morski
tusk *n.* kieł (słonia)
tussle *n.* bójka
tussle *v.i.* bić się
tutor *n.* wychowawca
tutorial *a.* wychowawczy

tutorial *n.* indywidualne seminarium
twelfth *a.* dwunasty
twelfth *n.* dwunasta część (czegoś)
twelve *n.* dwunastka
twelve *a.* dwanaście
twentieth *a.* dwudziesty
twentieth *n.* dwudziesta część (czegoś)
twenty *a.* dwadzieścia
twenty *n.* dwudziestka
twice *adv.* dwa razy
twig *n.* gałązka
twilight *n.* brzask
twin *n.* bliźniak
twin *a* bliźniaczy
twinkle *v.i.* migotać
twinkle *n.* migotanie
twist *v.t.* wykręcać
twist *n.* obrót
twitter *n.* świergot
twitter *v.i.* świergotać
two *n.* dwójka
two *a.* dwa
twofold *a.* dwojaki
type *n.* typ
type *v.t.* pisać na maszynie
typhoid *n.* tyfus (dur brzuszny)
typhoon *n.* tajfun
typhus *n.* tyfus (dur plamisty)
typical *a.* typowy
typify *v.t.* stanowić typ (czegoś)
typist *n.* osoba pisząca na maszynie do pisania
tyranny *n.* tyrania
tyrant *n.* tyran
tyre *n.* opona

U

udder *n.* wymię
uglify *v.t.* szpecić
ugliness *n.* brzydota
ugly *a.* brzydki
ulcer *n.* wrzód
ulcerous *a.* wrzodowy
ulterior *a.* późniejszy
ultimate *a.* ostateczny
ultimately *adv.* ostatecznie
ultimatum *n.* ultimatum
umbrella *n.* parasol
umpire *n.* rozjemca
umpire *v.t.* rozstrzygać
unable *a.* niezdolny
unanimity *n.* jednomyślność
unanimous *a.* jednomyślny
unaware *a.* nieświadomy
unawares *adv.* nieświadomie
unburden *v.t.* odciążać
uncanny *a.* niesamowity
uncertain *a.* niepewny
uncle *n.* wujek
uncouth *a.* nieokrzesany
under *prep.* pod
under *adv.* poniżej
under *a* dolny
undercurrent *n.* nurt (w opinii publicznej)
underdog *n.* osoba nie będąca faworytem
undergo *v.t.* przechodzić (zmianę)
undergraduate *n.* student
underhand *a.* potajemny
underline *v.t.* podkreślać
undermine *v.t.* podważać
underneath *adv.* pod spodem
underneath *prep.* pod

understand *v.t.* rozumieć
undertake *v.t.* podejmować się
undertone *n.* półszept
underwear *n.* bielizna
underworld *n.* zaświaty
undo *v.t.* niweczyć
undue *a.* zbytni
undulate *v.i.* falować
undulation *n.* falowanie
unearth *v.t.* odgrzebywać
uneasy *a.* nieswój
unfair *a* niesprawiedliwy
unfold *v.t.* rozwijać się
unfortunate *a.* pechowy
ungainly *a.* niezdarny
unhappy *a.* nieszczęśliwy
unification *n.* ujednolicenie
union *n.* unia
unionist *n.* związkowiec
unique *a.* unikalny
unison *n.* unisono
unit *n.* jednostka
unite *v.t.* jednoczyć
unity *n.* jedność
universal *a.* uniwersalny
universality *n.* uniwersalność
universe *n.* wszechświat
university *n.* uniwersytet
unjust *a.* niesprawiedliwy
unless *conj.* o ile nie
unlike *a* niepodobny
unlike *prep* w przeciwieństwie
unlikely *a.* nieprawdopodobny
unmanned *a.* bezzałogowy
unmannerly *a* niewychowany
unprincipled *a.* niegodziwy
unreliable *a.* niesolidny
unrest *n.* zamieszki
unruly *a.* niesforny
unsettle *v.t.* zachwiać (czymś)
unsheathe *v.t.* wydobywać z pochwy
until *prep.* aż do
until *conj* dopóki nie
untoward *a.* niestosowny
unwell *a.* niezdrów
unwittingly *adv.* nieświadomie
up *adv.* do góry
up *prep.* w górę
upbraid *v.t* ganić
upheaval *n.* rewolucja (w polityce)
uphold *v.t* podtrzymywać
upkeep *n.* utrzymanie (człowieka)
uplift *v.t.* podnosić
uplift *n.* podnoszenie
upon *prep* na
upper *a.* wyższy
upright *a.* pionowy
uprising *n.* powstanie
uproar *n.* wrzawa
uproarious *a.* hałaśliwy
uproot *v.t.* wykorzeniać
upset *v.t.* martwić (kogoś)
upshot *n.* rezultat
upstart *n.* parweniusz
up-to-date *a.* aktualny
upward *a.* wznoszący się
upwards *adv.* w górę
urban *a.* miejski
urbane *a.* wykwintny
urbanity *n.* wykwintność
urchin *n.* urwis
urge *v.t* ponaglać
urge *n.* bodziec
urgency *n.* pilność
urgent *a.* pilny
urinal *n.* pisuar
urinary *a.* moczowy
urinate *v.i.* oddawać mocz
urination *n.* oddawanie moczu
urine *n.* mocz
urn *n.* urna

usage *n.* używanie
use *n.* użytek
use *v.t.* używać
useful *a.* przydatny
usher *n.* odźwierny
usher *v.t.* wprowadzać
usual *a.* zwykły
usually *adv.* zwykle
usurer *n.* lichwiarz
usurp *v.t.* uzurpować
usurpation *n.* uzurpacja
usury *n.* lichwa
utensil *n.* narzędzie
uterus *n.* macica
utilitarian *a.* funkcjonalny
utility *n.* przydatność
utilization *n.* użytkowanie
utilize *v.t.* użytkować
utmost *a.* skrajny
utmost *n.* wszystko, co leży w czyjejś mocy
utopia *n.* utopia
utopian *a.* utopijny
utter *v.t.* wydawać (głos)
utter *a* zupełny
utterance *n.* wydanie (głosu)
utterly *adv.* zupełnie

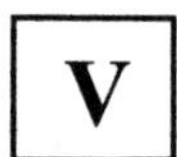

vacancy *n.* wakat
vacancy *n.* wolny pokój
vacant *a.* wolny (nie zajęty)
vacate *v.t.* opuszczać (mieszkanie)
vacation *n.* wakacje
vaccinate *v.t.* szczepić
vaccination *n.* szczepienie
vaccinator *n.* lekarz wykonujący szczepienie
vaccine *n.* szczepionka
vacillate *v.i.* wahać się
vacuum *n.* próżnia
vagabond *n.* włóczęga
vagabond *a* włóczęgowski
vagary *n.* kaprys
vagina *n.* pochwa (w anatomii)
vague *a.* nieokreślony
vagueness *n.* ogólnikowość
vain *a.* próżny
vainglorious *a.* zarozumiały
vainglory *n.* zarozumiałość
vainly *adv.* daremnie
vale *n.* dolina
valiant *a.* dzielny
valid *a.* ważny (o dokumencie)
validate *v.t.* zatwierdzać
validity *n.* ważność (dokumentu)
valley *n.* dolina
valour *n.* waleczność
valuable *a.* cenny
valuation *n.* wycena
value *n.* wartość
value *v.t.* oszacowywać
valve *n.* zawór
van *n.* furgonetka
vanish *v.i.* znikać
vanity *n.* próżność
vanquish *v.t.* zwyciężać
vaporize *v.t.* wyparowywać
vaporous *a.* zamglony
vapour *n.* para
variable *a.* zmienny
variance *n.* rozbieżność
variation *n.* różnica
varied *a.* rozmaity
variety *n.* rozmaitość
various *a.* różny
varnish *n.* lakier
varnish *v.t.* lakierować

vary *v.t.* urozmaicać
vasectomy *n.* wazektomia
vaseline *n.* wazelina
vast *a.* ogromny
vault *n.* krypta
vault *n.* skarbiec
vault *v.i.* skakać (o tyczce)
vegetable *n.* warzywo
vegetable *a.* warzywny
vegetarian *n.* wegetarianin
vegetarian *a* wegetariański
vegetation *n.* wegetacja
vehemence *n.* porywczość
vehement *a.* porywczy
vehicle *n.* pojazd
vehicular *a.* kołowy (o ruchu)
veil *n.* welon
veil *v.t.* zasłaniać (twarz)
vein *n.* żyła
velocity *n.* szybkość
velvet *n.* aksamit
velvety *a.* aksamitny
venal *a.* przekupny
venality *n.* przekupstwo
vendor *n.* sprzedawca
venerable *a.* czcigodny
venerate *v.t.* czcić
veneration *n.* cześć
vengeance *n.* zemsta
venial *a.* wybaczalny
venom *n.* jad
venomous *a.* jadowity
vent *n.* odpowietrznik
ventilate *v.t.* przewietrzać
ventilation *n.* wentylacja
ventilator *n.* wentylator
venture *n.* przedsięwzięcie
venture *v.t.* ryzykować
venturesome *a.* przedsiębiorczy
venturous *a.* przedsiębiorczy
venue *n.* miejsce spotkania
veracity *n.* prawdziwość
verandah *n.* weranda
verb *n.* czasownik
verbal *a.* ustny
verbal *a.* słowny
verbally *adv.* słownie
verbatim *a.* dosłowny
verbatim *adv.* dosłownie
verbose *a.* gadatliwy
verbosity *n.* gadatliwość
verdant *a.* zielony
verdict *n.* werdykt
verge *n.* krawędź
verification *n.* weryfikacja
verify *v.t.* weryfikować
verisimilitude *n.* prawdopodobieństwo
veritable *a.* prawdziwy
vermillion *n.* cynober
vermillion *a.* cynobrowy
vernacular *n.* miejscowy dialekt
vernacular *a.* rodzimy (o języku)
vernal *a.* wiosenny
versatile *a.* wszechstronny
versatility *n.* wszechstronność
verse *n.* wiersz
versed *a.* biegły
versification *n.* wersyfikacja
versify *v.t.* pisać wiersze
version *n.* wersja
versus *prep.* przeciw
vertical *a.* pionowy
verve *n.* werwa
very *adv.* bardzo
vessel *n.* naczynie
vest *n.* podkoszulek
vest *v.t.* nadawać prawo
vestige *n.* pozostałość
vestment *n.* szata
veteran *n.* weteran
veteran *a.* doświadczony
veterinary *a.* weterynaryjny
veto *n.* weto

veto *v.t.* wetować
vex *v.t.* irytować
vexation *n.* irytacja
via *prep.* przez (daną miejscowość)
viable *a.* wykonalny
vial *n.* fiolka
vibrate *v.i.* wibrować
vibration *n.* wibracja
vicar *n.* wikary
vicarious *a.* zastępczy
vice *n.* wada
viceroy *n.* wicekról
vice-versa *adv.* odwrotnie
vicinity *n.* sąsiedztwo
vicious *a.* złośliwy
vicissitude *n.* niestałość
victim *n.* ofiara
victimize *v.t.* tyranizować
victor *n.* zwycięzca
victorious *a.* zwycięski
victory *n.* zwycięstwo
victuals *n. pl* żywność
vie *v.i.* współzawodniczyć
view *n.* pogląd
view *n.* widok
view *v.t.* oglądać
vigil *n.* czuwanie
vigilance *n.* czujność
vigilant *a.* czujny
vigorous *a.* rześki
vile *a.* podły
vilify *v.t.* oczerniać
villa *n.* willa
village *n.* wieś
villager *n.* wieśniak
villain *n.* łajdak
vindicate *v.t.* bronić
vindication *n.* obrona
vine *n.* winorośl
vinegar *n.* ocet
vintage *n.* rocznik (wina)
violate *v.t.* pogwałcić
violation *n.* pogwałcenie
violence *n.* przemoc
violent *a.* brutalny
violet *n.* fiołek
violin *n.* skrzypce
violinist *n.* skrzypek
virgin *n.* dziewica
virgin *a.* dziewiczy
virginity *n.* dziewictwo
Virgo *n.* Panna (znak zodiaku)
virile *a.* męski
virility *n.* męskość
virtual *a* faktyczny
virtue *n.* cnota
virtuous *a.* cnotliwy
virulence *n.* jadowitość
virulent *a.* jadowity
virus *n.* wirus
visage *n.* oblicze
visibility *n.* widoczność
visible *a.* widoczny
vision *n.* wizja
visionary *a.* wizjonerski
visionary *n.* wizjoner
visit *n.* wizyta
visit *v.t.* odwiedzać
visitor *n.* gość
vista *n.* widok
visual *a.* wzrokowy
visualize *v.t.* wyobrażać sobie
vital *a.* zasadniczy
vitality *n.* żywotność
vitalize *v.t.* ożywiać
vitamin *n.* witamina
vitiate *v.t.* psuć
vivacious *a.* ożywiony
vivacity *n.* ożywienie
viva-voce *adv.* ustnie (zdawać egzamin)
viva-voce *a* ustny (o egzaminie)
vivid *a.* żywy (o wyobraźni)

vixen *n.* lisica
vocabulary *n.* słownictwo
vocal *a.* głosowy
vocalist *n.* śpiewak
vocation *n.* powołanie
vogue *n.* moda
voice *n.* głos
voice *v.t.* wyrażać
void *a.* pusty
void *v.t.* unieważniać
void *n.* pustka
volcanic *a.* wulkaniczny
volcano *n.* wulkan
volition *n.* wola
volley *n.* salwa (w wojsku)
volley *v.t* oddać salwę
volt *n.* wolt
voltage *n.* napięcie (elektryczne)
volume *n.* tom
volume *n.* pojemność
voluminous *a.* obszerny
voluntarily *adv.* dobrowolnie
voluntary *a.* dobrowolny
volunteer *n.* ochotnik
volunteer *v.t.* zgłaszać się na ochotnika
voluptuary *n.* zmysłowy
voluptuous *a.* zmysłowy
vomit *v.t.* wymiotować
vomit *n* wymiociny
voracious *a.* żarłoczny
votary *n.* czciciel
vote *n.* głosowanie
vote *v.i.* głosować
voter *n.* wyborca
vouch *v.i.* gwarantować
voucher *n.* kupon
vouchsafe *v.t.* raczyć (coś zrobić)
vow *n.* przyrzeczenie
vow *v.t.* ślubować
vowel *n.* samogłoska
voyage *n.* podróż
voyage *v.i.* podróżować
voyager *n.* podróżnik
vulgar *a.* wulgarny
vulgarity *n.* wulgarność
vulnerable *a.* narażony (na coś)
vulture *n.* sęp

wade *v.i.* brnąć
waddle *v.i.* zataczać się
waft *v.t.* unosić się (o zapachu)
waft *n.* powiew
wag *v.i.* merdać ogonem
wag *n.* merdanie
wage *v.t.* prowadzić (działania)
wage *n.* płaca
wager *n.* zakład
wager *v.i.* zakładać się
wagon *n.* wagon
wail *v.i.* lamentować
wail *n.* lament
wain *n.* fura
waist *n.* talia
waistband *n.* pas (u spódnicy)
waistcoat *n.* kamizelka
wait *v.i.* czekać
wait *n.* czekanie
waiter *n.* kelner
waitress *n.* kelnerka
waive *v.t.* zaniechać
wake *v.t.* budzić
wake *n.* stypa
wake *n.* pokłosie
wakeful *a.* czuwający
walk *v.i.* chodzić
walk *n.* spacer
wall *n.* ściana
wall *v.t.* zamurowywać

wallet *n.* portfel
wallop *v.t.* łoić skórę
wallow *v.i.* tarzać się
walnut *n.* orzech włoski
walrus *n.* mors
wan *a.* mizerny
wand *n.* różdżka
wander *v.i.* wędrować
wane *v.i.* zanikać
wane *n.* zanik
want *v.t.* chcieć
want *n.* niedostatek
wanton *a.* rozwiązły
war *n.* wojna
war *v.i.* wojować
warble *v.i.* szczebiotać
warble *n.* szczebiot
warbler *n.* świstunka (ptak)
ward *n.* oddział (w szpitalu)
ward *v.t.* mieć kogoś pod opieką
warden *n.* wartownik
warder *n.* strażnik więzienny
wardrobe *n.* garderoba
wardship *n.* kuratela
ware *n.* towar
warehouse *v.t* magazyn
warfare *n.* działania wojenne
warlike *a.* wojenny
warm *a.* ciepły
warm *v.t.* rozgrzewać
warmth *n.* ciepło
warn *v.t.* ostrzegać
warning *n.* ostrzeżenie
warrant *n.* nakaz sądowy
warrant *v.t.* gwarantować
warrantee *n.* posiadacz gwarancji
warrantor *n.* gwarant
warranty *n.* gwarancja
warren *n.* królikarnia
warrior *n.* wojownik
wart *n.* brodawka
wary *a.* ostrożny
wash *v.t.* myć
wash *n.* mycie się
washable *a.* nadający się do prania
washer *n.* uszczelka
wasp *n.* osa
waspish *a.* zjadliwy
wassail *n.* hulanka
wastage *n.* marnotrawstwo
waste *a.* jałowy (o ziemi)
waste *n.* marnotrawstwo
waste *v.t.* tracić
wasteful *a.* marnotrawny
watch *v.t.* patrzeć (na kogoś/coś)
watch *v.t.* pilnować
watch *n.* warta
watchful *a.* czujny
watchword *n.* hasło (w wojsku)
water *n.* woda
water *v.t.* podlewać (rośliny)
waterfall *n.* wodospad
water-melon *n.* arbuz
waterproof *a.* wodoodporny
waterproof *n.* płaszcz nieprzemakalny
waterproof *v.t.* impregnować
watertight *a.* wodoszczelny
watery *a.* wodnisty
watt *n.* wat
wave *n.* fala
wave *v.t.* machać (ręką)
waver *v.i.* chwiać się
wax *n.* wosk
wax *v.t.* woskować
way *n.* droga
way *n.* sposób
wayfarer *n.* wędrownik
waylay *v.t.* zasadzać się (na kogoś)
wayward *a.* samowolny
weak *a.* słaby

weaken *v.t.* osłabiać
weaken *v.i.* słabnąć
weakling *n.* mizerak
weakness *n.* słabość
weal *n.* dobrobyt
wealth *n.* bogactwo
wealthy *a.* bogaty
wean *v.t.* odstawiać (dziecko) od piersi
weapon *n.* broń
wear *v.t.* nosić (ubranie)
weary *a.* znużony
weary *v.t. & i* znużyć (się)
weary *a.* znudzony
weary *v.t.* nudzić (kogoś)
weather *n.* pogoda
weather *v.t.* przetrwać (burzę)
weave *v.t.* tkać
weaver *n.* tkacz
web *n.* pajęczyna
web *n.* Internet
webby *a.* błoniasty
wed *v.t.* poślubiać
wedding *n.* wesele
wedge *n.* klin
wedge *v.t.* zaklinować
wedlock *n.* stan małżeński
Wednesday *n.* środa
weed *n.* chwast
weed *v.t.* pielić
week *n.* tydzień
weekly *a.* tygodniowy
weekly *adv.* co tydzień
weekly *n.* tygodnik
weep *v.i.* płakać
weevil *n.* ryjkowiec
weigh *v.t.* ważyć
weight *n.* waga
weightiness *n.* ciężkość
weighty *a.* ciężki
weir *n.* tama
weird *a.* dziwaczny
welcome *a.* mile widziany
welcome *n.* powitanie
welcome *v.t* witać
weld *v.t.* spawać
weld *n.* spoina
welfare *n.* dobrostan
well *a.* zdrów
well *adv.* dobrze
well *n.* studnia
well *v.i.* tryskać
wellington *n.* kalosz
well-known *a.* słynny
well-read *a.* oczytany
well-timed *a.* na czasie
well-to-do *a.* zamożny
welt *n.* obwódka
welter *n.* zamęt
wen *n.* narośl (w medycynie)
wench *n.* ulicznica
west *n.* zachód
west *a.* zachodni
west *adv.* na zachód
westerly *a.* zachodni
westerly *adv.* na zachód
western *a.* zachodni
wet *a.* mokry
wet *v.t.* moczyć
wetness *n.* wilgotność
whack *v.t.* walić
whale *n.* wieloryb
wharfage *n.* opłata ładunkowa
what *a.* ten, który
what *pron.* co?
what *interj.* jaki...! Co za...!
whatever *pron.* cokolwiek
wheat *n.* pszenica
wheedle *v.t.* przymilać się
wheel *n.* koło
wheel *n.* kierownica
wheel *v.t.* wozić
whelm *v.t.* pochłaniać
whelp *n.* szczenię

when *adv.* kiedy?
when *conj.* gdy
whence *adv.* skąd?
whenever *adv. conj.* kiedykolwiek
where *adv.* gdzie?
where *conj.* gdzie
whereabout *adv.* w którym miejscu
whereas *conj.* zważywszy, że...
whereat *adv.* a na to...
wherein *adv.* w czym
whereupon *conj.* na czym
wherever *adv.* wszędzie
whet *v.t.* ostrzyć
whet *v.t.* pobudzać (apetyt)
whether *conj.* czy
which *pron.* który?
which *a* który?
whichever *pron.* którykolwiek
whiff *n.* powiew
while *n.* chwila
while *conj.* podczas, gdy...
whilst *conj.* podczas, gdy...
whim *n.* kaprys
whimper *v.i.* kwilić
whimsical *a.* kapryśny
whine *v.i.* jęczeć
whine *n.* pojękiwanie
whip *v.t.* chłostać
whip *n.* bat
whipcord *n.* powróz
whir *n.* warkot
whirl *n.i.* wirować
whirl *n.* wirowanie
whirligig *n.* bąk (zabawka)
whirlpool *n.* wir wodny
whirlwind *n.* trąba powietrzna
whisk *v.t.* ubijać na pianę
whisk *n.* trzepaczka (do jajek)
whiskers *n.* bokobrody
whisky *n.* whisky
whisper *v.i.* szeptać
whisper *n.* szept
whistle *v.i.* gwizdać
whistle *n.* gwizd
white *a.* biały
white *n.* biel
whiten *v.t.* bielić
whitewash *n.* wapno do bielenia
whitewash *v.t.* wybielać
whither *adv.* dokąd?
whitish *a.* białawy
whittle *v.t.* strugać (nożem)
whiz *v.i.* świstać
who *pron.* kto?
whoever *pron.* ktokolwiek
whole *a.* cały
whole *n.* całość
whole-hearted *a.* serdeczny
wholesale *n.* hurt
wholesale *a* hurtowy
wholesale *adv.* hurtowo
wholesaler *n.* hurtownik
wholesome *a.* zdrowy (o powietrzu)
wholly *adv.* całkowicie
whom *pron.* którego, których
whore *n.* kurwa
whose *pron.* czyj?
why *adv.* dlaczego?
wick *n.* knot
wicked *a.* niesamowity
wicked *a.* nikczemny
wicker *n.* wiklina
wicket *n.* furtka
wide *a.* szeroki
wide *adv.* szeroko
widen *v.t.* poszerzać
widespread *a.* rozpowszechniony
widow *n.* wdowa
widow *v.t.* pozbawiać kobietę męża
widower *n.* wdowiec

width *n.* szerokość
wield *v.t.* dzierżyć (władzę)
wife *n.* żona
wig *n.* peruka
wight *n.* istota ludzka
wigwam *n.* wigwam
wild *a.* dziki
wilderness *n.* odludzie
wile *n.* podstęp
will *n.* wola
will *v.t.* chcieć
willing *a.* skłonny
willingness *n.* ochota
willow *n.* wierzba
wily *a.* chytry
wimble *n.* świder ręczny
wimple *n.* zakręt (rzeki)
win *v.t.* wygrywać
win *n.* wygrana
wince *v.i.* krzywić się (z bólu)
winch *n.* wyciąg
wind *n.* wiatr
wind *v.t.* nakręcać
wind *v.t.* nawijać
windbag *n.* gaduła
winder *n.* nawijarka
windlass *v.t.* wyciągać kołowrotem
windmill *n.* wiatrak
window *n.* okno
windy *a.* wietrzny
wine *n.* wino
wing *n.* skrzydło
wink *v.i.* mrugać
wink *n.* mrugnięcie
winner *n.* zwycięzca
winnow *v.t.* rozwiewać (włosy)
winsome *a.* ujmujący
winter *n.* zima
winter *v.i* zimować
wintry *a.* zimowy
wipe *v.t.* wycierać
wipe *n.* chusteczka odświeżająca
wire *n.* drut
wire *v.t.* odrutowywać
wireless *a.* bezprzewodowy
wireless *n.* radio
wiring *n.* okablowanie
wisdom *n.* mądrość
wisdom-tooth *n.* ząb mądrości
wise *a.* mądry
wish *n.* życzenie
wish *v.t.* życzyć sobie
wishful *a.* pragnący
wisp *n.* kosmyk
wistful *a.* zadumany
wit *n.* dowcip
wit *n.* rozum
witch *n.* czarownica
witchcraft *n.* czary
witchery *n.* czary
with *prep.* z
withal *adv.* ponadto
withdraw *v.t.* wycofywać
withdrawal *n.* wycofanie
withe *n.* witka
wither *v.i.* usychać
withhold *v.t.* zatajać
within *prep.* wewnątrz
within *adv.* wewnątrz
within *n.* wnętrze
without *prep.* bez (kogoś/ czegoś)
without *adv.* na zewnątrz
without *n.* zewnętrzna strona
withstand *v.t.* przeciwstawiać się
witless *a.* nierozsądny
witness *n.* świadek
witness *v.t.* być świadkiem
witticism *n.* dowcip
witty *a.* dowcipny
wizard *n.* czarownik
wobble *v.i* chwiać się
woe *n.* niedola

woebegone *a.* zbolały (o wyglądzie)
woeful *n.* przygnębiony
wolf *n.* wilk
woman *n.* kobieta
womanhood *n.* kobiecość
womanish *n.* kobiecy
womanise *v.t.* uganiać się za spódniczkami
womb *n.* macica
wonder *n.* cud
wonder *v.i.* zastanawiać się
wonderful *a.* cudowny
wondrous *a.* zdumiewający
wont *a.* przyzwyczajony
wont *n.* zwyczaj
wonted *a.* przyzwyczajony
woo *v.t.* zalecać się
wood *n.* drewno
wood *n.* las
woods *n.* las
wooden *a.* drewniany
woodland *n.* tereny zalesione
woof *n.* szczeknięcie
wool *n.* wełna
woollen *a.* wełniany
woollen *n.* tkanina wełniana
word *n.* słowo
word *v.t* formułować
wordy *a.* gadatliwy
work *n.* praca
work *v.t.* pracować
workable *a.* wykonalny
workaday *a.* powszedni
worker *n.* pracownik
workman *n.* robotnik
workmanship *n.* fachowość
workshop *n.* warsztat
world *n.* świat
worldling *n.* światowiec
worldly *a.* światowy
worm *n.* robak
wormwood *n.* piołun
worn *a.* używany
worry *n.* zmartwienie
worry *v.i.* martwić się
worsen *v.t.* pogarszać
worship *n.* uwielbienie
worship *v.t.* wielbić
worshipper *n.* wielbiciel
worst *n.* najgorsze
worst *a* najgorszy
worst *v.t.* pokonywać
worsted *n.* samodział
worth *n.* wartość
worth *a* wart
worthless *a.* bezwartościowy
worthy *a.* godny
would-be *a.* domniemany
wound *n.* rana
wound *v.t.* ranić
wrack *n.* zniszczenie
wraith *n.* widmo
wrangle *v.i.* awanturować się
wrangle *n.* awantura
wrap *v.t.* zawijać
wrap *n.* szal
wrapper *n.* obwoluta (książki)
wrath *n.* gniew
wreath *n.* wieniec
wreathe *v.t.* ozdabiać wieńcem
wreck *n.* wrak
wreck *v.t.* rozbijać
wreckage *n.* pozostałości
wrecker *n.* pomoc drogowa
wren *n.* strzyżyk (ptak)
wrench *n.* klucz francuski
wrench *v.t.* szarpać
wrest *v.t.* wydzierać (coś komuś)
wrestle *v.i.* mocować się
wrestler *n.* zapaśnik
wretch *n.* nędznik
wretched *a.* nieszczęśliwy

wrick *n.* lekkie naderwanie mięśnia
wriggle *v.i.* wić się
wriggle *n.* wicie się
wring *v.t* wykręcać (mokrą ścierkę)
wrinkle *n.* zmarszczka
wrinkle *v.t.* marszczyć
wrist *n.* nadgarstek
writ *n.* nakaz
write *v.t.* pisać
writer *n.* pisarz
writhe *v.i.* wić się
wrong *a.* niewłaściwy
wrong *adv.* niewłaściwie
wrong *v.t.* krzywdzić
wrongful *a.* zły (o czynie)
wry *a.* skrzywiony

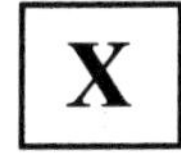

xerox *n.* kserokopiarka
xerox *v.t.* kserować
Xmas *n.* Boże Narodzenie
x-ray *n.* zdjęcie rentgenowskie
x-ray *a.* rentgenowski
x-ray *v.t.* prześwietlać
xylophagous *a.* drewnożerny
xylophilous *a.* ksylofilny
xylophone *n.* ksylofon

yacht *n.* jacht
yacht *v.i* pływać jachtem
yak *n.* jak (zwierzę)
yap *v.i.* trajkotać
yap *n.* trajkotanie
yard *n.* jard
yarn *n.* przędza
yawn *v.i.* ziewać
yawn *n.* ziewnięcie
year *n.* rok
yearly *a.* doroczny
yearly *adv.* rokrocznie
yearn *v.i.* pragnąć (czegoś)
yearning *n.* pragnienie (czegoś)
yeast *n.* drożdże
yell *v.i.* ryczeć
yell *n.* ryk
yellow *a.* żółty
yellow *n.* kolor żółty
yellow *v.i.* żółknąć
yellowish *a.* żółtawy
Yen *n.* jen
yeoman *n.* gospodarz średniorolny
yes *adv.* tak
yesterday *n.* dzień wczorajszy
yesterday *adv.* wczoraj
yet *adv.* jeszcze
yet *conj.* a jednak
yield *v.t.* wydawać (z siebie)
yield *n.* plon
yoke *n.* jarzmo
yoke *v.t.* ujarzmiać
yolk *n.* żółtko
yonder *a.* tamten, ów
yonder *adv.* tam
young *a.* młody
young *n.* młode (zwierząt)
youngster *n.* dzieciak
youth *n.* młodość
youth *n.* młodzież
youthful *a.* młodzieńczy

Z

zany *a.* zabawny
zeal *n.* zapał
zealot *n.* zagorzalec
zealous *a.* zagorzały
zebra *n.* zebra
zenith *n.* zenit
zephyr *n.* zefir
zero *n.* zero
zest *n.* pikanteria
zigzag *n.* zygzak
zigzag *a.* zygzakowaty
zigzag *v.i.* iść zygzakami
zinc *n.* cynk
zip *n.* zamek błyskawiczny
zip *v.t.* zamykać na zamek błyskawiczny
zodiac *n.* zodiak
zonal *a.* strefowy
zone *n.* strefa
zoo *n.* ogród zoologiczny
zoological *a.* zoologiczny
zoologist *n.* zoolog
zoology *n.* zoologia
zoom *n.* powiększenie
zoom *v.i.* powiększać

POLISH - ENGLISH

A

a jednak *conj.* yet
a na to... *adv.* whereat
ablucja *n.* ablution
absolutnie *adv.* absolutely
absolutny *a* absolute
absolwent *n.* alumnus
absolwent *n.* graduate
absorbować *v.t.* preoccupy
absorbować (czyjąś uwagę) *v.t* engross
abstrakcja *n.* abstract
abstrakcyjny *a* abstract
abstynencki *a.* teetotal
abstynent *n.* teetotaller
absurdalny *a* absurd
absurdalny *a.* ridiculous
acefaliczny *a.* acephalous
acentryczny *a.* acentric
achromatyczny *a.* achromatic
adept *n.* adept
administracja *n.* administration
administracyjny *a.* administrative
administrator *n.* administrator
admirał *n.* admiral
adopcja *n.* adoption
adoptować *v.t.* adopt
adres *n.* address
adresat *n.* addressee
adresować *v.t.* address
adwent *n.* advent
adwokat *n.* attorney
adwokat *n.* barrister
adwokat *n.* solicitor
aeronautyka *n.pl.* aeronautics
aforyzm *n.* aphorism
afront *n.* snub
agencja *n.* agency
Agnus Dei *n.* agnus
agonista *n.* agonist
agrarny *a.* agrarian
agresja *n.* aggression
agrest *n.* gooseberry
agresywny *a.* aggressive
agronomia *n.* agronomy
akademia *n.* academy
akademicki *a* academic
akapit *n.* paragraph
akcent *n.* accent
akcentować *v.t* accent
akceptować *v.t.* accept
akcja *n.* action
akcyza *n.* excise
akr *n.* acre
akredytować *v.t.* accredit
akrobata *n.* acrobat
aksamit *n.* velvet
aksamitny *a.* velvety
akt (malarski) *n.* nude
akt woli *n.* conation
akta *n.* file
aktor *n.* actor
aktor (pogardliwie) *n.* mummer
aktorka *n.* actress
aktualny *a* current
aktualny *a.* up-to-date
aktywny *a.* active
aktywować *v.t.* activate
akustyczny *a* acoustic
akustyka *n.* acoustics
akwarium *n.* aquarium
akwedukt *n.* aqueduct
alarm *n.* alarm
alarmować *v.t* alarm
album *n.* album
albumina *n.* albumen
alchemia *n.* alchemy
ale *conj.* but
alegoria *n.* allegory
alegoryczny *a.* allegorical

aleja *n.* alley
aleja *n.* avenue
alergia *n.* allergy
alfa *n.* alpha
alfabet *n.* alphabet
alfabet dla niewidomych *n.* braille
alfabetyczny *a.* alphabetical
algebra *n.* algebra
alibi *n.* alibi
alienacja *n.* alienation
aligator *n.* alligator
alimenty *n.* alimony
alimenty *n.* maintenance
aliteracja *n.* alliteration
alkohol *n.* alcohol
almanach *n.* almanac
alpejski *a.* alpine
alpinista *n.* alpinist
alpinista *n.* mountaineer
alt *n.* alto
alternatywa *n.* alternative
alternatywny *a.* alternative
aluminium *n.* aluminium
aluzja *n.* allusion
amalgamat *n.* amalgam
amalgamować *v.t.* amalgamate
amator *n.* amateur
ambasada *n.* embassy
ambasador *n.* ambassador
ambicja *n.* ambition
ambitny *a.* ambitious
ambiwalentny *a.* ambivalent
ambona *n.* pulpit
ambryt *n.* ambrite
ambulans *n.* ambulance
amen *interj.* amen
amfiteatr *n.* amphitheatre
amnestia *n.* amnesty
amnezja *n.* amnesia
amoralny *a.* amoral
amper *n.* ampere
amulet *n.* amulet
amunicja *n.* ammunition
amunicja *n.* munitions
anabaptyzm *n.* anabaptism
anachronizm *n.* anachronism
anakonda *n.* anaconda
analfabetyzm *n.* illiteracy
analityczny *a* analytical
analityk *n.* analyst
analiza *n.* analysis
analizować *v.t.* analyse
analogia *n.* analogy
analogiczny *a.* analogous
anamneza *n.* anamnesis
anamorfoza *n.* anamorphosis
ananas *n.* pineapple
anarchia *n.* anarchy
anarchista *n.* anarchist
anarchizm *n.* anarchism
anatomia *n.* anatomy
anegdota *n.* anecdote
aneksja *n.* annexation
anemia *n.* anaemia
anemometr *n.* anemometer
angażować *v. t* engage
angina *n.* angina
ani jeden, ani drugi *conj.* neither
animozja *n.* animosity
anioł *n.* angel
anomalia *n.* anomaly
anonimowość *n.* anonymity
anonimowy *a.* anonymous
anormalny *a* abnormal
antagonizm *n.* antagonism
antarktyczny *a.* antarctic
antena *n.* aerial
antena *n.* antennae
antologia *n.* anthology
antonim *n.* antonym
anty *pref.* anti
antydatować *n.* antedate
antyfona *n.* antiphon

antykoncepcja *n.* contraception
antykwariusz *n.* antiquary
antykwaryczny *a.* antiquarian
antylopa *n.* antelope
antypatia *n.* antipathy
antypody *n.* antipodes
antyseptyczny *a.* antiseptic
antyseptyk *n.* antiseptic
antyteza *n.* antithesis
antyteza *n.* contraposition
anulować *v.t.* annul
anyż *n.* aniseed
aparat *n.* apparatus
aparat fotograficzny *n.* camera
apartament *n.* apartment
apartament hotelowy *n.* suite
apatia *n.* apathy
apatyczny *a.* listless
apel wojskowy *n.* roll-call
apelacja *n.* appeal
apelować *v.t.* appeal
aperitif *n.* appetizer
apetyt *n.* appetite
apolog *n.* apologue
apostoł *n.* apostle
apostrof *n.* apostrophe
apoteoza *n.* apotheosis
aprobata *n.* approbation
aprobata *n.* approbation
aprobata *n.* approval
aprobować *v.t.* authorize
apteka *n.* dispensary
apteka *n.* pharmacy
aptekarz *n.* chemist
aptekarz *n.* druggist
arbiter *n.* arbiter
arbitraż *n.* arbitration
arbuz *n.* water-melon
archaiczny *a.* archaic
archanioł *n.* archangel
architekt *n.* architect
architektura *n.* architecture
archiwa *n.pl.* archives
arcybiskup *n.* archbishop
arcydzieło *n.* masterpiece
areał *n.* acreage
areka (gatunek palmy) *n.* areca
arena *n.* arena
areszt *n.* arrest
areszt *n.* custody
areszt *n.* remand
aresztować *v.t.* apprehend
aresztować *v.t.* arrest
aresztowanie *n.* apprehension
argument *n.* argument
arka *n.* ark
arkada *n.* arcade
Arktyka *n.* Arctic
armada *n.* armada
armata *n.* cannon
arogancja *n.* arrogance
arogancki *a.* arrogant
arsen *n.* arsenic
arsenał *n.* arsenal
arteria *n.* artery
artykuł *n.* article
artykuł wstępny *n.* editorial
artykułować *a.* articulate
artyleria *n.* artillery
artyleria *n.* ordnance
artysta *n.* artist
artystyczny *a.* artistic
arystokracja *n.* aristocracy
arystokrata *n.* aristocrat
arytmetyczny *a.* arithmetical
arytmetyka *n.* arithmetic
as *n.* ace
asafetyda (rodzaj żywicy) *n.* asafoetida
asceta *n.* ascetic
ascetyczny *a.* ascetic
aspekt *n.* aspect
aspekt *n.* facet
aspiracja *n.* aspiration

aspiracje *n.* pretension
aspirant *n.* aspirant
astatyczny *a.* astatic
asteryzm *n.* asterism
astma *n.* asthma
astrolog *n.* astrologer
astrologia *n.* astrology
astronauta *n.* astronaut
astronom *n.* astronomer
astronomia *n.* astronomy
asymilacja *n.* assimilation
asymilować *v.* assimilate
asystent *n.* assistant
atak *n.* attack
atak (apopleksji itp.) *n.* seizure
atak (choroby) *n.* bout
atakować *v.t.* attack
ateista *n.* antitheist
ateista *n.* atheist
ateizm *n.* atheism
atlas *n.* atlas
atmosfera *n.* atmosphere
atol *n.* atoll
atom *n.* atom
atomowy *a.* atomic
atrakcyjny *a.* attractive
atrament *n.* ink
atretyzm *n.* arthritis
atrybut *n.* attribute
attache *n.* attache
atut (w kartach) *n.* trump
audyt *n.* audit
audytor *n.* auditor
audytorium *n.* auditorium
autentyczny *a.* authentic
autentyczny *a.* genuine
autobiografia *n.* autobiography
autobus *n.* bus
autograf *n.* autograph
autokar *n.* coach
autokracja *n.* autocracy
autokrata *n.* autocrat
autokratyczny *a* autocratic
automatyczny *a.* automatic
autonomiczny *a* autonomous
autor *n.* author
autor broszur *n.* pamphleteer
autorytatywny *a.* authoritative
autorytet, władza *n.* authority
autostrada *n.* highway
awantura *n.* affray
awantura *n.* wrangle
awanturniczy *a.* rowdy
awanturować się *v. i. & n.* brawl
awanturować się *v.i.* wrangle
awersja *n.* aversion
aż do *prep.* till
aż do *prep.* until
azbest *n.* asbestos
azot *n.* nitrogen
azyl *n.* asylum

B

bąbel *n.* bleb
bać się czegoś *v.t* dread
badać, poszukiwać *v.t* explore
badania *n.* research
badanie (opinii publicznej) *n.* survey
badminton *n.* badminton
bądź co bądź *adv.* though
bagaż *n.* baggage
bagaż *n.* luggage
bagażowy *n.* porter
bagnet *n.* bayonet
bagnisty *a.* marshy
bagno *n.* bog
bagno *n.* marsh
bagno *n.* mire
bagno *n.* slough

bagno *n.* swamp
bajeczny *a* fabulous
bajka *n.* fable
bąk (zabawka) *n.* top
bąk (zabawka) *n.* whirligig
bakłażan *n.* brinjall
bakteria *n.* bacteria
bałagan *n.* muddle
bałaganić *v.t.* muddle
bałaganić *v.t.* puddle
baldachim *n.* canopy
balet *n.* ballet
balistyczny *a* projectile
balkon *n.* balcony
ballada *n.* ballad
balon *n.* balloon
balsam *n.* balm
balsam *n.* balsam
balsam *n.* lotion
balsamować *v. t* embalm
balustrada *n.* railing
bambus *n.* bamboo
banalny *a.* banal
banan *n.* banana
banan (drzewo i owoc) *n.* plantain
bandaż *n.* bandage
bandażować *v.t* bandage
bandyta *n.* bandit
bandyta *n.* thug
banita *n.* outlaw
banjo *n.* banjo
bank *n.* bank
bańka *n.* bubble
bankier *n.* banker
bankiet *n.* banquet
bankructwo *n.* bankruptcy
bankrut *n.* bankrupt
bar *n.* bar
barak *n.* barrack
baran *n.* ram
Baran (znak zodiaku) *n.* Aries
baranina *n.* mutton
baraszkować *v.i.* romp
barbaryzm *n.* barbarism
barbarzyńca *n.* barbarian
barbarzyński *a.* barbarian
barbarzyński *a.* barbarous
barbarzyństwo *n.* barbarity
bardziej *adv.* more
bardzo *adv.* very
bariera *n.* barrier
barka *n.* barge
barnakla (gęś) *n.* barnacle
barometr *n.* barometer
barwnik *n.* dye
barykada *n.* barricade
bas *n.* bass
bat *n.* whip
batalion *n.* battalion
batuta *n.* baton
bawełna *n.* cotton
bawić się *v.i.* play
bawół *n.* buffalo
baza *n.* base
bazgranina *n.* scrawl
bazgranina *n.* scribble
bazylia *n.* basil
bęben *n.* drum
bębnić *v.i.* drum
beczeć (o owcy) *v. i* bleat
beczenie *n.* bleat
beczka *n.* barrel
beczułka *n.* cask
będący na czas *a.* timely
będący w toku *a* pending
bekać *v. t* belch
bękart *n.* bastard
bekhend *n.* backhand
beknięcie *n.* belch
bekon *n.* bacon
bela (papieru) *n.* bale
belować *v.t.* bale
belweder *n.* belvedere

beneficjent *n.* assignee
beneficjent *n.* incumbent
beneficjent *n.* payee
beneficjum *n.* benefice
benzyna *n.* petrol
berbeć *n.* bantling
berło *n.* sceptre
bestia *n.* beast
besztać *v.t.* rag
besztać *v.t.* scold
betel *n.* betel
beton *n.* concrete
betonować *v. t* concrete
betonowy *a* concrete
bez *n.* lilac
bez (czegoś) *prep.* less
bez (kogoś/czegoś) *prep.* without
bez grosza *a.* penniless
bez matki *a.* motherless
bez wigoru *a.* nerveless
bez znaczenia *a.* meaningless
bez życia *a.* lifeless
bezbarwność *n.* insipidity
bezcenny *a.* invaluable
bezczynność *n.* idleness
bezczynność *n.* inaction
bezczynny *a.* idle
bezczynny *a.* inactive
bezczynny *a* leisured
bezdech *n.* apnoea
bezgraniczny *a.* limitless
bezinteresowny *a.* selfless
bezkarność *n.* impunity
bezładnie *adv.* pell-mell
bezlitosny *a.* merciless
bezlitosny *a.* pitiless
bezlitosny *a.* ruthless
beznadziejny *a.* hopeless
bezosobowy *a.* impersonal
bezowocowy *a.* acarpous
bezpieczeństwo *n.* safety
bezpieczeństwo *n.* security
bezpiecznik *n.* fuse
bezpieczny *a.* safe
bezpieczny *a.* secure
bezpłatny *a.* free
bezpłciowy *a.* agamic
bezpłodność *n.* sterility
bezpodstawny *a.* baseless
bezpośredni *a* direct
bezprawne wkroczenie na czyjś grunt *n.* trespass
bezprawnie wkroczyć na czyjś grunt *v.i.* trespass
bezprawny *a.* lawless
bezprzewodowy *a.* wireless
bezradny *a.* helpless
bezskuteczny *a.* ineffective
bezsporny *a.* indisputable
bezstronność *n.* impartiality
bezstronny *a.* impartial
bezwartościowy *a.* worthless
bezwładność *n.* inertia
bezwładny *a.* inert
bezwstydny *a.* shameless
bezzałogowy *a.* unmanned
białawy *a.* whitish
biały *a.* white
Biblia *n.* bible
bibliograf *n.* bibliographer
bibliografia *n.* bibliography
biblioteka *n.* library
bibliotekarz *n.* librarian
bibosz *n.* bibber
bić *v. t.* beat
bić młotem *v.t* hammer
bić pieniądze *v.t.* mint
bić się *v.i.* scuffle
bić się *v.i.* tussle
biceps *n.* biceps
bicie pieniędzy *n.* coinage
bicz *n.* lash
bicz *n.* scourge
biczować *v.t.* scourge

biec *v.i.* run
biedny *a.* poor
bieg *n.* run
bieg (w samochodzie) *n.* gear
biegacz *n.* runner
biegłość *n.* proficiency
biegły *a.* adept
biegły *a* conversant
biegły *a* expert
biegły *a* fluent
biegły *a.* proficient
biegły *a.* versed
biegun *n.* pole
biegunka *n.* diarrhoea
biegunka *n.* dysentery
biel *n.* white
bielić *v. t. & i* blanch
bielić *v.t.* whiten
bielizna *n.* underwear
bielizna (pościelowa) *n.* linen
bierny *a.* passive
biesiadować *v.i* feast
bigamia *n.* bigamy
bigot *n.* bigot
bigoteria *n.* bigotry
bijatyka *n.* melee
bilet *n.* ticket
bilirubina *n.* bilirubin
biodro *n.* hip
biograf *n.* biographer
biografia *n.* biography
biolog *n.* biologist
biologia *n.* biology
biometria *n.* biometry
biseksualny *a.* bisexual
biskup *n.* bishop
bitwa *n.* battle
biuletyn *n.* bulletin
biurko *n.* desk
biuro *n.* bureau
biuro *n.* office
biurokracja *n.* Bureacuracy
biurokrata *n.* bureaucrat
biznesmen *n.* businessman
biżuteria *n.* jewellery
błąd *n.* error
błąd drukarski *n.* misprint
blady *a* pale
błądzić *v. i* err
błagać *v.t.* conjure
błagać *v. t.* entreat
błagać *v.t.* implore
błagać, żebrać *v. t.* beg
błaganie *n.* entreaty
błahość *n.* insignificance
błąkać się *v.i.* maunder
blask *n.* brilliance
blask *n.* glitter
blask *n.* radiance
blask *n.* refulgence
blask *n.* shine
błazeństwo *n.* antic
blednąć *v.i.* pale
błędnie kogoś nazwać *v.t.* miscall
błędnie wydrukować *v.t.* misprint
blef *n.* bluff
blefować *v. t* bluff
błękit *n.* blue
bliski *a.* near
blisko *adv.* anigh
blisko *adv.* near
bliskość *n.* proximity
blizna *n.* scar
bliźniaczy *a* twin
bliźniak *n.* twin
Bliźnięta (znak zodiaku) *n.* Gemini
błogość *n.* bliss
błogosławić *v. t* bless
błogosławieństwo *n.* benison
blok *n.* block
blok (polityczny) *n.* bloc

blokada *n.* blockade
blokować *v.t* block
błoniasty *a.* webby
błoto *n.* mud
bluszcz *n.* ivy
bluzka *n.* blouse
bluźnierczy *a.* profane
błysk *n.* flash
błyskawiczny (o potrawach) *a.* instant
błyskotka *n.* tinsel
błysnąć *v.t* flash
błyszczący *a.* lustrous
błyszczący *a.* refulgent
błyszczący *a.* shiny
błyszczeć *v.i.* glitter
bo inaczej *conj.* otherwise
bóbr *n.* beaver
bochenek *n.* loaf
bocian *n.* stork
bodziec *n.* goad
bodziec *n.* incentive
bodziec *n.* stimulant
bodziec *n.* stimulus
bodziec *n.* urge
bóg *n.* god
bogactwa *n.* riches
bogactwo *n.* wealth
bogaty *a.* rich
bogaty *a.* wealthy
bogini *n.* goddess
bohater *n.* hero
bohaterka *n.* heroine
bohaterski *a.* heroic
bohaterstwo *n.* heroism
boisko *n.* pitch
boja *n.* buoy
bojaźliwy *a.* fearful
bójka *n.* scuffle
bójka *n.* tussle
bojkot *n.* boycott
bojkotować *v. t.* boycott
bojler *n.* boiler
bojowy *a.* combatant
bok *n.* side
bokobrody *n.* whiskers
boks *n.* boxing
ból *n.* ache
ból *n.* pain
ból (przelotny) *n.* pang
ból głowy *n.* headache
ból mięśniowy *n.* myalgia
ból zębów *n.* toothache
ból, ujma *n.* hurt
boleć *v.i.* ache
boleć nad czymś *v.t.* grieve
bolesny *a.* painful
bolesny *a.* sore
bomba *n.* bomb
bombardować *v. t* bomb
bombardować *v. t* bombard
bombardowanie *n.* bombardment
bombowiec *n.* bomber
borsuk *n.* badger
boski *a* divine
bóstwo *n.* deity
bóstwo *n.* divinity
bóstwo *n.* godhead
botanika *n.* botany
Boże Narodzenie *n.* Christmas
Boże Narodzenie *n.* Xmas
brać *v.t* take
brać (coś) na siebie *v.t.* shoulder
brać górę *v.i.* prevail
brać na wypas (bydło za opłatą) *v.t.* agist
brać prysznic *v.t.* shower
brać udział *v.i.* partake
bractwo *n.* confraternity
brak *n.* default
brak *n.* lack
brak menstruacji *n.* amenorrhoea
brak szacunku *n.* disrespect

brama *n.* gate
bransoleta *n.* bangle
bransoletka *n.* bracelet
bransoletka na kostkę *n.* anklet
brat *n.* brother
bratanek *n.* nephew
bratanica *n.* niece
braterski *a.* fraternal
braterstwo *n.* brotherhood
braterstwo *n.* fraternity
bratobójstwo *n.* fratricide
brąz, z brązu *n. & a.* bronze
brązowy *a* brown
bredzić *v.i.* rave
breja *n.* slush
brew *n.* brow
brewiarz *n.* breviary
brnąć *v.i.* wade
broda *n.* beard
brodawka *n.* wart
brokat *n.* brocade
brokuły *n.* broccoli
broń *n.* weapon
bronić *v. t* defend
bronić *v.t.* vindicate
bronić (przed czymś) *v.t* fend
bronić sprawy (w sądzie) *v.i.* plead
broszura *n.* booklet
broszura *n.* brochure
broszura *n.* pamphlet
browar *n.* brewery
brud *n.* dirt
brud *n.* filth
brud *n.* muck
brudas *n.* slattern
brudny *a* dirty
brudny *a* filthy
brudzić *v.t.* soil
brukować *v.t.* pave
brutal *n.* brute
brutalny *a* brutal
brutalny *a.* violent
brutto *n.* gross
bruzda *n.* furrow
bryczesy *n.* breeches
bryczka *n.* chaise
brygada *n.* brigade
bryłka *n.* nugget
brytyjski *a.* British
brzask *n.* twilight
brzęczeć *v. i* buzz
brzęczenie *n.* buzz
brzeg *n.* brink
brzeg *n.* shore
brzęk (szkła) *n.* clink
brzemię *n.* burden
brzmieć *v.i.* sound
brzoskwinia *n.* peach
brzoza *n.* birch
brzuch *n.* abdomen
brzuch *n.* belly
brzuszny *a.* abdominal
brzydki *a.* ugly
brzydota *n.* ugliness
brzytwa *n.* razor
buchnąć plomieniem *v.i* flame
budowa ciała *n.* physique
budować *v. t* build
budować *v. t.* construct
buduar *n.* bower
budynek *n.* building
budżet *n.* budget
budzić *v.t.* awake
budzić *v.t.* wake
bufon *n.* buffoon
bujny *a.* lush
buk *n.* beech
bukiet *n.* bouquet
bukiet *n.* bunch
bukiet *n.* nosegay
buldog *n.* bulldog
bumelant *n.* shirker
bunkier *n.* bunker

bunt *n.* rebellion
bunt *n.* sedition
bunt *n.* revolt
bunt *n.* mutiny
buntować się *v. i* mutiny
buntować się *v.i.* rebel
buntować się *v.i.* revolt
buntowniczy *a.* mutinous
buntowniczy *a.* rebellious
buntowniczy *a.* seditious
buntownik *n.* rebel
burak *n.* beet
burda *n.* fray
burmistrz *n.* mayor
burza *n.* storm
burza *n.* tempest
burzliwy *a.* tempestuous
burzliwy *a.* thunderous
burzliwy *a.* tumultuous
burzowy *a.* stormy
burzyć *v.t.* raze
but *n.* boot
but *n.* shoe
butelka *n.* bottle
być *v.t.* be
być dłużnym *v.t* owe
być może *adv.* perhaps
być może, może być *v* may
być na czele *v.t* head
być niegrzecznym *v.i.* misbehave
być nieobecnym *v.t* absent
być orędownikiem (w jakiejś sprawie) *v. t.* champion
być podobnym *v.i.* match
być posłusznym *v.t.* obey
być świadkiem *v.t.* witness
być w sprzeczności (z czymś) *v. i* conflict
być w zastoju *v.i.* stagnate
być zwróconym (w kierunku czegoś) *v.i* face
bydło *n.* cattle
byk *n.* bull
Byk (znak zodiaku) *n.* Taurus
byle jak *adv.* anyhow
bylina *n.* perennial
bynajmniej nie *adv.* none
bystrość *n.* sagacity
bystry *a.* sagacious
bystry *a.* smart

cal *n.* inch
całkiem *adv.* all
całkowicie *adv.* downright
całkowicie *adv.* entirely
całkowicie *adv.* fully
całkowicie *adv.* outright
całkowicie *adv.* quite
całkowicie *adv.* stark
całkowicie *adv.* wholly
całkowity *a* complete
całkowity *a* downright
całkowity *a* outright
całkowity *a* overall
całkowity *a.* total
całość *n.* whole
całować *v.t.* kiss
całun *n.* shroud
cały *a* entire
cały *a.* whole
ceber *n.* pail
cebula *n.* onion
cebulka (rośliny) *n.* bulb
cecha *n.* feature
cecha *n.* trait
cedr *n.* cedar
cegła *n.* brick
cegła suszona na słońcu *n.* adobe
cel *n.* aim

cel *n.* goal
cel *n.* objective
cel *n.* purpose
cel *n.* target
cel (podróży) *n.* destination
celebrować (w kościele) *v.i.* officiate
celibat *n.* celibacy
celować *v.i.* aim
celować (w czymś) *v.i* excel
celowo *adv.* purposely
celowość *n.* advisability
celowy *a* expedient
cement *n.* cement
cementować *v. t.* cement
cena *n.* price
cenić *v.t.* treasure
cenić sobie *v.t.* prize
cenny *a.* precious
cenny *a.* valuable
cenny nabytek *n.* asset
cent *n.* cent
centralny *a.* central
centrum *n.* hub
centrum zainteresowania *n.* limelight
cenzor *n.* censor
cenzor *n.* proctor
cenzura *n.* censorship
cenzurować *v. t.* censor
cera *n.* complexion
ceramika *n.* ceramics
ceregiele *n.* ado
ceremonia *n.* ceremony
ceremonialny *a.* ceremonial
cesarski *a.* imperial
cesarz *n.* emperor
cesarzowa *n.* empress
cętka *n.* mottle
chaos *n.* chaos
chaotyczny *adv.* chaotic
chaotyczny *a.* incoherent
chaotyczny *a.* topsy turvy
charakter *n.* character
chart *n.* greyhound
chata *n.* cottage
chcieć *v.t.* want
chcieć *v.t.* will
chciwie *adv.* avidly
chciwość *n.* avidity
chciwość *n.* cupidity
chciwość *n.* greed
chciwy *a.* avid
chciwy *a.* greedy
chełpić się *v. i* brag
chełpliwość *n.* brag
chemia *n.* chemistry
chemiczny *a.* chemical
chętnie *adv.* readily
chętny (coś zrobić) *a* eager
chętny do współpracy *a* co-operative
chichotać *v. i* chuckle
chichotać *v.i.* giggle
chinina *n.* quinine
chiromancja *n.* palmistry
chiromanta *n.* palmist
chirurg *n.* surgeon
chleb *n.* bread
chlew *n.* sty
chłodnica *n.* cooler
chłodny *a* chilly
chłodny *a* cool
chłodzenie *n.* refrigeration
chłonny (o umyśle) *a.* receptive
chłop pańszczyźniany *n.* serf
chłopak *n.* lad
chłopczyca *n.* tomboy
chłopiec *n.* boy
chłopstwo *n.* peasantry
chlor *n.* chlorine
chloroform *n.* chloroform
chłostać *v. t.* cane
chłostać *v.t* flog

chłostać *v.t.* whip
chmura *n.* cloud
chochla *n.* ladle
chociaż *conj.* albeit
chociaż *conj.* though
chociaż *conj.* although
chód *n.* gait
chodliwy (o towarze) *a.* salable
chodnik *n.* pavement
chodzić *v.i.* walk
chodzić z kimś na randki *v. t* date
chodzić ze sobą (chłopak z dziewczyną) *v. t.* court
cholera *n.* cholera
cholerny *a* bloody
chór *n.* choir
chorągiew *n.* streamer
choroba *n.* disease
choroba *n.* illness
choroba *n.* malady
choroba *n.* sickness
chorobliwość *n.* morbidity
chorobowy *a.* morbid
chorowity *a.* sickly
chory *a.* ill
chory *a.* sick
chrapać *v.i.* snore
chrapanie *n.* snore
chrom *n.* chrome
chronić *v.t.* protect
chronić *v.t.* shelter
chroniczny *a.* chronic
chronograf *n.* chronograph
chronologia *n.* chronology
chrupać *v.t.* munch
chrupiący *a* crisp
Chrystus *n.* Christ
chrząkać *v.i.* grunt
chrząknięcie *n.* grunt
chrząszcz *n.* beetle
chrzcić *v.t.* baptize
chrześcijanin *n.* Christian
chrześcijański *a.* Christian
chrześcijaństwo *n.* Christendom
chrześcijaństwo *n.* Christianity
chrzest *n.* baptism
chuligan *n.* hooligan
chuligan *n.* ruffian
chusteczka do nosa *n.* handkerchief
chusteczka do nosa *n.* tissue
chusteczka odświeżająca *n.* wipe
chustka do nosa *n.* kerchief
chwała *n.* laud
chwalebny *a.* commendable
chwalebny *a.* laudable
chwalebny *a.* praiseworthy
chwalenie się *n.* boast
chwalić *v. t* exalt
chwalić *v.t.* laud
chwalić *v.t.* praise
chwalić się *v.i* boast
chwast *n.* weed
chwiać się *v.i.* stagger
chwiać się *v.i.* waver
chwiać się *v.i* wobble
chwiejny *a.* shaky
chwila *n.* instant
chwila *n.* while
chwila spokoju *n.* lull
chwilowy *a.* momentary
chwycić *v.t.* grasp
chwycić *v.t.* grip
chwyt *n.* grasp
chwyt *n.* grip
chwyt *n.* hold
chwytać *v.t.* grab
chwytać *v.t.* snatch
chwytać powietrze *v.i* gasp
chwytanie powietrza *n.* gasp
chybotliwy *a.* rickety
chytrość *n.* cunning

chytrość *n.* guile
chytry *a* crafty
chytry *a* cunning
chytry *a.* shifty
chytry *a.* sly
chytry *a.* wily
ciąć *v. t* cut
ciąć *v.t.* slash
ciąć szablą *v.t.* sabre
ciągłość *n.* continuity
ciągły *a.* continual
ciągły *a* continuous
ciągnąć *v. t* drag
ciągnąć *v.t.* pull
ciągnąć *v.t.* tug
ciało *n.* body
ciało *n.* flesh
ciało niebieskie *n.* orb
ciało stałe *n.* solid
ciało ustawodawcze *n.* legislature
ciasny *a.* tight
ciastko *n.* cake
ciasto *n.* dough
ciąża *n.* pregnancy
ciążący (na kimś) *a* incumbent
cichy *a.* silent
cięcie *n.* cut
cięcie *n.* slash
ciekawość *n.* curiosity
ciekawy *a* curious
cielę *n.* calf
cieleśnie *adv.* bodily
cielesny *a* bodily
cielesny *a* corporal
ciemność *n.* dark
ciemność *n.* obscurity
ciemny *a* dark
cień *n.* shade
cień *n.* shadow
cienie przodków *n.* manes
cienisty *a.* shadowy
cienki *a.* thin
cienki, drobny *a* fine
cieplny *a.* thermal
ciepło *n.* warmth
ciepły *a.* warm
cierń *n.* thorn
ciernisty *a.* thorny
cierpieć *v.t.* suffer
cierpliwość *n.* patience
cierpliwy *a.* patient
cieśla *n.* carpenter
cieśnina *n.* strait
cieszyć się (czymś) *v. t* enjoy
cięta odpowiedź *n.* repartee
ciężar *n.* onus
ciężarna *a.* pregnant
ciężarówka *n.* lorry
ciężki *a.* weighty
ciężki (o błędzie, ranie) *a.* grievous
ciężkie doświadczenie *n.* ordeal
ciężko stąpać *v.i.* plod
ciężkość *n.* weightiness
ciosać *v.t.* hew
ciotka *n.* aunt
ciskać *v.t* fling
ciskać *v.t.* hurl
ciskać (coś komuś) *v.t.* toss
ciśnienie *n.* pressure
cisza *n.* silence
cmentarz *n.* cemetery
cmentarz *n.* necropolis
cmoknięcie *n.* smack
cnota *n.* virtue
cnotliwy *a.* chaste
cnotliwy *a.* virtuous
co miesiąc *adv.* monthly
co tydzień *adv.* weekly
co? *pron.* what
codziennie *adv.* daily
codzienny *a* daily

cofnąć się do początków *v.t.* retrace
cofnięcie się *n.* recoil
cokolwiek *n.* aught
cokolwiek *pron.* whatever
córka *n.* daughter
coś *pron.* something
coś mniejszego *n.* less
cuchnący *a.* foul
cuchnący *a* rank
cud *n.* marvel
cud *n.* miracle
cud *n.* wonder
cudowny *a.* adorable
cudowny *a.* marvellous
cudowny *a.* miraculous
cudowny *a.* wonderful
cudzołóstwo *n.* adultery
cudzoziemski *a.* alien
cugle *n.* bridle
cukier *n.* sugar
cukierek *n.* candy
cukierek *n.* sweet
cukierek zawierający orzech *n.* comfit
cukiernia *n.* confectionery
cukiernik *n.* confectioner
cukrowy *a.* saccharine
cukrzyca *n.* diabetes
cumować *v.t* moor
cwał *n.* canter
cyfra *n.* digit
cygaro *n.* cigar
cykl *n.* cycle
cykliczny *a* cyclic
cyklon *n.* cyclone
cyklostyl *n.* cyclostyle
cylinder, walec *n.* cylinder
cyna *n.* solder
cyna *n.* tin
cynamon *n.* cinnamon
cynik *n.* cynic
cynk *n.* zinc
cynober *n.* cinnabar
cynober *n.* vermillion
cynobrowy *a.* vermillion
cyprys *n.* cypress
cyrk *n.* circus
cytadela *n.* citadel
cytat *n.* quotation
cytować *v. t* cite
cytować *v.t.* quote
cytryna *n.* lemon
cytrynowy *a.* citric
cywil *n.* civilian
cywilizacja *n.* civilization
cywilizować *v. t* civilize
cywilny *a* civil
czajnik *n.* kettle
czapka *n.* cap
czapla biała *n.* aigrette
czarnoksiężnik *n.* necromancer
czarny *a* black
czarodziej *n.* sorcerer
czarować *v.i.* conjure
czarownica *n.* witch
czarownik *n.* wizard
czary *n.* sorcery
czary *n.* witchcraft
czary *n.* witchery
czas *n.* time
czas (w gramatyce) *n.* tense
czas trwania *n.* duration
czasami *adv.* sometimes
czasownik *n.* verb
cząstka *n.* particle
czaszka *n.* skull
czcić *v.t.* revere
czcić *v.t.* venerate
czcić jak świętość *v. t* enshrine
czciciel *n.* votary
czcigodny *a.* august
czcigodny *a.* reverend
czcigodny *a.* venerable

czek *n.* cheque
czekać *v.i.* wait
czekanie *n.* wait
czekolada *n.* chocolate
czelność *n.* hardihood
czepiać się (drobiazgów itp.) *v. t* cavil
czepiec *n.* coif
czerpać *v.t.* ladle
czerpać (przyjemność z czegoś) *v. t.* derive
czerwiec *n.* June
czerwień *n.* red
czerwienić *v.t.* redden
czerwonawy *a.* reddish
czerwony *a.* red
czerwony pieprz *n.* chilli
cześć *n.* veneration
część *n.* part
część *n.* share
cześć (hołd) *n.* reverence
część garderoby *n.* garment
część zapasowa *n.* spare
częściowy *a.* partial
często *adv.* often
częstokroć *adv.* oft
częstotliwość *n.* frequency
częsty *n.* frequent
czkawka *n.* hiccup
człekokształtny *a.* anthropoid
członek *n.* member
członek Izby Gmin *n.* commoner
członek komisji *n.* commissioner
członek sądu przysięgłych *n.* juryman
członkostwo *n.* membership
członkowie rodziny królewskiej *n.* royalty
człowiek *n.* man
człowiek bezstronny *n.* neuter
człowiek niedostosowany do otoczenia *n.* misfit
człowiek obcy *n.* outsider
człowiek osiemdziesięcioletni *n.* octogenarian
człowiek podejrzany *n.* suspect
człowiek równy innemu *n.* equal
człowiek śpiący *n.* sleeper
czołgać się *v. i* creep
czoło *n.* forehead
czołówka (w wojsku) *n.* spearhead
czołowy *a* foremost
czosnek *n.* garlic
czterdzieści *a.* forty
czternaście *a.* fourteen
czteroboczny *a.* quadrilateral
czterokrotny *a.* quadruple
cztery *a.* four
czuć *v.t* feel
czuć odrazę *v.t.* abhor
czuć zapach *v.t.* smell
czuciowy *a.* sensuous
czujność *n.* alertness
czujność *n.* vigilance
czujny *a.* alert
czujny *a.* vigilant
czujny *a.* watchful
czuły *a.* affectionate
czuwający *a.* wakeful
czuwanie *n.* vigil
czwartek *n.* Thursday
czworokąt *n.* quadrangle
czworokątny *a.* quadrangular
czworonóg *n.* quadruped
czy *conj.* whether
czyhać *v.i.* lurk
czyj? *pron.* whose
czyn *n.* act
czyn *n.* deed
czynić *v.i.* act
czynnik *n.* factor
czynsz *n.* rent
czyrak *n.* boil

czyścić *v. t* clean
czyściec *n.* purgatory
czystość *n.* cleanliness
czystość *n.* purity
czystość *n.* tidiness
czysty *a.* clean
czysty *a* pure
czysty *a.* tidy
czysty, nie zapisany *a* blank
czytać *v.t.* read
czytać (uważnie) *v.t.* peruse
czytelnie *adv.* legibly
czytelnik *n.* reader
czytelny *a.* legible

ćwiartować *v.t.* quarter
ćwiczenie *n.* exercise
ćwiczyć *v. t* exercise
ćwiek *n.* stud
ćwierć *n.* quarter
ćwierkać *v.i.* chirp
ćwierkanie *n.* chirp

dąb *n.* oak
dach *n.* roof
dachówka *n.* slate
daktyl *n.* date
dalej *adv.* beyond
dalej *adv.* further
daleki *a* far
daleko *adv.* far
dalszy *a* further
dama *n.* lady
dandys *n.* dandy
daremnie *adv.* vainly
daremność *n.* futility
daremny *a.* futile
darować *v. t* donate
darować (karę) *v.t.* remit
darowanie (kary) *n.* remission
darowizna *n.* donation
darowizna *n.* grant
data *n.* date
datować *v. t* date
dawać *v.t.* give
dawać (komuś) lekarstwo *v.t.* physic
dawać do zrozumienia *v.t.* imply
dawać komuś mieszkanie *v.t* house
dawać napiwek *v.t.* tip
dawać znak *v.i.* motion
dawca *n.* donor
dawka *n.* dose
dawniej *adv.* formerly
dawny *a* former
dążenie *n.* pursuance
dbały *a.* mindful
dealer, makler *n.* dealer
debata *n.* debate
debatować *v. t.* debate
debet *n.* debit
decydować *v. t* decide
decydujący *a.* crucial
decydujący *a* decisive
decyzja *n.* decision
dedykacja *n.* dedication
dedykować *v. t.* dedicate
defekt *n.* defect
deficyt *n.* deficit
definicja *n.* definition
definiować *v. t* define
deflacja *n.* deflation
degradować *v. t* degrade

deista *n.* deist
dekada *n.* decade
dekadencki *a* decadent
deklamować *v.t.* mouth
deklaracja *n.* declaration
dekoracja *n.* decoration
dekoracyjny *a.* ornamental
dekorować *v. t* decorate
dekret *n.* decree
dekretować *v. i* decree
delegacja *n.* delegation
delegat *n.* delegate
delegować *v. t* delegate
delektować się (czymś) *v.t.* savour
delikatny *a* delicate
delikatny *a* tender
delta *n.* delta
demaskować *v. t* expose
demokracja *n.* democracy
demokratyczny *a* democratic
demolować *v. t.* demolish
demon *n.* demon
demonetyzować *v.t.* demonetize
demonstracja *n.* demonstration
demonstrować *v. t* demonstrate
dentysta *n.* dentist
denuncjować *v. t* denounce
deponować *v. t* deposit
deportować *v.t.* deport
depozyt *n.* deposit
deprawować *v. t.* debauch
deprawować *v. t.* demoralize
deprawować *v.t.* pervert
depresja *n.* depression
deptać *v.t.* trample
deptać *v.t.* tread
deska *n.* plank
despota *n.* despot
destylować *v. t* distil
deszcz *n.* rain
deszczowy *a.* rainy
detalicznie *adv.* retail
detaliczny *a* retail
detalista *n.* retailer
detektyw *n.* detective
determinacja *n.* determination
detronizować *v. t* dethrone
dewastacja *n.* havoc
dewastacja *n.* ravage
dewastować *v.t.* ravage
dewiacja *n.* deviation
dezaprobata *n.* disapproval
diabeł *n.* devil
diadem *n.* tiara
diagnoza *n.* diagnosis
diakon *n.* deacon
dialekt *n.* dialect
dialog *n.* dialogue
diament *n.* adamant
diament *n.* diamond
dieta *n.* allowance
dieta *n.* diet
dla *prep* for
dlaczego? *adv.* why
dławić (przepływ) *v.t.* throttle
dłoń *n.* palm
dług *n.* debt
długi *a.* long
długo *adv.* long
długość *n.* length
długość geograficzna *n.* longitude
długowieczność *n.* longevity
dłuto *n.* chisel
dłużnik *n.* debtor
dłużnik hipoteczny *n.* mortgator
dmuchać *v.i.* blow
dmuchać *v.i.* puff
dmuchnięcie *n.* puff
dno *n.* bottom
do (czegoś) *prep.* into
do góry *adv.* up
do góry nogami *adv.* topsy turvy

do tamtego miejsca *adv.* thither
do tego stopnia *adv.* that
do widzenia *interj.* good-bye
do widzenia! *interj.* adieu
do widzenia! *interj.* bye-bye
do wnętrza *adv.* inwards
dobicie (zwierzęcia) *n.* kill
doborowy *a* select
dobra ziemskie *n.* lordship
dobre obyczaje *n.* decorum
dobro *n.* good
dobrobyt *n.* weal
dobroć *n.* goodness
dobroczynny *a.* charitable
dobrodziejstwo *n.* benefaction
dobrostan *n.* welfare
dobrowolnie *adv.* voluntarily
dobrowolny *a.* voluntary
dobry *a.* good
dobrze *adv.* well
dobrze się rozwijać (o dziecku) *v.i.* thrive
doceniać *v.t.* appreciate
dochód *n.* income
dochód *n.* revenue
dochodowy *a.* remunerative
dochodzenie *n.* investigation
dochodzenie (przyczyny zgonu) *n.* inquest
doczesny *a.* mundane
dodatek *n.* addition
dodatek *n.* appendage
dodatek *n.* supplement
dodatek (do książki) *n.* appendix
dodatek, rekwizyt *n.* accessory
dodatkowo obciążać *v.t.* surcharge
dodatkowy *a.* additional
dodatkowy *a.* adscititious
dodatkowy *a* extra
dodatni *a.* plus
dodawać *v.t.* add
dogłębny *a.* profound
dogmat *n.* dogma
dogmat *n.* tenet
dogmatyczny *a* dogmatic
dogodna okazja *n.* opportunity
dogodność *n.* convenience
dogodny *a* convenient
doić *v.t.* milk
dojeżdżać (do pracy) *v. t* commute
dojny *a.* milch
dojrzałość *n.* maturity
dojrzały *a.* mature
dojrzały *a* ripe
dojrzały wiek (stosowny do zamążpójścia) *a.* nubile
dojrzewać *v.i* mature
dojrzewać *v.i.* ripen
dok *n.* dock
dokąd? *adv.* whither
dokładność *n.* accuracy
dokładny *a.* accurate
dokładny *a* exact
dokoła *prep.* around
dokonany w złej wierze *a.* mala fide
dokonywać gruntownego remontu *v.t.* overhaul
doktor *n.* doctor
doktorat *n.* doctorate
doktryna *n.* doctrine
dokuczać *v.t.* harass
dokuczać komuś *v.t.* nag
dokument *n.* document
dół *n.* pit
dołączać *v.t.* adjoin
dołączać *v.t.* affix
dołączać *v.t.* annex
dołączać *v.t.* append
dolar *n.* dollar
dolegać *v.t.* ail
dolegliwość *n.* ailment

dolina *n.* vale
dolina *n.* valley
dolina górska *n.* dale
dolny *a.* nether
dolny *a* under
dom *n.* home
dom *n.* house
dom publiczny *n.* brothel
domagać się krzykiem *v. i.* clamour
domek parterowy *n.* bungalow
domiar *n.* supertax
domiar *n.* surtax
dominacja *n.* domination
dominować *v. t* dominate
dominujący *a* dominant
domniemanie *n.* conjecture
domniemany *a.* implicit
domniemany *a.* would-be
domowy *a* domestic
domowy (o życiu) *a.* indoor
doniosły *a.* momentous
donkiszotowski *a.* quixotic
donosiciel *n.* informer
donosiciel *n.* sneak
donośny *a.* resonant
dookoła *adv.* about
dookoła *prep* about
dopełnienie (w gramatyce) *n.* adjunct
dopisek *n.* postscript
dopłata *n.* surcharge
dopływ *n.* tributary
dopływowy (o rzece) *a.* tributary
dopóki nie *n. conj.* till
dopóki nie *conj* until
doprowadzać do szaleństwa *v.t* dement
dopuszczalny *a.* admissible
doradca *n.* counsellor
doradzać *v. t.* counsel
doraźny *a* summary
doroczny *a.* annual
doroczny *a.* yearly
dosięgać *v.t.* reach
doskonalić *v.t.* perfect
doskonałość *n.* excellence
doskonałość *n.* perfection
doskonały *a.* excellent
doskonały *a.* perfect
dosłownie *adv.* verbatim
dosłowny *a.* literal
dosłowny *a.* verbatim
dostarczać *v. t* deliver
dostarczać *v.t.* supply
dostarczać (sprzedawać) *v.t.* ship
dostarczać towar za poręczeniem *v. t.* bail
dostateczny zapas *n.* sufficiency
dostawa *n.* delivery
dostawa *n.* supply
dostawca *n.* supplier
dostawca *n.* tradesman
dostęp *n.* access
dostępny *a* available
dostojny *a.* lordly
dostosowanie *n.* adjustment
dostosowywać *v.t.* adjust
dostosowywać *v.t.* suit
dostrzegać *v.t.* sight
dostrzegać *v.t.* spot
dostrzegalny *a.* appreciable
dostrzegalny *a.* perceptible
doświadczać *v. t.* experience
doświadczenie *n.* experience
doświadczony *a.* veteran
dosyć *adv.* pretty
dotąd *adv.* hither
dotkliwy (o bólu) *a.* poignant
dotknąć palcem u nogi *v.t.* toe
dotychczas *adv.* hitherto
dotyczyć *v. t* concern
dotyk *n.* touch

dotykać *v.t.* touch
dotykać (chorobą) *v.t.* afflict
dotykać palcami *v.t* finger
dotykowy *a.* tactile
dowcip *n.* jest
dowcip *n.* wit
dowcip *n.* witticism
dowcipny *a.* witty
dowiadywać się *v.t.* inquire
dowód *n.* evidence
dowód *n.* proof
dowódca *n.* commander
dowódca brygady *n.* brigadier
dozorca *n.* keeper
dozować *v.t.* proportion
dozwolony *a.* permissible
drabina *n.* ladder
drachma (jednostka masy) *n.* dram
dramat *n.* drama
dramaturg *n.* dramatist
dramatyczny *a* dramatic
drapać *v.t.* scratch
drastyczny *a* drastic
drażliwość *n.* petulance
drażliwy *a.* irritable
drażliwy *a.* petulant
drażliwy *a.* touchy
drażniący *a.* irritant
drażnić *v.t.* tease
dręczyć *v.t.* agonize
dręczyć *v. t* bother
dręczyć *v.t.* tantalize
drelich *n.* jean
dren odwadniający *n.* culvert
drenować *v. t* drain
dreszcz *n.* shudder
dreszcz *n.* thrill
drewniany *a.* wooden
drewno *n.* timber
drewno *n.* wood
drewno sandałowe *n.* sandalwood
drewnożerny *a.* xylophagous
drób *n.* fowl
drób *n.* poultry
drobiazgowo *adv.* minutely
drobiazgowy *a* elaborate
drobne rozmiary *n.* smallness
drobnostka *n.* trifle
drobnoustrój *n.* germ
drobny *a.* puny
droga *n.* lane
droga *n.* road
droga *n.* way
drogi *a* expensive
drogi (kochany) *a* dear
drożdże *n.* yeast
druciarz *n.* tinker
drugi *a.* second
drugi (z wymienionych) *a.* latter
drugorzędny *a.* secondary
druk *n.* print
drukarka *n* printer
drukować *v.t.* print
drut *n.* wire
drwić *v.i.* gibe
drwina *n.* gibe
drwiny *n.* raillery
drzazga *n.* splinter
drżeć *v.i.* quiver
drżeć *v.i.* shiver
drżeć (o sercu) *v.i.* palpitate
drzemać *v. i* doze
drzemać *v.i.* nap
drzemać *v.i.* slumber
drzemka *n.* doze
drzemka *n.* nap
drzemka *n.* slumber
drżenie *n.* quiver
drżenie *n.* tremor
drzewo *n.* tree
drzwi *n.* door
duch *n.* ghost

duch (człowieka) *n.* spirit
duch (istota nadprzyrodzona) *n.* spirit
duchowość *n.* spirituality
duchowy *a.* spiritual
dudnić *v. t* blare
dudy *n.* bagpipe
duma *n.* pride
dumać *v.i.* muse
dumnie stąpać *v.i.* strut
dumny *a.* proud
dunga (gorączka tropikalna) *n.* dengue
duplikat *n.* duplicate
dureń *n.* loggerhead
dusić *v. t.* choke
dusić (potrawę) *v.t.* stew
dusić się (na wolnym ogniu) *v.i.* simmer
dusza *n.* soul
duszny *a.* stuffy
dużo *a.* many
dużo *a* much
duży *a* big
duży *a.* large
dwa *a.* two
dwa razy *adv.* twice
dwa tygodnie *n.* fort-night
dwadzieścia *a.* twenty
dwanaście *a.* twelve
dwóchsetletni *a.* bicentenary
dwojaki *a.* twofold
dwójka *n.* two
dwójkowy *a.* binary
dworski *a.* manorial
dworzanin *n.* courtier
dwudziesta część (czegoś) *n.* twentieth
dwudziestka *n.* twenty
dwudziesty *a.* twentieth
dwujęzyczny *a* bilingual
dwukropek *n.* colon
dwulicowy *a.* hypocritical
dwumiesięczny *a.* bimonthly
dwunasta część (czegoś) *n.* twelfth
dwunastka *n.* twelve
dwunasty *a.* twelfth
dwuosiowy *a.* biaxial
dwupłciowy *a.* androgynous
dwuroczny *a.* biennial
dwustronny (materiał) *a.* reversible
dwutygodniowy *a.* bi-weekly
dwuwiersz *n.* couplet
dwuznaczność *n.* ambiguity
dwuznaczny *a.* ambiguous
dwuznaczny *a* equivocal
dwuznaczny *a.* suggestive
dydaktyczny *a* didactic
dykcja *n.* diction
dyktando *n.* dictation
dyktator *n.* dictator
dyktować *v. t* dictate
dylemat *n.* dilemma
dylemat *n.* quandary
dym *n.* smoke
dynamiczny *a* dynamic
dynamika *n.* dynamics
dynamit *n.* dynamite
dynamo *n.* dynamo
dynastia *n.* dynasty
dynia *n.* pumpkin
dyplom *n.* diploma
dyplomacja *n.* diplomacy
dyplomata *n.* diplomat
dyplomatyczny *a* diplomatic
dyplomatyczny *a.* politic
dyrektor *n.* principal
dyrygent *n.* conductor
dyscyplina *n.* discipline
dysk *n.* disc
dyskrecja *n.* secrecy
dyskryminacja *n.* discrimination

dyskryminować *v. t.* discriminate
dyskutować *v. t.* discuss
dyskwalifikacja *n.* disqualification
dyskwalifikować *v. t.* disqualify
dystrybucja *n.* distribution
dysza *n.* nozzle
dyszeć *v.i.* pant
dywan *n.* carpet
dywanik *n.* rug
dzban *n.* pitcher
dżem *n.* jam
dżentelmen *n.* gentleman
dział *n.* department
dział, dywizja *n.* division
działać *v.t.* operate
działający na własną rękę *a.* single-handed
działalność *n.* activity
działania wojenne *n.* warfare
działanie *n.* acting
działka (kawałek gruntu) *n.* allotment
działka (narkotyku) *n.* fix
dziąsło *n.* gum
dzieciak *n.* youngster
dziecinny *a.* childish
dziecinny *a.* puerile
dzieciństwo *n.* childhood
dzieciobójstwo *n.* infanticide
dziecko *n.* child
dziecko *n.* kid
dziedzic *n.* heir
dziedzictwo *n.* heritage
dziedziczność *n.* heredity
dziedziczny *n.* hereditary
dziedziczny *a.* heritable
dziedziczyć *v.t.* inherit
dziedzina *n.* realm
dziedzina *n.* domain
dziedziniec *n.* courtyard
dziedziniec kościelny *n.* churchyard
dziekan *n.* dean
dziękować *v.t.* thank
dzielić *v. t* divide
dzielić *v.t.* part
dzielić *v.t.* partition
dzielić *v.t.* share
dzielić na odcinki *v.t.* segment
dzielić się *v.i.* split
dzielnice miasta poza centrum *n.* township
dzielność *n.* prowess
dzielny *a.* valiant
dzień *n.* day
dzień dzisiejszy *n.* today
dzień jutrzejszy *n.* tomorrow
dzień wczorajszy *n.* yesterday
dziennik *n.* journal
dziennik (gazeta) *n.* daily
dziennik (log) *n.* log
dziennikarstwo *n.* journalism
dziennikarz *n.* journalist
dzierżawa *n.* lease
dzierżawca *n.* lessee
dzierżawić *v.t.* lease
dzierżyć (władzę) *v.t.* wield
dziesiąta część (czegoś) *n.* tithe
dziesiątkować *v.t.* decimate
dziesięć *a.* ten
dziesięciolecie *n.* decennary
dziesiętny *a* decimal
dziewczęcy *a.* girlish
dziewczyna *n.* girl
dziewiąty *a.* ninth
dziewica *n.* maiden
dziewica *n.* virgin
dziewictwo *n.* virginity
dziewiczy *a.* virgin
dziewięć *a.* nine
dziewięćdziesiąt *a.* ninety
dziewięćdziesiąty *a.* ninetieth

dziewiętnaście *a.* nineteen
dziewiętnasty *a.* nineteenth
dziki *a* ferocious
dziki *a.* savage
dziki *a.* wild
dzikość *n.* savagery
dzikus *n.* savage
dziób *n.* beak
dziób (dzbanka) *n.* spout
dziób statku *n.* bow
dziobać *v.i.* peck
dziobnięcie *n.* peck
dzisiaj *adv.* today
dzisiaj wieczorem, tej nocy *adv.* tonight
dzisiejszy wieczór, dzisiejsza noc *n.* to-night
dziura *n.* hole
dziurawić *v.t* hole
dziwaczny *a.* bizarre
dziwaczny *a.* outlandish
dziwaczny *a.* weird
dziwka *n.* slut
dziwny *a.* odd
dziwny *a.* queer
dziwny *a* rum
dziwny *a.* strange
dżungla *n.* jungle
dźwięczność *n.* sonority
dźwięk *n.* sound
dźwiękowy *a.* sonic
dźwig *n.* crane
dźwigar *n.* girder
dźwignia *n.* lever
dzwon *n.* bell
dzwonić *v.i.* jingle
dzwonić *v.t.* ring
dzwonić (o dzwonie) *v.t.* toll
dzwonienie *n.* jingle

E

echo *n.* echo
edukacja *n.* education
efekt *n.* effect
efektowny *a.* spectacular
egotyzm *n.* egotism
egzamin *n.* examination
egzaminator *n.* examiner
egzaminować *v. t* examine
egzekucja *n.* execution
egzystencja *n.* existence
egzystencja *n.* subsistence
egzystować *v.i.* subsist
ekonomiczny *a* economic
ekonomika *n.* economics
ekran *n.* screen
ekscelencja *n.* excellency
ekskomunikować *v. t.* excommunicate
eksmisja *n.* eviction
eksmitować *v. t* evict
ekspansja *n.* expansion
ekspert *n.* expert
eksperyment *n.* experiment
eksploatować *v. t* exploit
eksplozja *n.* explosion
eksponat *n.* exhibit
eksport *n.* export
eksportować *v. t.* export
ekspres *n.* express
ekstrakt *n.* extract
ekstrawagancja *n.* extravagance
ekstrawagancki *a* extravagant
ekstremalny *a* extreme
ekstremista *n.* extremist
elastyczny *a* elastic
elastyczny *a* flexible
elegancja *n.* elegance
elegancki *a.* elegant

elegancki *a.* gallant
elegia *n.* elegy
elektorat *n.* electorate
elektryczność *n.* electricity
elektryczny *a* electric
elektryzować *v. t* electrify
element *n.* element
elf *n.* elf
eliminacja *n.* elimination
eliminować *v. t* eliminate
elokwencja *n.* eloquence
elokwentny *a* eloquent
emalia *n.* enamel
emancypacja *n.* emancipation
emeryt *n.* pensioner
emerytura *n.* pension
emerytura *n.* retirement
emigracja *n.* migration
emigrant *n.* migrant
emigrować *v.i.* migrate
emocjonalny *a* emotional
encyklopedia *n.* encyclopaedia
energia *n.* energy
energiczny *a* energetic
entomologia *n.* entomology
entuzjasta *n.* devotee
entuzjastyczny *a* enthusiastic
entuzjazm *n.* enthusiasm
epidemia *n.* epidemic
epigramat *n.* epigram
epika *n.* epic
epilepsja *n.* epilepsy
epilog *n.* epilogue
epitafium *n.* epitaph
epizod *n.* episode
epoka *n.* epoch
era *n.* era
erekcja *n.* erection
erotyczny *a* erotic
erozja *n.* erosion
eseista *n.* essayist
esej *n.* essay
esencja *n.* essence
eskorta *n.* escort
eskortować *v. t* escort
estetyczny *a.* aesthetic
estetyka *n.pl.* aesthetics
eter *n.* ether
etyczny *a* ethical
etyka *n.* ethics
etykieta *n.* etiquette
etykieta *n.* label
etykietka *n.* tag
etykietka *n.* tally
etykietować *v.t.* label
etykietować *v.t.* tally
etymologia *n.* etymology
eunuch *n.* eunuch
ewakuacja *n.* evacuation
ewakuować *v. t* evacuate
ewangelia *n.* gospel

F

fabryka *n.* factory
fabryka *n.* plant
fachowość *n.* workmanship
fajka *n.* pipe
faks *n.* fac-simile
fakt *n.* fact
faktura *n.* invoice
faktycznie *adv.* actually
faktyczny *a.* actual
faktyczny *a* virtual
fala *n.* billow
fala *n.* wave
falbanka *n.* frill
fałd (zagięcie) *n.* fold
fałda *n.* crease
fałdka *n.* crimp
fale przybrzeżne *n.* surf

falować *v.i* billow
falować *v.t.* ripple
falować *v.i.* undulate
falowanie *n.* undulation
falowanie (powierzchni wody) *n.* ripple
fałszerstwo *n.* forgery
fałszerz *n.* counterfeiter
fałszować *v.t.* adulterate
fałszować *v.t* fabricate
fałszować *v.t.* sophisticate
fałszowanie *n.* adulteration
fałszowanie *n.* fabrication
fałszywie przedstawić *v.t.* misrepresent
fałszywy *a* false
fałszywy *a.* spurious
fanaberia *n.* fad
fanatyczny *a* fanatic
fanatyk *n.* fanatic
fantastyczny *a* fantastic
fantazja *n.* fancy
farba *n.* paint
farba gruntująca *n.* primer
farbować *v. t* dye
farsa *n.* farce
fartuch *n.* apron
fartuch (lekarski) *n.* smock
fasada *n.* facade
fascynacja *n.* fascination
fascynować *v.t* fascinate
fauna *n.* fauna
faworyt *n.* minion
faworyzować *v.t.* advantage
faworyzować *v.t* favour
faza *n.* phase
fe! wstyd! *interj* fie
federacja *n.* federation
federalny *a* federal
fenomen *n.* phenomenon
fenomenalny *a.* phenomenal
ferment *n.* ferment
fermentacja *n.* fermentation
fermentować *v.t* ferment
festiwal *n.* festival
feudalny *a* feudal
fiasko *n.* failure
fiasko *n.* fiasco
figa *n.* fig
figiel *n.* frolic
figlarny *a* arch
figlarny *a.* jocular
figlować *v.i.* frolic
figura *n.* figure
fikcja *n.* fiction
fikcyjny *a* fictitious
filantrop *n.* philanthropist
filantropia *n.* philanthropy
filantropijny *a.* philanthropic
filar *n.* pillar
filigranowy *a.* dainty
filiżanka *n.* cup
film *n.* film
filmować *v.t* film
filolog *n.* philologist
filologia *n.* philology
filologiczny *a.* philological
filozof *n.* philosopher
filozofia *n.* philosophy
filozoficzny *a.* philosophical
filtr *n.* filter
finanse *n.* finance
finansista *n.* financier
finansować *v.t* finance
finansowy *a* financial
fiołek *n.* violet
fiolka *n.* phial
fiolka *n.* vial
firma *n.* firm
fisharmonia *n.* harmonium
fiszbin *n.* baleen
fitrować *v.t* filter
fizjonomia *n.* physiognomy
fizyczny *a.* physical

fizyk *n.* physicist
fizyka *n.* physics
flaga *n.* flag
flanela *n.* flannel
flet *n.* flute
flirt *n.* flirt
flirtować *v.i* flirt
flora *n.* flora
flota *n.* fleet
foka *n.* seal
fonetyczny *a.* phonetic
fonetyka *n.* phonetics
fontanna *n.* fountain
for (przyznany słabszemu graczowi) *n.* bisque
forma odlewnicza *n.* mould
formacja *n.* formation
formalny *a* formal
format *n.* format
formować w pułk *v.t.* regiment
formuła *n.* formula
formułować *v.t* formulate
formułować *v.t* word
fort *n.* fort
forteca *n.* fortress
forteca *n.* stronghold
fortepian *n.* piano
fortuna *n.* fortune
forum *n.* forum
fosa *n.* moat
fosfor *n.* phosphorus
fosforan *n.* phosphate
fotograf *n.* photographer
fotografia *n.* photo
fotografia *n.* photograph
fotografia (sztuka fotografowania) *n.* photography
fotograficzny *a.* photographic
fotografować *v.t.* photograph
fracht *n.* freight
fragment *n.* fragment
frajer *n.* gull
frakcja *n.* faction
francuska flaga trójbarwna *n.* tricolour
francuski *a.* French
frazeologia *n.* phraseology
fresk *n.* mural
frustracja *n.* frustration
frustrować *v.t.* frustrate
frywolny *a.* frivolous
fryzjer (męski) *n.* barber
fundacja *n.* foundation
fundator *n.* founder
fundusz *n.* fund
funkcja *n.* function
funkcjonalny *a.* utilitarian
funkcjonariusz *n.* functionary
funkcjonować *v.i* function
funt *n.* pound
fura *n.* wain
furgonetka *n.* van
furmanka *n.* cart
furtka *n.* wicket
fuszerka *n.* bungle
fuszerka *n.* mull
fuszerować *v.t.* mull
futro *n.* fur
fuzja *n.* fusion
fuzja *n.* merger

G

gąbka *n.* sponge
gad *n.* reptile
gadatliwość *n.* verbosity
gadatliwy *a.* talkative
gadatliwy *a.* verbose
gadatliwy *a.* wordy
gaduła *n.* windbag

gafa *n.* blunder
galaktyka *n.* galaxy
galant *n.* gallant
galanteria *n.* gallantry
galareta *n.* jelly
gałąź *n.* branch
gałązka *n.* spray
gałązka *n.* sprig
gałązka *n.* twig
galeria *n.* gallery
galimatias *n.* hotchpotch
galimatias *n.* jumble
gałka oczna *n.* eyeball
galon *n.* gallon
galop *n.* gallop
galopować *v.t.* gallop
galwanizować *v.t.* galvanize
ganek *n.* porch
gang *n.* gang
gangster *n.* gangster
ganić *v.t* upbraid
gapić się *v.i.* gape
gapić się *v.i.* stare
gapienie się *n.* stare
garaż *n.* garage
garbarnia *n.* tannery
garbarz *n.* tanner
garderoba *n.* wardrobe
gardło *n.* throat
gardłowy *a.* throaty
gardłowy (dźwięk) *a.* guttural
gardzić *v. t* despise
gardzić *v.t.* scorn
garncarstwo *n.* pottery
garncarz *n.* potter
garnek *n.* pot
garnitur *n.* suit
garść (czegoś) *n.* handful
gasić (pragnienie) *v.t.* quench
gasić (pragnienie) *v.t.* slake
gąsienica *n.* caterpillar
gąsior *n.* gander
gatunek *n.* species
gawędziarski *a.* narrative
gawędzić *v. i.* chat
gaz *n.* gas
gazeta *n.* gazette
gazowy *a.* aeriform
gazowy *a.* gassy
gbur *n.* boor
gbur *n.* churl
gdakać *v. i* cackle
gderać *v.i.* grumble
gdy *conj.* when
gdzie *conj.* where
gdzie? *adv.* where
gdzieś *adv.* somewhere
geniusz *n.* genius
geograf *n.* geographer
geografia *n.* geography
geograficzny *a.* geographical
geolog *n.* geologist
geologia *n.* geology
geologiczny *a.* geological
geometria *n.* geometry
geometryczny *a.* geometrical
gerundium *n.* gerund
gęś *n.* goose
gest *n.* gesture
gęstnieć *v.i.* thicken
gęstość *n.* density
gęsty *a.* dense
gibbon *n.* gibbon
giermek *n.* squire
giętki *a.* supple
giez *n.* gadfly
gigantyczny *a.* gigantic
gildia *n.* guild
gimnastyczny *a.* athletic
gimnastyczny *a.* gymnastic
gimnastyk *n.* gymnast
gimnastyka *n.* gymnastics
girlanda *n.* festoon
gitara *n.* guitar

gładki *a.* sleek
gładki *a.* smooth
głaskać *v.t.* stroke
głaz *n.* boulder
glazura *n.* glaze
glazurować *v.t.* glaze
gleba *n.* soil
głęboki *a.* deep
głębokość *n.* depth
gliceryna *n.* glycerine
glina *n.* clay
gliniany *a* earthen
glinka biała *n.* argil
globalny *a.* global
głód *n.* famine
głód *n.* hunger
głodny *a.* hungry
głodować *v.i.* starve
głóg *n.* hawthorn
gloryfikacja *n.* glorification
gloryfikować *v.t.* glorify
głos *n.* voice
glosariusz *n.* glossary
głoska *n.* phone
głoska nosowa *n.* nasal
głośnik *n.* speaker
głośny *a.* loud
głosować *v.i.* ballot
głosować *v.i.* vote
głosowanie *n.* ballot
głosowanie *n.* poll
głosowanie *n.* vote
głosowy *a.* vocal
głowa *n.* head
główna treść, esencja *n.* gist
głównie *adv.* mainly
głównie *adv.* primarily
główny *a.* chief
główny *a* main
główny *a.* major
główny *a.* primary
główny *a* principal
główny *a* staple
głuchy *a* deaf
głuchy odgłos *n.* thud
glukoza *n.* glucose
głupi *a.* daft
głupi *a* dumb
głupi *a.* silly
głupi *a* stupid
głupi *a* foolish
głupiec *n.* blockhead
głupiec *n.* fool
głupota *n.* stupidity
gmach *n.* edifice
gmatwać *v. t* entangle
gmatwanina *n.* skein
gmerać *v.i.* fumble
gnębić *v.t.* oppress
gnębiciel *n.* oppressor
gnębienie *n.* oppression
gniazdko (elektryczne) *n.* socket
gniazdo *n.* nest
gnić *v.i.* rot
gnicie *n.* rot
gniew *n.* anger
gniew *n.* ire
gniew *n.* wrath
gniewny *a.* angry
gnieździć się *v.t.* nest
gnieździć się *v.i.* nestle
gnojek *n.* sod
gobelin *n.* tapestry
godło *n.* emblem
godność *n.* dignity
godny *a.* worthy
godny podziwu *a.* admirable
godny pozazdroszczenia *a* enviable
godny uwagi *a.* noteworthy
godny zaufania *a.* trustworthy
godzina *n.* hour
godzina policyjna *n.* curfew
gołąb *n.* dove

gołąb *n.* pigeon
goleń *n.* shin
golf *n.* golf
golić *v.t.* shave
goły *a.* bare
gong *n.* gong
góra *n.* mount
góra *n.* mountain
góra lodowa *n.* iceberg
gorący *a.* hot
gorączka *n.* fever
gorliwość *n.* keenness
gorliwy *a.* ardent
gorliwy *a.* keen
górnik *n.* miner
górnik *n.* pitman
górować *v.i.* tower
gorset *n.* corset
goryl *n.* gorilla
gorzelnia *n.* distillery
gorzki *a* bitter
górzysty *a.* mountainous
gość *n.* guest
gość *n.* visitor
gościnność *n.* hospitality
gościnny *a.* hospitable
gospoda *n.* inn
gospodarka *n.* economy
gospodarstwo *n.* farm
gospodarz (pan domu) *n.* host
gospodarz średniorolny *n.* yeoman
gospodyni *n.* matron
gotować *v. t* cook
gotówka *n.* cash
gotowość *n.* readiness
gotowy *a.* ready
gra *n.* game
grabież *n.* plunder
grać na flecie *v.i* flute
grać na skrzypcach *v.i* fiddle
grać na trąbce *v.i.* trumpet
gracz *n.* player
grad *n.* hail
graficzny *a.* graphic
gram *n.* gramme
gramatyk *n.* grammarian
gramatyka *n.* grammar
gramofon *n.* gramophone
gramolić się *v.i.* scramble
granat *n.* grenade
granica *n.* border
granica *n.* boundary
granica *n.* frontier
graniczący *a.* adjacent
graniczyć *v.t* border
grasować *v.i.* maraud
grasować *v.i.* stalk
gratis *adv.* gratis
gratulacja *n.* congratulation
gratulować *v. t* congratulate
gratulować *v.t* felicitate
grawerować *v. t* engrave
grawitacja *n.* gravitation
grawitować *v.i.* gravitate
grecki *a* Greek
grób *n.* grave
grób *n.* sepulchre
grób *n.* tomb
grobla *n.* causeway
grobowiec *n.* cist
groch *n.* pea
gromadzić *v.t.* accumulate
gromadzić *v.t.* amass
gromadzić *v. t* collect
gromadzić *v.t.* muster
gromadzić się *v.i* mass
gromadzić się tłumnie *v.t.* mob
gromadzić się w grupy *v. i.* cluster
groteskowy *a.* grotesque
groza *n.* awe
groźba *n.* menace
groźba *n.* threat

grozić *v.t* menace
grozić *v.t.* threaten
groźne spojrzenie *n.* scowl
groźny *a* formidable
grubo *adv.* thick
gruboskórny *a.* callous
gruby *a.* thick
gruchać *v. i* coo
gruchanie *n.* coo
gruchotać *v.t.* shatter
gruczoł *n.* gland
grudka ziemi *n.* clod
grudzień *n.* December
gruntowny *a* thorough
gruntowny remont *n.* overhaul
grupa *n.* group
grupa trzyosobowa *n.* trinity
grupować *v.t.* group
gruszka *n.* pear
gruźlica *n.* tuberculosis
gruzy *n.* rubble
grypa *n.* influenza
gryźć *v. t.* bite
gryzmolić *v.t.* scrawl
gryzmolić *v.t.* scribble
gryzoń *n.* rodent
grzanka *n.* toast
grząski *a.* slushy
grzbiet (górski/nosa) *n.* ridge
grzebanie (martwych) *n.* sepulture
grzebień *n.* comb
grzech *n.* sin
grzechotać *v.i.* rattle
grzechotka *n.* rattle
grzeczny *a.* mannerly
grzęda *n.* perch
grzesznik *n.* sinner
grzeszny *a.* sinful
grzeszyć *v.i.* sin
grzmieć *v.i.* rumble
grzmieć *v.i.* thunder
grzmot *n.* rumble
grzmot *n.* thunder
grzmotnąć *v.t.* thump
grzmotnięcie *n.* thump
grzyb *n.* fungus
grzyb *n.* mushroom
grzybica skóry *n.* ringworm
grzywa *n.* mane
grzywka *n.* fringe
grzywna *n.* fine
guawa *n.* guava
gubernator *n.* governor
gubić *v.t.* lose
gulasz *n.* stew
gulgot (indyka) *n.* gobble
guma *n.* gum
gumka *n.* rubber
gustowny *a.* tasteful
guwernantka *n.* governess
guzek (w medycynie) *n.* lump
guzik *n.* button
gwałcić *v.t.* rape
gwałt *n.* rape
gwałtowny *a* forceful
gwałtowny *a.* rampant
gwałtowny (o ruchach) *a.* jerky
gwałtowny atak *n.* onslaught
gwałtowny ból *n.* throe
gwarancja *n.* guarantee
gwarancja *n.* warranty
gwarant *n.* warrantor
gwarantować *v.t* guarantee
gwarantować *v.i.* vouch
gwarantować *v.t.* warrant
gwiazda *n.* star
gwiazda polarna *n.* loadstar
gwiaździsty *a.* starry
gwiezdny *a.* stellar
gwieździsty *a.* asteroid
gwizd *n.* whistle
gwizdać *v.i.* whistle
gwóźdź *n.* nail

H

haczyk do łowienia ryb *n.* angle
haczykowaty *a.* barbed
haft *n.* embroidery
hak *n.* crook
hak *n.* hook
hala odlotów (na lotnisku) *n.* lounge
hałas *n.* noise
hałaśliwy *a.* noisy
hałaśliwy *a.* uproarious
halka *n.* petticoat
hall *n.* lobby
hamować *v. t* brake
hamulec *n.* brake
hamulec (psychiczny) *n.* inhibition
hańba *n.* dishonour
hańba *n.* infamy
handel *n.* commerce
handel *n.* trade
handel detaliczny *n.* retail
handel wymienny (barter) *n.* barter
handlować *v.i* trade
handlować *v.i.* traffic
handlowiec *n.* trader
handlowy *a.* mercantile
haniebny *a.* ignoble
haniebny *a.* shameful
harcerz *n.* scout
harfa *n.* harp
harmider *n.* babel
harmonia *n.* harmony
harmonijny *a.* harmonious
harmonogram *n.* schedule
harować *v.i.* slave
harować *v.i.* toil
harówka *n.* toil
hart (ducha) *n.* fortitude
hasło (w wojsku) *n.* watchword
hazard *n.* gamble
hazard *n.* hazard
hazardzista *n.* gambler
heban *n.* ebony
hełm *n.* helmet
hemoroidy *n.* piles
herbata *n.* tea
herbatnik *n.* biscuit
herkulesowy *a.* herculean
hibernacja *n.* hibernation
hiena *n.* hyaena, hyena
hierarchia *n.* hierarchy
higiena *n.* hygiene
higieniczny *a.* hygienic
higieniczny *a.* sanitary
hiperbola *n.* hyperbole
hipnotyzm *n.* hypnotism
hipnotyzm *n.* mesmerism
hipnotyzować *v.t.* hypnotize
hipnotyzować *v.t.* mesmerize
hipokryta *n.* hypocrite
hipokryzja *n.* hypocrisy
hipoteka *n.* mortgage
hipotetyczny *a.* hypothetical
hipoteza *n.* hypothesis
histeria *n.* hysteria
histeryczny *a.* hysterical
historia *n.* history
historia *n.* story
historyczny *a .* historic
historyczny *a.* historical
historyk *n.* historian
Hiszpan *n.* Spaniard
hiszpański *a.* Spanish
hobby *n.* hobby
hodowca *n.* grower
hojność *n.* bounty
hojność *n.* generosity
hojność *n.* largesse
hojność *n.* profusion

hojny *a.* generous
hojny *a.* lavish
hojny *a.* munificent
hojny *a.* profuse
hokej *n.* hockey
hołd *n.* homage
hołd *n.* obeisance
Holokaust *n.* holocaust
homar *n.* lobster
homeopata *n.* homoeopath
homeopatia *n.* homoeopathy
honor *n.* honour
honorarium *n.* emolument
honorarium *n.* honorarium
honorować *v. t* honour
honorowy *a.* honorary
horda *n.* horde
horror *n.* horror
horyzont *n.* horizon
hotel *n.* hotel
hrabia *n.* count
hrabina *n.* countess
hrabstwo *n.* county
hrabstwo *n.* shire
hukać *v.i* hoot
hukanie *n.* hoot
hulać *v.i.* revel
hulajnoga *n.* scooter
hulanka *n.* revel
hulanka *n.* revelry
hulanka *n.* spree
hulanka *n.* wassail
humanitarny *a.* humane
humanitarny *a* humanitarian
humor *n.* humour
hura! *interj.* hurrah
huragan *n.* hurricane
hurt *n.* wholesale
hurtownik *n.* wholesaler
hurtowo *adv.* wholesale
hurtowy *a* wholesale
huśtać się *v.i.* swing
huśtawka *n.* swing
hybryda *n.* hybrid
hydraulik *n.* plumber
hymn *n.* hymn
hymn (narodowy) *n.* anthem

I

i tak dalej etcetera
i, oraz *conj.* and
ich *a.* their
ich *pron.* theirs
ideał *n.* ideal
idealista *n.* idealist
idealistyczny *a.* idealistic
idealizm *n.* idealism
idealizować *v.t.* idealize
idealny *a.* ideal
identyczny *a.* identical
identyfikacja *n.* identification
identyfikować *v.t.* identify
idiom *n.* idiom
idiomatyczny *a.* idiomatic
idiota *n.* idiot
idiotyczny *a.* asinine
idiotyczny *a.* idiotic
idiotyzm *n.* idiocy
idol *n.* idol
igła *n.* needle
iglica *n.* steeple
ignorancja *n.* ignorance
ignorować *v.t.* ignore
igrać *v.i.* toy
ikra *n.* spawn
ikrzyć się *v.i.* spawn
iloraz *n.* quotient
ilość *n.* quantity
ilościowy *a.* quantitative
ilustracja *n.* illustration

ilustrować *v.t.* illustrate
iluzja *n.* illusion
im, ich *pron.* them
imbir *n.* ginger
imiennik *n.* namesake
imigracja *n.* immigration
imigrant *n.* immigrant
imigrować *v.i.* immigrate
imitacja *n.* imitation
immatrykulacja *n.* matriculation
immatrykulować *v.t.* matriculate
impas *n.* deadlock
impas *n.* impasse
imperializm *n.* imperialism
imperium *n.* empire
implikacja *n.* implication
imponujący *a.* imposing
imponujący *a.* impressive
import *n.* import
importować *v.t.* import
impotencja *n.* impotence
impregnować *v.t.* waterproof
impreza *n.* party
impuls *n.* impulse
impulsywny *a.* impulsive
inaczej *adv.* otherwise
inaczej *adv.* else
inaczej (zwany) *adv.* alias
inauguracja *n.* inauguration
inauguracyjny *a.* inaugural
incydent *n.* incident
indagować *v.t.* interrogate
indygo *n.* indigo
indyjski *a.* Indian
indyk *n.* turkey
indywidualizm *n.* individualism
indywidualne seminarium *n.* tutorial
indywidualność *n.* individuality
indywidualny *a.* individual
infantylny *a.* infantile
inflacja *n.* inflation
informacja *n.* information
informować *v.t.* inform
infuła *n.* mitre
inicjał *n.* initial
inicjator *n.* originator
inicjatywa *n.* initiative
inicjować *v.t.* initiate
innowacja *n.* innovation
innowator *n.* innovator
inny *a* another
inny *a.* other
inny *pron.* other
inscenizacja rozprawy sądowej (dla studentów) *n.* moot
inscenizować *v.t.* stage
insercja *n.* insertion
inspekcja *n.* inspection
inspektor *n.* inspector
inspiracja *n.* inspiration
inspirować *v.t.* inspire
instalacja *n.* installation
instalować *v.t.* install
instrukcja *n.* guidance
instrukcja *n.* instruction
instruktor *n.* instructor
instrument *n.* instrument
instrumentalny *a.* instrumental
instynkt *n.* instinct
instynktowny *a.* instinctive
instytucja *n.* institution
instytucja dobroczynna *n.* charity
instytut *n.* institute
insynuacja *n.* insinuation
insynuować *v.t.* insinuate
integralny *a.* integral
intelekt *n.* intellect
intelektualista *n.* intellectual
intelektualny *a.* intellectual
inteligencja *n.* intelligence
inteligentny *a.* clever
inteligentny *a.* intelligent

intensywność *n.* intensity
intensywny *a.* intense
intensywny *a.* intensive
interes (transakcja) *n.* deal
interesowny *a.* mercenary
interesujący *a.* interesting
Internet *n.* web
internować *v.t.* intern
interpretować *v.t.* interpret
interpunkcja *n.* punctuation
interwencja *n.* intervention
interweniować *v.i.* intervene
intratny *a.* lucrative
intronizować *v. t* enthrone
introspekcja *n.* introspection
intryga *n.* intrigue
intrygować *v.t.* intrigue
intrygować *v.t.* puzzle
intuicja *n.* insight
intuicja *n.* intuition
intuicyjny *a.* intuitive
intymność *n.* intimacy
intymny *a.* intimate
inwazja *n.* invasion
inwestować *v.t.* invest
inwestycja *n.* investment
inżynier *n.* engineer
irlandzki *a.* Irish
ironia *n.* irony
ironiczny *a.* ironical
irracjonalny *a.* irrational
irytacja *n.* annoyance
irytacja *n.* irritation
irytacja *n.* vexation
irytować *v.t.* annoy
irytować *v.t.* irritate
irytować *v.t.* vex
iść grupą *v.i* troop
iść na kompromis *v. t* compromise
iść po omacku *v.t.* grope
iść rzędem *v.i.* file
iść skrajem *v.t.* skirt
iść zygzakami *v.i.* zigzag
iść, jechać *v.i.* go
iskierka *n.* sparkle
iskra *n.* spark
iskrzenie (się) *n.* scintillation
iskrzyć się *v.i.* scintillate
iskrzyć się *v.i.* spark
iskrzyć się *v.i.* sparkle
istnieć *v.i* exist
istota *n.* being
istota *n.* entity
istota ludzka *n.* wight
istotny *a.* substantial
izobara *n.* isobar
izolacja *n.* insulation
izolacja *n.* isolation
izolator *n.* insulator
izolować *v.t.* insulate
izolować *v.t.* isolate

ja *pron.* I
ją, jej *pron.* her
jabłko *n.* apple
jacht *n.* yacht
jad *n.* venom
jadać w kantynie *v.i* mess
jadalny *a* eatable
jadalny *a* edible
jadłospis *n.* menu
jadowitość *n.* virulence
jadowity *a.* venomous
jadowity *a.* virulent
jądro *n.* nucleus
jądro (owocu) *n.* kernel
jądro (w anatomii) *n.* testicle
jądro, rdzeń *n.* core

jagniątko *n.* lambkin
jagnię *n.* lamb
jajko *n.* egg
jajnik *n.* ovary
jak *adv.* how
jak (zwierzę) *n.* yak
jąkać się *v.i.* stammer
jąkanie się *n.* stammer
jaki...! Co za...! *interj.* what
jakikolwiek *a.* any
jakiś, jakaś, jakieś *a.* some
jakkolwiek *adv.* however
jakoś *adv.* somehow
jakość *n.* quality
jakościowy *a.* qualitative
jałmużna *n.* alms
jałowy *a.* arid
jałowy (o ziemi) *a.* waste
jama *n.* burrow
jard *n.* yard
jarzmo *n.* yoke
jarzyć się *v.i.* glow
jaskinia *n.* cave
jaskółka *n.* swallow
jaskra *n.* glaucoma
jaskrawy *a.* gaudy
jaśmin *n.* jasmine, jessamine
jasna ślepota *n.* amauriosis
jasność *n.* glow
jasnowidz *n.* seer
jasny *a* bright
jasny *a* fair
jasny, zrozumiały *a* clear
jastrząb, sokół *n.* hawk
jastrzębi *a* accipitral
jaszczurka *n.* lizard
jawny *a.* overt
jawor *n.* sycamore
jaźń *n.* ego
jaźń *n.* self
jechać łodzią *v.i* boat
jęczeć *v.i.* groan
jęczeć *v.i.* moan
jęczeć *v.i.* whine
jęczmień *n.* barley
jęczmień (w medycynie) *n.* stye
jeden *a.* one
jeden na drugim *adv.* aheap
jeden raz *adv.* once
jedenaście *adj.* eleven
jedna trzecia (część) *n.* third
jedna trzydziesta (część) *n.* thirtieth
jednakże *adv.* nonetheless
jednakże *adv.* notwithstanding
jednoczesny *a.* simultaneous
jednoczyć *v.t.* unite
jednomyślność *n.* unanimity
jednomyślny *a.* unanimous
jednooki *a.* monocular
jednoosobowy *a.* solo
jednorodny *a.* homogeneous
jedność *n.* oneness
jedność *n.* unity
jednostka *n.* unit
jednostronnie *adv.* ex-parte
jednostronny *a* ex-parte
jednozgłoskowy *a.* monosyllabic
jędrny *a* firm
jedwab *n.* silk
jedwabisty *a.* silken
jedwabisty *a.* silky
jedyny *a.* only
jedyny *a* sole
jędza *n.* hag
jego *pron.* his
jego, go, jemu, mu *pron.* him
jej *a* her
jęk *n.* groan
jęk *n.* moan
jeleń *n.* stag
jeleń, sarna *n.* deer
jelito *n.* bowel
jelito *n.* intestine
jelitowy *a.* intestinal

jemioła *n.* mistletoe
jen *n.* Yen
jeniec *n.* captive
jeść *v. t* eat
jeść kolację *v.i.* sup
jeść lunch *v.i.* lunch
jeść łyżką *v.t.* spoon
jesień *n.* autumn
jeśli *conj.* if
jeszcze *adv.* still
jeszcze *adv.* yet
jeździć (na koniu/rowerze) *v.t.* ride
jeździć na łyżwach *v.i.* skate
jeździec *n.* rider
jezioro *n.* lake
język *n.* language
język (w anatomii) *n.* tongue
język angielski *n.* English
język francuski *n.* French
język grecki *n.* Greek
język hiszpański *n.* Spanish
język irlandzki *n.* Irish
język włoski *n.* Italian
językowy *a.* lingual
językowy *a.* linguistic
językoznawca *n.* linguist
językoznawstwo *n.* linguistics
jodła *n.* fir
joker (w kartach) *n.* joker
jowialność *n.* joviality
jowialny *a.* jovial
Jowisz *n.* Jupiter
jubiler *n.* jeweller
jubileusz *n.* jubilee
junior *n.* junior
juror *n.* juror
jurysdykcja *n.* judicature
jurysdykcja *n.* jurisdiction
juta *n.* jute
jutro *adv.* tomorrow
już *adv.* already

kabaret *n.* cabaret
kabel *n.* cable
kabina *n.* cabin
kabina (telefoniczna) *n.* booth
kącik *n.* nook
kaczka *n.* duck
kaczka dziennikarska *n.* canard
kadet *n.* cadet
kadm *n.* cadmium
kadzić *v. t* cense
kadzidło *n.* incense
kadzielnica *n.* censer
kafel *n.* tile
kaftan *n.* jerkin
kaganiec *n.* muzzle
Kain *n.* Cain
kajdany *n.* handcuff
kaktus *n.* cactus
kał *n.* faeces
kalafior *n.* cauliflower
kalambur *n.* pun
kaleczyć *v.t.* mangle
kaleczyć *v.t.* mutilate
kaleka *n.* cripple
kaleka *n.* invalid
kalendarz *n.* calendar
kaligrafia *n.* calligraphy
kalkulator *n.* calculator
kaloria *n.* calorie
kalosz *n.* wellington
kałuża *n.* puddle
kamfora *n.* camphor
kamień *n.* stone
kamień milowy *n.* milestone
kamieniołom *n.* quarry
kamienisty *a.* stony
kamienować *v.t.* stone
kamizelka *n.* waistcoat

kamlot *n.* camlet
kampania *n.* campaign
kamyk *n.* pebble
kanał *n.* canal
kanał *n.* channel
kanał ściekowy *n.* sewer
kanalizacja *n.* sewerage
kanapa *n.* couch
kanapka *n.* sandwich
kanciasty *a.* angular
kanclerz *n.* chancellor
kandydat *n.* candidate
kandyzować *v. t.* candy
kanon *n.* canon
kanonada; ostrzeliwać z dział *n. v. & t* cannonade
kanton *n.* canton
kapać *v. i* drip
kapać *v. i* drop
kąpać *v. t* bathe
kapanie *n.* drip
kapelusz *n.* hat
kapelusz słomkowy *n.* leghorn
kąpiel *n.* bath
kąpiel, w której coś się moczy *n.* soak
kapitalista *n.* capitalist
kapitalny *a.* capital
kapitan *n.* captain
kapitulować *v. t* capitulate
kapłan *n.* priest
kapłanka *n.* priestess
kapłaństwo *n.* priesthood
kaplica *n.* chapel
kaplica *n.* oratory
kapliczka *n.* shrine
kaprys *n.* caprice
kaprys *n.* vagary
kaprys *n.* whim
kapryśny *a.* capricious
kapryśny *a* fitful
kapryśny *a.* whimsical
kapsułka *n.* cachet
kaptur *n.* hood
kapusta *n.* cabbage
kara *n.* penalty
kara *n.* punishment
karać *v. t.* castigate
karać *v.t.* penalize
karać *v.t.* punish
karać grzywną *v.t* fine
karaluch *n.* cockroach
karat *n.* carat
karatakta *n.* cataract
karbid *n.* carbide
karczoch *n.* artichoke
kardamon *n.* cardamom
kardynał *n.* cardinal
kariera *n.* career
kark *n.* nape
kark *n.* neck
karmić *v.t* feed
karmić piersią *v.i.* lactate
karmić piersią *v.t.* suckle
karnawał *n.* carnival
karny *a.* penal
karny *a.* punitive
karta *n.* card
kartka papieru *n.* sheet
karton *n.* carton
karykatura *n.* caricature
karzeł *n.* dwarf
karzeł *n.* midget
kaseta *n.* cassette
kasjer *n.* cashier
kaskada *n.* cascade
kasta *n.* caste
kasting *n.* casting
kastrować *v.t.* castrate
kastrować (zwierzę) *v.t.* geld
kaszel *n.* cough
kaszleć *v. i.* cough
kasztan *n.* chestnut
kasztanowaty *a* maroon

kat *n.* executioner
kąt *n.* angle
kąt (pokoju) *n.* corner
katalog *n.* catalogue
katastrofa *n.* disaster
katastrofalny *a* disastrous
katedra *n.* cathedral
katedra *n.* minster
kategoria *n.* category
kategoryczny *a.* categorical
katolicki *a.* catholic
kaucja *n.* bail
kaustyczny *a.* caustic
kawa *n.* coffee
kawałek *n.* bit
kawałek *n.* piece
kawałek *n.* scrap
kawaler *n.* bachelor
kawaler (orderu) *n.* chevalier
kawaleria *n.* cavalry
kawiarnia *n.* cafe
kazanie *n.* sermon
każdy *a* each
każdy *pron.* each
każdy *a* every
kaznodzieja *n.* preacher
kciuk *n.* thumb
keczup *n.* ketchup
kelner *n.* waiter
kelnerka *n.* waitress
kęs *n.* bite
kęs *n.* morsel
kęs *n.* mouthful
kichać *v.i.* sneeze
kichnięcie *n.* sneeze
kicz *n.* daub
kiedy? *adv.* when
kiedykolwiek *adv.* ever
kiedykolwiek *adv. conj.* whenever
kiedyś *adv.* sometime
kieł (słonia) *n.* tusk
kiełek *n.* sprout
kiełkować *v.i.* germinate
kiełkować *v.i.* sprout
kiełkowanie *n.* germination
kielnia *n.* trowel
kierować *v.t.* manage
kierować (coś/kogoś do...) *v. t* direct
kierować (np. na badania) *v.t.* refer
kierować (samochodem) *v. t* drive
kierowca *n.* driver
kierowca *n.* motorist
kierownica *n.* wheel
kierownictwo *n.* management
kierowniczy *a.* managerial
kierownik *n.* director
kierownik *n.* manager
kierownik *n.* superintendent
kierownik *n.* supervisor
kierownik warsztatu *n.* foreman
kierunek *n.* direction
kieszeń *n.* pocket
kij (do krykieta) *n.* bat
kij do opierania ręki przy malowaniu *n.* maulstick
kikut *n.* stub
kikut *n.* stump
kilka *a* several
kino *n.* cinema
kino *n.* movies
kitel (lekarza) *n.* overall
kiwać głową *v.i.* nod
klacz *n.* mare
kłamać *v.i.* lie
kłamca *n.* liar
klamka *n.* handle
klamka *n.* latch
kłamliwy *a.* mendacious
klamra *n.* brace
klamra *n.* buckle

klamra *n.* clamp
klamra *n.* shackle
klamra *n.* staple
kłamstwo *n.* lie
kłaniać się *v. t* bow
klaps *n.* smack
klarowność *n.* clarity
klarowność *n.* lucidity
klarowny *a.* lucid
klasa *n.* class
kłaść *v.t.* put
kłaść na stole *v.t.* table
klaskać *v. i.* clap
klaśnięcie, trzepnięcie *n.* clap
klasyczny *a* classic
klasyczny *a* classical
klasyfikacja *n.* classification
klasyfikować *v.t.* assort
klasyfikować *v. t* classify
klasyfikować *v.t.* range
klasyk *n.* classic
klasztor *n.* cloister
klasztor *n.* convent
klasztor *n.* monastery
klasztor żeński *n.* nunnery
klatka *n.* cage
klątwa *n.* curse
klaun *n.* clown
klauzula *n.* clause
kłębek nici *n.* clew
klej *n.* adhesive
klej *n.* glue
klej roślinny *n.* mucilage
klejnot *n.* gem
klejnot *n.* jewel
klękać *v.i.* kneel
klekotać, klekot *n. & v. i* clack
klepanie *n.* pat
klepnięcie *n.* slap
kler *n.* clergy
klerykalny *a* clerical
klęska *n.* downfall
kleszcz *n.* tick
klient *n.* client
klient *n.* customer
kliknięcie (klawiszem komputera) *n.* click
klimat *n.* climate
klin *n.* wedge
klinika *n.* clinic
klinować *v.t* key
kloaka *n.* cesspool
kłócić się *v. t* bicker
kłócić się *v.i.* quarrel
kłopot *n.* trouble
kłopotać *v. t* embarrass
kłopotać *v.t.* perplex
kłopotliwe położenie *n.* predicament
kłopotliwy *a.* troublesome
kłótliwy *a.* quarrelsome
kłótnia *n.* quarrel
kłótnia *n.* row
klub *n.* club
kłuć *v.t.* jab
klucz *n.* key
klucz francuski *n.* wrench
kłujący ból *n.* smart
kłus *n.* trot
knebel *n.* gag
kneblować komuś usta *v.t.* gag
kneblować usta *v.t.* muffle
knot *n.* wick
knuć *v.t.* plot
knuć *v.i.* scheme
knur, dzik *n.* boar
koalicja *n.* coalition
kobalt *n.* cobalt
kobiecość *n.* womanhood
kobiecy *a* feminine
kobiecy *n.* womanish
kobieta *n.* woman
kobra *n.* cobra
koc *n.* blanket

kochać *v.t.* love
kochający *a.* loving
kochanek *n.* lover
kochanek *n.* paramour
kochanka *n.* mistress
kociątko *n.* kitten
kocur *n.* tomcat
koczowniczy *a.* nomadic
koczownik *n.* nomad
kod *n.* code
koedukacja *n.* co-education
koegzystencja *n.* co-existence
koegzystować *v. i* co-exist
kogut *n.* cock
koja (na statku) *n.* berth
koja na statku *n.* bunk
kokaina *n.* cocaine
kokpit *n.* cock-pit
koksować *v. t* coke
kolacja *n.* supper
kolano *n.* knee
kołderka *n.* coverlet
kołdra *n.* quilt
kolec *n.* spike
kolęda *n.* carol
kolegium (uczelnia) *n.* college
koleina *n.* rut
kolej *n.* railway
kolej (kolejka) *n.* turn
kolejka *n.* queue
kolejno *adv.* consecutively
kolejność *n.* sequence
kolejny *a.* alternate
kolejny *a.* consecutive
kolejny *a.* subsequent
kolejny *a.* successive
kołek *n.* peg
kolekcja *n.* collection
kolekcjoner *n.* collector
kolektywny *a* collective
kolendra *n.* coriander
kolidować ze sobą (o poglądach) *v. t.* clash
kolisty *a* circular
kolizja *n.* collision
kołnierz *n.* collar
koło *n.* wheel
kolonia *n.* colony
kolonialny *a* colonial
kolor *n.* colour
kolor brązowy *n.* brown
kolor kasztanowy *n.* maroon
kolor żółty *n.* yellow
kolorować *v. t* colour
kołowy (o ruchu) *a.* vehicular
kolumna *n.* column
kołysać *v.t.* rock
kołysać się *v.i.* sway
kołysanie się *n.* sway
kołysanka *n.* lullaby
kołyska *n.* cradle
komar *n.* mosquito
kombatant *n.* combatant
kombinacja *n.* combination
komedia *n.* comedy
komendant *n.* commandant
komentarz *n.* comment
komentator *n.* commentator
komentować *v. i* comment
komentowanie *n.* commentary
kometa *n.* comet
komiczny *a* comic
komiczny *a* comical
komik *n.* comedian
komik *n.* comic
komin *n.* chimney
komisja *n.* commission
komitet *n.* committee
komitet *n.* panel
komora, sala *n.* chamber
komórka *n.* cell
komórkowy *a.* cellular
komornik *n.* bailiff

kompas *n.* compass
kompetencja *n.* competence
kompetentny *a.* competent
kompilować *v. t* compile
kompleks *n.* complex
komplement *n.* compliment
komplementować *v. t* compliment
komplet *n.* kit
komplikacja *n.* complication
komplikacja *n.* hitch
komplikować *v. t* complicate
komponować *v. t* compose
kompost *n.* compost
kompozycja *n.* composition
kompromis *n.* compromise
komunalny *a* communal
komunikacja *n.* communication
komunikat *n.* communiqué
komunikować *v. t* communicate
komunikować *v. t.* convey
komunizm *n.* communism
koń *n.* horse
konar *n.* bough
koncentracja *n.* concentration
koncentrować *v. t* concentrate
koncepcja *n.* concept
koncert *n.* concert
koncesja *n.* concession
koncesja *n.* franchise
koncha *n.* conch
końcowa stacja (linii kolejowej) *n.* terminus
końcowy *a* final
końcowy *a.* terminal
końcowy termin *n.* expiry
kończyć *v. t* conclude
kończyć *v. t* end
kończyć *v.t* finish
kończyć *v.t.* terminate
kończyć wyższe studia *v.i.* graduate
kończyna *n.* limb
kondolencje *n.* condolence
konferencja *n.* conference
konfiskata *n.* confiscation
konfiskata *n.* forfeit
konfiskata *n.* forfeiture
konfiskata *n.* seizure
konfiskować *v. t* confiscate
konfiskować *v.t.* seize
konflikt *n.* conflict
konfrontacja *n.* confrontation
konfundować *v. t.* baffle
konfundować *v. t* confuse
kongres *n.* congress
koniak *n.* brandy
koniec *n.* end
koniec *n.* finish
koniecznie *adv.* needs
konieczność *n.* must
konieczny *a* necessary
konik na kiju (zabawka) *n.* hobby-horse
koniugować *v.t. & i.* conjugate
koniuszek *n.* tip
konkretny *a* concrete
konkretyzować *v.t.* substantiate
konkubina *n.* concubine
konkubinat *n.* concubinage
konkurencja *n.* competition
konkurencyjny *a* competitive
konkurent (o rękę kobiety) *n.* suitor
konopie *n.* hemp
konsekwencja *n.* consequence
konsekwentny *a* consequent
konserwant *n.* preservative
konserwatysta *n.* conservative
konserwatywny *a* conservative
konserwować *v. t* conserve
konserwujący *a.* preservative
konsola *n.* corbel
konsolidacja *n.* consolidation

konsolidować *v. t.* consolidate
konsonans *n.* consonance
konspekt *n.* conspectus
konspiracja *n.* conspiracy
konstelacja *n.* constellation
konstrukcja *n.* build
konstrukcja *n.* construction
konstytucja *n.* constitution
konsultacja *n.* consultation
konsultować *v. t* consult
konsumować *v. t* consume
konsumpcja *n.* consumption
kontakt *n.* contact
kontaktować się *v. t* contact
kontekst *n.* context
konto *n.* account
kontrahent *n.* contractor
kontrakt *n.* contract
kontrast *n.* contrast
kontrasygnować *v. t.* countersign
kontrola *n.* check
kontrola *n.* control
kontrolować *v. t* control
kontrolować *v.t.* inspect
kontrowersja *n.* controversy
kontur *n.* contour
kontuzjować *v.t.* contuse
kontynent *n.* continent
kontynentalny *a* continental
kontynuacja *n.* continuation
kontynuować *v. i.* continue
konwencja *n.* convention
konwencja *n.* covenant
konwersacja *n.* conversation
koordynacja *n.* co-ordination
koordynować *v. t* co-ordinate
kopać *v.t.* dig
kopać *v.t.* kick
kopać (ziemię) *v.t.* spade
kopalnia *n.* mine
koperta *n.* envelope
kopia *n.* copy
kopiec *n.* mound
kopiować *v. t* copy
kopiować *v. t* duplicate
kopnięcie *n.* kick
koprologia *n.* coprology
kopuła *n.* dome
kopulować *v.i.* copulate
kopyto *n.* hoof
kora *n.* bark
koral *n.* coral
korek *n.* cork
korelacja *n.* correlation
korespondencja *n.* correspondence
korespondent *n.* correspondent
kormoran *n.* cormorant
kornak (przewodnik słoni) *n.* mahout
korona *n.* crown
koronacja *n.* coronation
koronka *n.* lace
koronkowy *a.* lacy
koronować *v. t* crown
korporacja *n.* corporation
korpus *n.* corps
korumpować *v. t.* corrupt
korupcja *n.* corruption
Korynt *n.* Corinth
korytarz *n.* corridor
koryto *n.* manger
korzeń *n.* root
korzyść *n.* benefit
korzystny *a.* advantageous
korzystny *a* beneficial
kosa *n.* scythe
kość *n.* bone
kość słoniowa *n.* ivory
kość szczękowa górna *n.* maxilla
kości (do gry) *n.* dice
kościół *n.* church
kosić *v.t.* scythe
kosmetyczny *a.* cosmetic

kosmetyk *n.* cosmetic
kosmiczny *a.* cosmic
kosmyk *n.* wisp
kostium *n.* costume
kostka *n.* ankle
kostka do gry *n.* die
kostnica *n.* morgue
kostnica *n.* mortuary
kosz *n.* basket
koszmar *n.* nightmare
koszt *n.* cost
koszt *n.* charge
kosztować *v.t.* taste
kosztowny *a.* costly
koszty przewozu *n.* cartage
koszula *n.* shirt
koszula damska *n.* chemise
koszula nocna *n.* nightie
koszykówka *n.* basketball
kot *n.* cat
kotara, zasłona *n.* curtain
kotwica *n.* anchor
kowadło *n.* anvil
kowal *n.* blacksmith
kowal *n.* smith
koza *n.* goat
kozioł ofiarny *n.* scapegoat
Koziorożec (znak zodiaku) *n.* Capricorn
kpić *v.i.* scoff
kpina *n.* scoff
kpiny *n.* mockery
krab *n.* crab
kradzież *n.* theft
kradzież bydła *n.* abaction
krąg *n.* circle
kraj *n.* country
krajać (np. jarzyny) w kostkę *v. i.* dice
krajobraz *n.* landscape
krakać *v. i.* caw
krakać *v.t.* craw
krakać *v. i* crow
krakanie *n.* caw
kraść *v.i.* steal
krasomówczy *a.* oratorical
krata drewniania *n.* lattice
krawat *n.* tie
krawędź *n.* edge
krawędź *n.* verge
krawężnik *n.* curb
krawiec *n.* tailor
krążek *n.* pulley
krążownik *n.* cruiser
kredens *n.* cupboard
kredo *n.* creed
kredyt *n.* credit
kręgosłup *n.* spine
kręgowy *a.* spinal
krem *n.* cream
krem z mleka i jaj *n.* custard
kremacja *n.* cremation
krępujący *a.* awkward
kreskówka *n.* cartoon
kret *n.* mole
kręty *a.* sinuous
kręty (o drodze) *a.* tortuous
kretyn *n.* moron
krew *n.* blood
krewki *a.* mettlesome
krewny *n.* relative
krochmal *n.* starch
krochmalić *v.t.* starch
kroczyć *v.i.* pace
kroczyć *v.i.* step
kroczyć *v.i.* stride
kroić *v.t.* slice
krok *n.* pace
krok *n.* step
krok *n.* stride
krokodyl *n.* crocodile
król *n.* king
królestwo *n.* kingdom
królewski *a.* regal

królewski *a.* royal
królik *n.* rabbit
królikarnia *n.* warren
królobójstwo *n.* regicide
królowa *n.* queen
kromka (chleba) *n.* slice
kronika *n.* chronicle
kronika *n.pl.* annals
kronikarz *n.* annalist
kropka *n.* dot
kropla *n.* drop
krosno tkackie *n.* loom
krosta *n.* blain
krosta *n.* pimple
krótki *a.* brief
krótki *a.* short
krótkie cygaro *n.* cheroot
krótkie wiosło *n.* paddle
krótko *adv.* short
krótkotrwały *a* deciduous
krótkotrwały *a.* fugitive
krótkowzroczność *n.* myopia
krótkowzroczny *a.* myopic
krowa *n.* cow
kruchy *a.* brittle
kruchy *a.* fragile
kruchy *a.* frail
krucjata *n.* crusade
krucyfiks *n.* rood
kruczek prawny *n.* loop-hole
kruk *n.* raven
kruszyć *v. t* crumble
krwawić *v. i* bleed
krwawy *a* bloody
kryjówka *n.* cache
krykiet *n.* cricket
kryminalny *a* criminal
krypta *n.* vault
kryptografia *n.* cryptography
kryształ *n.* crystal
kryterium *n.* criterion
krytyczna chwila *n.* juncture
krytyczny *a* critical
krytyk *n.* critic
krytyka *n.* censure
krytyka *n.* criticism
krytykować *v. t.* censure
krytykować *v. t* criticize
kryzys *n.* crisis
krzak *n.* bush
krzątać się *v. t* bustle
krzepiący *a.* tonic
krzepki *a* burly
krzepki *a.* hale
krzepki *a.* lusty
krzepnąć *v. t* clot
krzesło *n.* chair
krzew *n.* shrub
krzyczeć *v.i.* shout
krzyk *n.* shout
krzywda, skarga *n.* grievance
krzywdzić *v.t* harm
krzywdzić *v.t.* wrong
krzywić się (z bólu) *v.i.* wince
krzywica *n.* rickets
krzywoprzysięgać *v.i.* perjure
krzywoprzysięstwo *n.* perjury
krzyż *n.* cross
krzyżować *v. t* cross
kserokopiarka *n.* xerox
kserować *v.t.* xerox
książę *n.* duke
książę *n.* prince
książęcy *a.* princely
książka *n.* book
książka telefoniczna *n.* directory
książkowy *a.* bookish
księga główna *n.* ledger
księgarz *n.* book-seller
księgowość *n.* accountancy
księgowy *n.* accountant
księgowy *n.* book-keeper
księżniczka *n.* princess
księżyc *n.* moon

księżycowy *a.* lunar
ksylofilny *a.* xylophilous
ksylofon *n.* xylophone
kształcić *v. t* educate
kształt *n.* form
kształt *n.* shape
kształtny *a.* shapely
kształtować *v.t.* form
kto? *pron.* who
ktokolwiek *pron.* whoever
którego, których *pron.* whom
który *pron.* as
który, co *rel. pron.* that
który? *pron.* which
który? *a* which
którykolwiek *pron.* whichever
ktoś *pron.* somebody
ktoś *pron.* someone
ku dołowi *adv.* downwards
kubek *n.* jug
kubek *n.* mug
kucać *v. i.* crouch
kucać *v.i.* squat
kucharz *n.* cook
kuchenka *n.* cooker
kuchnia *n.* kitchen
kuchnia (sposób gotowania) *n.* cuisine
kucyk *n.* pony
kuglarz *n.* juggler
kukła *n.* effigy
kukułka *n.* cuckoo
kukurydza *n.* maize
kula *n.* sphere
kula (kulawego) *n.* crutch
kula ziemska *n.* globe
kulawy *a.* lame
kulić się (ze strachu) *v.i.* cower
kulis *n.* coolie
kulisty *a.* spherical
kulminować *v.i.* culminate
kult *n.* cult
kultura *n.* culture
kulturalny *a.* cultivated
kulturowy *a* cultural
kumpel *n.* mate
kumpel *n.* pal
kuna *n.* marten
kupidynek *n.* Cupid
kupiec *n.* merchant
kupiec *n.* monger
kupiec (w Indiach) *n.* banyan
kupon *n.* coupon
kupon *n.* voucher
kupować *v. t.* buy
kupować *v.t.* purchase
kupujący *n.* buyer
kura *n.* hen
kuratela *n.* probation
kuratela *n.* wardship
kurczę *n.* chicken
kurczenie się *n.* shrinkage
kurczyć się *v.i* shrink
kurczyć się ze strachu *v. i.* cringe
kurek *n.* tap
kurier *n.* courier
kurkuma *n.* curcuma
kurkuma *n.* turmeric
kurnik *n.* roost
kurs *n.* course
kursować *v.t.* shuttle
kursywa *n.* italics
kurtka *n.* jacket
kurtyzana *n.* courtesan
kurwa *n.* whore
kurz *n.* dust
kusić *v.t.* tempt
kusiciel *n.* tempter
kustosz (muzeum) *n.* custodian
kuszący *a* seductive
kuźnia *n.* forge
kuzyn *n.* cousin
kwadrat *n.* square
kwadratowy *a* square

kwakać *v.i.* quack
kwakanie *n.* quack
kwalifikacja *n.* qualification
kwalifikować *v.i.* qualify
kwantum *n.* quantum
kwartalny *a.* quarterly
kwas *n.* acid
kwasić *v.t.* sour
kwaśny *a* acid
kwaśny *a.* sour
kwasowość *n.* acidity
kwaterować *v.t.* lodge
kwatery wojskowe *n.* cantonment
kwestionariusz *n.* questionnaire
kwestionować *v.t.* litigate
kwestionować *v.t* query
kwiaciarz *n.* florist
kwiat *n.* flower
kwiat (drzewa owocowego) *n.* blossom
kwiecień *n.* April
kwiecisty *a* flowery
kwilić *v.i.* whimper
kwintesencja *n.* quintessence
kwitek *n.* chit
kwitnąć *v.i.* bloom
kwitnąć *v.i* blossom
kwitnąć *v.i* flourish
kwitnienie *n.* bloom
kworum *n.* quorum
kwota *n.* amount

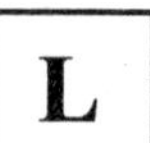

labirynt *n.* labyrinth
labirynt *n.* maze
laboratorium *n.* laboratory
lać (o deszczu) *v.i.* pour
ląd *n.* land
lada *n.* counter
lądować *v.i.* land
lądowanie *n.* landing
laguna *n.* lagoon
laicki *a.* lay
laik *n.* layman
lakier *n.* varnish
lakierować *v.t.* varnish
lakoniczny *a.* laconic
laktometr *n.* lactometer
laktoza *n.* lactose
lalka *n.* doll
lama *n.* lama
lament *n.* lamentation
lament *n.* wail
lament *n.* lament
lamentować *v.i.* lament
lamentować *v.i.* mourn
lamentować *v.i.* wail
laminować *v.t.* laminate
lampa *n.* lamp
lampart *n.* lcopard
lanca *n.* lance
lancet *n.* lancet
lane żelazo *n.* cast-iron
lansjer *n.* lancer
las *n.* forest
las *n.* wood
las *n.* woods
laska w oknie (w architekturze) *n.* mullion
latarka *n.* torch
latarnia *n.* lantern
latarnia morska *n.* beacon
latawiec *n.* kite
lato *n.* summer
latryna *n.* latrine
laur *n.* laurel
laureat *n.* laureate
lawa *n.* lava
lawenda *n.* lavender
lecieć *v.i* fly

leczenie *n.* treatment
leczniczy *a* curative
leczniczy *a.* medicinal
leczyć *v.t.* treat
lędźwie *n.* loin
legalizować *v.t.* legalize
legalność *n.* legality
legalny *a.* legal
legenda *n.* legend
legendarny *a.* legendary
legion *n.* legion
legionista *n.* legionary
legowisko (zwierzęcia) *n.* den
legowisko (zwierzęcia) *n.* lair
lejce *n.* rein
lek *n.* medicament
lęk przestrzeni *n.* agoraphobia
lękać się (czegoś) *v.i.* shy
lekarstwo *n.* cure
lekarstwo *n.* drug
lekarstwo *n.* physic
lekarstwo *n.* remedy
lekarz *n.* physician
lekarz *n.* practitioner
lekarz wykonujący szczepienie *n.* vaccinator
lekceważenie *n.* disregard
lekceważenie *n.* slight
lekceważyć *v. t* disregard
lekceważyć *v.t.* slight
lekceważyć *v.t.* snub
lekcja *n.* lesson
lekka atletyka *n.* athletics
lekki *a* light
lekkie naderwanie mięśnia *n.* wrick
lekko *adv.* lightly
lekkomyślność *n.* levity
lękliwy *a.* bashful
leksykografia *n.* lexicography
leksykon *n.* lexicon
lemoniada *n.* lemonade
lenistwo *n.* laziness
lenistwo *n.* sloth
leniwy *n.* lazy
leniwy *n.* slothful
lep na ptaki *n.* birdlime
lepiej *adv.* better
lepki *a.* adhesive
lepki *n.* sticky
lepszy *a* better
leśnictwo *n.* forestry
leśniczy *n.* forester
leśny *a.* sylvan
letargia *n.* lethargy
letargiczny *a.* lethargic
letni *a.* aestival
letni (o temperaturze) *a.* lukewarm
lew *n.* lion
Lew (znak zodiaku) *n.* Leo
lewa strona *n.* left
lewicowiec *n.* leftist
lewy *a.* left
leżeć *v.i* lie
liberalizm *n.* liberalism
liberalność *n.* liberality
liberalny *a.* liberal
liberia *n.* livery
licencja *n.* licence
lichwa *n.* usury
lichwiarz *n.* usurer
lichy *a* flimsy
licytacja *n.* auction
licytować *v.t.* auction
licytować *v.t* bid
licytujący *n.* bidder
liczba *n.* number
liczbowy *a.* numeral
liczbowy *a.* numerical
licznik *n.* meter
licznik *n.* numerator
liczny *a.* numerous
liczyć *v. t.* count

liczyć *v.t.* number
lider *n.* leader
liga *n.* league
likwidacja *n.* liquidation
likwidować *v.t.* liquidate
lilia *n.* lily
limit *n.* limit
linczować *v.t.* lynch
linia *n.* line
linia prostopadła *n.* perpendicular
linieć *v.i.* moult
linijka *n.* ruler
lipa *n.* lime
lipiec *n.* July
lira *n.* lyre
liryczny *a.* lyric
liryczny *a.* lyrical
liryk *n.* lyricist
liryka *n.* lyric
lis *n.* fox
liść *n.* leaf
liściasty *a.* leafy
lisica *n.* vixen
list *n.* letter
listonosz *n.* postman
listopad *n.* November
listowie *n.* foliage
listwa *n.* lath
litera *n.* letter
literacki *a.* literary
literatura *n.* literature
literować *v.t.* spell
litość *n.* mercy
litość *n.* pity
litościwy *a.* merciful
litr *n.* litre
liturgiczny *a.* liturgical
lizać *v.t.* lick
lizak *n.* lollipop
liźnięcie *n.* lick
loczek *n.* ringlet
lód *n.* ice
lodowaty *a.* frigid
lodowaty *a.* icy
lodowiec *n.* glacier
lodówka *n.* fridge
lodówka *n.* refrigerator
logarytm *n.* logarithm
logiczny *a.* logical
logik *n.* logician
logika *n.* logic
lojalista *n.* loyalist
lojalność *n.* loyalty
lojalny *a.* loyal
lok *n.* lock
lok włosów nad czołem *n.* forelock
lokaj *n.* lackey
lokalizować *v.t.* localize
lokalny *a.* local
lokalny podatek na towary konsumpcyjne *n.* octroi
lokator *n.* occupant
lokator *n.* occupier
lokator *n.* tenant
lokomotywa *n.* locomotive
lornetka *n.* binocular
los *n.* fate
los *n.* lot
losowanie *n.* draw
lot *n.* flight
loteria *n.* lottery
lotka do badmintona *n.* shuttlecock
lotne piaski *n.* quicksand
lotnictwo *n.* aviation
lotnik *n.* aviator
lotnisko *n.* aerodrome
lotos *n.* lotus
lubić *v.t.* like
lubieżny *a.* lascivious
lubieżny *a.* lewd
lubieżny *a.* lustful

lucerna *n.* lucerne
ludność *n.* population
ludny *a.* populous
ludzki *a.* human
ludzkość *n.* humanity
ludzkość *n.* mankind
luka *n.* gap
luksus *n.* luxury
luksusowy *a.* luxurious
luminarz *n.* luminary
lunatyk *n.* somnambulist
lunatyzm *n.* somnambulism
lunch *n.* lunch
lustro *n.* mirror
lutnia *n.* lute
lutować *v.t.* solder
luty *n.* February
luźny *a.* lax
luźny *a.* loose
lwi *a* leonine
lwica *n.* lioness

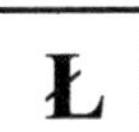

łabędź *n.* swan
łachman *n.* tatter
ładny *a* fine
ładny *a* pretty
ładować *v.t.* load
ładunek *n.* cargo
ładunek *n.* load
łagodnie *adv.* benignly
łagodny *a.* gentle
łagodny *a.* mellow
łagodny *a.* mild
łagodny *a.* placid
łagodny (nowotwór) *a.* benign
łagodny (o zwierzęciu) *a* docile
łagodzenie *n.* mitigation
łagodzić *v.t.* temper
łagodzić (ból) *v.t.* mitigate
łajdacki *a.* roguish
łajdactwo *n.* roguery
łaknąć czegoś *v.t.* crave
łajdak *n.* villain
łajno *n.* dung
łamać *v. t* break
łamigłówka *n.* puzzle
łańcuch *n.* chain
łania *n.* doe
łapa *n.* paw
łapać *v. t.* catch
łapówka *n.* bribe
łaska *n.* auspice
łaska *n.* boon
łaskawy *a.* gracious
łaskotać *v.t.* tickle
łata *n.* patch
łatwość *n.* facility
łatwowierność *a.* credulity
łatwy *a* easy
łatwy *a* facile
łatwy *a.* straightforward
ławica ryb *n.* shoal
ławka *n.* bench
łącznik *n.* link
łączyć *v.t.* associate
łączyć *v. t.* connect
łączyć *v.t* link
łączyć *v.t.* merge
łączyć się w pary *v.t.* mate
łączyć w pary *v.t.* pair
łączyć ze sobą (dwie rzeczy) *v. t* couple
łąka *n.* meadow
łobuz *n.* rogue
łodyga *n.* stalk
łodyga *n.* stem
łoić skórę *v.t.* wallop
łokieć *n.* elbow
łono *n.* bosom

łono *n.* lap
łopata *n.* spade
łoskot *n.* din
łotr *n.* rascal
łotr *n.* scoundrel
łowić ryby *v.i* fish
łowić ryby na przynętę pływającą po wodzie *v.i.* dap
łożysko *n.* bearing
łódź *n.* boat
łódź podwodna *n.* submarine
łój *n.* tallow
łóżeczko dziecinne *n.* cot
łóżeczko dziecinne *n.* crib
łóżko *n.* bed
łucznik *n.* archer
ługować *v.t.* leach
łuk *n.* arc
łuk *n.* bow
łup *n.* booty
łup *n.* loot
łupież *n.* dandruff
łuska *n.* husk
łuskać *v.t.* shell
łydka *n.* calf
łyk *n.* gulp
łyska *n.* coot
łysy *a.* bald
łyżka *n.* spoon
łyżwa *n.* skate
łza *n.* tear

M

machać (ręką) *v.t.* wave
macica *n.* uterus
macica *n.* womb
macierzyński *a.* motherly
macierzyństwo *n.* maternity
macierzyństwo *n.* motherhood
maciora *n.* sow
maczuga *n.* cudgel
mączysty *a.* mealy
mądrość *n.* wisdom
mądry *a.* sage
mądry *a.* wise
magazyn *v.t* warehouse
magazyn *n.* store
magazyn towarów (w Indiach i na Dalekim Wschodzie) *n.* godown
magazynować *v.t.* store
magazynowanie *n.* storage
magiczny *a.* magical
magik *n.* magician
magnat *n.* magnate
magnes *n.* magnet
magnetyczny *a.* magnetic
magnetyt *n.* loadstone
magnetyzm *n.* magnetism
mahoń *n.* mahogany
maj *n.* May
mający łaskotki *a.* ticklish
majestat *n.* grandeur
majestat *n.* majesty
majestatyczny *a.* majestic
mąka *n.* flour
makler *n.* broker
maklerstwo *n.* jobbery
maksimum *n.* maximum
maksyma *n.* maxim
maksymalizować *v.t.* maximize
maksymalny *a.* maximum
mała litera *n.* minuscule
malaria *n.* ague
malaria *n.* malaria
malarz *n.* painter
maleńki *a.* tiny
malkontent *n.* malcontent
małmazja *n.* malmsey
mało *adv.* little

mało, niewielu *a* few
małoletni *a.* juvenile
małomówność *n.* reticence
małomówny *a.* reticent
małomówny *a.* taciturn
malować *v.t.* paint
malowniczy *a.* pictorial
malowniczy *a.* picturesque
malowniczy *a.* scenic
małpa *n.* ape
małpa *n.* monkey
małpi *a.* apish
maltretowanie *n.* maltreatment
mały *a.* little
mały *a.* small
mały (przypływ i odpływ) *a.* neap
mały łyk *n.* sip
małżeński *a* conjugal
małżeński *a.* marital
małżeński *a.* spousal
małżeństwo *n.* marriage
małżeństwo *n.* matrimony
małżonek *n.* mate
małżonek, małżonka *n.* spouse
małżonek/małżonka panującego monarchy *n.* consort
mamona *n.* mammon
mamona *n.* pelf
mamrotać *v.i.* gabble
mamrotać *v.i.* mumble
mamusia *n.* mum
mamusia *n.* mummy
mamut *n.* mammoth
mandat *n.* mandate
manekin *n.* mannequin
manewr *n.* manoeuvre
manewrować *v.i.* manoeuvre
mangan *n.* manganese
mango *n.* mango
mangusta *n.* mongoose
mania *n.* mania
maniak *n.* maniac
manicure *n.* manicure
maniera *n.* mannerism
manifest *n.* manifesto
manifestacja *n.* manifestation
manifestować *v.t.* manifest
manipulacja *n.* manipulation
manipulować *v.t.* manipulate
manipulować *v.t.* palm
mankiet *n.* cuff
manna *n.* manna
mapa *n.* map
maranta (botanika) *n.* arrowroot
maraton *n.* marathon
marchew *n.* carrot
margaryna *n.* margarine
margiel *n.* marl
marginalny *a.* marginal
margines *n.* margin
marionetka *n.* marionette
marionetka *n.* puppet
marka *n.* make
marka towaru *n.* brand
marker *n.* marker
marmolada *n.* marmalade
marmur *n.* marble
marnieć *v.i.* pine
marnotrawny *a.* wasteful
marnotrawstwo *n.* wastage
marnotrawstwo *n.* waste
marny *a.* paltry
marny *a.* shabby
Mars *n.* Mars
marsz *n.* march
marszałek *n.* marshal
marszczyć *v.t.* wrinkle
marszczyć się *v. i* cockle
martwić (kogoś) *v.t.* trouble
martwić (kogoś) *v.t.* upset
martwić się *v.i.* worry
martwy *a* dead
martwy punkt *n.* standstill

maruder *n.* laggard
maruder *n.* marauder
maruder *n.* straggler
mary *n.* bier
marynarka wojenna *n.* navy
marynarz *n.* mariner
marynarz *n.* sailor
marynata *n.* pickle
marynować *v.t* pickle
marzec *n.* March
marzyć *v. i.* dream
masa *n.* mass
masakra *n.* massacre
masaż *n.* massage
masażysta *n.* masseur
maść *n.* ointment
maska *n.* mask
maska samochodu *n.* bonnet
maskarada *n.* masquerade
maskotka *n.* mascot
maskować *v.t.* mask
maślanka *n.* buttermilk
maślnica *n.* churn
masło *n.* butter
masować *v.t.* massage
masturbować *v.i.* masturbate
masywny *a.* massy
maszerować *v.i.* march
maszt *n.* mast
mata *n.* mat
matador *n.*. matador
matczyny *a.* maternal
matematyczny *a.* mathematical
matematyk *n.* mathematician
matematyka *n.* mathematics
materac *n.* mattress
materiał *n.* material
materiał wybuchowy *n.* explosive
materializm *n.* materialism
materializować *v.t.* materialize
materialny *a.* material
materiały piśmienne *n.* stationery
matka *n.* mother
matkobójstwo *n.* matricide
matkować (komuś) *v.t.* mother
matriarchat *n.* matriarchy
matryca *n.* matrix
matrymonialny *a.* matrimonial
mauzoleum *n.* mausoleum
mąż *n.* husband
mąż stanu *n.* statesman
mazać *v. t.* daub
mdły *a.* insipid
meble *n.* furniture
mech *n.* moss
mechaniczny *a* mechanic
mechaniczny *a.* mechanical
mechanik *n.* mechanic
mechanika *n.* mechanics
mechanizm *n.* mechanism
mecz *n.* match
męczący *a.* strenuous
męczący *a.* tiresome
męczennik *n.* martyr
męczeństwo *n.* martyrdom
meczet *n.* mosque
męczyć *v.t* fatigue
męczyć *v.t.* tire
męczyć *v.t.* torment
medal *n.* medal
medalionik *n.* locket
medalista *n.* medallist
mediacja *n.* mediation
medium *n.* medium
mędrzec *n.* sage
medycyna *n.* medicine
medyczny *a.* medical
medytacja *n.* meditation
medytacyjny *a.* meditative
medytować *v.t.* meditate
megafon *n.* megaphone
megalit *n.* megalith

megalityczny *a.* megalithic
męka *n.* torment
melancholia *n.* melancholia
melancholia *n.* melancholy
melancholijny *a.* melancholic
melasa *n.* molasses
melodia *n.* melody
melodia *n.* tune
melodramat *n.* melodrama
melodramatyczny *a.* melodramatic
melodyjny *a.* melodious
melon *n.* melon
membrana *n.* membrane
memorandum *n.* memorandum
mennica *n.* mint
menopauza *n.* menopause
menstruacja *n.* menstruation
mentalność *n.* mentality
mentor *n.* mentor
merceryzować *v.t.* mercerise
merdać ogonem *v.i.* wag
merdanie *n.* wag
Mesjasz *n.* Messiah
męski *a.* male
męski *a.* manlike
męski *a.* masculine
męski *a.* virile
męskość *n.* manhood
męskość *n.* virility
metabolizm *n.* metabolism
metafizyczny *a.* metaphysical
metafizyka *n.* metaphysics
metafora *n.* metaphor
metal *n.* metal
metaliczny *a.* metallic
metalurgia *n.* metallurgy
metamorfoza *n.* metamorphosis
meteor *n.* meteor
meteorolog *n.* meteorologist
meteorologia *n.* meteorology
meteoryczny *a.* meteoric
metoda *n.* method
metodyczny *a.* methodical
metr *n.* metre
metropolia *n.* metropolis
metryczny *a.* metric
mewa *n.* gull
mezalians *n.* misalliance
mężczyzna *n.* man
mężczyzna, samiec *n.* male
mężny *a.* manly
mężny *a.* stalwart
mgiełka *n.* haze
mgła *n.* fog
mgła *n.* mist
mgławica *n.* nebula
mglisty *a.* hazy
mglisty *a.* misty
mianować *v.t.* nominate
mianowicie *adv.* namely
miara *n.* measure
miara długości (220 jardów) *n.* furlong
miarowy *a.* metrical
miasto *n.* city
miasto *n.* town
miauczeć *v.i.* mew
miauczenie *n.* mew
miażdżyć *v. t* crush
miazga *n.* pulp
miazga *n.* squash
mieć *v.t.* have
mieć (towar) na składzie *v.t.* stock
mieć aspiracje *v.t.* aspire
mieć kogoś pod opieką *v.t.* ward
mieć nachylenie *v.i.* slope
mieć nadzieję *v.t.* hope
mieć ochotę na coś *v.t* fancy
mieć przewagę liczebną *v.t.* outnumber
mieć znaczenie *v.i.* matter
miech kowalski *n.* bellows

miecz *n.* sword
miednica, miska *n.* basin
między *prep* between
międzynarodowy *a.* international
miejsce *n.* place
miejsce *n.* spot
miejsce akcji *n.* locale
miejsce często odwiedzane *n.* haunt
miejsce do cumowania *n.* moorings
miejsce połączenia się rzek *n.* confluence
miejsce spotkania *n.* venue
miejsce stałego zamieszkania *n.* domicile
miejsce zamieszkania *n.* residence
miejscowość *n.* locality
miejscowy dialekt *n.* vernacular
miejski *a.* municipal
miejski *a.* urban
miękki *a.* soft
mielizna *n.* shoal
mienie *n.* belongings
mienie *n.* estate
mierność *n.* mediocrity
mierny *a.* mediocre
mierzyć *v.t* measure
mierzyć *v.t* mete
miesiąc *n.* month
miesiąc miodowy *n.* honeymoon
miesiączka *n.* menses
miesiączkowy *a.* menstrual
miesięcznik *n.* monthly
miesięczny *a.* monthly
mięsień *n.* muscle
mięsisty *a.* pulpy
mięśniowy *a.* muscular
mięso *n.* meat
mieszać *v. t* blend
mieszać *v.t.* mingle
mieszać się *v.i* mix
mieszanka *n.* blend
mieszanych ras *a* mongrel
mieszkać *v. i* dwell
mieszkalny *a.* habitable
mieszkalny *a.* inhabitable
mieszkanie *n.* abode
mieszkanie *n.* dwelling
mieszkanie *n.* flat
mieszkaniec *n.* inhabitant
mieszkaniec Bliskiego Wschodu *n.* Oriental
mieszkaniec stolicy *n.* metropolitan
mięta *n.* mint
migdał *n.* almond
migdałek (w anatomii) *n.* tonsil
migotać *v.t* flicker
migotać *v.i.* twinkle
migotanie *n.* flicker
migotanie *n.* twinkle
migrena *n.* migraine
mika *n.* mica
mikrofala *n.* microwave
mikrofilm *n.* microfilm
mikrofon *n.* microphone
mikrologia *n.* micrology
mikrometr *n.* micrometer
mikroskop *n.* microscope
mikroskopijny *a.* microscopic
mikstura *n.* concoction
mikstura *n.* mixture
mila *n.* mile
milaż *n.* mileage
milczący *a.* mum
milczący *a.* tacit
mile widziany *a.* welcome
miliard *n.* billion
milicja *n.* militia
milion *n.* million
milioner *n.* millionaire

miłość *n.* love
miłośnik *n.* fan
miłosny *a.* amatory
miły *a.* agreeable
miły *a.* nice
mim *n.* mime
mimiczny *a.* mimic
mimik *n.* mimic
mimika *n.* mimicry
minaret *n.* minaret
minerał *n.* mineral
mineralny *a* mineral
mineralog *n.* mineralogist
mineralogia *n.* mineralogy
miniatura *n.* miniature
miniaturowy *a.* miniature
minimalizować *v.t.* minimize
minimalny *a.* minimal
minimalny *a* minimum
minimum *n.* minimum
minister *n.* minister
ministerstwo *n.* ministry
minus *prep.* minus
minus *n.* minus
minuta *n.* minute
miód *n.* honey
miód pitny *n.* mead
miotać się *v.i.* rampage
miotanie się w szale *n.* rampage
miotła *n.* broom
miraż *n.* mirage
miriada *n.* myriad
mirra *n.* myrrh
mirt *n.* myrtle
miseczka *n.* cuvette
misja *n.* mission
misjonarz *n.* missionary
miska *n.* bowl
mistrz *n.* champion
mistrzowski *a.* masterly
mistrzowskie posunięcie *n.* coup
mistycyzm *n.* mysticism
mistyczny *a.* mystic
mistyk *n.* mystic
mit *n.* myth
mitenka *n.* mitten
mitologia *n.* mythology
mitologiczny *a.* mythological
mitrężyć czas *v.i.* dawdle
mityczny *a.* mythical
mizantrop *n.* misanthrope
mizerak *n.* weakling
mizerny *a.* lank
mizerny *a.* wan
mleć *v.i.* grind
mleć *v.t.* mill
mlecz *n.* dandelion
mleczarnia *n.* dairy
mleczny *a.* milky
mleko *n.* milk
młócić (kogoś) *v.t.* thrash
młócić zboże *v.t.* thresh
młockarnia *n.* thresher
młode (zwierząt) *n.* young
młode drzewo *n.* sapling
młode zwierzę (np. lwiątko) *n.* cub
młodociany *a.* adolescent
młodość *n.* youth
młodszy (wiekiem, stopniem) *a.* junior
młody *a.* young
młodzieńczy *a.* youthful
młodzież *n.* youth
młot drewniany *n.* maul
młotek *n.* hammer
młyn *n.* mill
młynarz *n.* miller
mnich *n.* monk
mnie, mi *pron.* me
mniej *adv.* less
mniejszość *n.* minority
mniejszy *a.* less
mniejszy *a.* lesser

mniemać *v. t* conjecture
mnogi *a.* plural
mnogość *n.* multitude
mnogość *n.* plurality
mnożenie *n.* multiplication
mnożna *n.* multiplicand
mnożnik *n.* coefficient
mnożyć *v.t.* multiply
mobilizować *v.t.* mobilize
moc *n.* power
móc *v.* can
mocna strona *n.* forte
mocny *a.* hefty
mocny *a.* robust
mocny *a.* steadfast
mocny *a.* sturdy
mocny charakter *n.* backbone
mocować się *v.i.* wrestle
mocować się z kimś *v.i.* grapple
mocz *n.* urine
moczowy *a.* urinary
moczyć *v. i.* dabble
moczyć *v.t.* soak
moczyć *v.t.* steep
moczyć *v.t.* wet
moda *n.* fashion
moda *n.* vogue
modalność *n.* modality
model *n.* model
modelować *v.t.* model
modelować *v.t* shape
modernizować *v.t.* modernize
modlić się *v.i.* pray
modlitwa *n.* prayer
modniarka *n.* milliner
modniarstwo *n.* millinery
modny *a* fashionable
modulować *v.t.* modulate
modyfikacja *n.* modification
modyfikować *v.t.* modify
mogący chodzić *a.* ambulant
mój, moja, moje *pron.* mine
mój, moja, moje *a.* my
mokry *a.* wet
mól *n.* moth
mól książkowy *n.* book-worm
molekuł *n.* molecule
molekularny *a.* molecular
molestować *v.t.* molest
molestowanie *n.* molestation
moment *n.* moment
momentalny *a.* instantaneous
monarcha *n.* monarch
monarcha *n.* sovereign
monarchia *n.* monarchy
moneta *n.* coin
monetarny *a.* monetary
monitor *n.* monitor
monochromatyczny *a.* monochromatic
monodia *n.* monody
monogamia *n.* monogamy
monoginia *n.* monogyny
monografia *n.* monograph
monogram *n.* monogram
monokl *n.* monocle
monolit *n.* monolith
monolog *n.* monologue
monolog *n.* soliloquy
monopol *n.* monopoly
monopolista *n.* monopolist
monopolizować *v.t.* monopolize
monosylaba *n.* monosyllable
monoteista *n.* monotheist
monoteizm *n.* monotheism
monotonia *n.* monotony
monotonny *a.* humdrum
monotonny *a.* monotonous
monotonny śpiew *n.* chant
monsun *n.* monsoon
monter *n.* fitter
monument *n.* monument
monumentalny *a.* monumental
mop (rodzaj miotły) *n.* mop

morał *n.* moral
morale *n.* morale
moralista *n.* moralist
moralizować *v.t.* moralize
moralność *n.* morality
moralny *a.* moral
morderca *n.* assassin
morderca *n.* murderer
morderczy *a.* murderous
morderstwo *n.* assassination
morderstwo *n.* murder
mordować *v.t.* murder
morela *n.* apricot
morfina *n.* morphia
morganatyczny *a.* morganatic
mors *n.* walrus
morski *a.* marine
morski *a.* maritime
morski *a.* nautic(al)
morwa *n.* mulberry
morze *n.* sea
mosiądz *n.* brass
moskwiczanin *n.* Muscovite
most *n.* bridge
motel *n.* motel
motłoch *n.* mob
motto *n.* motto
motyl *n.* butterfly
motyw *n.* motif
motyw *n.* motive
motywacja *n.* motivation
motywować *v* motivate
mowa *n.* parlance
mowa *n.* speech
mówca *n.* speaker
mówić *v.t.* say
mówić *v.i.* speak
mówić *v.i.* talk
mówić kazanie *v.i.* preach
mówić zagadkami *v.i.* riddle
mównica *n.* rostrum
mozaika *n.* mosaic
mózg *n.* brain
mózgowy *a.* cerebral
możliwość *n.* possibility
możliwość *n.* pontentiality
możliwy *a.* possible
możliwy do nabycia *a.* obtainable
możliwy do naprawienia *a.* reparable
możliwy do obrony *a.* tenable
możliwy do odszukania *a.* traceable
możliwy do przyjęcia *a* acceptable
możliwy do sprzedania *a.* negotiable
możliwy do zaspokojenia *a.* satiable
mozolić się *v.i.* moil
mroczny *a.* obscure
mroczny *a.* sombre
mrok *n.* gloom
mrówka *n.* ant
mróz *n.* frost
mruczeć *v.t.* murmur
mruczeć *v.i.* purr
mrugać *v.i.* wink
mrugać (oczami) *v. i* bat
mrugać oczami *v. t. & i* blink
mrugnięcie *n.* wink
mścić się *v.i.* retaliate
mściwy *a.* revengeful
mucha *n.* fly
muł *n.* mule
muł *n.* silt
Mulat *n.* mulatto
mułła *n.* mullah
mumia *n.* mummy
murarstwo *n.* masonry
murarz *n.* mason
murawa *n.* turf
Murzyn *n.* Negro

Murzyn (pogardliwie) *n.* nigger
Murzynka *n.* Negress
musieć *v.* must
muślin *n.* muslin
mustang *n.* mustang
muszkiet *n.* musket
muszkieter *n.* musketeer
musztarda *n.* mustard
mutacja *n.* mutation
muza *n.* muse
muzeum *n.* museum
muzyczny *a.* musical
muzyk *n.* instrumentalist
muzyk *n.* musician
muzyka *n.* music
myć *v.t.* wash
mycie się *n.* wash
mydlany *a.* soapy
mydło *n.* soap
mylne zdanie *n.* misbelief
mylny *a* erroneous
myśl *n.* thought
myśleć *v.t.* think
myśliciel *n.* thinker
myśliwy *n.* hunter
myśliwy *n.* huntsman
mysz *n.* mouse
mżawka *n.* drizzle
mżyć *v. i* drizzle

N

na *prep.* over
na *prep* upon
na *prep.* on
na bok *adv.* aside
na czasie *a.* well-timed
na czym *conj.* whereupon
na dół *adv.* down
na dziobie (statku) *prep.* afore
na głos *adv.* aloud
na końcu *adv.* lastly
na ląd *adv.* ashore
na niewłaściwej drodze *adv.* astray
na nowo *adv.* afresh
na odwrocie (strony) *adv.* overleaf
na pewno *adv.* certainly
na północ *adv.* north
na północ *adv.* northerly
na południe *adv.* south
na przedzie *adv.* before
na statku *adv.* aboard
na wodzie *adv.* afloat
na wolnym powietrzu (o sportach) *a.* outdoor
na wschód *adv.* east
na wskroś *adv.* through
na wydaniu (o pannie) *a.* marriageable
na zachód *adv.* west
na zachód *adv.* westerly
na zawsze *adv.* forever
na zewnątrz *adv.* out
na zewnątrz *prep* outside
na zewnątrz *adv.* outward
na zewnątrz *adv.* outwards
na zewnątrz *adv.* without
na złamanie karku *a.* breakneck
nabab *n.* nabob
nabiał *n.* dairy
nabijać ćwiekami *v.t.* stud
nabój *n.* cartridge
nabrzeże *n.* embankment
nabycie *n.* acquirement
nabycie *n.* acquisition
nabycie *n.* procurement
nabywać *v.t.* acquire
nabywać *v.t.* procure
nachylać *v.t.* slant

nachylać się *v.i.* incline
nachylać się *v.i.* stoop
nachylać się *v.i.* tilt
nachylenie *n.* slant
nachylenie *n.* stoop
nachylenie *n.* tilt
nacięcie *n.* nick
nacięcie *n.* notch
nacisk *n.* emphasis
nacisk *n.* pressure
naciskać *v.t.* press
naciskać (pedał) *v. t* depress
nacjonalista *n.* nationalist
nacjonalizacja *n.* nationalization
nacjonalizm *n.* nationalism
nacjonalizować *v.t.* nationalize
naczelnik poczty *n.* postmaster
naczynia *n.* crockery
naczynie *n.* vessel
naczyniówka *n.* choroid
nad *prep.* above
nadający się *a* fit
nadający się do prania *a.* washable
nadający się do sprzedaży *a.* marketable
nadawać coś komuś *v. t* bestow
nadawać pocztą *v.t.* post
nadawać prawo *v.t.* vest
nadawać przez radio *v.t.* radio
nadawać przydomek *v.t.* nickname
nadawać w telewizji *v.t.* televise
nadbrzusze *n.* anticardium
nadchodzący *a.* forthcoming
nadciągający *a.* imminent
nadczłowiek *n.* superman
nadgarstek *n.* wrist
nadgarstkowy *a.* carpal
nadgodziny *n.* overtime
nadir *n.* nadir
nadludzki *a.* superhuman
nadmiar *n.* excess
nadmiar *n.* superabundance
nadmiar *n.* surfeit
nadmierny *a* excess
nadmierny *a.* superabundant
nadmorski *a.* littoral
nadprogramowo *adv.* overtime
nadproże *n.* lintel
nadprzyrodzony *a.* supernatural
nadużycie *n.* abuse
nadużywać *v.t.* abuse
nadwyżka *n.* over
nadwyżka *n.* surplus
nadzieja *n.* hope
nadzór *n.* superintendence
nadzór *n.* supervision
nadzór *n.* surveillance
nadzór (studentów w czasie egzaminu) *n.* invigilation
nadzorca *n.* overseer
nadzorować *v.t.* invigilate
nadzorować *v.t.* oversee
nadzorować *v.t.* superintend
nadzorować *v.t.* supervise
nadzwyczajnie *adv.* extra
nadzwyczajnie *adv.* most
nadzwyczajny *a.* extraordinary
nadzwyczajny *a.* remarkable
nafta oczyszczona *n.* kerosene
nagana *n.* rebuke
nagana *n.* reprimand
nagana *n.* reproof
nagi *a.* naked
nagi *a.* nude
nagi *a.* stark
nagietek *n.* marigold
nagle *adv.* suddenly
nagle spadać (o cenach) *v.i.* slump
nagle wzrosnąć *v.i.* surge
nagłówek *n.* heading
nagły *a* abrupt

nagły *a* snap
nagły *n.* sudden
nagły przypływ *n.* surge
nagły wypadek *n.* emergency
nagość *n.* nudity
nagradzać *v.t.* reward
nagroda *n.* award
nagroda *n.* prize
nagroda *n.* reward
nagromadzenie *n.* accumulation
nagromadzić *v.t* heap
nagromadzić *v.t.* pile
naiwność *n.* naivete
naiwność *n.* naivety
naiwny *a.* naive
najazd *n.* raid
najbliższy *a.* proximate
najem *n.* hire
najem *n.* tenancy
najemnik *n.* hireling
najeżdżać *v.t.* invade
najeżdżać *v.t.* raid
najgorsze *n.* worst
najgorszy *a* worst
najmniej *adv.* least
najmniejszy *a.* least
najprzedniejszy *a.* superfine
najskrytszy *a.* inmost
najskrytszy *a.* innermost
najważniejszy *a.* paramount
najważniejszy *a.* prime
najwięcej, najbardziej *a.* most
największa część *n.* most
największej wagi *a.* all-important
najwyższa władza *n.* sovereignty
najwyższy *a.* superlative
najwyższy *a.* supreme
najwyższy (o władzy) *a* sovereign
nakarmić obiadem *v. t.* dine
nakaz *n.* precept
nakaz *n.* writ
nakaz (sądowy) *n.* injunction
nakaz sądowy *n.* warrant
nakładać uprząż *v.t* harness
nakładać wieniec *v.t.* garland
nakładanie (podatków) *n.* imposition
nakłaniać *v.t.* induce
nakłaniać *v.t.* prompt
nakłanianie *n.* solicitation
naklejka *n.* sticker
nakręcać *v.t.* wind
nakreślać *v.t.* outline
nalegać *v.t.* insist
naleganie *n.* insistence
nalewka *n.* tincture
należeć *v. i* belong
należność *n.* due
należność *n.* remittance
należny *a* due
należycie *adv.* duly
nałóg *n.* addiction
nałogowiec *n.* addict
nałogowo robić coś *v.t.* addict
nałożyć kaganiec *v.t* muzzle
namacalny *a.* palpable
namacalny *a.* tangible
namaszczać *v.t.* anoint
namiot *n.* tent
namowa *n.* abetment
namydlać *v.t.* soap
napad (choroby) *n.* fit
napadać *v.* assail
napadać *v.t.* assault
napar *n.* infusion
naparstek *n.* thimble
napaść *n.* assault
napastnik *n.* aggressor
napastnik (w piłce nożnej) *n.* striker
napełniać *v.t* fill
napełniać zawiścią *v.t.* jaundice
napięcie *n.* tension

napięcie (elektryczne) *n.* voltage
napięty *a.* tense
napinać *v.t.* strain
napis *n.* inscription
napisać *v.t.* pen
napisać przedmowę *v.t.* preface
napiwek *n.* gratuity
napiwek *n.* tip
napływ *n.* influx
napój *n.* beverage
napój *n.* drink
napomykać *v.i.* allude
napomykać *v.i* hint
napowietrzać *v.t.* aerify
naprawa *n.* repair
naprawdę *adv.* really
naprawiać *v.t* fix
naprawiać *v.t.* mend
naprawiać *v.t.* repair
naprawiać (krzywdę) *v.t.* redress
naprawić (krzywdę) *v.t.* right
naprzód *adv.* forth
naprzód *adv.* forward
naprzód *adv.* onwards
naprzód (o ruchu) *a.* onward
napychać *v. t* cram
napychać (coś czymś) *v.t.* stuff
naradzać się *v. i* confer
naradzanie się *n.* deliberation
naramiennik *a* armlet
narastać *v.t.* accrete
narastać *v.i.* accrue
narastanie *n.* accrementition
narażać na niebepieczeństwo *v.t.* imperil
narażać na niebezpieczeństwo *v.t.* jeopardize
narażać na niebezpieczeństwo *v.t.* peril
narazić na niebezpieczeństwo *v. t.* endanger
narażony (na coś) *a* subject
narażony (na coś) *a.* vulnerable
narcyz *n.* narcissus
narcyzm *n.* narcissism
narkotyczny *n.* narcotic
narkotyk *n.* drug
narkoza *n.* anaesthesia
narkoza *n.* anaesthetic
narkoza *n.* narcosis
naród *n.* nation
naród *n.* people
narodowość *n.* nationality
narodowy *a.* national
narodzenie *n.* nativity
narośl (w medycynie) *n.* wen
narowisty *a.* restive
narrator *n.* narrator
narrator *n.* teller
naruszać (prawo) *v.t.* infringe
naruszenie *n.* breach
naruszenie (prawa) *n.* infringement
naruszenie (prawa) *n.* transgression
naruszyć (prawo) *v.t.* transgress
narysować w profilu *v.t.* profile
narząd *n.* organ
narzędzie *n.* tool
narzędzie *n.* utensil
narzekać *v. i* complain
narzucać (warunki) *v.t.* impose
nasienny *a.* seminal
nasilać *v.t.* intensify
nasiono *n.* seed
naśladować *v.t.* ape
naśladować *v. t* emulate
naśladować *v.t.* imitate
naśladować *v.i* mime
naśladować *v.t* mimic
naśladowca *n.* imitator
naśladownictwo *n.* mimesis
nastawienie *n.* attitude
następca *n.* successor

następnie *adv.* next
następny *a.* next
następny dzień *n.* morrow
następować *v.i* ensue
następować (po kimś/czymś) *v.t* follow
następstwo *n.* repercussion
następstwo *n.* sequel
następstwo *n.* succession
nastolatek *n.* teenager
nastraszyć *v. t* daunt
nastrój *n.* mood
nastrój *n.* trim
naświetlać (pacjenta) *v.i.* irradiate
nasycać *v.t.* glut
nasycać *v.t.* saturate
nasycenie *n.* saturation
nasz, nasza, nasze *pron.* our
naszkicować *v. t* draft
naszyjnik *n.* necklace
naszyjnik *n.* necklet
natarczywy *a.* insistent
natchnąć (odwagą) *v.t.* infuse
natłok *n.* spate
natrętny *a.* officious
natura *n.* nature
naturalista *n.* naturalist
naturalizować *v.t.* naturalize
naturalnie *adv.* naturally
naturalny *a.* artless
naturalny *a.* natural
natychmiast *adv.* forthwith
natychmiast *adv.* instantly
natychmiast *adv.* straightway
natychmiastowy *a* immediate
nauczanie *n.* tuition
nauczyciel *n.* preceptor
nauczyciel *n.* teacher
nauczycielski *a.* scholastic
nauka *n.* learning
nauka *n.* science
nauka o prawach i obowiązkach obywatela *n.* civics
naukowiec *n.* scientist
naukowy *a.* scientific
nawa (kościoła) *n.* nave
nawadniać *v.t.* irrigate
nawadnianie *n.* irrigation
nawet *adv.* even
nawias *n.* parenthesis
nawigacja *n.* navigation
nawigator *n.* navigator
nawijać *v.t.* wind
nawijarka *n.* winder
nawilżać *v.t.* moisten
nawlekać (igłę) *v.t* thread
nawóz *n.* fertilizer
nawóz *n.* manure
nawozić *v.t* fertilize
nawozić *v.t.* manure
nawrót (nałogu/choroby) *n.* relapse
nazwisko *n.* name
nazwisko *n.* surname
nazywać *v.t.* name
nędza *n.* squalor
nędznik *n.* wretch
nędzny *a.* piteous
nędzny *a.* squalid
nefryt *n.* jade
negatyw *n.* negative
negatywny *a.* negative
negocjacja *n.* negotiation
negocjator *n.* negotiator
negocjować *v.t.* negotiate
nękanie *n.* harassment
nektar *n.* nectar
neofita *n.* convert
neolityczny *a.* neolithic
neon *n.* neon
nepotyzm *n.* nepotism
Neptun *n.* Neptune
nerka *n.* kidney

nerw *n.* nerve
nerwica *n.* neurosis
nerwowy *a.* nervous
netto *a* net
neurolog *n.* neurologist
neurologia *n.* neurology
neutralizować *v.t.* neutralize
neutralny *a.* neuter
neutralny *a.* neutral
neutron *n.* neutron
niańczyć *v.t.* dandle
nic *n.* nothing
nic *adv.* nothing
nić *n.* thread
nic, zero *n.* nought
nie *a.* no
nie *adv.* no
nie *adv.* not
nie *adv.* nay
nie dający się poprawić *a.* incorrigible
nie do obronienia *a.* indefensible
nie do odzyskania *a.* irrecoverable
nie do pogodzenia *a.* irreconcilable
nie do przebycia (o terenie) *a.* impassable
nie dowierzać (komuś) *v. t.* distrust
nie kończący się *a.* interminable
nie lubić *v. t* dislike
nie lubić *v.t.* resent
nie pochwalać *v. t* disapprove
nie posiadać czegoś *v.t.* lack
nie słuchać (kogoś) *v. t* disobey
nie ufać *v.t.* mistrust
nie wypalać (o broni) *v.i.* misfire
nie zgadzać się *v. i* disagree
niebawem *adv.* anon
niebawem *adv.* soon
niebezpieczeństwo *n.* danger
niebezpieczeństwo *n.* peril
niebezpieczny *a.* dangerous
niebiański *a.* celestial
niebiański *a.* heavenly
niebieski *a* blue
niebiosa *n.* heaven
niebo *n.* sky
niebyły *a.* null
niebyt *n.* nonentity
niechęć *n.* dislike
niechęć *n.* reluctance
niechęć *n.* repulsion
niechętny *a.* loath
niechętny *a.* reluctant
niechlujny *a.* slatternly
niechlujny *a.* slipshod
niechlujny *a.* slovenly
niecierpliwość *n.* impatience
niecierpliwy *a.* impatient
niecny *a.* infamous
nieco *adv.* something
nieco *adv.* somewhat
nieczułość *n.* obduracy
nieczuły *a.* obdurate
nieczynny *a.* inoperative
nieczystość *n.* impurity
nieczysty *a.* impure
nieczytelność *n.* illegibility
nieczytelny *a.* illegible
niedawno *adv.* recently
niedawny *a.* recent
niedbały *a.* mindless
niedbały *a.* negligent
niedobór *n.* shortage
niedociągnięcie *n.* shortcoming
niedogodny *a.* inconvenient
niedojrzałość *n.* immaturity
niedojrzały *a.* immature
niedokładny *a.* inexact
niedola *n.* misery
niedola *n.* woe
niedołęstwo *n.* infirmity

niedołężny *a.* infirm
niedopasowanie *n.* maladjustment
niedopuszczalny *a.* inadmissible
niedościgniony wzór *n.* paragon
niedoskonałość *n.* imperfection
niedoskonały *a.* imperfect
niedostatek *n.* dearth
niedostatek *n.* scarcity
niedostatek *n.* want
niedoświadczenie *n.* inexperience
niedozwolony *a.* illicit
niedożywienie *n.* malnutrition
niedrogi *a.* inexpensive
niedyskrecja *n.* indiscretion
niedyskretny *a.* indiscreet
niedziela *n.* Sunday
niedźwiedź *n.* bear
nieelastyczny *a.* inflexible
nieformalny *a.* informal
niefortunnie *adv.* amiss
niefortunny *a.* luckless
niegodziwiec *n.* miscreant
niegodziwy *a.* unprincipled
niegościnny *a.* inhospitable
niegrzeczny *a.* naughty
niegrzeczny *a.* rude
nieistotny *a.* irrelevant
nieistotny *a.* negligible
niejasny *a.* questionable
niekompetentny *a.* incompetent
niekorzyść *n.* disadvantage
niektórzy, niektóre *pron.* some
nieład *n.* mess
niełatwy *a.* tricky
nielegalny *a.* illegal
nielogiczny *a.* illogical
nielojalny *a* disloyal
nieludzki *a* beastly
nieludzki *a.* inhuman
niematerialny *a.* immaterial
niemniej jednak *conj.* nevertheless
niemoc *n.* debility
niemodny *a.* outmoded
niemoralność *n.* immorality
niemoralny *a.* immoral
niemowa *n.* mute
niemowlę *n.* babe
niemowlę *n.* baby
niemowlę *n.* infant
niemowlęctwo *n.* infancy
niemożliwość *n.* impossibility
niemożliwy *a.* impossible
niemy *a.* mute
nienasycony *a.* insatiable
nienawidzić *v.t.* hate
nienawidzić *v.t.* loathe
nienawiść *n.* animus
nienawiść *n.* feud
nienawiść *n.* hate
nieobecność *n.* absence
nieobecność *n.* non-attendance
nieobecny *a* absent
nieobliczalny *a.* incalculable
nieodłączony *a.* inherent
nieodpowiedni *a.* inapplicable
nieodpowiedzialny *a.* irresponsible
nieodzowność *n.* necessity
nieograniczony *a.* indefinite
nieokreślony *a.* vague
nieokrzesanie *n.* rusticity
nieokrzesany *a* coarse
nieokrzesany *a.* uncouth
nieomylny *a.* infallible
nieopierzony *a* callow
nieopisany *a.* indescribable
nieostrożność *n.* imprudence
nieostrożny *a.* imprudent
nieożywiony *a.* inanimate
nieparzysty (o liczbie) *a.* odd
niepełnosprawność *n.* disability

niepełnosprawny *a* disabled
niepewność *n.* insecurity
niepewność *n.* suspense
niepewny *a.* insecure
niepewny *a.* uncertain
niepiśmienny *a.* illiterate
niepodobny *a* dissimilar
niepodobny *a* unlike
niepodzielny *a.* indivisible
niepokój *n.* anxiety
niepokój *n.* disquiet
niepokonany *a.* invincible
niepomny *a.* oblivious
niepomyślność *n.* adversity
niepoprawny *a.* incorrect
nieporównywalny *a.* incomparable
nieporozumienie *n.* misapprehension
nieporozumienie *n.* misconception
nieporozumienie *n.* misunderstanding
nieporządek *n.* disorder
nieposkromiony *a.* indomitable
nieprawdopodobny *a.* unlikely
nieprawidłowy *a* anomalous
nieprawny *a.* illegitimate
nieprzechodni (o czasowniku) *a.* intransitive
nieprzekupny *a.* incorruptible
nieprzenikniony *a.* impenetrable
nieprześcigniony *a.* transcendent
nieprzezroczystość *n.* opacity
nieprzezroczysty *a.* opaque
nieprzezwyciężony *a.* insurmountable
nieprzyjazny *a.* inimical
nieprzyjemny *a.* disagreeable
nieprzytomny *a.* senseless
nieprzyzwoitość *n.* indecency
nieprzyzwoity *a.* indecent
nierdzewny (o stali) *a.* stainless
nieregularność *n.* irregularity
nieregularny *a.* irregular
nierówny (o terenie) *a.* rugged
nierozłączny *a.* inseparable
nierozpuszczalny *n.* insoluble
nierozsądny *a.* injudicious
nierozsądny *a.* witless
nierozważny *a.* careless
nierozważny *a.* reckless
nieruchomość *n.* property
nieruchomy *a.* immovable
nieruchomy *a.* still
niesamowity *a.* uncanny
niesamowity *a.* wicked
nieścisły *a.* inaccurate
niesforny *a.* unruly
nieskazitelny *a.* spotless
nieskończoność *n.* infinity
nieskończony *a.* infinite
nieskromność *n.* immodesty
nieskromny *a.* immodest
nieślubny *a* bastard
niesłyszalny *a.* inaudible
nieśmiałość *n.* timidity
nieśmiały *a.* sheepish
nieśmiały *a.* shy
nieśmiały *a.* timid
nieśmiały *a.* timorous
nieśmiertelność *n.* immortality
nieśmiertelny *a.* immortal
niesolidny *a.* unreliable
niespodzianka *n.* surprise
niespokojny *a.* anxious
niespokojny *a.* turbulent
niesprawiedliwość *n.* injustice
niesprawiedliwy *a* unfair
niesprawiedliwy *a.* unjust
niestabilność *n.* instability
niestałość *n.* vicissitude
niestały *a* fickle
niestety! *interj.* alas

niestosowny *a.* improper
niestosowny *a.* untoward
niestrawność *n.* indigestion
niestrawny *a.* indigestible
niesubordynacja *n.* indiscipline
niesubordynacja *n.* insubordination
niesubordynowany *a.* insubordinate
nieświadomie *adv.* unawares
nieświadomie *adv.* unwittingly
nieświadomy *a.* unaware
nieświadomy czegoś *a.* ignorant
nieświeży *a.* stale
nieswój *a.* uneasy
nieszczerość *n.* insincerity
nieszczery *a.* insincere
nieszczęście *n.* affliction
nieszczęście *n.* calamity
nieszczęście *n.* misadventure
nieszczęście *n.* mishap
nieszczęśliwy *a.* unhappy
nieszczęśliwy *a.* wretched
nieszczęsny *a.* baleful
nieszczęsny *a.* miserable
nietknięty *a.* intact
nietknięty *a.* scot-free
nietolerancja *n.* intolerance
nietolerancyjny *a.* intolerant
nietoperz *n.* bat
nietykalny *a.* inviolable
nieubłagany *a.* inexorable
nieuchwytny *a* elusive
nieuchwytny *a.* intangible
nieuczciwość *n.* dishonesty
nieuczciwy *a* dishonest
nieudolny *a.* impotent
nieufność *n.* distrust
nieufność *n.* mistrust
nieugięty *a.* adamant
nieuleczalny *a.* incurable
nieuniknniony *a.* inevitable
nieuprzejmy *a* discourteous
nieuprzejmy *a.* impolite
nieuprzejmy *a.* inconsiderate
nieustanny *a.* ceaseless
nieustanny *a.* everlasting
nieustanny *a.* perpetual
nieustępliwy *a.* relentless
nieustraszoność *n.* intrepidity
nieustraszony *a* dauntless
nieustraszony *a.* intrepid
nieuważny *a.* inattentive
nieważny *a.* invalid
niewczesny *a.* inopportune
niewdzięczność *n.* ingratitude
niewdzięczny *a.* thankless
niewiarygodny *a.* incredible
niewidoczny *a.* invisible
niewiedza *n.* nescience
niewielka ilość *n.* little
niewielki *a.* scant
niewinność *n.* chastity
niewinność *n.* innocence
niewinny *a.* innocent
niewłaściwa nazwa *n.* misnomer
niewłaściwe leczenie *n.* malpractice
niewłaściwe pokierowanie *n.* misdirection
niewłaściwe użycie *n.* misuse
niewłaściwie *adv.* wrong
niewłaściwie użyć *v.t.* misuse
niewłaściwy *a.* objectionable
niewłaściwy *a.* wrong
niewola *n.* bondage
niewola *n.* captivity
niewola *n.* thrall
niewolnictwo *n.* slavery
niewolniczy *a.* slavish
niewolnik *n.* slave
niewrażliwość *n.* insensibility
niewrażliwy *a.* insensible
niewybredny *a.* indiscriminate

niewychowany *a* unmannerly
niewygoda *n.* discomfort
niewyjaśniony *a.* inexplicable
niewykonalność *n.* impracticability
niewykonalny *a.* impracticable
niewypłacalność *n.* insolvency
niewypłacalny *a.* insolvent
niewyraźny *a.* indistinct
niewystarczający *a.* insufficient
niezadowolenie *n.* discontent
niezadowolenie *n.* displeasure
niezadowolenie *n.* dissatisfaction
niezadowolony *a* cross
niezadowolony *a.* malcontent
niezależność *n.* independence
niezależny *a.* independent
niezależny *a.* irrespective
niezamężna *a* maiden
niezbędny *a.* imperative
niezbędny *a.* indispensable
niezbity *a.* irrefutable
niezdarny *a.* awkward
niezdarny *a* clumsy
niezdarny *a.* maladroit
niezdarny *a.* ungainly
niezdecydowanie *n.* indecision
niezdecydowanie *n.* shilly-shally
niezdecydowany *a.* hesitant
niezdolność *n.* inability
niezdolność *n.* incapacity
niezdolny *a.* incapable
niezdolny *a.* unable
niezdrów *a.* indisposed
niezdrów *a.* unwell
niezgoda *n.* disagreement
niezgoda *n.* discord
niezgodny *a.* absonant
niezliczony *a.* countless
niezliczony *a.* innumerable
niezliczony *a* myriad
niezliczony *a.* numberless
niezmierny *a.* measureless
niezmierzony *a.* immeasurable
nieznaczny *a.* insignificant
nieznaczny *a.* slight
niezniszczalny *a.* imperishable
nieznośny *a.* insupportable
nieznośny *a.* intolerable
nieznośny *a.* trying
niezrównany *a.* inimitable
niezrównany *a.* matchless
niezrównany *a.* nonpareil
niezrównany *a.* peerless
niezupełny *a .* incomplete
nigdy *adv.* never
nigdzie *adv.* nowhere
nihilizm *n.* nihilism
nijaki *a.* bland
nikczemnik *n.* fiend
nikczemny *a.* abject
nikczemny *a.* base
nikczemny *a.* nefarious
nikczemny *a.* sordid
nikczemny *a.* wicked
nikiel *n.* nickel
nikły *a* faint
nikotyna *n.* nicotine
nikt *pron.* nobody
nimb *n.* nimbus
nimfa *n.* nymph
niski *a.* low
niski stan *n.* low
nisko *adv.* low
nisza *n.* niche
niszczeć *v. i* decay
niszczenie *n.* decay
niszczyć *v.t.* annihilate
niszczyć *v. t* destroy
nit *n.* rivet
nitować *v.t.* rivet
niuans *n.* nuance
niweczyć *v.t.* undo
niższość *n.* inferiority

niższy (jakość, stanowisko) *a.* inferior
nobilitować *v. t.* ennoble
nobilitować *v.t.* knight
noc *n.* night
nocny *adv.* nightly
nocny *a.* nocturnal
nocny *a* overnight
noga *n.* leg
nomenklatura *n.* nomenclature
nominacja *n.* nomination
nominalny *a.* nominal
nonsens *n.* absurdity
nonsens *n.* nonsense
nonsensowny *a.* nonsensical
nonszalancja *n.* flippancy
nonszalancja *n.* nonchalance
nonszalancki *a.* nonchalant
norka (zwierzę) *n.* mink
norma *n.* norm
normalizacja *n.* standardization
normalizować *v.t.* normalize
normalizować *v.t.* standardize
normalność *n.* normalcy
normalny *a.* normal
nos *n.* nose
nosić *v.t* bear
nosić (ubranie) *v.t.* wear
nosorożec *n.* rhinoceros
nosowy *a.* nasal
nostalgia *n.* nostalgia
nosze *n.* stretcher
notacja *n.* notation
notariusz *n.* notary
notatka *n.* note
notoryczny *a.* arrant
notować *v.t.* jot
notować *v.t.* note
notować *v.t.* record
nowatorski *a.* novel
nowela *n.* novelette
nowicjusz *n.* novice
nowoczesność *n.* modernity
nowoczesny *a.* modern
nowość *n.* novelty
nowotwór *n.* tumour
nowy *a.* new
nóż *n.* knife
nozdrze *n.* nostril
nożyce *n. pl.* shears
nożyczki *n.* scissors
nuda *n.* tedium
nudności *n.* nausea
nudny *a* dull
nudny *a.* tedious
nudziarz *n.* bore
nudzić *v. t* bore
nudzić (kogoś) *v.t.* weary
nuklearny *a.* nuclear
nurkować *v. i* dive
nurkowanie *n.* dive
nurt (w opinii publicznej) *n.* undercurrent
nuta *n.* note
nylon *n.* nylon

o ile nie *conj.* unless
oaza *n.* oasis
obaj, obie, oboje *pron.* both
obaj, obie, oboje *a.* either
obalać *v.t.* subvert
obalenie *n.* overthrow
obalenie *n.* subversion
obarczać *v. t* burden
obawa *n.* misgiving
obawiać się *v.i* fear
obcas *n.* heel
obchodzić się z czymś *v.t* handle
obchodzić, świętować *v. t. & i.* celebrate

obciążać (czyjś rachunek) *v. t* debit
obciążenie *n.* strain
obciążenie, pasywa *n.* liability
obcokrajowiec *n.* foreigner
obcować *v. t* commune
obcy człowiek *n.* stranger
obdarzony wyobraźnią *a.* imaginative
obdzierać ze skóry *v.t* skin
obecnie *adv.* presently
obecność *n.* attendance
obecność *n.* presence
obecny *a.* present
obejmować *v.t.* span
obelga *n.* invective
obelżywy *a* abusive
obfitość *n.* abundance
obfitość *n.* affluence
obfitość *n.* luxuriance
obfitość *n.* opulence
obfitość *n.* plenty
obfitość *n.* richness
obfitować *v.i.* abound
obfitować *v.i.* teem
obfity *a* abundant
obfity *a.* ample
obfity *a* bountiful
obfity *a.* luxuriant
obfity *a.* opulent
obiad *n.* dinner
obibok *n.* loafer
obiecujący *a.* promising
obiecywać *v.t* promise
obieg *n.* circulation
obiektywny *a.* objective
obierać (owoc) *v.t.* peel
obietnica *n.* promise
objąć (urząd) *v.t.* accede
objaśniać *v. t* clear
objaśniać (coś komuś) *v. t.* enlighten
objazd *n.* tour
objęcie (urzędu) *n.* accession
objeżdżać *v.i.* tour
oblacja *n.* oblation
obłąkanie *n.* lunacy
obłąkaniec *n.* lunatic
obłąkany *a.* lunatic
oblegać *v. t* besiege
oblężenie *n.* siege
obliczać *v. t.* calculate
obliczać *v.t.* compute
obliczać średnią *v.t.* average
oblicze *n.* countenance
oblicze *n.* visage
obliczenie *n.* calculation
obliczenie *n.* computation
obłuda *n.* duplicity
obluzowywać *v.t.* loosen
obmawiać *v.t.* backbite
obmyślać *v.t.* premeditate
obnażać *v.t.* bare
obnażać *v.t.* denude
obnażać *v.t.* strip
obniżać *v.t.* lower
obniżać cenę *v. t.* cheapen
obniżać wartość *v.t.* depreciate
obojętność *n.* indifference
obojętny *a.* indifferent
obok *prep.* beside
obora *n.* byre
obowiązek *n.* duty
obowiązkowy *a.* mandatory
obowiązkowy *a.* obligatory
obóz *n.* camp
obozować *v. i.* camp
obrabiarka *n.* lathe
obracać się *v.i.* revolve
obracać się *v.i.* rotate
obracać się *v.i.* spin
obracać się *v.i.* turn
obramowanie kominka *n.* mantel

obramowywać *v.t.* frame
obraz *n.* painting
obraz *n.* picture
obraza *n.* insult
obraza *n.* offence
obrażać *v.t.* insult
obrażać *v.t.* offend
obrażać *v.t.* outrage
obraźliwy *a.* offensive
obręcz *n.* girdle
obrona *n.* defence
obrona *n.* vindication
obrona (sądowa) *n.* plea
obrońca *n.* protector
obrońca (adwokat) *n.* pleader
obronny *a.* defensive
obrót *n.* turn
obrót *n.* twist
obryzgiwać *v.* asperse
obrzęk *n.* swell
obrzeże *n.* rim
obrzydliwy *a* abominable
obrzydlliwy *a* gross
obsadzać ludźmi *v.t.* man
obsadzać personelem *v.t.* staff
obserwacja *n.* observation
obserwatorium *n.* observatory
obserwować *v.t.* observe
obsesja *n.* obsession
obsiewać (pole) *v.t.* seed
obsługiwać *v.t* service
obsypywać *v. t* bestrew
obszar *n.* area
obszar *n.* stretch
obszerny *a.* voluminous
obudowa *n.* casing
oburzać *v.t.* scandalize
oburzenie *n.* indignation
oburzony *a.* indignant
obuwać *v.t.* shoe
obwałować *v.t.* bank
obwiniać *v.t.* incriminate
obwód *n.* circumference
obwód (elektryczny) *n.* circuit
obwódka *n.* welt
obwoluta (książki) *n.* wrapper
obywatel *n.* citizen
obywatelski *a* civic
obywatelstwo *n.* citizenship
ocalenie *n.* salvage
ocalić *v.t.* salvage
ocean *n.* ocean
oceaniczny *a.* oceanic
oceniać *v.t.* account
oceniać *v.t.* appraise
oceniać *v. t* evaluate
oceniać *v.t.* rate
ocet *n.* vinegar
ochota *n.* willingness
ochotnik *n.* volunteer
ochraniać *v.t* harbour
ochrona *n.* preservation
ochrona *n.* protection
ochroniarz *n.* bodyguard
ochroniarz *n.* bouncer
ochronny *a.* protective
ochrypły (o głosie) *a.* husky
oczarować *v.t* bewitch
oczarować *v. t.* charm
oczarować *v. t* enrapture
oczekiwać *v.t.* anticipate
oczekiwać *v.t.* await
oczekiwać *v. t* bide
oczekiwać *v. t* expect
oczekiwanie *n.* anticipation
oczekiwanie *n.* expectation
oczerniać *v.t.* malign
oczerniać *v.t.* vilify
oczko *n.* eyelet
oczko sieci *n.* mesh
oczny *a.* ocular
oczyszczać *v. t* cleanse
oczyszczać *v. t* clear
oczyszczać *v.t.* purge

oczyszczać *v.t.* purify
oczyszczenie *n.* clearance
oczyszczenie *n.* purification
oczytany *a.* well-read
oczywisty *a.* apparent
oczywisty *a.* evident
oczywisty *a.* manifest
oczywisty *a.* obvious
od (oznaczonego czasu) *prep.* since
od tego czasu *adv.* since
oda *n.* ode
odbicie się (piłki) *n.* rebound
odbijać (głos) *v. t* echo
odbijać obraz *v.t.* mirror
odbijać się (o piłce) *v.i.* rebound
odbijający *a.* reflective
odbiorca *n.* receiver
odbiorca *n.* recipient
odbity *a* reflex
odbyć ponownie (przebytą drogę) *v.t.* retread
odbytnica *n.* anus
odbytnica *n.* rectum
odbytniczy *a.* anal
odchodzić *v.t.* quit
odchodzić (na emeryturę) *v.i.* retire
odchodzić, odjeżdżać *v. i.* depart
odchodzić, odjeżdżać *v.t.* leave
odchylać się, wyginać *v.t. & i.* deflect
odchylenie (od normy) *n.* aberrance
odciążać *v.t.* unburden
odciążyć *v.i.* lighten
odcień *n.* tinge
odcień *n.* tint
odcisnąć piętno *v.t.* imprint
odczuwający *a.* sentient
odczuwanie zmysłami *n.* sentience
oddać salwę *v.t* volley
oddać w zastaw hipoteczny *v.t.* mortgage
oddawać mocz *v.i.* urinate
oddawać się badaniom introspektywnym *v.i.* introspect
oddawanie moczu *n.* urination
oddech *n.* breath
oddychać *v. i.* breathe
oddychać *v.i.* respire
oddychanie *n.* respiration
oddział (w szpitalu) *n.* ward
oddział (w wojsku) *n.* squad
oddział wojskowy *n.* troop
oddziaływać *v.t.* affect
oddziaływanie wzajemne *n.* interplay
oddzielny *a.* separate
oddźwięk *n.* resonance
odejmować *v.t.* subtract
odejmować (kwotę) *v.t.* deduct
odejmowanie *n.* subtraction
oderwanie *n.* avulsion
oderwanie *n.* severance
oderwanie się *n.* abruption
odesłać (winnego) do aresztu *v.t.* remand
odgrzebywać *v.t.* unearth
odium *n.* odium
odizolować *v.t.* sequester
odjazd *n.* departure
odkąd *conj.* since
odkładać (sprawę do szuflady) *v.t.* shelve
odkrycie *n.* discovery
odkrywać *v. t* discover
odłączać *v. t* detach
odłączać *v.t.* sunder
odłączać się *v.i.* secede
odłączenie *n.* detachment
odległość *n.* distance

odległy *a* distant
odległy *a.* remote
odlew *n.* cast
odlewać *v.t.* mould
odlewnia *n.* foundry
odludek *n.* recluse
odludny (o miejscu) *a.* lone
odludny, samotny *a.* lonesome
odludzie *n.* wilderness
odmawiać *v.t.* refuse
odmładzać *v.t.* rejuvenate
odmłodzenie *n.* rejuvenation
odmowa *n.* no
odmowa *n.* rebuff
odmowa *n.* refusal
odnawiać *v.t.* regenerate
odnawiać *v.t.* renovate
odnieść sukces *v.i.* succeed
odniesienie *n.* reference
odnosić się (do czegoś) *v.i.* pertain
odnoszący się (do czegoś) *a.* pertinent
odosabniać *v.t.* seclude
odosobnienie *n.* seclusion
odosobniony *a.* secluded
odpadki *n.* refuse
odpadki *n.* trash
odparowanie (ciosu) *n.* parry
odparowywać *v.t.* parry
odpierać (argumenty) *v.t.* confute
odpierać dowody *v. t* disprove
odpłacać się *v.t.* retort
odpływ (morza) *n.* ebb
odpływać (o morzu) *v. i* ebb
odpoczynek *n.* repose
odpoczynek *n.* rest
odpoczywać *v.i.* repose
odpoczywać *v.i.* rest
odporność *n.* immunity
odporny *a* proof
odporny *a.* resistant
odpowiadać *v.t* answer
odpowiadać *v.i.* reply
odpowiadać *v.i.* respond
odpowiedni *a.* applicable
odpowiedni *a* eligible
odpowiedni dla danej pory roku (o pogodzie) *a.* seasonable
odpowiednik *n.* counterpart
odpowiedź *n.* answer
odpowiedź *n.* reply
odpowiedź *n.* response
odpowiedzialność *n.* responsibility
odpowiedzialny *a* accountable
odpowiedzialny *a.* answerable
odpowiedzialny *a.* liable
odpowiedzialny *a.* responsible
odpowietrznik *n.* vent
odprężenie *n.* relaxation
odpychający *a.* repellent
odpychający *a.* repulsive
odra *n.* measles
odraczać *v.t.* adjourn
odraczać *v.t.* postpone
odrażający *a.* repugnant
odrestaurowanie *n.* restoration
odrestaurowywać *v.t.* restore
odrętwiały *a.* numb
odrobina *n.* jot
odrobina *n.* modicum
odroczenie *n.* adjournment
odroczenie *n.* postponement
odrodzenie *n.* rebirth
odrodzenie *n.* renaissance
odrodzenie się *n.* resurgence
odrośl *n.* offshoot
odrost *n.* shoot
odróżniać *v. i* distinguish
odróżnienie *n.* distinction
odrutowywać *v.t.* wire
odrywać *v.t.* sever

odrzucać *v.t.* reject
odrzucać (ofertę) *v.t.* repulse
odrzucać (propozycję) *v. t.* decline
odrzucać z pogardą *v.t.* spurn
odrzucenie *n.* rejection
odrzucenie (oferty) *n.* repulse
odrzutowiec *n.* jet
odsetek *n.* percentage
odsiecz *n.* succour
odśrodkowy *a.* centrifugal
odstawiać (dziecko) od piersi *v.t.* wean
odstawić niemowlę od piersi *v. t* ablactate
odstawienie niemowlęcia od piersi *n.* ablactation
odstęp *n.* interval
odstraszacz (na owady) *n.* repellent
odświeżać *v.t.* refresh
odświeżenie *n.* refreshment
odsyłacz *n.* asterisk
odszkodowanie *n.* compensation
odszkodowanie *n.* indemnity
odtąd *adv.* henceforth
odtąd *adv.* henceforward
odtrącać *v.t.* repel
odtrącić *v.t.* rebuff
odtrutka *n.* antidote
odwadniać *v.t.* dehydrate
odwaga *n.* bravery
odwaga *n.* courage
odwaga *n.* daring
odważny *a* brave
odważny *a.* courageous
odważny *a* daring
odważny *a.* hardy
odważny *a.* manful
odważny *a.* stout
odwieczny *a.* immemorial
odwiedzać *v.t.* visit
odwilż *n.* thaw
odwodnienie (zdrenowanie) *n.* drainage
odwołalny *a.* revocable
odwołanie *n.* cancellation
odwołanie *n.* revocation
odwoływać *v. t.* cancel
odwoływać *v.t.* revoke
odwoływać (nakaz) *v.t.* countermand
odwracać *v.t.* invert
odwracać *v.t.* reverse
odwracać (oczy) *v.t.* avert
odwrócenie *n.* reversal
odwrotnie *adv.* vice-versa
odwrotność *n.* reverse
odwzajemniać *v.t.* reciprocate
odziewać się *v.t* garb
odzież *n.* clothing
odzież *n.* garb
odznaka *n.* badge
odzwierciedlać *v.t.* reflect
odzwierciedlenie *n.* reflection
odźwierny *n.* usher
odżyć *v.i.* revive
odżycie *n.* revival
odzyskanie *n.* recovery
odzyskiwać *v.t.* recoup
odzyskiwać *v.t.* recover
odzyskiwać *v.t.* retrieve
odżywczy *a.* nutritious
odżywianie *n.* nutrition
ofensywa *n.* offensive
oferować *v.t.* offer
oferować *v.t.* tender
oferta *n.* offer
oferta *n.* tender
oferta (przy licytacji) *n.* bid
ofiara *n.* offering
ofiara *n.* victim
ofiara (wypadku) *n.* casualty
ofiarny *a.* sacrificial

oficer *n.* officer
oficjalnie *adv.* officially
oficjalny *a.* official
ogień *n.* blaze
ogień *n.* fire
ogier *n.* stallion
oglądać *v.t.* view
ogłaszać *v.t.* announce
ogłoszenie *n.* announcement
ogłupiać *v.t.* stupefy
ogłupić *v. t* bemuse
ogłuszać *v.t.* stun
ognisko *n.* bonfire
ognisko (w optyce) *n.* focus
ogniskowy *a* focal
ogolenie *n.* shave
ogólnie *adv.* generally
ogólnikowość *n.* vagueness
ogólny *a.* general
ogon *n.* tail
ogórek *n.* cucumber
ogradzać *v.t* fence
ogradzać płotkiem *v.t* hurdle
ogradzać żywopłotem *v.t* hedge
ograniczać *v. t* confine
ograniczać *v.t.* limit
ograniczać *v.t.* restrict
ograniczający *a.* restrictive
ograniczenie *n.* limitation
ograniczenie *n.* restriction
ograniczenie (w poglądach) *n.* insularity
ograniczony *a.* limited
ograniczony *a.* scanty
ograniczony (w poglądach) *a.* insular
ogród *n.* garden
ogród zoologiczny *n.* zoo
ogrodnictwo *n.* horticulture
ogrodnik *n.* gardener
ogrodzenie *n.* fence
ogrodzony obręb domu *n.* compound
ogrom *n.* bulk
ogrom *n.* immensity
ogrom *n.* magnitude
ogromny *a* enormous
ogromny *a.* huge
ogromny *a.* immense
ogromny *a.* massive
ogromny *a.* vast
ogryzać *v.t.* nibble
ogryzanie *n.* nibble
ogrzewać *v.t* heat
ohydny *a.* heinous
ohydny *a.* loathsome
ojciec *n.* father
ojcobójstwo *n.* parricide
ojcobójstwo *n.* patricide
ojcowizna *n.* patrimony
ojcowski *a.* paternal
ojczysty *a.* native
okablowanie *n.* wiring
okaleczenie *n.* mutilation
okaz *n.* specimen
okazałość *n.* stateliness
okazały *a.* stately
okazały *a.* sumptuous
okazja *n.* bargain
okazja *n.* occasion
okazywać przyjaźń komuś *v. t.* befriend
okazywać skruchę *v.i.* repent
okiełznać *v.t.* subdue
okiennica *n.* shutter
oklaski *n.* acclamation
oklaski *n.* applause
oklaskiwać *v.t.* acclaim
oklaskiwać *v.t.* applaud
okno *n.* window
oko *n.* eye
okoliczność *n.* circumstance
okólnik *n.* circular

okowy *n.* fetter
okradać *v.t.* rob
okrągły *a.* round
okręg *n.* district
okręg wyborczy *n.* constituency
okres *n.* period
okres *n.* spell
okres tymczasowy *n.* interim
określać *v. t* determine
określać *v.t.* specify
określać *v.t.* term
określać cenę *v.t.* price
określony *a* definite
okresowy *a.* periodical
okrętowy *a.* naval
okrężnica *n.* colon
okropność *n.* atrocity
okropny *a.* atrocious
okropny *a.* awful
okropny *a.* crass
okropny *a.* horrible
okrucieństwo *n.* cruelty
okruszyna *n.* crumb
okrutny *a* cruel
okryć kurzem *v.t.* dust
okrywać całunem *v.t.* shroud
okrywać tajemnicą *v.t.* mystify
okrzyk *n.* exclamation
oktan *n.* octane
oktawa *n.* octave
okulary ochronne *n.* goggles
okulawiać *v.t.* lame
okulista *n.* oculist
okup *n.* ransom
olbrzym *n.* giant
olbrzymi *a* mammoth
oleisty *a.* oily
olej *n.* oil
oligarchia *n.* oligarchy
olimpiada *n.* olympiad
oliwka (owoc) *n.* olive
ołów *n.* lead
ołówek *n.* pencil
ołowiany *a.* leaden
olśniewający *a.* resplendent
ołtarz *n.* altar
omamiać *v. t* beguile
omamiać *v.t.* delude
omdlenie *n.* swoon
omdlewać *v.i.* languish
omega *n.* omega
omen *n.* omen
omlet *n.* omelette
on *pron.* he
ona *pron.* she
onieśmielać *v.t.* overawe
onomatopeja *n.* onomatopoeia
opactwo *n.* abbey
opadać (o wezbranej wodzie) *v.i.* subside
opal *n.* opal
opalać się *v.i.* tan
opalenizna *n.* tan
opalony (o człowieku) *a.* tanned
opancerzenie *n.* blindage
opanować (umiejętność) *v.t.* master
opanowanie *n.* composure
opanowanie (przedmiotu) *n.* mastery
opanowywać *v.t.* tackle
oparcie *n.* anaclisis
opasać *v.t* girdle
opasywać *v.t.* begird
opasywać *v.t.* gird
opatentować *v.t.* patent
opatentowany *a.* proprietary
opatrunek *n.* dressing
opatrznościowy *a.* providential
opcja *n.* option
opcjonalny *a.* optional
opera *n.* opera
operacja *n.* operation
operacja *n.* surgery

operacyjny *a.* operative
operator *n.* operator
operować *v.t.* operate
opieka *n.* care
opieka *n.* custody
opiekować się *v.t.* foster
opiekować się kimś *v. i.* care
opiekun, kurator *n.* guardian
opierać (coś na czymś) *v.t.* base
opierać głowę *v.t.* pillow
opierać się (czemuś) *v.t.* resist
opierać się o coś *v.i.* lean
opieszały *a.* indolent
opieszały *a.* slack
opinia *n.* opinion
opinia *n.* stand
opis *n.* description
opisowy *a* descriptive
opisywać *v. t* describe
opisywanie *n.* portraiture
opium *n.* opium
opłakiwać *v. t* bewail
opłata *n.* fee
opłata drogowa *n.* toll
opłata ładunkowa *n.* wharfage
opłata pocztowa *n.* postage
opłata za przejazd *n.* fare
opodatkowanie *n.* taxation
opodatkowywać *v.t.* tax
opona *n.* tyre
opona z nowym bieżnikiem *n.* retread
opór *n.* defiance
opór *n.* resistance
oportunizm *n.* opportunism
opowiadać *v.t.* narrate
opowiadanie *n.* narration
opowiadanie *n.* narrative
opowiadanie *n.* tale
opóźniać *v.t.* retard
opóźniać *v.t.* stall
opóźniać się *v.i.* lag
opóźniać, zwlekać *v.t. & i.* delay
opóźnienie *n.* retardation
opozycja *n.* opposition
opracowywać w szczegółach *v. t* elaborate
oprócz *prep* besides
oprócz *prep.* but
oprócz *prep* except
oprócz *prep* save
opróżniać *v* empty
opryskiwać *v.t.* spray
opryskiwać *v.t.* syringe
optimum *n.* optimum
optować *v.i.* opt
optyczny *a.* optic
optyk *n.* optician
optymalny *a* optimum
optymista *n.* optimist
optymistyczny *a.* optimistic
optymizm *n.* optimism
opublikować *v.t.* post
opuszczać *v.t.* abandon
opuszczać *v. t.* desert
opuszczać (mieszkanie) *v.t.* vacate
opuszczać (uszy) *v.t.* lop
opuszczony *a* forlorn
orać (ziemię) *v.i* plough
oracja *n.* oration
oracz *n.* ploughman
orator *n.* orator
orbita *n.* orbit
orędować *v.t.* advocate
organiczny *a.* organic
organizacja *n.* organization
organizm *n.* organism
organizować *v.t.* organize
organy *n.* organ
orientować *v.t.* orient
orientować *v.t.* orientate
orkiestra *n.* orchestra
orkiestralny *a.* orchestral

orny *a.* arable
ortodoksja *n.* orthodoxy
ortodoksyjny *a.* orthodox
oryginał *n.* original
oryginalność *n.* originality
oryginalny *a.* original
orzech *n.* nut
orzech kokosowy *n.* coconut
orzech włoski *n.* walnut
orzeczenie *n.* judgement
orzeczenie *n.* predicate
orzeczenie (sądu) *n.* ruling
orzeł *n.* eagle
oś *n.* axis
oś *n.* pivot
oś (koła) *n.* axle
osa *n.* wasp
osad *n.* sediment
osada *n.* settlement
osadnik *n.* settler
osadzać na tronie *v.t.* throne
osadzić coś na osi *v.t.* pivot
oscylacja *n.* oscillation
oscylować *v.i.* oscillate
oset *n.* thistle
osiadać na mieliźnie *v.i.* strand
osiągać *v.t.* achieve
osiągać (cel) *v.t.* attain
osiągać (liczbę punktów) *v.t.* score
osiągnąć *v.t.* accomplish
osiągnięcie *n.* accomplishment
osiągnięcie *n.* achievement
osiągnięcie *n.* attainment
osiem *adj.* eight
osiemdziesiąt *a.* eighty
osiemdziesięcioletni *a* octogenarian
osiemnaście *a* eighteen
osierocić *v.t* orphan
osioł *n.* ass
osioł *n.* donkey
osioł (nieuk) *n.* dunce
oskard *n.* mattock
oskarżać *v.t.* accuse
oskarżać *v. t.* charge
oskarżać *v.t.* impeach
oskarżać *v.t.* indict
oskarżać *v.t.* prosecute
oskarżenie *n.* accusation
oskarżenie *n.* charge
oskarżenie *n.* impeachment
oskarżenie *n.* indictment
oskarżenie *n.* prosecution
oskarżony *n.* accused
oskarżyciel *n.* prosecutor
osłabiać *v.t.* abate
osłabiać *v. t.* enfeeble
osłabiać *v.t.* weaken
osłaniać *v.t* mantle
osłaniać *v.t.* screen
osłaniać *v.t.* shield
oślepiać *v. t.* dazzle
oślepienie *n.* dazzlement
osłona *n.* mantle
osłuchiwanie *n.* auscultation
osmalać *v.t.* singe
ośmielać *v. t.* embolden
ośmielać się *v. i.* dare
ośmiokąt *n.* octagon
osoba *n.* person
osoba będąca na czyimś utrzymaniu *n.* dependant
osoba dorosła *n.* adult
osoba nie będąca faworytem *n.* underdog
osoba niepełnoletnia *n.* minor
osoba odwiedzająca *n.* caller
osoba pełnoletnia *n.* major
osoba pisząca na maszynie do pisania *n.* typist
osoba pod dozorem sądowym *n.* probationer

osoba poddawana egzaminowi *n.* examinee
osoba telefonująca *n.* caller
osoba ukochana *n.* beloved
osoba wolnego stanu *n.* single
osoba, która doprowadza do ugody *n.* compounder
osobistość *n.* personage
osobistość *n.* personality
osobisty *a.* personal
osobliwość *n.* oddity
osobliwość *n.* peculiarity
osobliwość *n.* singularity
osobliwy *a.* peculiar
osobliwy *a.* quaint
osobno *adv.* apart
ospa *n.* smallpox
ostatecznie *adv.* eventually
ostatecznie *adv.* ultimately
ostateczny *a.* ultimate
ostatni *a.* last
ostatni (z wymienionych) *n.* last
ostatnio *adv.* last
ostatnio *adv.* lately
ostoja *n.* mainstay
ostro *adv.* sharp
ostroga *n.* spur
ostrość (bólu) *n.* poignancy
ostrość (zapachu) *n.* pungency
ostrożność *n.* caution
ostrożność *n.* precaution
ostrożny *a* careful
ostrożny *a.* cautious
ostrożny *a.* wary
ostry *a.* sharp
ostry (ból/kąt) *a.* acute
ostry (o zapachu) *a.* pungent
ostryga *n.* oyster
ostrze, źdźbło *n.* blade
ostrzegać *v. t.* caution
ostrzegać *v.t.* warn
ostrzegawczy *a.* monitory
ostrzeżenie *n.* warning
ostrzyć *v.t.* sharpen
ostrzyć *v.t.* whet
oswajać *v.t.* tame
oświadczać *v.t* state
oświadczenie *n.* statement
oświadczenie *n.* testimony
oświadczenie złożone pod przysięgą *n.* affidavit
oświecać *v.t.* illuminate
oświecenie *n.* illumination
oświetlać *v.t.* light
oswojony *a.* tame
oszacować *v.t.* assess
oszacowanie *n.* assessment
oszacowanie *n.* estimate
oszacowanie *n.* estimation
oszacowywać *v.t.* value
oszalały *a.* frantic
oszałamiać *v. t* bewilder
oszałamiać *v. t* daze
oszczędność *n.* thrift
oszczędny *a* economical
oszczędny *a.* frugal
oszczędny *a.* thrifty
oszczędzić *v.t.* spare
oszczep *n.* javelin
oszczerczy *a.* slanderous
oszołomienie *n.* daze
oszukańczy *a.* fraudulent
oszukiwać *v. t.* cheat
oszukiwać *v. t* deceive
oszukiwać *v.t* hoax
oszukiwać *v.t.* hoodwink
oszukiwać *v.t.* rook
oszukiwać *v.t.* swindle
oszukiwać *v.t.* trick
oszukiwanie *n.* deception
oszust *n.* cheat
oszust *n.* impostor
oszust *n.* rook
oszust *n.* sharper

oszust *n.* swindler
oszust *n.* trickster
oszustwo *n.* deceit
oszustwo *n.* fraud
oszustwo *n.* hoax
oszustwo *n.* imposture
oszustwo *n.* swindle
oszustwo *n.* trickery
otaczać *v. t.* encircle
otaczać *v.t.* surround
otaczać fosą *v.t.* moat
otaczający *a.* ambient
otaczający *a.* circumfluent
otchłań *n.* abyss
otoczenie *n.* environment
otoczenie *n.* milieu
otoczenie *n.* surroundings
otolog *n.* aurist
otomana *n.* ottoman
otruć *v.t.* poison
otrzymać *v.t.* obtain
otrzymywać *v.t.* get
otrzymywać *v.t.* receive
otwarcie *n.* opening
otwarty *a.* open
otwierać *v.t.* open
otwór *n.* aperture
otwór *n.* opening
otyłość *n.* obesity
otynkować *v.t.* plaster
owacja *n.* ovation
owad *n.* insect
owal *n.* oval
owalny *a.* oval
owca *n.* ewe
owca *n.* sheep
owies *n.* oat
owijać *v. t* envelop
owijać taśmą *v.t* tape
owoc *n.* fruit
owoc kandyzowany *n.* sweetmeat
owocny *a.* fruitful
owsianka *n.* porridge
ozdabiać *v.t.* adorn
ozdabiać *v. t* deck
ozdabiać *v.t.* ornament
ozdabiać wieńcem *v.t.* wreathe
ozdoba *n.* ornament
oznaczać *v.t* mean
oznaczać *v.t.* purport
oznaczać *v.t.* signify
oznaczać (coś) *v. i* denote
oznaczać etykietką *v.t.* tag
oznajmiać *v. t.* declare
oznajmiać *v.t.* intimate
oznakowywać *v.t* mark
ożywiać *v.t.* animate
ożywiać *v. t.* enliven
ożywiać *v.t.* vitalize
ożywienie *n.* animation
ożywienie *n.* vivacity
ożywiony *a.* animate
ożywiony *a.* spirited
ożywiony *a.* vivacious
ówczesny *a* then

P

pachnący *a.* odorous
paciorek *n.* bead
pacjent *n.* patient
pacjent ambulatoryjny *n.* outpatient
pączek (rośliny) *n.* bud
paczka *n.* pack
paczka *n.* packet
paczka *n.* parcel
padać (o deszczu) *v.i.* rain
padać (o gradzie) *v.i* hail
padać (o śniegu) *v.i.* snow

pagoda *n.* pagoda
pagórek *n.* hillock
pająk *n.* spider
pajęczyna *n.* cobweb
pajęczyna *n.* web
paka (do przewożenia towarów) *n.* crate
pakować *v.t.* pack
pakować *v.t.* stow
pakować do puszek *v.t.* tin
pakowanie *n.* packing
pakt *n.* pact
pakunek *n.* package
pal *n.* pale
pałac *n.* palace
pałacowy *a.* palatial
palacz *n.* stoker
palankin *n.* palanquin
palec *n.* finger
palec u nogi *n.* toe
palec wskazujący *n.* forefinger
palec wskazujący *n.* index
palenisko *n.* furnace
palenisko *n.* hearth
paleta *n.* palette
palić *v. t* burn
palić *v.i.* smoke
palić (w piecu) *v.t.* stoke
paliwo *n.* fuel
palma *n.* palm
palnik *n.* burner
palny *a.* inflammable
palpitacja *n.* palpitation
pamiątka *n.* memento
pamiątka *n.* souvenir
pamiątkowy *a* memorial
pamięć *n.* memory
pamięć *n.* remembrance
pamiętać *v.t.* recollect
pamiętać *v.t.* remember
pamiętnik *n.* diary
pamiętny *a.* memorable
pan (czegoś) *n.* master
pan (przed nazwiskiem) *n.* mister
pan młody *n.* bridegroom
pan młody *n.* groom
panaceum *n.* nostrum
panaceum *n.* panacea
pancerz *n.* armature
pandemonium *n.* pandemonium
panegiryk *n.* panegyric
pani *n..* missis, missus
panienka *n.* damsel
panienka *n.* lass
panika *n.* panic
panika *n.* scare
panna *n.* miss
Panna (znak zodiaku) *n.* Virgo
panna młoda *n.* bride
panorama *n.* panorama
panować (o królu itp.) *v.i.* reign
panowanie *n.* dominion
panowanie *n.* reign
panowie (w adresie) *n.* Messrs
panteista *n.* pantheist
panteizm *n.* pantheism
pantera *n.* panther
pantofel *n.* slipper
pantomima *n.* pantomime
papier *n.* paper
papier drukarski *n.* foolscap
papieros *n.* cigarette
papieski *a.* papal
papiestwo *n.* papacy
papież *n.* pope
papka *n.* mash
papka *n.* mush
paplać *v.i.* babble
paplać *v. t. & i* blab
paplanina *n.* babble
papuga *n.* parrot
para *n.* couple
para *n.* pair

para *n.* vapour
para (wodna) *n.* steam
parada *n.* parade
paradoks *n.* paradox
paradoksalny *a.* paradoxical
parafia *n.* parish
parafina *n.* paraffin
parafować *v.t* initial
parafraza *n.* paraphrase
parafrazować *v.t.* paraphrase
paragraf *n.* article
paralelizm *n.* parallelism
paralityczny *a.* paralytic
paraliż *n.* palsy
paraliż *n.* paralysis
paraliżować *v.t.* paralyse
parasol *n.* umbrella
parcela *n.* plot
parcelować *v.t.* parcel
park *n.* park
parkować *v.t.* park
parlament *n.* parliament
parlamentarny *a.* parliamentary
parlamentarz *n.* parliamentarian
parny *a.* sultry
parny (o powietrzu) *a.* muggy
parodia *n.* parody
parodia *n.* skit
parodiować *v.t.* parody
parować *v.i.* steam
parowiec *n.* steamer
parskać *v.i.* snort
parsknięcie *n.* snort
partaczyć *v. t* botch
partaczyć *v. t* bungle
partia *n.* party
partia (towaru) *n.* batch
partner *n.* partner
partnerstwo *n.* partnership
partyzantka *n.* guerilla
parweniusz *n.* upstart
parzysty (o liczbie) *a* even
pas (u spódnicy) *n.* waistband
pas ruchu drogowego *n.* lane
pasażer *n.* passenger
paść *v.i.* graze
pasek *n.* belt
pasek *n.* strip
pasieka *n.* apiary
pasja *n.* passion
pasmo *n.* strand
pasować *v.t* fit
pasożyt *n.* parasite
pasta *n.* paste
pastel *n.* pastel
pasterski *a.* pastoral
pasterz *n.* herdsman
pasterz *n.* shepherd
pastor *n.* parson
pastwisko *n.* pasture
pasza *n.* fodder
paszkwil *n.* lampoon
paszport *n.* passport
pat *n.* stalemate
patent *n.* patent
patentowy *a.* patent
patetyczny *a.* pathetic
patos *n.* pathos
patriota *n.* patriot
patriotyczny *a.* patriotic
patriotyzm *n.* partiotism
patrol *n.* patrol
patrolować *v.i.* patrol
patron *n.* patron
patronat *n.* patronage
patrzeć *v.i* look
patrzeć (na kogoś/coś) *v.t.* watch
patrzeć spode łba *v.i.* scowl
patyk *n.* stick
pauza *n.* pause
pauzować *v.i.* pause
paw *n.* peacock
pawian *n.* baboon
pawica *n.* peahen

pawilon *n.* pavilion
październik *n.* October
paznokieć *n.* nail
pazur (zwierzęcia) *n.* claw
pchać *v.t.* push
pchać *v.t.* shove
pchła *n.* flea
pchnąć nożem *v.t.* stab
pchnięcie *n.* push
pchnięcie *n.* shove
pchnięcie *n.* thrust
pchnięcie nożem *n.* stab
pech *n.* mischance
pech *n.* misfortune
pęcherz *n.* bladder
pęcherz *n.* blister
pechowy *a.* unfortunate
pęd *n.* dash
pedagog *n.* pedagogue
pedagogika *n.* pedagogy
pedał *n.* pedal
pedałować *v.t.* pedal
pedant *n.* pedant
pedant *n.* stickler
pedanteria *n.* pedantry
pedantyczny *adj.* pedantic
pędzel *n.* brush
pędzić *v.i* scamper
pędzić w popłochu *v.i* stampede
pęk *n.* bundle
pęk *n.* cluster
pękać *v. i* crack
pękać *v.t.* snap
pęknąć z trzaskiem *v.i.* pop
pęknięcie *n.* burst
pęknięcie *n.* crack
pełen (czegoś) *a.* fraught
pełen czci *a.* reverent
pełen czci *a.* reverential
pełen nadziei *a.* hopeful
pełen szacunku *a.* respectful
pełen triumfu *a.* jubilant
pełen znaczenia *a.* meaningful
pełen życia *a.* lively
peleryna *n.* cape
peleryna *n.* cloak
pełna łyżka (jedzenia) *n.* spoonful
pełne morze *n.* offing
pełnoletni *a* adult
pełnomocnik *n.* proxy
pełność *n.* fullness
pełny *a.* full
pełny *a.* replete
pełzać *v. t* crawl
pełzanie *n.* crawl
penetracja *n.* penetration
penis *n.* penis
pens *n.* penny
pensja *n.* salary
percepcja *n.* perception
perfidia *n.* perfidy
perfumować *v.t.* perfume
perfumy *n.* perfume
periodyk *n.* periodical
perła *n.* pearl
perskie oko *n.* ogle
personel *n.* personnel
personel *n.* staff
perspektywa *n.* outlook
perspektywa *n.* perspective
perspektywa *n.* prospect
pertraktacje *n.* parley
pertraktować *v.i* parley
peruka *n.* wig
perwersja *n.* perversion
perwersja *n.* perversity
perwersyjny *a.* perverse
peryferie *n.pl.* outskirts
peryferie *n.* periphery
pestycyd *n.* pesticide
pesymista *n.* pessimist
pesymistyczny *a.* pessimistic
pesymizm *n.* pessimism

pęta *n.* tether
pętać *v.t.* tether
petarda *n.* cracker
petent *n.* applicant
petent *n.* petitioner
pętla *n.* loop
pętla *n.* noose
petycja *n.* petition
pewnie *adv.* surely
pewność *n.* assurance
pewność *n.* certainty
pewność *n.* surety
pewny *a* certain
pewny *a.* sure
piana *n.* foam
piana *n.* lather
pianista *n.* pianist
piasek *n.* sand
piaszczysty *a.* sandy
piątek *n.* Friday
pić *v. t* drink
piec *v.t.* bake
piec *n.* oven
piec *n.* stove
pięć *a.* five
piec (mięso) *v.t.* roast
piec do wypalania *n.* kiln
pięćdziesiąt *a.* fifty
piechota (w wojsku) *n.* infantry
pięciokąt *n.* pentagon
pieczara *n.* cavern
pieczęć *n.* seal
pieczeń *n.* roast
pieczętować *v.t.* seal
pieczony *a* roast
piedestał *n.* pedestal
piekarnia *n.* bakery
piekarz *n.* baker
piekielny *a.* infernal
piekło *n.* hell
piękno *n.* beauty
piękność (o kobiecie) *n.* belle
piękny *a* beautiful
pielęgniarka *n.* nurse
pielegnować (chorego) *v.t* nurse
pielegnować (kogoś) *v.i.* minister
pielęgnować, miłować *v. t.* cherish
pielgrzym *n.* pilgrim
pielgrzymka *n.* pilgrimage
pielić *v.t.* weed
pień (drzewa) *n.* trunk
pieniacz *n.* barrator
pieniądze *n.* money
pienić się *v.t* foam
pieniężny *a.* pecuniary
pieprz *n.* pepper
pieprz turecki *n.* capsicum
pierś *n.* breast
pierś (klatka piersiowa) *n.* chest
pierścień *n.* ring
piersiówka *n.* flask
piersiowy *a.* mammary
pierwotny *a.* original
pierwszeństwo *n.* precedence
pierwszeństwo *n.* priority
pierwszy *a* first
pierwszy *a.* premier
pierwszy (człowiek, rzecz) *n.* first
pierwszy (z dwóch) *pron.* former
pies *n.* dog
pies gończy *n.* hound
pięść *n.* fist
pieścić *v. t.* caress
pieścić *v.t* fondle
pieścić *v.t.* pet
pieszo *adv.* afoot
pieszy *n.* pedestrian
pięta *n.* heel
piętnaście *a.* fifteen
piętno *n.* imprint
piętno *n.* stigma
piętro *n.* floor

piętro *n.* storey
Pigmej *n.* pigmy
pigmej *n.* pygmy
pigułka *n.* pill
pijak *n.* drunkard
pijawka *n.* leech
pikanteria *n.* zest
pikantny *a.* piquant
pikantny *a.* spicy
pikieta *n.* picket
pikietować *v.t.* picket
piknik *n.* picnic
pikować *v.i.* swoop
pikowanie *n.* swoop
piła *n.* saw
piłka *n.* ball
pilnik *n.* file
pilność *n.* diligence
pilność *n.* urgency
pilnować *v.t.* guard
pilnować *v.t.* watch
pilny *a.* assiduous
pilny *a* diligent
pilny *a.* studious
pilny *a.* urgent
pilot *n.* pilot
pilotować *v.t.* pilot
piłować *v.t.* saw
piłować pilnikiem *v.t* file
piołun *n.* wormwood
pionier *n.* pioneer
pionowy *a.* upright
pionowy *a.* vertical
pióro *n.* pen
pióro (u ptaka) *n.* feather
piorun *n.* lightning
piosenka *n.* song
piractwo *n.* piracy
piramida *n.* pyramid
pirat *n.* pirate
pisać *v.t.* write
pisać na maszynie *v.t.* type
pisać paszkwile *v.t.* lampoon
pisać wiersze *v.t.* versify
pisarz *n.* writer
pisemne dowody posiadanych praw *n.* muniments
pisk *n.* squeak
pisklę *n.* nestling
piskliwy *a.* shrill
piskliwy *a.* strident
piśmienność *n.* literacy
piśmienny *a.* literate
pismo (oficjalne) *n.* missive
Pismo Święte *n.* scripture
pistolet *n.* pistol
pisuar *n.* urinal
piszczeć *v. i* cheep
piszczeć *v.i.* squeak
piwnica *n.* cellar
piwo *n.* beer
piwo angielskie ale *n.* ale
piżmo *n.* musk
płaca *n.* pay
płaca *n.* wage
płacić *v.t.* pay
placówka *n.* outpost
płacz *n.* cry
płaczliwy *a.* lachrymose
plądrować *v.t.* plunder
plądrować *v.t.* rifle
plaga *n.* plague
płakać *v. i* cry
płakać *v.i.* weep
plakat *n.* poster
plama *n.* blot
plama *n.* stain
plama *n.* taint
plamić *v. t* blot
plamić *v.t.* stain
plamka *n.* speck
plan *n.* plan
planeta *n.* planet
planetarny *a.* planetary

planować *v.t.* plan
planować *v.t.* schedule
plantacja *n.* plantation
płaski *a* flat
płaski *a.* plane
płaski klucz do nakrętek *n.* spanner
płaskowyż *n.* plateau
plaster *n.* plaster
plaster miodu *n.* honeycomb
płaszcz *n.* coat
płaszcz *n.* overcoat
płaszcz nieprzemakalny *n.* waterproof
płaszczyzna *n.* plane
plątanina *n.* tangle
płatek (kwiatu) *n.* petal
płatek (ucha), płat (mózgu) *n.* lobe
platerować *v.t.* plate
platforma *n.* platform
płatność *n.* payment
płatny *a.* payable
platoniczny *a.* platonic
pławność *n.* buoyancy
plaża *n.* beach
plebiscyt *n.* plebiscite
płeć *n.* sex
plecy *n.* back
plemię *n.* tribe
plemienny *a.* tribal
pleść głupstwa *v. i* blether
pleśń *n.* mildew
pleśń *n.* mould
pleśnieć *v.i.* mould
płetwa *n.* fin
plisować *v.t.* crimple
płód bezgłowy *n.* acephalus
płodność *n.* fertility
płodny *a* fertile
płodny *a.* prolific
płodzić *v.t* breed
płomień *n.* flame
płomienny *a* fervent
płomienny *a* fiery
plon *n.* crop
plon *n.* yield
płonąć *v.i* blaze
płotek *n.* hurdle
plotka *n.* gossip
płótno *n.* canvas
pluć *v.i.* spit
płuco *n.* lung
pług *n.* plough
płukać *v.t.* rinse
płukać gardło *v.i.* gargle
plus *n.* plus
plusk *n.* splash
plusk wody *n.* lop
pluskać się *v.i.* splash
pluton *n.* platoon
plwocina *n.* spit
plwocina *n.* spittle
plwocina *n.* sputum
płyn *n.* liquid
płyn *n.* fluid
płyn do przemywania oczu *n.* eyewash
płynąć *v.i* flow
płynąć *v.i.* stream
płynny *a* fluid
płynny *a.* liquid
płyta *n.* panel
płyta *n.* plate
płyta (kamienna) *n.* slab
płytki *a.* shallow
pływ *n.* tide
pływać *v.i.* swim
pływać jachtem *v.i* yacht
pływający *a.* natant
pływak *n.* swimmer
pływanie *n.* swim
pływowy *a.* tidal
pnącze *n.* creeper

po- (np. poobiedni) *conj.* after
po pierwsze *adv.* first
po trzecie *adv.* thirdly
po, za *prep.* after
pobicie *n.* battery
pobiec *v.i.* trot
pobierać (należność) *v.t.* levy
pobierać (od kogoś pewną kwotę) *v. t.* charge
pobieżny *a* cursory
pobłażać (komuś) *v.t.* indulge
pobłażanie *n.* connivance
pobłażanie *n.* indulgence
pobłażliwy *a.* indulgent
pobór (należności) *n.* levy
pobożność *n.* piety
pobożny *a.* godly
pobożny *a.* pious
pobudka *n.* inducement
pobudzać *v.t.* arouse
pobudzać (apetyt) *v.t.* whet
pobyt *n.* sojourn
pobyt *n.* stay
pocałunek *n.* kiss
pocenie się *n.* perspiration
pochłaniać *v.t* engulf
pochłaniać *v.t.* whelm
pochlebca *n.* sycophant
pochlebiać *v.t* flatter
pochlebiać komuś *v. t* beslaver
pochlebstwo *n.* flattery
pochlebstwo *n.* sycophancy
pochmurny *a* cloudy
pochodzenie *n.* lineage
pochodzenie *n.* origin
pochodzenie *n.* parentage
pochopny *a.* rash
pochwa (w anatomii) *n.* vagina
pochwa miecza *n.* scabbard
pochwała *n.* commendation
pochwała *n.* praise
pochwalać *v. t* commend
pochylać się *v.i.* lurch
pochylenie *n.* lurch
pochylony *a.* declivous
pociąg *n.* train
pociągać nosem *v.i.* sniff
pociągnięcie *n.* pull
pociągnięcie nosem *n.* sniff
pocić się *v.i.* perspire
pocić się *v.i.* sweat
pociecha *n.* comfort
pociecha *n.* consolation
pociemnieć *v.i.* darkle
pocierać *v.t.* rub
pocieszać *v. t* comfort
pocieszać *v. t* console
pocieszać *v.t.* solace
pocieszenie *n.* solace
pocisk *n.* bullet
pocisk *n.* missile
pocisk *n.* projectile
począć (dziecko) *v. t* conceive
początek *n.* beginning
początek *n.* inception
początek *n.* onset
początek *n.* outset
początkowy *a.* initial
poczęcie *n.* conception
poczekalnia *n.* lounge
poczta *n.* post
poczta (budynek) *n.* post-office
poczta (przesyłki) *n.* mail
pocztowy *a.* postal
pod *prep* below
pod *prep* beneath
pod *prep.* under
pod *prep.* underneath
pod spodem *adv.* underneath
podagra *n.* gout
podatek *n.* tax
podatny *a.* malleable
podawać środek uspokajający *v.t.* sedate

podbój *n.* conquest
podbój *n.* subjection
podbródek *n.* chin
podchmielony *a.* tipsy
podczas *prep* during
podczas *prep.* pending
podczas, gdy... *conj.* while
podczas, gdy... *conj.* whilst
poddasze *n.* loft
poddawać się przygnębieniu *v.i.* mope
podejmować bankietem *v.t.* banquet
podejmować na nowo *v.t.* resume
podejmować się *v.t.* undertake
podejrzany *a.* suspect
podejrzany *a.* suspicious
podejrzenie *n.* suspicion
podejrzewać *v.t.* suspect
podejście (do zagadnienia) *n.* approach
poderwać (do walki) *v.i.* rouse
podeszwa *n.* sole
podium *n.* dais
podjudzać *v.t* goad
podjudzić (do złego czynu) *v.t.* abet
podkładka *n.* pad
podkoszulek *n.* vest
podkreślać *v.t.* underline
podlegający opodatkowaniu *a.* taxable
podlegający wypowiedzeniu *a.* terminable
podlewać (rośliny) *v.t.* water
podłoga *n.* floor
podłość *n.* meanness
podłużny *a.* oblong
podły *a* despicable
podły *a.* mean
podły *a.* vile
podły człowiek *n.* cad
podmiejski *a.* suburban
podmuch powietrza *n.* blast
podnajmować *v.t.* sublet
podniebienie *n.* palate
podniebienny *a.* palatal
podniecać *v. t* excite
podniesienie *n.* elevation
podnosić *v. t* elevate
podnosić *v.t.* lift
podnosić *v.t.* raise
podnosić *v.t.* uplift
podnosić *v.t.* hoist
podnosić do kwadratu *v.t.* square
podnosić lewarkiem *v.t.* jack
podnosić się *v.i.* heave
podnośnik *n.* jack
podnoszenie *n.* uplift
podobieństwo *n.* likeness
podobieństwo *n.* resemblance
podobieństwo *n.* similarity
podobieństwo *n.* similitude
podobizny *n.* imagery
podobnie *adv.* alike
podobny *a.* alike
podobny *a.* like
podobny *a.* similar
podpalenie *n.* arson
podpatrywać *v.i.* pry
podpierać *v.t.* prop
podpis *n.* signature
podpis (pod obrazkiem) *n.* caption
podpisywać *v.t.* sign
podpisywać *v.t.* subscribe
podpora (organizacji) *n.* stalwart
podpórka *n.* prop
podporządkowanie *n.* subordination
podporządkowywać *v.t.* subordinate

podpowiedź *n.* tip
podręcznik *n.* handbook
podręcznik *n.* manual
podróż *n.* journey
podróż *n.* trip
podróż *n.* voyage
podróż *n.* travel
podróżnik *n.* voyager
podróżny *n.* traveller
podróżować *v.i.* journey
podróżować *v.i.* travel
podróżować *v.i.* voyage
podskakiwać *v.i.* skip
podskok *n.* hop
podskok *n.* skip
podsłuchać *v.t.* overhear
podstawa *n.* basis
podstawa, podłoże *n.* ground
podstawowy *a.* basal
podstawowy *a.* basic
podstęp *n.* artifice
podstęp *n.* ruse
podstęp *n.* stratagem
podstęp *n.* trick
podstęp *n.* wile
podszewka *n.* lining
podtrzymywać *v.t* uphold
poduszka *n.* cushion
poduszka *n.* pillow
podwajać *v. t.* double
podwajać *v.t.* redouble
podważać *v.t.* lever
podważać *v.t.* undermine
podwiązka *n.* garter
podwładny *a.* subordinate
podwładny *n.* subordinate
podwodny *a* submarine
podwójny *a* double
podwójny *a* dual
podwójny *a* duplicate
podwórze gospodarskie *n.* barton
podwyższać *v.t.* heighten
podżegać *v.t* foment
podżegać *v.t.* instigate
podżeganie *n.* instigation
podzelowywać *v.t* sole
podzielić (coś między kogoś) *v.t.* apportion
podzielnik *n.* aliquot
podziemny *a.* subterranean
podziw *n.* admiration
podziwiać *v.t.* admire
podziwiać *v.i* marvel
poeta *n.* poet
poetka *n.* poetess
poetycki *a.* poetic
poetyka *n.* poetics
poezja *n.* poesy
poezja *n.* poetry
pogarda *n.* contempt
pogarda *n.* disdain
pogarda *n.* scorn
pogardliwy *a* contemptuous
pogardzać *v. t.* disdain
pogarszać *v.t.* aggravate
pogarszać *v.t.* worsen
pogawędka *n.* chat
pogląd *n.* view
pogłoska *n.* bruit
pogłoska *n.* hearsay
pogłoska *n.* rumour
pogmatwać *v.t.* jumble
pogoda *n.* weather
pogodny (o człowieku) *a.* cheerful
pogoń *n.* chase
pogoń *n.* pursuit
pogorszenie *n.* aggravation
pogrom *n.* rout
pogrzeb *n.* burial
pogrzeb *n.* funeral
pogrzebać *v. t.* bury
pogwałcenie *n.* violation

pogwałcić *v.t.* violate
pohańbić *v. t* dishonour
pojazd *n.* vehicle
pojechać taksówką *v.i.* taxi
pojęcie *n.* notion
pojęciowy *a.* notional
pojednanie *n.* reconciliation
pojednywać *v.t.* conciliate
pojednywać *v.t.* reconcile
pojedynczo *adv.* singly
pojedynczy *a.* single
pojedynczy *a.* singular
pojedynek *n.* duel
pojedynkować się *v. i* duel
pojękiwanie *n.* whine
pojemność *n.* capacity
pojemność *n.* volume
pojmować *v. t.* capture
pojmować *v.t* fathom
pokarm *n.* aliment
pokarm *n.* feed
pokazywać *v.t.* show
pokiereszować *v.t.* scar
pokierować *v.t.* guide
pokład *n.* board
pokład (statku) *n.* deck
poklepać *v.t.* pat
pokłosie *n.* wake
pokój *n.* peace
pokój *n.* room
pokój dziecinny *n.* nursery
pokojowy *a.* pacific
pokolenie *n.* generation
pokonywać *v. t.* defeat
pokonywać *v.t.* overcome
pokonywać *v.t.* worst
pokora *n.* humility
pokora *n.* lowliness
pokorny *a.* humble
pokorny *a.* lowly
pokrewieństwo *n.* affinity
pokrewieństwo *n.* kinship
pokrewny *a.* akin
pokrewny *a.* cognate
pokrewny *a* congenial
pokropić *v. t.* sprinkle
pokryć dachem *v.t.* roof
pokryć deskami *v.t.* plank
pokryć strzechą *v.t.* thatch
pokrywać sadzą *v.t.* soot
pokrywka *n.* cover
pokrzywa *n.* nettle
pokusa *n.* temptation
pokuta *n.* atonement
pokutować *v.i.* atone
pokwitanie *n.* puberty
pokwitowanie *n.* receipt
pół *a* half
połączenie *n.* amalgamation
połączenie *n.* connection
połączony *a.* conjunct
połączyć *v. t* combine
połączyć *v.t.* join
połączyć na nowo *v.t.* rejoin
polana *n.* lea
pole *n.* field
polegać (na kimś/czymś) *v.i.* rely
polerować *v.t.* polish
policja *n.* police
policjant *n.* policeman
policjant (w slangu) *n.* copper
policjant na koniu *n.* trooper
policzek *n.* cheek
policzek (uderzenie ręką) *n.* smack
policzyć zbyt dużo *v.t.* overcharge
poligamia *n.* polygamy
poligamiczny *a.* polygamous
poliglota *n.* polyglot
politechniczny *a.* polytechnic
politechnika *n.* polytechnic

politeista *n.* polytheist
politeistyczny *a.* polytheistic
politeizm *n.* polytheism
politura *n.* polish
polityczny *a.* political
polityk *n.* politician
polityka *n.* politics
polityka (linia postępowania) *n.* policy
półka *n.* shelf
półkula *n.* hemisphere
północ *n.* midnight
północ *n.* north
północny *a* north
północny *a.* northerly
północny *a.* northern
półnuta *n.* minim
polo *n.* polo
połów *n.* catch
połowa *n.* half
połowa lata *n.* midsummer
polować *v.t.* hunt
polowanie *n.* hunt
położenie *n.* locus
położna *n.* midwife
położyć *v.t.* lay
położyć (przeciwnika) *v. t* down
położyć na niewłaściwym miejscu *v.t.* misplace
półpiętro *n.* mezzanine
półszept *n.* undertone
polubowny *a.* amicable
południe *n.* midday
południe *n.* noon
południe (strona świata) *n.* south
południowy *a.* meridian
południowy *a.* south
południowy *a.* southerly
południowy *a.* southern
połykać *v.t.* swallow
połykanie *n.* swallow
połysk *n.* gloss
połysk *n.* lustre
połyskujący *a.* glossy
pomagać *v.t* aid
pomagać *v.t.* assist
pomagać *v.t.* help
pomalować na czarno *v. t.* blacken
pomalować w prążki *v.t.* stripe
pomarańcza *n.* orange
pomarańczowy *a* orange
pomiar *n.* measurement
pomidor *n.* tomato
pomijać (coś) *v.t.* omit
pomimo czegoś *prep.* notwithstanding
pominięcie (czegoś) *n.* omission
pomniejszy *a.* minor
pomniejszy *a.* petty
pomnik *n.* memorial
pomnożyć przez cztery *v.t.* quadruple
pomoc *n.* aid
pomoc *n.* assistance
pomoc *n.* help
pomoc drogowa *n.* wrecker
pomocniczy *a.* auxiliary
pomocniczy *a.* subsidiary
pomocnik *n.* attendant
pomocnik *n.* auxiliary
pomocnik *n.* helpmate
pomocny *a.* helpful
pompa *n.* pomp
pompa *n.* pump
pompatyczność *n.* pomposity
pompatyczny *a.* pompous
pompować *v.t.* pump
pomruk *n.* murmur
pomruk *n.* purr
pomścić *v.t.* avenge
pomścić *v.t.* revenge

pomylić się *v.t.* mistake
pomyłka *n.* lapse
pomyłka *n.* mistake
pomysł *n.* idea
pomyślny *a.* auspicious
pomyślny *a* favourable
pomyślny *a.* fortunate
pomyślny *a* successful
pomysłowy *a.* inventive
ponad *adv.* over
ponadto *adv.* besides
ponadto *adv.* moreover
ponadto *adv.* withal
ponadwymiarowy *a.* outsize
ponaglać *v.t.* hurry
ponaglać *v.t* urge
pończocha *n.* stocking
poniedziałek *n.* Monday
ponieważ *conj.* because
ponieważ *conj.* for
ponieważ, gdy *conj.* as
poniewierać *v.t.* manhandle
poniewierać (kimś) *v. t* bedevil
poniżać *v.t.* abase
poniżać *v. t.* debase
poniżej *adv.* below
poniżej *adv.* beneath
poniżej *adv.* under
poniżej (w książce) *adv.* hereafter
poniżenie *n.* abasement
ponosić (koszty) *v.t.* incur
ponowne podejmowanie *n.* resumption
ponury *a.* gloomy
ponury *a.* sullen
popadać z powrotem (w nałóg/ chorobę) *v.i.* relapse
popędzać *v.t.* rush
popelina *n.* poplin
popełniać (czyn) *v. t.* commit
popełniać gafę *v.i* blunder
popieprzyć *v.t.* pepper
popierać *v. t.* endorse
popierać *v.t* further
popierający wniosek (o osobie) *n.* seconder
popijać małymi łykami *v.t.* sip
popiół *n.* ash
popłoch *n.* stampede
poprawa *n.* betterment
poprawa *n.* improvement
poprawczy *a* reformatory
poprawiać *v.t.* amend
poprawiać *v. t* better
poprawiać *v. t* correct
poprawiać *v.t.* improve
poprawka *n.* amendment
poprawka *n.* correction
poprawny *a* correct
poprzecznie *prep.* athwart
poprzedni *a.* previous
poprzedni *a.* antecedent
poprzednik *n.* predecessor
poprzednik (w matematyce) *n.* antecedent
poprzedzać *v.t.* antecede
poprzedzać *v.* precede
poprzedzający *n.* precedent
poprzez *prep.* throughout
popularność *n.* popularity
popularny *a.* popular
popularyzować *v.t.* popularize
popychać *v.t.* thrust
por *n.* leek
por (skóry) *n.* pore
pora roku *n.* season
pora snu *n.* bed-time
porada *n.* counsel
poradzić *v.t.* advise
poranek *n.* morning
poranek (seans) *n.* matinee
porażka *n.* defeat
porcelana *n.* china

porcelana *n.* porcelain
porcja *n.* portion
porcjować *v.t.* portion
poręczenie wekslowe *n.* aval
poronić *v.i* abort
poronić *v.i.* miscarry
poronienie *n.* miscarriage
poroniony, nieudany *adj.* abortive
porównanie *n.* comparison
porównanie *n.* simile
porównawczy *a* comparative
porównywać *v. t* compare
porównywać *v.t.* parallel
porozumienie *n.* settlement
port *n.* port
portal *n.* portal
portfel *n.* wallet
portfel papierów wartościowych *n.* portfolio
portiernia *n.* lodge
portret *n.* portrait
portretować *v.t.* portray
portyk *n.* portico
porucznik *n.* lieutenant
poruszać *v.t.* agitate
poruszać *v.t.* move
poruszać coś *v.t.* propel
poruszenie *n.* agitation
poruszenie się *n.* movement
poryw (wiatru) *n.* gust
porywczość *n.* vehemence
porywczy *a.* vehement
porządek *n.* order
porządkować *v.t* order
porządkować *v.t.* tidy
porządkować *v.t.* trim
porzeczka *n.* currant
posag *n.* dowry
posąg *n.* statue
pościć *v.i* fast
pościel *n.* bedding
posępny *a* cheerless
posępny *a.* morose
posiadać *v.t.* own
posiadać *v.t.* possess
posiadacz gwarancji *n.* warrantee
posiadanie *n.* possession
posiłek *n.* meal
pośladek *n.* buttock
posłaniec *n.* messenger
posłaniec (w Indiach) *n.* peon
poślizg *n.* skid
pośliznąć się *v.i.* slip
pośliznięcie się *n.* slip
poślubiać *v.t.* wed
posługa *n* ministration
posłuszeństwo *n.* obedience
posłuszny *a.* obedient
pośmiertny *a.* obituary
pośmiertny *a.* posthumous
pośmiertny *a.* post-mortem
pośmiewisko *n.* ridicule
posocznica *n.* sepsis
pośpiech *n.* haste
pośpiech *n.* hurry
pośpiech *n.* rush
pośpieszny *a.* hasty
pospolity *a.* commonplace
pospólstwo *n.* populace
posrebrzać *v.t.* silver
pośredni *a.* indirect
pośredni *a.* intermediate
pośredni *a.* middling
pośredniczyć *v.i.* mediate
pośrednik *n.* intermediary
pośrednik *n.* mediator
pośrednik *n.* middleman
post *n.* fast
postanowienie *n.* resolution
postawa *n.* poise
postawa *n.* posture
postawa *n.* stature

postawić w stan oskarżenia *v.* arraign
postdatować *v.t.* post-date
postęp *n.* advancement
postęp *n.* progress
postępować *v. i* deal
postępować *v.i.* progress
postępowanie *n.* dealing
postępowanie *n.* proceeding
posterunkowy *n.* constable
postój *n.* halt
postradać *v.t* forfeit
posuwać naprzód *v.t.* advance
posuwanie się naprzód *n.* advance
poświadczać *v. t.* certify
poświęcać *v. t* devote
poświęcać *v.t.* hallow
poświęcać *v.t.* sacrifice
poświęcać (np. chleb) *v.t.* consecrate
poświęcenie *n.* devotion
poświęcenie *n.* sacrifice
posypany tartą bułką *a.* breaded
posypywać *v.t.* strew
poszarpać *v.t.* lacerate
poszczególny *a.* respective
poszerzać *v.t.* widen
poszukiwanie *n.* exploration
poszukiwanie *n.* quest
poszukiwanie *n.* search
pot *n.* sweat
potajemny *a.* clandestine
potajemny *a.* underhand
potas *n.* potassium
potaż *n.* potash
potęga *n.* might
potęga *n.* potency
potem *adv.* after
potencjał *n.* potential
potencjalny *a.* potential
potępiać *v. t.* condemn
potępienie *n.* condemnation
potępienie *n.* damnation
potężny *a.* mighty
potężny *a.* potent
potężny *a.* powerful
potężny *a.* tremendous
potknięcie *n.* stumble
potoczek *n.* streamlet
potok *n.* stream
potok *n.* torrent
potomek *n.* descendant
potomność *n.* posterity
potomstwo *n.* offspring
potomstwo *n.* progeny
potrawa *n.* dish
potroić *v.t.* triple
potrójny *a.* triple
potrząsanie *n.* shake
potrzeba *n.* need
potrzebny *a.* needful
potrzebować *v.t.* need
potrzebujący *a.* needy
potulny *a.* meek
poturbować *v.t* maul
potwierdzać *v. t* confirm
potwierdzać *v.t.* corroborate
potwierdzenie *n.* confirmation
potwór *n.* monster
potworny *a.* monstrous
potyczka *n.* skirmish
potykać się *v.i.* stumble
pouczać *v.t.* instruct
pouczający *a.* informative
poufny *a.* confidential
powaga (sytuacji) *n.* gravity
powalać *v.t.* prostrate
powalić *v.t* fell
powalić (przeciwnika) *v.t* floor
powalić (przeciwnika) *v.t.* overthrow
poważanie *n.* regard
poważny *a* serious

poważny, przejęty *a* earnest
poważny, uroczysty *a.* grave
powiązać *v.t.* relate
powiedzenie *n.* byword
powiedzenie *n.* dictum
powiedzieć *v.t.* tell
powieka *n.* lid
powiększać *v.t.* augment
powiększać *v. t* enlarge
powiększać *v. t* extend
powiększać *v.i.* zoom
powiększać (obraz) *v.t.* magnify
powiększenie *n.* augmentation
powiększenie *n.* zoom
powielać *v. t* cyclostyle
powiernik *n.* confidant
powiernik *n.* trustee
powierzać *v. t* entrust
powierzchnia *n.* surface
powierzchowność *n.* superficiality
powierzchowny *a.* superficial
powieść *n.* novel
powieściopisarz *n.* novelist
powietrze *n.* air
powietrzny *a.* aerial
powiew *n.* waft
powiew *n.* whiff
powinowaci *n.* in-laws
powitanie *n.* welcome
powłoka *n.* tegument
powód *n.* cause
powód *n.* reason
powód (w sądzie) *n.* plaintiff
powodować *v.t* cause
powodować *v.t.* induce
powódź *n.* flood
powodzenie *n.* prosperity
powołanie *n.* calling
powołanie *n.* vocation
powoli *adv.* leisurely
powoli *adv.* slowly
powolność *n.* slowness
powolny *a.* leisurely
powolny *a* slow
powolny *a.* sluggish
powozik *n.* barouche
powracać (do czegoś) *v.i.* revert
powrót *n.* return
powróz *n.* cord
powróz *n.* whipcord
powściągać *v.t.* moderate
powstający *a.* nascent
powstańczy *a.* insurgent
powstanie *n.* insurrection
powstanie *n.* uprising
powstaniec *n.* insurgent
powstawać *v.i.* arise
powstrzymać się *v.i.* abstain
powstrzymywać *v. t* curb
powstrzymywać *v.t.* inhibit
powstrzymywać *v.t.* rein
powstrzymywać *v.t.* restrain
powstrzymywać się *v.i.* refrain
powszechny *a.* common
powszedni *a.* workaday
powtarzać *v.t.* repeat
powtarzać się *v.i.* recur
powtarzający się *a.* recurrent
powtarzanie *n.* repetition
powtarzanie się (zjawiska) *n.* recurrence
poza *prep.* beyond
poza *n.* pose
pożądać *v.t.* covet
pożądanie *n.* appetence
pożądany *a* desirable
pożądliwy *a.* appetent
pozbawiać *v. t* deprive
pozbawiać kobietę męża *v.t.* widow
pozbawiać, osierocić *v. t.* bereave
pozbawienie *n.* privation
pozbawiony *a* devoid

pozbycie się *n.* disposal
pozbywać się *v. t* dispose
pozbywać się *v.t.* rid
pozdrawiać *v.t.* greet
pozdrawiać *v.t.* salute
pozdrowienie *n.* salutation
pozdrowienie *n.* salute
pożegnanie *n.* adieu
pożegnanie *n.* farewell
pożerać *v. t* devour
poziom *n.* level
poziomować *v.t.* level
poziomy *a* level
pozłacać *v.t.* gild
pozłota *a.* gilt
później *adv.* afterwards
później *adv.* thereafter
późniejszy *a* after
późniejszy *a.* ulterior
późno *adv.* late
późny *a.* late
pozory *n.* semblance
pozostałość *n.* remainder
pozostałość *n.* residue
pozostałość *n.* vestige
pozostałości *n.* wreckage
pozostały *a.* residual
pozostawać *v.i.* remain
pozować *v.i.* pose
pozwalać *v.t.* let
pozwalać *v.t.* permıt
pozwalać *v.t.* allow
pozwalać sobie *v.t.* afford
pozwany *n.* defendant
pozwany (w sądzie) *n.* respondent
pozwolenie *n.* consent
pozwolenie *n.* permission
pozwolenie *n.* permit
pozycja *n.* position
pozycja *n.* standing
pozycja (punkt programu) *n.* item
pożyczać (coś komuś) *v.t.* lend
pożyczać (coś komuś) *v.t.* loan
pożyczać (od kogoś) *v. t* borrow
pożyczka *n.* loan
pozyskiwać *v. t* enlist
pozytywny *a.* positive
pożywienie *n.* nourishment
pożywny *a.* nutritive
praca *n.* job
praca *n.* labour
praca *n.* work
praca naukowa *n.* memoir
praca ręczna *n.* handiwork
prace wykopaliskowe *n.* excavation
pracodawca *n.* employer
pracować *v.t.* work
pracowity *a.* industrious
pracowity *a.* laborious
pracownik *n.* employee
pracownik *n.* worker
praczka *n.* laundress
prąd (nurt) *n.* current
pradawny *a.* primeval
prądnica *n.* generator
pragmatyczny *a.* pragmatic
pragmatyzm *n.* pragmatism
pragnąć *v.t* desire
pragnąć *v.i.* thirst
pragnąć (czegoś) *v.i* long
pragnąć (czegoś) *v.i.* ycarn
pragnący *a* desirous
pragnący *a.* solicitious
pragnący *a.* wishful
pragnienie *n.* desire
pragnienie *n.* thirst
pragnienie (czegoś) *n.* longing
pragnienie (czegoś) *n.* yearning
praktyczny *a.* practical
praktyka *n.* practice
praktykant *n.* trainee
prałat *n.* prelate

pralnia *n.* laundry
prasa *n.* press
prasować *v.t.* iron
prawa strona *n.* right
prawda *n.* truth
prawdomówny *a.* truthful
prawdopodobieństwo *n.* likelihood
prawdopodobieństwo *n.* probability
prawdopodobieństwo *n.* verisimilitude
prawdopodobnie *adv.* probably
prawdopodobny *a.* likely
prawdopodobny *a.* probable
prawdziwie *adv.* bonafide
prawdziwość *n.* veracity
prawdziwy *a* bonafide
prawdziwy *a.* real
prawdziwy *a.* true
prawdziwy *a.* veritable
prawie *adv.* almost
prawie (że) *adv.* nearly
prawnik *n.* jurist
prawnik *n.* lawyer
prawo *n.* law
prawo *n.* right
prawo głosowania *n.* suffrage
prawo zastawne *n.* lien
prawość *n.* integrity
prawosławny *a.* orthodox
prawowity *a.* lawful
prawowity *a.* legitimate
prawoznawstwo *n.* jurisprudence
prawy *a.* right
prawy (o człowieku) *a.* righteous
prążek *n.* stripe
precyzja *n.* precision
precyzyjny *n.* precise
predestynacja *n.* predestination
prędkość *n.* speed
prefekt *n.* prefect
preferencja *n.* preference
preferencyjny *a.* preferential
preferować *v.t.* prefer
prehistoryczny *a.* prehistoric
prekursor *n.* precursor
premedytacja *n.* premeditation
premia *n.* bonus
premier *n.* premier
premiera *n.* premiere
prenumerata *n.* subscription
prestiż *n.* prestige
prestiżowy *a.* prestigious
pręt *n.* rod
pretekst *n.* pretext
pretensjonalny *a.* pretentious
prezent *n.* gift
prezent *n.* present
prezentacja *n.* presentation
prezentować *v.t.* present
prezes *n.* chairman
prezydencki *a.* presidential
prezydent *n.* president
próba *n.* attempt
próba *n.* endeavour
próba *n.* trial
próba *n.* try
próba (w teatrze) *n.* rehearsal
próbka *n.* sample
problem *n.* problem
problematyczny *a.* problematic
próbny *a.* tentative
próbować *v.t.* attempt
próbować *v.i.* try
procedura *n.* procedure
procent *adv.* per cent
proces *n.* process
procesja *n.* procession
próchnica, *n.* decay
próchniczy *a.* carious
producent *n.* maker
producent *n.* manufacturer
produkcja *n.* production

produkować *v.t.* produce
produkt *n.* produce
produkt *n.* product
produkt chemiczny *n.* chemical
produkt uboczny *n.* by-product
produktywność *n.* productivity
produktywny *a.* productive
profanować *v.t.* profane
profesjonalny *a.* professional
profesor *n.* professor
profil *n.* profile
próg *n.* threshold
prognoza *n.* forecast
program *n.* agenda
program *n.* programme
program (nauki) *n.* curriculum
program (nauki) *n.* syllabus
programować *v.t.* programme
progresywny *a.* progressive
prohibicyjny *a.* prohibitory
projekcja *n.* projection
projekt *n.* project
projekt, design *n.* design
projektor *n.* projector
projektować *v. t.* design
projektować *v.t.* project
proklamacja *n.* proclamation
proklamować *v.t.* proclaim
prolog *n.* prologue
prom *n.* ferry
promień (słońca) *n.* ray
promień (światła) *n.* beam
promień (w geometrii) *n.* radius
promieniejący *a.* radiant
promieniować *v. i* beam
promieniować *v.t.* radiate
promieniowanie *n.* radiation
promisoryjny *a.* promissory
promocja *n.* promotion
promować *v.t* market
promować *v.t.* promote
propaganda *n.* propaganda
propagandzista *n.* propagandist
propagować *v.t.* propagate
propagowanie *n.* propagation
proponować *v.t.* propose
proporcja *n.* proportion
proporcjonalny *a.* proportional
proporcjonalny *a.* proportionate
propozycja *n.* proposal
proroctwo *n.* prophecy
proroczy *a.* oracular
proroczy *a.* prophetic
prorok *n.* prophet
prorokować *v.t.* prophesy
prośba *n.* request
prosić (o coś) *v.t.* request
proso *n.* millet
prospekt *n.* prospectus
prosperować *v.i.* prosper
prosperujący *a.* prosperous
prostaczek *n.* simpleton
prosto *adv.* straight
prostokąt *n.* oblong
prostokąt *n.* rectangle
prostokątny *a.* rectangular
prostopadłościan *n.* cuboid
prostopadły *a.* perpendicular
prostota *n.* simplicity
prosty *a.* simple
prosty *a.* straight
prosty (o kącie) *a.* right
prostytucja *n.* prostitution
prostytuować *v.t.* prostitute
prostytutka *n.* prostitute
proszek *n.* powder
proszkować *v.t.* powder
protagonista *n.* protagonist
proteina *n.* protein
protest *n.* protest
protest *n.* protestation
protestować *v.i.* protest
prototyp *n.* prototype

prowadzenie *n.* lead
prowadzić *v.t.* lead
prowadzić (działania) *v.t.* wage
prowadzić badania *v.i.* research
prowadzić dalej (postępowanie) *v.i.* proceed
prowadzić dochodzenie *v.t.* investigate
prowadzić handel wymienny *v.t.* barter
prowadzić samochód *v.i.* motor
prowadzić wykład *v* lecture
prowiant *n.* eatables
prowincja *n.* province
prowincjonalizm *n.* provincialism
prowincjonalny *a.* provincial
prowizja *n.* commission
prowokacja *n.* provocation
prowokacyjny *a.* provocative
prowokować *v.t.* provoke
proza *n.* prose
prozaiczny *a.* prosaic
próżnia *n.* vacuum
próżniak *n.* idler
próżniak *n.* sluggard
próżność *n.* vanity
próżnować *v.i.* laze
próżnować *v.i.* loaf
próżny *a.* vain
prozodia *n.* prosody
prymitywny *a.* primitive
prysznic *n.* shower
prywatność *n.* privacy
prywatny *a.* private
prząśnica *n.* spinner
przebaczać *v.t* forgive
przebaczenie *n.* condonation
przebiegać pędem *v. i.* dash
przebiegły *a.* shrewd
przebierać (się) *v. t* disguise
przebijać *v.t.* pierce
przebijać (ostrzem) *v.t.* spike
przebijać atutem (w kartach) *v.t.* trump
przebijać lancą *v.t.* lance
przebijać włócznią *v.t.* spear
przebój, hit *n.* hit
przebranie *n.* disguise
przebudzony *a* awake
przebywać *v.i* abide
przebywać *v.i.* reside
przebywać *v.i.* sojourn
przebywający stale *a.* resident
przeceniać *v.t.* overrate
przechadzać się *v.i.* saunter
przechadzać się *v.i.* stroll
przechadzka *n.* stroll
przechodni (o czasowniku) *a.* transitive
przechodzić *v.i.* pass
przechodzić (zmianę) *v.t.* undergo
przechodzić proces inkubacji *v.i.* incubate
przechowywać w aktach *v.t* file
przechwalać się *v.i.* swagger
przechwalanie się *n.* swagger
przechwycenie (samolotu) *n.* interception
przechwycić (samolot) *v.t.* intercept
przechytrzać *v.t.* outwit
przeciąg *n.* draught
przeciążać *v.t.* overburden
przeciążenie *n.* overload
przeciek *n.* leakage
przeciek (nieoficjalne informacje) *n.* leak
przeciekać *v.i.* leak
przeciekać *v.i.* seep
przeciętny *a.* average
przecinać rowami *v.t.* trench
przecinać się *v.i.* intersect

przecinek *n.* comma
przeciw *prep.* against
przeciw *prep.* versus
przeciwdziałać *v.t.* counteract
przeciwlotniczy *a.* anti-aircraft
przeciwnatarcie *n.* countercharge
przeciwnik *n.* adversary
przeciwnik *n.* antagonist
przeciwnik *n.* opponent
przeciwny *a* adverse
przeciwny *a.* averse
przeciwny *a* contrary
przeciwny *a.* opposite
przeciwstawiać (czemuś) *v. t* contrast
przeciwstawiać się *v.t.* withstand
przeczucie *n.* foreknowledge
przeczucie *n.* hunch
przeczucie *n.* inkling
przeczucie *n.* premonition
przeczyszczający *a* laxative
przeczyszczający *a* purgative
przeczyszczenie *n.* purgation
przeczytanie (uważne) *n.* perusal
przed *prep* before
przedawkować *v.t.* overdose
przedkładać *v.t.* propound
przedkładać *v.t.* submit
przedłużać *v.t.* prolong
przedłużać termin *v.t.* prorogue
przedłużenie *n.* prolongation
przedmałżeński *a.* premarital
przedmieście *n.* suburb
przedmiot *n.* object
przedmioty osobistego użytku *n. pl* paraphernalia
przedmowa *n.* foreword
przedmowa *n.* preface
przedni *a.* forward
przedni *a* front
przednia noga *n.* foreleg
przedpołudnie *n.* forenoon
przedporodowy *a.* antenatal
przedramię *n.* forearm
przedrostek *n.* prefix
przedruk *n.* reprint
przedrukowywać *v.t.* reprint
przedsiębiorczy *a.* venturesome
przedsiębiorczy *a.* venturous
przedsiębiorstwo *n.* business
przedsiębiorstwo *n.* enterprise
przedsięwzięcie *n.* venture
przedślubny *a.* antenuptial
przedstawiać *v. t.* depict
przedstawiać (kogoś komuś) *v.t.* introduce
przedstawiać (na rysunku) *v.t.* picture
przedstawiający *a.* representative
przedstawiciel *n.* agent
przedstawiciel *n.* representative
przedstawienie *n.* show
przedstawienie (kogoś komuś) *n.* introduction
przedstawienie (np. w teatrze) *n.* performance
przedszkole *n.* kindergarten
przedszkole *n.* nursery
przedtem *adv.* beforehand
przedwczesny *a.* premature
przędza *n.* yarn
przedział (w wagonie) *n.* compartment
przedziurawiać *v.t.* perforate
przegląd *n.* review
przeglądać *v.t.* scan
przegroda *n.* partition
przejazd *n.* thoroughfare
przejazd *n.* transit
przejazd emigranta (przez kraj) *n.* transmigration
przejażdżka *n.* drive

przejażdżka *n.* ride
przejrzysty (o tkaninie) *a.* sheer
przejście *n.* passage
przejście (przez ulicę) *n.* crossing
przekablować *v. t.* cable
przekąska *n.* snack
przekaźnik *n.* transmitter
przeklęty *a.* accursed
przeklinać *v. t* curse
przeklinać *v. t.* damn
przeklinać *v.i.* swear
przekłucie *n.* puncture
przekłuwać *v.t.* puncture
przekonywać *v. t* convince
przekonywać *v.t.* persuade
przekonywający (argument) *a.* cogent
przekonywanie *n.* persuasion
przekopywać tunel *v.i.* tunnel
przekoziołkować *v.i.* somersault
przekraczać *v.t* exceed
przekraczać *v.t.* surpass
przekraczać (koszty) *v.t* overrun
przekroczenie konta (bankowego) *n.* overdraft
przekroczyć konto *v.t.* overdraw
przekształcać *v.* transform
przekształcenie *n.* transformation
przekupny *a.* venal
przekupstwo *n.* venality
przekupywać *v. t.* bribe
przełączać *v.t.* switch
przełącznik *n.* switch
przeładowanie *n.* overcharge
przeładowywać *v.t.* overload
przelicytować *v.t.* outbid
przeliczać *v.t.* recount
przeliczać (na inne jednostki) *v. t* convert
przelotne spojrzenie *n.* glimpse
przelotowy *a* through
przemęczać się *v.i.* overwork
przemęczenie *n.* overwork
przemiana *n.* conversion
przemiana *n.* permutation
przemijający *a.* transitory
przeminąć *v. t* elapse
przemoc *n.* violence
przemoczyć *v. t* drench
przemówienie *n.* discourse
przemycać *v.t.* smuggle
przemysł *n.* industry
przemyśliwanie *n.* rumination
przemysłowy *a.* industrial
przemytnik *n.* smuggler
przeniesienie *n.* transfer
przenikać *v.t.* penetrate
przenikać *v.t.* pervade
przenikliwy (o umyśle) *a.* argute
przenosić *v. t.* carry
przenosić *v. t* displace
przenosić *v.t.* transfer
przenośny *a.* portable
przenośny (o bilecie) *a.* transferable
przeobrażać *v.t.* transfigure
przeobrażenie *n.* transfiguration
przeoczenie *n.* oversight
przeoczyć *v.t.* overlook
przeor *n.* prior
przeorysza *n.* prioress
przepadać *v.i.* perish
przepiękny *a.* gorgeous
przepiórka *n.* quail
przepis *n.* regulation
przepis (kulinarny) *n.* recipe
przepisy *n.* bylaw, bye-law
przepisywać *v.t.* prescribe
przepisywać *v.t.* transcribe
przepływ *n.* flow
przepoławiać *v.t.* halve
przepołowić *v. t* bisect

przepona brzuszna *n.* midriff
przepowiadać *v.t* foretell
przepowiadać *v.t.* predict
przepowiednia *n.* prediction
przepraszać *v.i.* apologize
przeprosiny *n.* apology
przeprowadzać (drogą) *v.t.* parade
przeprowadzać audyt *v.t.* audit
przeprowadzać transakcję *v.t.* transact
przeprowadzać wywiad *v.t.* interview
przepuklina *n.* hernia
przepustka *n.* pass
przepustnica *n.* throttle
przepych *n.* pageantry
przerażać *v.t.* frighten
przerażać *v.t.* horrify
przerażać *v.t.* terrify
przerażenie *n.* dread
przerażony *a.* aghast
przerwa *n.* break
przerwa *n.* interlude
przerwa *n.* interruption
przerwa (w szkole) *n.* recess
przerwanie ciąży *n.* abortion
przerywać *v.t.* interrupt
przerzucać (szuflą) *v.t.* shovel
przesąd *n.* superstition
przesada *n.* exaggeration
przesądny *a.* superstitious
przesadzać (roślinę) *v.t.* transplant
przesadzać (w czymś) *v. t.* exaggerate
przesadzić (w czymś) *v.t.* overdo
prześcieradło *n.* sheet
prześcignąć (kogoś w czymś) *v.t.* outdo
przesiewać *v.t.* sieve
przesiewać *v.t.* sift
prześladować *v.t.* persecute
prześladować (o myśli) *v.t.* obsess
prześladowanie *n.* persecution
przesłanka *n.* prerequisite
przesłanki *n.* rationale
przesłuchiwać *v.t.* question
przesłuchiwanie *n.* interrogation
przestarzały *a.* antiquated
przestarzały *a.* obsolete
przestarzały *a.* outdated
przestępca *n.* criminal
przestępca *n.* offender
przestępstwo *n.* misdeed
przestój (wagonu na kolei itp.) *n.* demurrage
przestraszony *a.* afraid
przestraszyć *v.t.* scare
przestraszyć *v.t.* startle
przestronny *a.* capacious
przestronny *a.* roomy
przestronny *a.* spacious
przestrzegać *v.t* forewarn
przestrzegać (przepisów) *v.t.* observe
przestrzeganie (przepisów) *n.* observance
przestrzeń *n.* space
przestrzenny *a.* spatial
przesunięcie *n.* shift
przesuwać *v.t.* shift
prześwietlać *v.t.* x-ray
przesyłać dalej *v.t* forward
przesyt *n.* glut
przeszczep *n.* graft
przeszczepiać *v.t* graft
przeszkadzać *v. t.* encumber
przeszkadzać (komuś) *v. t* disturb
przeszkoda *n.* handicap
przeszkoda *n.* obstacle
przeszkoda *n.* snag

przeszłość *n.* past
przeszłość (człowieka) *n.* background
przeszły *a.* past
przeszukiwać *v.t.* search
przetoka *n.* fistula
przetrwać *v.i.* survive
przetrwać (burzę) *v.t.* weather
przetrwanie *n.* survival
przetrząsać *v.t.* ransack
przewaga *n.* advantage
przewaga *n.* odds
przewaga *n.* predominance
przewaga *n.* pre-eminence
przewaga *n.* preponderance
przewaga *n.* prevalence
przewalać się (o tłumie) *v.t.* throng
przeważać *v.t.* outbalance
przeważać *v.t.* outweigh
przeważać *v.i.* predominate
przeważać *v.i.* preponderate
przeważający *a.* predominant
przeważający *a.* prevalent
przewidywać *v.t* foresee
przewidywanie *n.* foresight
przewidywanie *n.* prescience
przewietrzać *v.t.* ventilate
przewiewny *a.* airy
przewinienie *n.* demerit
przewód (np. pokarmowy) *n.* tract
przewodniczyć *v.i.* preside
przewodnik *n.* guide
przewóz *n.* conveyance
przewóz *n.* portage
przewozić promem *v.t* ferry
przewracać się *v.i.* topple
przewyższać *v.t.* transcend
przewyższać (coś) *v.t.* top
przewyższający *a.* pre-eminent
przez *prep.* across
przez *prep.* through
przez (daną miejscowość) *prep.* via
przez chwilę *adv.* awhile
przez noc *adv.* overnight
przez to *adv.* thereby
przeziębienie *n.* cold
przeznaczenie *n.* destiny
przeznaczenie *n.* doom
przezorność *n.* forethought
przezorność *n.* providence
przezorny *a.* circumspect
przezorny *a.* provident
przeźroczysty *a.* transparent
przeżuwacz *n.* ruminant
przeżuwający (o zwierzęciu) *a.* ruminant
przezwyciężać *v.t.* overpower
przezwyciężać *v.t.* surmount
przeżyć *v.i.* outlive
przód *n.* front
przodek *n.* ancestor
przodek *n.* forefather
przodek działa *n.* limber
przodkowie *n.* ancestry
przy *prep* by
przy zdrowych zmysłach *a.* sane
przybierać frędzlami *v.t* fringe
przybierać klejnotami *v.t.* jewel
przybijać gwoździem *v.t.* nail
przybłęda *n.* stray
przybliżony *a.* approximate
przybory *n.* tackle
przybudówka *n.* outhouse
przybycie *n.* arrival
przybywać *v.i.* arrive
przychodzić, przyjeżdżać *v. i.* come
przyciągać *v.t.* attract
przyciąganie *n.* attraction
przyciemniać *v. t* dim
przycinać (roślinę) *v.t.* prune

przyćmiony *a* dim
przyczepa *n.* trailer
przyczepa kempingowa *n.* caravan
przyczepiać *v.t.* attach
przyczepić działo do przodka (w wojsku) *v.t.* limber
przyczyniać się *v. t* contribute
przyczynowość *n.* causality
przyczynowy *a.* causal
przydatność *n.* utility
przydatny *a.* handy
przydatny *a.* useful
przydomek *n.* nickname
przydział *n.* allocation
przygasły *a.* lacklustre
przyglądać się *v.t.* survey
przygnębiony *n.* woeful
przygoda *n.* adventure
przygotowanie *n.* preparation
przygotowawczy *a.* preparatory
przygotowywać *v.t.* prepare
przyimek *n.* preposition
przyjaciel *n.* friend
przyjemność *n.* pleasure
przyjemność *n.* relish
przyjemny *a.* pleasant
przyjmować *v.t.* admit
przyjmowanie *n.* reception
przyjść (komuś) z pomocą *v.t.* succour
przykład *n.* example
przykład *n.* instance
przyklejać *v.t.* stick
przykry *a.* irksome
przykry *a.* nasty
przykrywać *v. t.* cover
przykrywać prześcieradłem *v.t.* sheet
przylegać (do czegoś) *v.i.* abut
przylegać (do czegoś) *v. i.* cling
przymierze *n.* alliance
przymilać się *v. t* coax
przymilać się *v.t.* wheedle
przymiotnik *n.* adjective
przymocowywać *v.t* fix
przymocowywać kołkami *v.t.* peg
przymus *n.* compulsion
przymusowy *a* compulsory
przynależność *n.* adhesion
przynależność *n.* affiliation
przynależność *n.* appurtenance
przynęta *n.* bait
przynęta *n.* lure
przynosić *v. t* bring
przynosić korzyść *v.t.* avail
przynosić korzyść *v. t.* benefit
przynosić ulgę *v. t* ease
przynosić zysk *v.t.* profit
przypadkowy *a* accidental
przypadkowy *a.* casual
przypadkowy *a.* haphazard
przypadkowy *a.* incidental
przypadkowy *a.* random
przypalać *v.t.* scorch
przypatrywać się *v.t.* gaze
przypiekać *v.t.* parch
przypinać *v.t.* pin
przypinać *v.t.* strap
przypisywać *v.t.* ascribe
przypisywać *v.t.* attribute
przypominać *v.t.* remind
przypominać (kogoś/coś) *v.t.* resemble
przypominać sobie *v.t.* recall
przypominający (kogoś/coś) *a.* reminiscent
przypomnienie *n.* reminder
przypowieść *n.* parable
przyprawa *n.* condiment
przyprawa *n.* spice
przyprawiać *v.t.* spice

przyprawiać (potrawę) *v.t.* season
przypuszczać *v.t.* assume
przypuszczać *v.i* guess
przypuszczać *v.t.* presume
przypuszczać *v.t.* suppose
przypuszczać *v.t.* surmise
przypuszczenie *n.* assumption
przypuszczenie *n.* guess
przypuszczenie *n.* presumption
przypuszczenie *n.* supposition
przypuszczenie *n.* surmise
przyrosły *a.* adnascent
przyrost *n.* increase
przyrost *n.* increment
przyrostek *n.* suffix
przyrównywać *v.t.* liken
przyrząd *n.* appliance
przyrząd *n.* device
przyrząd *n.* implement
przyrząd do ostrzenia *n.* sharpener
przyrzeczenie *n.* vow
przysięga *n.* oath
przysięgać *v.i.* swear
przysłówek *n.* adverb
przysłowie *n.* adage
przysłowie *n.* proverb
przysłowiowy *a.* proverbial
przysłówkowy *a.* adverbial
przysługa *n.* favour
przysmak *n.* dainty
przyśpieszenie *n.* acceleration
przyśpieszyć *v.t* accelerate
przystań *n.* harbour
przystań *n.* haven
przystanek *n.* stop
przystojny *a.* handsome
przystosować *v.t.* accommodate
przystosować *v.t.* adapt
przystosowanie *n.* accommodation
przystosowanie *n.* adaptation
przystrajać *v.t.* bedight
przyszłość *n.* future
przyszły *a.* future
przyszły *a.* prospective
przytaczać *v.t.* adduce
przytłaczać (o uczuciu) *v.t.* overwhelm
przytrafić się *v. t* befall
przytulny *a.* cosy
przytulny *a.* snug
przywiązywać (kogoś do siebie) *v.t* endear
przywilej *n.* charter
przywilej *n.* prerogative
przywilej *n.* privilege
przywłaszczać sobie *v.t.* appropriate
przywłaszczenie sobie *n.* appropriation
przywództwo *n.* leadership
przywracać (na stanowisko) *v.t.* reinstate
przywrócenie (na stanowisko) *n.* reinstatement
przyznawać *v.t.* accord
przyznawać (nagrodę) *v.t.* award
przyznawać (nagrodę) *v.t.* grant
przyznawać (że...) *v.t.* concede
przyznawać emeryturę *v.t.* pension
przyznawać się *v.t.* avow
przyznawać się (do czegoś) *v. t.* confess
przyzwalać *v.i.* acquiesce
przyzwoitość *n.* decency
przyzwoity *a* becoming
przyzwoity *a* decent
przyzwolenie *n.* acquiescence
przyzwyczajać *v.t.* accustom
przyzwyczajać (kogoś/się) do czegoś *v. t.* habituate

przyzwyczajony *a.* accustomed
przyzwyczajony *a.* wont
przyzwyczajony *a.* wonted
psalm *n.* psalm
pseudonim *n.* alias
pseudonim *n.* pseudonym
psie pieniądze *n.* pittance
psota *n.* mischief
psota *n.* prank
psotnica *n.* minx
psotny *a.* mischievous
psuć *v.t.* spoil
psuć *v.t.* vitiate
psujący się (o towarze) *a.* perishable
psyche *n.* psyche
psychiatra *n.* psychiatrist
psychiatria *n.* psychiatry
psychiczny *a.* psychic
psycholog *n.* psychologist
psychologia *n.* psychology
psychologiczny *a.* psychological
psychopata *n.* psychopath
psychoterapia *n.* psychotherapy
psychoza *n.* psychosis
pszczelarstwo *n.* apiculture
pszczoła *n.* bee
pszenica *n.* wheat
ptak *n.* bird
ptaszarnia *n.* aviary
ptasznik *n.* fowler
publiczność *n.* audience
publiczność *n.* public
publiczny *a.* public
publikacja *n.* publication
publikować *v.t.* publish
puch *n.* nap
puchar *n.* beaker
puchar *n.* goblet
puchnąć *v.i.* swell
pudding *n.* pudding
pudełko *n.* box
pukać *v.t.* knock
pukać *v.t.* tap
pukiel *n.* curl
pułapka *n.* pitfall
pułapka *n.* trap
pułk *n.* regiment
pułkownik *n.* colonel
pulower *n.* pullover
puls *n.* pulse
pulsować *v.i.* pulsate
pulsować *v.i.* pulse
pulsować *v.i.* throb
pulsowanie *n.* pulsation
pulsowanie *n.* throb
punkt *n.* point
punkt kulminacyjny *n.* climax
punkt widzenia *n.* standpoint
punktualność *n.* punctuality
punktualny *a.* punctual
purysta *n.* purist
purytanin *n.* puritan
purytański *a.* puritanical
puste miejsce, pustka *n.* blank
pustelnia *n.* hermitage
pustelnik *n.* hermit
pustka *n.* void
pustkowie *n.* barren
pusty *a* empty
pusty *a.* void
pustynia *n.* desert
puszczać pogłoskę *v.t.* rumour
puszczać się w pogoń (za kimś) *v.t.* pursue
puszczać w obieg *v. i.* circulate
puszka *n.* can
puszka (na herbatę itp.) *n.* canister
puszka blaszana *n.* tin
pył wodny *n.* spray
pyłek *n.* mote
pyłek kwiatowy *n.* pollen
pysk *n.* snout

pytać *v.t.* ask
pytający *a.* interrogative
pytanie *n.* question
pyton *n.* python

quiz *n.* quiz

rabat *n.* discount
rabat *n.* rebate
rabunek *n.* depredation
raca *n.* flare
rachunek *n.* bill
racja (żywnościowa) *n.* ration
racjonalizować *v.t.* rationalize
racjonalność *n.* rationality
racjonalny *a.* rational
raczej *adv.* rather
raczyć (coś zrobić) *v.t.* vouchsafe
rad *n.* radium
rada *n.* advice
rada (instytucja) *n.* council
radio *n.* radio
radio *n.* wireless
radny *n.* councillor
radość *n.* glee
radość *n.* joy
radość *n.* mirth
radosny *n.* joyful, joyous
radosny *a.* mirthful
radować się *v.i.* rejoice
radykalny *a.* radical
radzić sobie (z czymś) *v. i* cope
rafineria *n.* refinery
raj *n.* paradise
rak *n.* cancer
Rak (znak zodiaku) *n.* Cancer
rakieta *n.* rocket
rakieta (w sporcie) *n.* racket
rama *n.* frame
ramię *n.* arm
ramię *n.* shoulder
ramię przy ramieniu *adv.* abreast
rana *n.* sore
rana *n.* wound
ranga kapitana *n.* captaincy
ranić *v.t.* wound
rano a.m.
rapier *n.* rapier
raport *n.* report
rasa *n.* breed
rasa *n.* race
rasizm *n.* racialism
rasowy *a.* racial
rata *n.* instalment
ratować *v.t.* rescue
ratować *v.t.* save
ratunek *n.* rescue
ratyfikować *v.t.* ratify
razem *adv.* together
rdza *n.* rust
rdzenny (o ludności) *a* aboriginal
rdzewieć *v.i* rust
reagować *v.i.* react
reakcja *n.* reaction
reakcyjny *a.* reactionary
realista *n.* realist
realistyczny *a.* realistic
realizacja *n.* realization
realizm *n.* realism
realizować *v.t.* realize
recepcja *n.* reception
recepta *n.* prescription
recesja *n.* recession

rechotanie (żab) *n.* croak
recital *n.* recital
recytacja *n.* recitation
recytować *v.t.* recite
ręcznik *n.* towel
ręczny *a.* manual
redagować *v. t* edit
redakcyjny *a* editorial
redaktor *n.* editor
redukcja *n.* reduction
redukcja *n.* retrenchment
redukować *v.t.* reduce
redukować *v.t.* retrench
referendum *n.* referendum
refleks *n.* reflex
reforma *n.* reform
reformator *n.* reformer
reformować *v.t.* reform
refren *n.* chorus
refren *n.* refrain
refundować *v.t.* refund
regeneracja *n.* regeneration
region *n.* region
regionalny *a.* regional
reguła *n.* rule
regulacja *n.* regulation
regularność *n.* regularity
regularny *a.* regular
regulator *n.* regulator
regulować *v.t.* regulate
rehabilitacja *n.* rehabilitation
rehabilitować *v.t.* rehabilitate
rejestr *n.* register
rejestracja *n.* registration
rejestrator *n.* registrar
rejestrować *v.t.* register
rejs *n.* cruise
ręka, dłoń *n.* hand
rękaw *n.* sleeve
rękawica *n.* gauntlet
rękawica *n.* glove
rekin *n.* shark
reklama *n.* advertisement
reklama *n.* publicity
reklama telewizyjna lub radiowa *a* commercial
reklamować *v.t.* advertise
reklamować *v.t.* publicize
rękodzieło *n.* handicraft
rekompensata *n.pl.* amends
rekompensata *n.* recompense
rekompensata *n.* redress
rekompensować *v.t.* recompense
rękopis *n.* manuscript
rękopis *n.* script
rekord *n.* record
rekrut *n.* recruit
rekrutować *v.t.* recruit
rekultywacja (gruntu) *n.* reclamation
rekwirować *v.t.* requisition
relacja *n.* rapport
relegować (studenta) *v.t.* rusticate
religia *n.* religion
religijny *a.* religious
relikt *n.* relic
remik (gra w karty) *n.* rummy
remisja *n.* remission
rencista *n.* annuitant
renowacja *n.* renovation
renta *n.* annuity
rentgenowski *a.* x-ray
repatriacja *n.* repatriation
repatriant *n.* repatriate
repatriować *v.t.* repatriate
replika *n.* rejoinder
replika *n.* replica
reporter *n.* reporter
reprezentacja *n.* representation
reprezentować *v.t.* represent
reprodukcja *n.* reproduction
reprodukcyjny *a.* reproductive
reprodukować *v.t.* reproduce

republika *n.* republic
republikanin *n.* republican
republikański *a.* republican
reputacja *n.* reputation
reputacja *n.* repute
requiem *n.* requiem
restauracja *n.* restaurant
retoryczny *a.* rhetorical
retoryka *n.* rhetoric
retrospektywny *a.* retrospective
retuszować *v.t.* retouch
reumatyczny *a.* rheumatic
reumatyzm *n.* rheumatism
rewelacja *n.* revelation
rewidować *v.t.* revise
rewizja *n.* revision
rewolucja *n.* revolution
rewolucja (w polityce) *n.* upheaval
rewolucjonista *n.* revolutionary
rewolucyjny *a.* revolutionary
rewolwer *n.* gun
rewolwer *n* revolver
rezerwacja *n.* reservation
rezerwat *n.* preserve
rezerwować *v. t.* book
rezerwować *v.t.* reserve
reżim *n.* regime
rezultat *n.* outcome
rezultat *n.* upshot
rezydencja *n.* mansion
rezydencja ziemska *n.* manor
rezydent *n.* resident
rezygnować *v.t.* resign
riksza *n.* rickshaw
riposta *n.* retort
robak *n.* bug
robak *n.* worm
robić *v.t.* make
robić *v. t* do
robić kalambury *v.i.* pun
robić konserwy *v. t.* can
robić masło *v.t.* churn
robić na drutach *v.t.* knit
robić odlew *v. t.* cast
robić próbę (w teatrze) *v.t.* rehearse
robić przegląd *v.t.* review
robić rozpoznanie *v.i* scout
robić sekcję *v. t* dissect
robić wycieczkę *v.i.* sally
robić zakupy *v.i.* shop
robić zamieszanie *v.i* fuss
robot *n.* robot
robotnik *n.* workman
robotnik zatrudniony na krótki okres czasu *n.* jobber
rocznica *n.* anniversary
rocznik (wina) *n.* vintage
ród *n.* kin
rodowód *n.* pedigree
rodowy *a.* ancestral
rodzaj *n.* kind
rodzaj *n.* sort
rodzaj piwa angielskiego ale *n.* alegar
rodzaj, płeć *n.* gender
rodzic *n.* parent
rodzicielski *a.* parental
rodzimy (o języku) *a.* vernacular
rodzina *n.* family
rodzinny (o kraju) *a.* natal
rodzynek *n.* raisin
róg *n.* horn
róg (ulicy) *n.* corner
róg jeleni *n.* antler
róg myśliwski *n.* bugle
rogówka *n.* cornea
roić się *v.i.* swarm
rój *n.* swarm
rój (pszczół) *n.* fry
rojalista *n.* royalist
rok *n.* year
rokrocznie *adv.* yearly

rola *n.* role
rolnictwo *n.* agriculture
rolnictwo *n.* husbandry
rolniczy *a* agricultural
rolnik *n.* farmer
rolnik agronom *n.* agriculturist
romans *n.* amour
romans *n.* liaison
romans *n.* romance
romantyczny *a.* romantic
rondo (kapelusza) *n.* brim
ropa (w medycynie) *n.* pus
ropa naftowa *n.* petroleum
ropień *n.* abscess
ropotok *n.* pyorrhoea
ropucha *n.* toad
rosa *n.* dew
roślina *n.* plant
roślina strączkowa *n.* pulse
roślina wiecznie zielona *n.* evergreen
rosnąć *v.t.* grow
rosnąć *v.i.* rise
rosół *n.* broth
roszczący sobie prawo do czegoś *n.* claimant
roszczenie *n.* pretence
rotacja *n.* rotation
rotacyjny *a.* rotary
rów *n.* ditch
rów *n.* trench
rowek *n.* groove
rower *n.* bicycle
rower *n.* cycle
rowerzysta *n.* cyclist
rówieśnik *n.* peer
rowkować *v.t* groove
równać się *v.* amount
równać się *v. t* equal
równanie *n.* equation
równie, tak jak *adv.* as
również *adv.* likewise
równik *n.* equator
równina *n.* plain
równoboczny *a* equilateral
równoległobok *n.* parallelogram
równoległy *a.* parallel
równość *n.* equality
równość *n.* par
równość *n.* parity
równowaga *n.* balance
równoważny *a* equivalent
równoznaczny *a.* synonymous
równoznaczny *a.* tantamount
równy *a* even
równy (czemuś) *a* equal
róż *n.* pink
róża *n.* rose
różaniec *n.* rosary
rozbicie *n.* smash
rozbieżność *n.* variance
rozbijać *v.t.* smash
rozbijać *v.t.* wreck
rozbój (w Indiach) *n.* dacoity
rozbójnik (w Indiach, Burmie) *n.* dacoit
rozbroić *v. t* disarm
rozbrojenie *n.* disarmament
rozbrzmiewać *v.i.* resound
rozchodzić się (o grupie ludzi) *v.i.* straggle
rozciągać *v.t.* stretch
rozciągać się *v.i.* spread
rozcięcie *n.* slit
rozcieńczać *v. t* dilute
rozcieńczać *v.t.* thin
rozcieńczony *a* dilute
rozcierać na miazgę *v.t.* pulp
rozcinać *v.t.* slit
rozczarowywać *v. t.* disappoint
rozdarcie *n.* tear
rozdrażniać *v.t.* incense
rozdział *n.* chapter
rozdzielać *v.t.* separate

rozdzielenie *n.* separation
różdżka *n.* wand
rozejm *n.* armistice
rozejm *n.* truce
rozerwać *v.t.* tear
rozerwać się *v.i.* sport
rozgłos *n.* notoriety
rozgoryczać *v. t* embitter
rozgramiać *v.t.* rout
rozgrzeszać *v.t* absolve
rozgrzewać *v.t.* warm
rozjaśniać *v. t* brighten
rozjemca *n.* umpire
rozkaz *n.* command
rozkazywać *v. t* command
rozkład *n.* decomposition
rozkładać się *v. t.* decompose
rozkochać *v. t* enamour
rozkochać *v.t.* infatuate
rozkoszować się *v.t.* relish
rozkwit *n.* prime
rozłączać *v. t* disconnect
rozłączny *a.* separable
rozładowanie *n.* discharge
rozładowywać *v. t* discharge
rozległa przestrzeń *n.* sweep
rozlew krwi *n.* bloodshed
rozlewać się *v.i.* spill
rozluźniać *v.t.* loose
rozluźniać *v.t.* relax
rozmaitość *n.* variety
rozmaity *a* diverse
rozmaity *a.* miscellaneous
rozmaity *a.* varied
rozmawiać *v.t.* converse
rozmaz (w medycynie) *n.* smear
rozmiar *n.* dimension
rozmiar *n.* size
rozmieszczać *v.t.* arrange
rozmieszczenie *n.* arrangement
rozmnażać się *v.i.* proliferate
rozmnażanie *n.* proliferation
rozmowa *n.* talk
rozmowa telefoniczna *n.* call
rozmowa w cztery oczy *n.* tete-a-tete
rozmyślny *a* deliberate
różnić się *v. i* differ
różnica *n.* difference
różnica *n.* disparity
różnica *n.* variation
różnorodność *n.* multiplicity
różnorodny *a.* motley
roznosiciel (ogłoszeń itp.) *n.* carrier
różny *a* different
różny *a.* various
różowawy *a.* pinkish
różowy *a* pink
różowy *a.* roseate
różowy *a.* rosy
rozpacz *n.* despair
rozpaczać *v. i* despair
rozpaczliwy *a* desperate
rozpad *n.* split
rozpadlina *n.* cleft
rozpalać (ogień) *v.t.* kindle
rozpasany *a.* licentious
rozpieszczać *v.t.* pamper
rozpiętość *n.* span
rozpoczęcie *n.* commencement
rozporządzenie *n.* ordinance
rozpowszechniony *a.* widespread
rozpoznanie *n.* recognition
rozpoznawać *v.t.* recognize
rozpoznawać (chorobę) *v. t* diagnose
rozpraszać *v. t* disperse
rozprawa naukowa *n.* treatise
rozprawa sądowa *n.* trial
rozprowadzać *v. t* distribute
rozpusta *n.* debauch
rozpusta *n.* debauchery

rozpustnik *n.* debauchee
rozpuszczać *v.t* dissolve
rozpuszczalnik *n.* solvent
rozpuszczalność *n.* solubility
rozpuszczalny *a.* soluble
rozradowany *a* overjoyed
rozruchy *n.* riot
rozrywać *v.t.* rip
rozrywka *n.* entertainment
rozrywka *n.* pastime
rozrzucać *v.t.* scatter
rozrzutnik *n.* spendthrift
rozrzutność *n.* prodigality
rozrzutny *a.* prodigal
rozsądny *a.* judicious
rozsądny *a.* reasonable
rozsądny *a.* sensible
rozsądzać *v.t.* arbitrate
rozstawiać *v.t.* space
rozstęp (w anatomii) *n.* lacuna
rozstrzygać *v.t.* umpire
rozstrzygający *a* conclusive
rozszczepiać *v.t.* splinter
rozszerzać *v.t.* expand
roztocze *n.* mite
rozum *n.* reason
rozum *n.* wit
rozumieć *v. t* comprehend
rozumieć *v.t.* understand
rozumować *v.i.* reason
rozwaga *n.* consideration
rozwaga *n.* prudence
rozwalać się *v.i.* loll
rozwalać się *v.i.* lounge
rozważać *v. t* consider
rozważać *v. i* deliberate
rozważać *v.t.* ponder
rozważać coś *v. t* contemplate
rozważanie (czegoś) *n.* contemplation
rozważny *a.* prudent
rozważny *a.* prudential
rozwiązanie *n.* solution
rozwiązłość *n.* profligacy
rozwiązły *a.* profligate
rozwiązły *a.* wanton
rozwiązywać (zadanie) *v.t.* resolve
rozwiązywać (zagadkę) *v.t.* solve
rozwiewać (włosy) *v.t.* winnow
rozwijać *v. t.* develop
rozwijać *v.t* evolve
rozwijać się *v.t.* unfold
rozwlekły *a.* lengthy
rozwód *n.* divorce
rozwodzić (kogoś) *v. t* divorce
rozwój *n.* development
rozwój *n.* evolution
rozwścieczać *v.t.* infuriate
rozwścieczyć *v. t* enrage
rtęć *n.* mercury
rtęć *n.* quicksilver
rtęciowy *a.* mercurial
rubel *n.* rouble
rubin *n.* ruby
ruch *n.* motion
ruch *n.* move
ruch (uliczny) *n.* traffic
ruchliwość *n.* mobility
ruchomości *n.* movables
ruchomy *a.* mobile
ruchomy *a.* movable
ruda (kruszec) *n.* ore
rufa *n.* stern
ruina *n.* ruin
rujnować *v.t.* ruin
rum *n.* rum
rumak *n.* steed
rumiany (kolor) *a.* sanguine
rumienić się *v.i* blush
rumieniec *n.* blush
runąć *v.i.* tumble
runda *n.* round

rupia *n.* rupee
rura *n.* pipe
rura *n.* tube
rurowy *a.* tubular
ruszać (się) *v. i. & n.* budge
ruszać się *v.i.* stir
ruszt *n.* grate
rusztowanie *n.* scaffold
rutyna *n.* routine
rutynowy *a* routine
ryba *n.* fish
rybak *n.* fisherman
Ryby (znak zodiaku) *n.* Pisces
rycerski *a.* chivalrous
rycerskość *n.* chivalry
rycerz *n.* knight
rycyna *n.* castor oil
ryczeć *v. i* bellow
ryczeć *v.i.* roar
ryczeć *v.i.* yell
ryczeć (o krowie) *v.i* moo
ryczeć (o ośle) *v. i* bray
rydwan *n.* chariot
rygor *n.* rigour
rygorystyczny *a.* rigorous
ryjkowiec *n.* weevil
ryk *n.* roar
ryk *n.* yell
ryk (osła) *n.* bray
rym *n.* rhyme
rymować się *v.i.* rhyme
rynek *n.* market
rynsztok *n.* gutter
rysować *v.t* draw
rysować *v.t.* pencil
rysownik *a* draftsman
rysunek *n.* drawing
rytm *n.* rhythm
rytmiczny *a.* rhythmic
rytuał *n.* rite
rytuał *n.* ritual
rytualny *a.* ritual
rywal *n.* rival
rywalizacja *n.* contest
rywalizacja *n.* rivalry
rywalizować *v.t.* rival
ryż *n.* rice
ryż niełuskany *n.* paddy
ryza (papieru) *n.* ream
ryzyko *n.* jeopardy
ryzyko *n.* risk
ryzykować *v.t* hazard
ryzykować *v.t.* risk
ryzykować *v.t.* venture
ryzykowny *a.* adventurous
ryzykowny *a.* perilous
ryzykowny *a.* risky
rząd *n.* file
rząd *n.* government
rząd *n.* tier
rzadki *a.* rare
rzadki *a.* scarce
rzadki *a.* sparse
rzadko *adv.* seldom
rządy *n.* governance
rządzenie *n.* rule
rządzić *v.t.* govern
rżeć *v.i.* neigh
rzecz *n.* thing
rzecz konieczna *n.* requisite
rzecz niestosowna *n.* impropriety
rzecz przykra *n.* nuisance
rzecznictwo *n.* advocacy
rzecznik *n.* spokesman
rzecznik, adwokat *n.* advocate
rzeczownik *n.* noun
rzeczywiście *adv.* indeed
rzeczywistość *n.* reality
rzeka *n.* river
rzemień *n.* strap
rzemieślnik *n.* artisan
rzemieślnik *n.* craftsman
rzemiosło *n.* craft

rzemyk (w kolumnie doryckiej) *n.* annulet
rżenie *n.* neigh
rzepa *n.* turnip
rzęsa *n.* eyelash
rześki *a.* brisk
rześki *a.* vigorous
rzetelny *a* fair
rzetelny *a.* reliable
rzeź *n.* carnage
rzeźba *n.* sculpture
rzeźbiarski *a.* sculptural
rzeźbiarz *n.* sculptor
rzeźbić *v. t.* carve
rzeźbić (dłutem) *v. t.* chisel
rzeźnik *n.* butcher
rzodkiewka *n.* radish
rzucać *v. t.* cast
rzucać *v.t.* pitch
rzucać *v.t.* throw
rzucać wyzwanie *v. t.* challenge
rzucić kulą (w krykiecie) *v.i* bowl
rzucić się (na coś/na kogoś) *v.i.* pounce
rzut *n.* throw
rzut *n.* toss
rzut oka wstecz *n.* retrospect
rzut oka wstecz *n.* retrospection

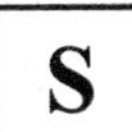

sabotaż *n.* sabotage
sabotować *v.t.* sabotage
sacharyna *n.* saccharin
sączyć się *v.i.* ooze
sączyć się *v.i.* trickle
sad *n.* orchard
sąd *n.* court
sąd Lorda Kanclerza *n.* chancery
sąd przysięgłych *n.* jury
sąd wnoszący apelację *n.* appellant
sadowić się *v.i.* settle
sądownictwo *n.* judiciary
sądowy *a.* judicial
sadysta *n.* sadist
sadyzm *n.* sadism
sadza *n.* soot
sadzać *v.t.* seat
sądzić *v.i.* judge
sadzić (rośliny) *v.t.* plant
sakrament *n.* sacrament
sala *n.* hall
sala gimnastyczna *n.* gymnasium
sałata *n.* salad
salon *n.* drawing-room
salon *n.* parlour
salto *n.* somersault
salwa (w wojsku) *n.* volley
sam *a.* alone
samica *n.* female
samobójczy *a.* suicidal
samobójstwo *n.* suicide
samochód *n.* automobile
samochód *n.* car
samochód ciężarowy *n.* truck
samodział *n.* worsted
samogłoska *n.* vowel
samolot *n.* aeroplane
samolot *n.* aircraft
samolot *n.* plane
samolubny *a.* selfish
samotność *n.* loneliness
samotność *n.* solitude
samotny *a.* lonely
samotny *a.* solitary
samowolny *a.* arbitrary
samowolny *a.* wayward

sanatorium *n.* sanatorium
sandał *n.* sandal
sanitariusz *n.* orderly
sankcja *n.* sanction
sankcjonować *v.t.* sanction
sanktuarium *n.* sanctuary
sardoniczny *a.* sardonic
sarkastyczny *a.* sarcastic
sarkazm *n.* sarcasm
sarna *n.* roe
sąsiad *n.* neighbour
sąsiedztwo *n.* neighbourhood
sąsiedztwo *n.* vicinity
satelita *n.* satellite
satyra *n.* satire
satyryczny *a.* satirical
satyryk *n.* satirist
satyryzować *v.t.* satirize
satysfakcja *n.* gratification
satysfakcja *n.* satisfaction
sążeń (miara głębokości lub objętości) *n.* fathom
scena *n.* scene
scena *n.* stage
scena kaskaderska *n.* stunt
scenariusz filmowy *n.* script
sceneria *n.* scenery
sceptycyzm *n.* scepticism
sceptyczny *a.* sceptical
sceptyk *n.* sceptic
schadzka *n.* tryst
schemat *n.* scheme
schizma *n.* schism
schładzać *v.t.* refrigerate
schlebiać *v.t.* adulate
schlebianie *n.* adulation
schludny *a.* neat
schodek *n.* stair
schodzenie *n.* descent
schodzić *v. i.* descend
schodzić na złą drogę *v.i.* backslide
schronienie *n.* lee
schronienie *n.* refuge
schronienie *n.* shelter
schronisko *n.* hostel
schronisko dla psów *n.* kennel
schyłek *n.* decline
secesja *n.* secession
secesjonista *n.* secessionist
sedan (rodzaj samochodu) *n.* saloon
sedan (rodzaj samochodu) *n.* sedan
sedno sprawy *n.* quick
sędzia *n.* judge
sędzia *n.* magistrate
sędzia (w sporcie) *n.* referee
sędzia rozjemczy *n.* arbitrator
sędziowski *a.* magisterial
segment *n.* segment
segregacja *n.* segregation
segregować *v.t.* segregate
sejf *n.* safe
sejsmiczny *a.* seismic
sekciarski *a.* sectarian
sekcja *n.* section
sekcja (zwłok) *n.* dissection
sekcja zwłok *n.* post-mortem
sekretariat *n.* secretariat (e)
sekretarz *n.* secretary
sekretarzyk *n.* cabinet
seks *n.* sex
seksowny *a.* sexy
seksualność *n.* sexuality
seksualny *a.* sexual
sekta *n.* sect
sektor *n.* sector
sekunda *n.* second
sekundować *v.t.* second
sekutnica *n.* shrew
selekcja *n.* selection
selekcyjny *a.* selective
semestr *n.* semester

seminarium *n.* seminar
sen *n.* sleep
sen, marzenie *n.* dream
senat *n.* senate
senator *n.* senator
senatorski *a.* senatorial
senior *n.* senior
senność *n.* somnolence
senny *a.* sleepy
senny *a.* somnolent
sensacja *n.* sensation
sensacyjny *a.* sensational
sensualista *n.* sensualist
sentyment *n.* sentiment
sentymentalny *a* maudlin
sentymentalny *a.* mawkish
sentymentalny *a.* sentimental
sęp *n.* vulture
seplenić *v.t.* lisp
seplenienie *n.* lisp
septyczny *a.* septic
ser *n.* cheese
serce *n.* heart
sercowaty *a.* cordate
sercowy *a* cardiac
serdecznie *adv.* heartily
serdeczny *a* cordial
serdeczny *a.* whole-hearted
seria *n.* series
serial *n.* serial
serpentyna *n.* serpentine
serwetka *n.* napkin
seryjny *a.* serial
serża (ubraniowa) *n.* serge
sesja *n.* session
sezonowy *a.* seasonal
sfałszowany *a.* counterfeit
sflaczały *a* flabby
siać *v.t.* sow
siadać (o ptaku) *v.i.* perch
siano *n.* hay
siarka *n.* sulphur
siarkowy *a.* sulphuric
siatkówka (oka) *n.* retina
sidła *n.* snare
sidła *n. pl.* toils
się, siebie, sobie *pron.* myself
sieć *n.* net
sieć (kolejowa itp.) *n.* network
sieć elektryczna *n.* mains
siedem *a* seven
siedemdziesiąt *a.* seventy
siedemdziesiąty *a.* seventieth
siedemnaście *a.* seventeen
siedemnasty *a.* seventeenth
siedzący (o trybie życia) *a.* sedentary
siedzenie *n.* seat
siedzieć *v.i.* sit
siedzieć na grzędzie *v.i.* roost
siekać *v. t* chop
siekać *v.t.* hack
siekać (mięso) *v.t.* mince
siekiera *n.* axe
siekiera *n.* hatchet
siemię lniane *n.* linseed
sierociniec *n.* orphanage
sierota *n.* orphan
sierp *n.* sickle
sierpień *n.* August
sierżant *n.* sergeant
siła *n.* force
siła *n.* strength
siła dźwigni *n.* leverage
siła napędowa *n.* mover
siła rozpędu *n.* momentum
silne uderzenie *n.* crump
silnik *n.* engine
silnik *n.* motor
silny *a.* strong
silny (o uczuciu) *a.* torrid
siłowy *a* forcible
siniak *n.* bruise
siódemka *n.* seven

siodłać *v.t.* saddle
siodło *n.* saddle
siódmy *a.* seventh
sioło *n.* hamlet
siostra *n.* sister
siostrzany *a.* sisterly
siostrzenica *n.* niece
siostrzeniec *n.* nephew
siostrzeństwo *n.* sisterhood
sito *n.* sieve
sjesta *n.* siesta
skąd? *adv.* whence
skakać *v. i* hop
skakać *v.i* jump
skakać *v.i.* leap
skakać *v.i.* spring
skakać (o tyczce) *v.i.* vault
skala *n.* scale
skała *n.* rock
skaleczyć *v.t.* hurt
skaleczyć *v.t.* injure
skalp *n.* scalp
skamielina *n.* fossil
skandal *n.* scandal
skandaliczny *a* flagrant
skąpiec *n.* miser
skąpiec *n.* niggard
skąpstwo *n.* avarice
skąpy *a.* miserly
skąpy *a.* niggardly
skąpy *a.* stingy
skarb *n.* treasure
skarb państwa *n.* treasury
skarbiec *n.* vault
skarbnik *n.* treasurer
skarbowy *a* fiscal
skarga *n.* complaint
skarpeta *n.* sock
skaza *n.* blemish
skaza *n.* flaw
skazanie *n.* conviction
skazaniec *n.* convict
skazywać *v. t.* convict
skazywać (kogoś) *v.t.* sentence
skazywać na utratę praw *v.t.* attaint
skazywać na wygnanie *v. t* exile
skazywać z góry *v. t.* doom
skierować na niewłaściwą drogę *v.t.* misguide
skierowany w dół *a* downward
skinąć na kogoś *v.t.* beckon
skinienie *n.* beck
skład (magazyn) *n.* repository
skład (towarów) *n.* depot
składać się (z czegoś) *v. i* consist
składacz (zecer) *n.* compositor
składka (ubezpieczeniowa) *n.* premium
składnia *n.* syntax
składnik *n.* component
składnik *n.* ingredient
składowy *a.* constituent
skleić *v.t.* paste
sklep *n.* shop
sklep spożywczy *n.* grocery
sklepienie łukowe *n.* arch
skłonność *n.* inclination
skłonność *n.* proclivity
skłonny *a.* prone
skłonny *a.* willing
skok *n.* bound
skok *n.* jump
skok *n.* leap
skok do wody *n.* plunge
skołowany *a.* giddy
skończony *a* finite
skonkretyzowanie *n.* substantiation
skóra *n.* cutis
skóra *n.* skin
skóra (wyprawiona) *n.* leather
skóra (zwierzęcia) *n.* hide
skóra bawola *n.* buff

skorelować *v.t.* correlate
skórka (owocu) *n.* peel
skorpion *n.* scorpion
Skorpion (znak zodiaku) *n.* Scorpio
skorumpowany *a.* corrupt
skorupa *n.* shell
skorupa, skórka na chlebie *n.* crust
skory do krytyki *a.* censorious
skostnieć *v.t.* ossify
skowronek *n.* lark
skracać *v.t.* abbreviate
skracać *v.t* abridge
skracać *v.t.* shorten
skracanie *n.* abridgement
skrajność *n.* extreme
skrajny *a.* utmost
skraplać *v. t* condense
skraplać *v.t.* liquefy
skręt (sznura) *n.* bight
skrobać łapą (o zwierzęciu) *v.t.* paw
skromność *n.* modesty
skromny *a.* humble
skromny *a.* meagre
skromny *a.* modest
skroń *n.* temple
skroniowy *a.* temporal
skrót *n.* abbreviation
skrucha *n.* compunction
skrucha *n.* remorse
skrucha *n.* repentance
skruszony *a.* repentant
skrzep *n.* clot
skrzydło *n.* wing
skrzynia *n.* case
skrzypce *n.* fiddle
skrzypce *n.* violin
skrzypek *n.* violinist
skrzypieć *v. i* creak
skrzypienie *n.* creak
skrzywiony *a.* wry
skrzyżowanie *n.* intersection
skrzyżowanie *n.* junction
skrzyżowany (o gatunku) *a.* hybrid
skupiać się *v.t* focus
skuteczność *n.* efficacy
skuteczny *a* effective
skutkiem tego *adv.* hence
skwapliwość *n.* alacrity
skwapliwy *a.* alacrious
skwierczeć *v.i.* sizzle
skwierczenie *n.* sizzle
słabnąć *v.i.* weaken
słabnięcie *n.* abatement
słabość *n.* weakness
słaby *a* feeble
słaby *a.* weak
ślad *n.* trace
slang *n.* slang
sława *n.* fame
sława *n.* glory
sława *n.* renown
sławna osoba *n.* celebrity
sławny *a* famous
sławny *a.* glorious
sławny *a.* renowned
słód *n.* malt
słodki *a.* sweet
słodycz *n.* sweetness
słodzić *v.t.* sugar
słodzić *v.t.* sweeten
slogan *n.* slogan
słoik *n.* jar
słoma *n.* straw
słoń *n.* elephant
słońce *n.* sun
słoneczny *a.* solar
słoneczny *a.* sunny
słonina *n.* lard
słony *a.* salty
słowik *n.* nightingale

słownictwo *n.* vocabulary
słownie *adv.* verbally
słownik *n.* dictionary
słowny *a.* verbal
słowo *n.* word
słowo honoru *n.* parole
słuchać *v.i.* listen
słuchacz *n.* listener
słuchowy *a.* auditive
slumsy *n.* slum
słupek *n.* pole
słusznie *adv.* aright
słusznie *adv.* justly
słuszny *a* equitable
służąca *n.* maid
służący *n.* domestic
służący *n.* menial
służący *n.* servant
służalczość *n.* servility
służalczość *n.* subservience
służalczy *a.* servile
służalczy *a.* subservient
służbista *n.* martinet
służebny *a.* menial
służyć *v.t.* serve
służyć w wojsku *v.i.* soldier
słynny *a.* well-known
słyszalny *a* audible
słyszeć *v.t.* hear
smaczny *a.* tasty
smaczny *a.* toothsome
smak *n.* savour
smak *n.* taste
smak, zapach *n.* flavour
smakowity *a.* palatable
smar *n.* grease
smar *n.* lubricant
smar *n.* oil
smarować *v.t* grease
smarować *v.t.* lubricate
smarować *v.t* oil
smarować *v.t.* smear
smarować masłem *v. t* butter
smarowanie *n.* lubrication
smażyć *v.t.* fry
smog *n.* smog
smok *n.* dragon
smoła *n.* tar
smołować *v.t.* tar
smród *n.* stench
smród *n.* stink
smucić się *v.i.* sorrow
smutek *n.* grief
smutek *n.* sorrow
smutny *a.* melancholy
smutny *a.* rueful
smutny *a.* sad
snob *n.* snob
snobistyczny *v* snobbish
snobizm *n.* snobbery
snop (zboża) *n.* sheaf
sobota *n.* Saturday
socjalista *n.* socialist
socjalistyczny *a.* socialist
socjalizm *n.* socialism
socjalny *n.* social
socjologia *n.* sociology
soczewica *n.* lentil
soczewka *n.* lens
soczysty *a.* juicy
soczysty *a.* luscious
sodomia *n.* sodomy
sodomita *n.* sodomite
sofa *n.* sofa
sofista *n.* sophist
sofizmat *n.* sophism
sójka *n.* jay
sojusznik *n.* ally
sok *n.* juice
sok roślin *n.* sap
sokół *n.* falcon
sokolnik *n.* hawker
sól *n.* salt
solanka *n.* brine

solić *v.t* salt
solidarność *n.* solidarity
solidność *n.* steadiness
solidny *a.* serviceable
solidny *a.* solid
solidny *a.* steady
solista *n.* soloist
solny *a.* saline
solo (w muzyce) *n.* solo
sonda *n.* probe
sondować *v.t.* probe
sonet *n.* sonnet
sopel lodu *n.* icicle
sortować *v.t* sort
sortować według rozmiarów *v.t.* size
sos *n.* sauce
sosna *n.* pine
sowa *n.* owl
spać *v.i.* sleep
spacer *n.* walk
spaczyć *v. t* distort
spadek *n.* inheritance
spadek *n.* slump
spadochron *n.* parachute
spadochroniarz *n.* parachutist
spalić w krematorium *v. t* cremate
spaniel *n.* spaniel
sparzyć pokrzywą *v.t.* nettle
spawać *v.t.* weld
spazm *n.* spasm
spazmatyczny *a.* spasmodic
specjalista *n.* specialist
specjalizacja *n.* specialization
specjalizować się *v.i.* specialize
specjalność *n.* speciality
specjalny *a* especial
specjalny *a.* special
specyficzny *a.* specific
specyfikacja *n.* specification
spędzać (czas) *v.t.* spend
spektakl *n.* spectacle
spekulacja *n.* speculation
spekulant *n.* profiteer
spekulować *v.i.* profiteer
spekulować *v.i.* speculate
spełniać (warunek) *v.t.* fulfil
spełnienie (warunku) *n.* fulfilment
sperma *n.* semen
sperma *n.* sperm
spichlerz *n.* granary
spieniężyć *v. t.* cash
spierać się *v.t.* argue
spierać się *v. t* contest
spierać się *v. i* dispute
spirala *n.* spiral
spiralny *a.* spiral
spirytualista *n.* spiritualist
spirytualizm *n.* spiritualism
spis alfabetyczny *n.* index
spis ludności *n.* census
spisek *n.* plot
spiskować *v. i.* conspire
spiskowiec *n.* conspirator
spisywać *v.t.* list
spiżarnia *n.* pantry
spłacać (dług) *v.t.* repay
splamić *v.t.* taint
splamić (reputację) *v.t.* tarnish
spłata *n.* repayment
splendor *n.* glamour
spleśniały *a.* mouldy
spleśniały *a.* musty
spluwaczka *n.* spittoon
spodek *n.* saucer
spódnica *n.* skirt
spodnie *n. pl* trousers
spodnie (nie od garnituru) *n.* slacks
spoglądać gniewnie *v.i* glare
spoidło *n.* commissure
spoina *n.* weld

spójny *a* coherent
spójny *a.* cohesive
spojówka *n.* conjunctiva
spojrzeć *v.i.* glance
spojrzenie *n.* gaze
spojrzenie *n.* glance
spojrzenie *n.* look
spojrzenie piorunujące *n.* glare
spokój *n.* calm
spokój *n.* hush
spokój *n.* quiet
spokój *n.* serenity
spokój *n.* stillness
spokój *n.* tranquility
spokojny *a* calm
spokojny *a.* quiet
spokojny *a.* serene
spokojny *a.* tranquil
spokojny *a.* peaceful
spokojny (o człowieku) *a.* peaceable
społeczeństwo *n.* society
spółgłoska *n.* consonant
sponsor *n.* sponsor
sponsorować *v.t.* sponsor
spontaniczność *n.* spontaneity
spontaniczny *a.* spontaneous
spór *n.* argument
spór *n.* contention
spór *n.* dispute
spór *n.* litigation
sporadycznie *adv.* occasionally
sporadyczny *a.* occasional
sporadyczny *a.* sporadic
sport *n.* sport
sportowiec *n.* athlete
sportowiec *n.* sportsman
sportretowanie *n.* portrayal
spory *a.* sizable
sporządzać *v. t* concoct
sporządzać mapę *v.t.* map
sposób *n.* way
sposób *n.* manner
spostrzegać *v.t.* perceive
spostrzegawczy *a.* apprehensive
spostrzegawczy *a.* observant
spostrzegawczy *a.* perceptive
spotkanie *n.* encounter
spotkanie *n.* meet
spotkanie *n.* meeting
spotykać *v. t* encounter
spotykać *v.t.* meet
spowiedź *n.* confession
spowodować *v.t* occasion
spóźniony *a.* belated
sprać kogoś *v.t.* lambaste
spragniony *a.* athirst
spragniony *a.* thirsty
sprawa *n.* affair
sprawa *n.* case
sprawa *n.* matter
sprawdzać *v. t.* check
sprawiać (komuś) przyjemność *v.t.* please
sprawiedliwość *n.* justice
sprawiedliwy *a.* just
sprawunek *n.* errand
sprint *n.* sprint
sprintować *v.i.* sprint
sprośność *n.* obscenity
sprośny *a.* obscene
sprostować *v.i.* rectify
sprostowanie *n.* rectification
sprowadzać *v.t* fetch
sprzączka *n.* clasp
sprzeciw *n.* demur
sprzeciw *n.* objection
sprzeciw *n.* opposition
sprzeciwiać się *v.t.* antagonize
sprzeciwiać się *v. t* counter
sprzeciwiać się *v. t* demur
sprzeciwiać się *v.t.* oppose
sprzeciwiać się czemuś *v.t.* negative

sprzeczka *n.* altercation
sprzeczność *n.* antinomy
sprzeczność *n.* clash
sprzedawać *v.t.* sell
sprzedawać detalicznie *v.t.* retail
sprzedawca *n.* salesman
sprzedawca *n.* seller
sprzedawca *n.* vendor
sprzedaż *n.* sale
sprzęgać *v.t.* interlock
sprzęgło *n.* clutch
sprzeniewierzenie *n.* misappropriation
sprzeniewierzyć *v.t.* misappropriate
sprzęt *n.* equipment
sprzęt *n.* outfit
sprzymierzać *v.t.* ally
spuścizna *n.* legacy
spust (karabinu) *n.* trigger
spuszczać grad (uderzeń) na kogoś *v.t* hail
sputnik *n.* sputnik
srebrny *a* silver
srebro *n.* silver
sroka *n.* magpie
ssać *v.t.* suck
ssak *n.* mammal
ssanie *n.* suck
stabilizacja *n.* stabilization
stabilizować *v.t.* stabilize
stabilność *n.* stability
stabilny *a.* stable
stać *v.i.* stand
stać na czele *v.t.* spearhead
stacja *n.* station
stacjonarny *a.* stationary
staczać potyczkę *v.t.* skirmish
stadion *n.* stadium
stado *n.* brood
stado *n.* flock
stado *n.* herd
stagnacja *n.* stagnation
stajnia *n.* stable
stal *n.* steel
stalówka *n.* nib
stały *a* constant
stały klient *n.* patron
stamtąd *adv.* thence
stan *n.* state
stan małżeński *n.* wedlock
stan przejściowy *n.* transition
stan zawieszenia *n.* abeyance
stanąć po (czyjejś) stronie *v.i.* side
standard *n.* standard
standardowy *a* standard
stanik *n.* bodice
stanowić *v. t* constitute
stanowić typ (czegoś) *v.t.* typify
stanowisko *n.* post
stąpać ciężko *v.i.* stamp
stara panna *n.* spinster
staranny *a.* painstaking
starczy *a.* senile
starość *n.* senility
starożytność *n.* antiquity
starożytny *a.* ancient
starożytny *a.* antique
starszeństwo *n.* seniority
starszy *n.* elder
starszy (rangą) *a.* senior
starszy (z dwóch) *a* elder
start *n.* start
startować *v.t.* start
stary *a.* old
stateczny *a.* sedate
stateczny *a.* staid
statek *n.* ship
status *n.* status
statyka *n.* statics
statystyczny *a.* statistical
statystyk *n.* statistician
statystyka *n.* statistics

staw *n.* pond
staw (np. w kolanie) *n.* joint
stawać się *v. i* become
stawiać (zakładać się) *v.t.* stake
stawiać czoło (czemuś/komuś) *v.t* front
stawiać kropkę *v. t* dot
stawiać znaki przestankowe *v.t.* punctuate
stawka *n.* stake
stempel *n.* stamp
stenograf *n.* stenographer
stenografia *n.* stenography
step *n.* steppe
stępiać *v. t.* dull
ster *n.* helm
stereotyp *n.* stereotype
stereotypowy *a.* stereotyped
sterować *v.t.* steer
sterownik *n.* controller
sterta *n.* pile
sterta (siana) *n.* rick
sterylizacja *n.* sterilization
sterylizować *v.t.* sterilize
sterylny *a.* sterile
stetoskop *n.* stethoscope
steward (w samolocie) *n.* steward
stłuczka *n.* shunt
stłumienie *n.* suppression
sto *a.* hundred
stodoła *n.* bam
stodoła *n.* barn
stoik *n.* stoic
stoisko *n.* stand
stojak *n.* rack
stok (narciarski) *n.* slope
stokrotka *n.* daisy
stokrotny *a.* centuple
stół *n.* table
stolarka *n.* carpentry
stolarz *n.* joiner
stolec *n.* stool
stołeczny *a.* metropolitan
stolica *n.* capital
stołówka *n.* canteen
stonoga *n.* centipede
stonoga *n.* millipede
stop (metali) *n.* alloy
stopa *n.* foot
stopień *n.* degree
stopień *n.* grade
stopiony *a.* molten
stopniować *v.t* grade
stopniowanie *n.* gradation
stopniowy *a.* gradual
stos *n.* heap
stos (pogrzebowy) *n.* pyre
stosować (sprzęt) *v.t.* deploy
stosować się *v.i.* adhere
stosować się (do czegoś) *v. i* comply
stosować w praktyce *v.t.* practise
stosowanie się *n.* adherence
stosownie do tego, odpowiednio *adv.* accordingly
stosowność *n.* adequacy
stosowność *n.* propriety
stosowność *n.* suitability
stosowny *a.* adequate
stosowny *a.* appropriate
stosowny *a.* relevant
stosowny *a.* suitable
stosunek (obcowanie) *n.* intercourse
stowarzyszenie *n.* association
stożek *n.* cone
stożkowatość *n.* taper
strach *n.* fear
strach *n.* fright
stracić (skazańca) *v. t* execute
stragan *n.* stall
strąk *n.* pod
strapienie *n.* distress

straszny *a* dire
straszny *a* dread
straszny *a.* terrible
straszyć (o duchach) *v.t.* haunt
straszydło *n.* bogle
strata *n.* loss
strateg *n.* strategist
strategia *n.* strategy
strategiczny *a.* strategic
straty *n.* toll
strażnik leśny *n.* ranger
strażnik więzienny *n.* jailer
strażnik więzienny *n.* warder
stręczycielka *n.* bawd
strefa *n.* zone
strefowy *a.* zonal
stres *n.* stress
streścić *v.t* abstract
streszczać *v.t.* summarize
streszczenie *n.* digest
streszczenie *n.* precis
streszczenie *n.* resume
streszczenie *n.* summary
streszczenie *n.* synopsis
strofa *n.* stanza
strofować *v. t.* chide
strofować *v.t.* rebuke
strofować *v.t.* reprimand
stroić (instrument) *v.t.* tone
stroić instrument *v.t.* tune
stroić się, pielęgnować *v.t* groom
strój *n.* apparel
stromy *a.* steep
strona *n.* page
strona spierająca się *n.* litigant
strona walcząca *n.* belligerent
stronniczość *n.* partiality
stronniczy *a.* partial
stronnik *n.* henchman
stronnik *n.* partisan
struga *n.* spurt
strugać (nożem) *v.t.* whittle
struktura *n.* structure
strukturalny *a.* structural
strumień *n.* creek
strumień (wody) *n.* flush
strumyczek *n.* rivulet
strumyk *n.* brook
struna *n.* chord
struś *n.* ostrich
strzał *n.* shot
strzała *n.* arrow
strzałka (rzucana do tarczy) *n.* dart
strzec się *v.i.* beware
strzecha *n.* thatch
strzelać *v.t* fire
strzelba *n.* rifle
strzelec *n.* marksman
Strzelec (znak zodiaku) *n.* Sagittarius
strzemię *n.* stirrup
strzemię (w jeździectwie) *n.* tread
strzyc *v.t.* shear
strzyc (trawę) *v.t.* mow
strzykawka *n.* syringe
strzyżyk (ptak) *n.* wren
student *n.* student
student *n.* undergraduate
studia *n.* study
studio *n.* studio
studiować *v.i.* study
studnia *n.* well
studzić się *v. i.* cool
stulecie *n.* centenary
stuletni *a.* centennial
stuletni człowiek *n.* centenarian
stustopniowy *a.* centigrade
stwierdzać *v.t.* ascertain
stworzenie *n.* creature
stworzenie dwunożne *n.* biped
styczeń *n.* January
styczna *n.* tangent

styl *n.* style
stymulować *v.t.* stimulate
stypa *n.* wake
stypendium *n.* scholarship
subiektywny *a.* subjective
sublimować *v.t.* sublimate
substancja *n.* substance
substytut *n.* substitute
subtelność *n.* subtlety
subtelny *n.* subtle
subwencja *n.* subsidy
subwencjonować *v.t.* subsidize
suchy *a* dry
sufit *n.* ceiling
sufler (w teatrze) *n.* prompter
sugerować *v.t.* suggest
sugestia *n.* suggestion
suka *n.* bitch
sukces *n.* success
sukienka *n.* dress
sukienka *n.* frock
sukiennik *n.* draper
suma *n.* sum
suma *n.* total
suma *n.* totality
sumienie *n.* conscience
sumienny *a* dutiful
sumować *v.t.* sum
sumować *v.t.* total
sunąć *v.i.* sweep
superlatywa *n.* superlative
surowiec *n.* stuff
surowość *n.* severity
surowość (przepisów) *n.* stringency
surowy *a.* austere
surowy *a.* raw
surowy *a.* severe
surowy *a.* stern
surowy *a.* strict
surowy (o przepisie) *a.* stringent
surowy, niewykończony *a* crude
susza *n.* drought
suszony na słońcu *a.* sun-dried
suszyć się *v. i.* dry
sutek *n.* mamma
sutek *n.* nipple
sutek *n.* teat
suterena *n.* basement
swawola *n.* romp
swędzenie *n.* itch
swędzić *v.i.* itch
sweter *n.* jersey
sweter *n.* sweater
swoboda *n.* laxity
sworzeń *n.* bolt
syczeć *v.i* hiss
sygnał *n.* signal
sygnalizacyjny *a.* signal
sygnalizator *n.* invigilator
sygnalizować *v.t.* signal
sygnatariusz *n.* signatory
syk *n.* hiss
sylaba *n.* syllable
sylabiczny *a.* syllabic
sylf *n.* sylph
sylwetka *n.* silhouette
symbol *n.* symbol
symboliczny *a* figurative
symboliczny *a.* symbolic
symbolizm *n.* symbolism
symbolizować *v.t.* symbolize
symetria *n.* symmetry
symetryczny *a.* symmetrical
symfonia *n.* symphony
sympatia *n.* like
sympatyczny *a.* lovable
sympozjum *n.* symposium
symptom *n.* symptom
symptomatyczny *a.* symptomatic
symulować *v.i.* sham
symulowanie *n.* sham
symulowany *a* sham

syn *n.* son
synonim *n.* synonym
syntetyczny *a.* synthetic
synteza *n.* synthesis
syrena *n.* mermaid
syrena *n.* siren
syrop *n.* syrup
system *n.* system
systematyczny *a.* systematic
systematyzować *v.t.* systematize
sytość *n.* satiety
sytuacja *n.* situation
sytuacja *n.* state
szabas *n.* sabbath
szabla *n.* sabre
szablon *n.* stencil
szach i mat *n.* checkmate
szachy *n.* chess
szacować *v. t* estimate
szacunek *n.* deference
szacunek *n.* esteem
szacunek *n.* respect
szafir *n.* sapphire
szafka *n.* closet
szafka *n.* locker
szafować *v.t.* lavish
szafran *n.* saffron
szafranowy *a* saffron
szakal *n.* jackal
szal *n.* shawl
szal *n.* wrap
szał *n.* craze
szał *n.* frenzy
szałas *n.* hut
szaleć *v.i.* rage
szaleć (o deszczu) *v.i.* storm
szaleństwo *n.* folly
szaleństwo *n.* insanity
szalik *n.* scarf
szalony *a* crazy
szalony *a.* insane
szałwia *n.* sage
szambelan *n.* chamberlain
szamotanina *n.* scramble
szampon *n.* shampoo
szanować *v. t* esteem
szanować *v.t.* respect
szansa *n.* chance
szanta *n.* shanty
szantaż *n.* blackmail
szantażować *v.t* blackmail
szarańcza *n.* locust
szarpać *v.t.* wrench
szarpnięcie *n.* jerk
szarpnięcie *n.* pluck
szary *a.* grey
szarżować *v.t.* overact
szata *n.* robe
szata *n.* vestment
szatan *n.* satan
szczątek *n.* rudiment
szczątki *n.* debris
szczątki *n.* remains
szczątkowy *a.* rudimentary
szczebel (drabiny) *n.* rung
szczebiot *n.* prattle
szczebiot *n.* warble
szczebiotać *v.i.* chatter
szczebiotać *v.i.* prattle
szczebiotać *v.i.* warble
szczecina *n.* bristle
szczecina (na twarzy) *n.* stubble
szczegół *n.* detail
szczegół *n.* particular
szczególny *a.* particular
szczegółowe badanie *n.* scrutiny
szczegółowo badać *v.t.* scrutinize
szczęka *n.* jaw
szczekać *v.t.* bark
szczeknięcie *n.* woof
szczelina *n.* fissure
szczelina *n.* rift
szczenię *n.* puppy
szczenię *n.* whelp

szczepić *v.t.* inoculate
szczepić *v.t.* vaccinate
szczepienie *n.* inoculation
szczepienie *n.* vaccination
szczepionka *n.* vaccine
szczerość *n.* candour
szczerość *n.* sincerity
szczery *a.* candid
szczery *a.* frank
szczery *a.* outspoken
szczery *a.* sincere
szczerze *adv.* openly
szczęście *n.* felicity
szczęście *n.* happiness
szczęśliwie *adv.* luckily
szczęśliwy *a.* happy
szczęśliwy *a.* lucky
szczotkować *v. t* brush
szczudło *n.* stilt
szczupleć *v.i.* slim
szczupły *a* lean
szczupły *a.* slim
szczur *n.* rat
szczycić się *v.t.* pride
szczypać *v.t.* pinch
szczypać *v.i* smart
szczypce *n. pl.* tongs
szczyt *n.* peak
szczyt *n.* summit
szczyt *n.* top
szczyt (dosłownie i w przenośni) *n.* pinnacle
szczyt (grzbietu górskiego) *n.* crest
szczyt (sławy) *n.* heyday
szczytowy okres *n.* rush
szef *n.* boss
szelmostwo *n.* knavery
szemrać *v.i.* mutter
szept *n.* whisper
szept sceniczny *n.* aside
szeptać *v.i.* whisper
szereg *n.* rank
szereg (rząd) *n.* row
szeregi *n.* array
szeroki *a* broad
szeroki *a.* wide
szeroko *adv.* wide
szerokość *n.* breadth
szerokość *n.* width
szerokość geograficzna *n.* latitude
szerszeń *n.* hornet
sześć *a.* six
sześćdziesiąt *a.* sixty
sześćdziesiąty *a.* sixtieth
sześcian, kostka *n.* cube
sześcienny *a* cubical
szesnaście *a.* sixteen
szesnasty *a.* sixteenth
szew *n.* seam
szew *n.* stitch
szewc *n.* cobbler
szkalować *v. t.* calumniate
szkaradny *a.* hideous
szkarłat *n.* crimson
szkarłat *n.* purple
szkarłatny *a.* purple
szkatułka *n.* casket
szkic *n.* draft
szkic *n.* sketch
szkicować *v.t.* sketch
szkicowy *a.* sketchy
szkielet *n.* skeleton
szklanka *n.* glass
szklanka (alkoholu) *n.* tumbler
szklarz *n.* glazier
szkło *n.* glass
szkocka whisky *n.* scotch
szkocki *a.* scotch
szkoda *n.* harm
szkoda *n.* pity
szkodliwy *a.* injurious
szkodliwy *a.* maleficent

szkodliwy *a* malign
szkodliwy *a.* noxious
szkodliwy *a.* pernicious
szkodnik *n.* pest
szkoła *n.* school
szkolenie *n.* training
szkolić *v.t.* train
Szkot *n.* Scot
szlachcic *n.* nobleman
szlachetny *a.* noble
szlachta *n.* gentry
szlachta *n.* nobility
szlak *n.* track
szlam *n.* slime
szlamowaty *a.* slimy
szlifierka *n.* grinder
szloch *n.* sob
szlochać *v.i.* sob
szmaragd *n.* emerald
szmata *n.* rag
sznur *n.* rope
sznurek *n.* string
sznurować *v.t.* lace
sznurówka *n.* lace
szofer *n.* chauffeur
szok *n.* shock
szokować *v.t.* shock
szopa *n.* cote
szopa *n.* shed
szorstki *a.* harsh
szorstki *a.* rough
szorstki (w obejściu) *a* curt
szorty *n. pl.* shorts
szosa omijająca miasto *n.* bypass
szósty *a.* sixth
szpecić *v.t.* uglify
szperać *v.i.* rummage
szperanie *n.* rummage
szpieg *n.* spy
szpiegować *v.i.* spy
szpilka *n.* pin
szpinak *n.* spinach
szpital *n.* hospital
szpon (ptaka) *n.* pounce
szprycha *n.* spoke
szpula *n.* reel
sztafeta *n.* relay
szterling *n.* sterling
sztorm *n.* gale
sztuczny *a.* artificial
sztuka *n.* art
sztukować *v.t.* piece
szturchać *v.t.* jostle
szturchać *v.t.* poke
szturchnięcie *n.* jostle
szturchnięcie *n.* poke
szturm *n.* onrush
sztylet *n.* dagger
sztywny *a.* rigid
sztywny *a.* stiff
szubienica *n.*. gallows
szufla *n.* shovel
szuflada *n.* drawer
szukać *v.t.* seek
szumieć *v. i* hum
szumieć *n.* hum
szurać nogami *v.i.* shuffle
szuranie *n.* shuffle
szwadron *n.* squadron
Szwajcar *n.* Swiss
szwajcarski *a* swiss
szyb (w kopalni) *n.* shaft
szyba *n.* pane
szybki *a* fast
szybki *a.* prompt
szybki *a.* quick
szybki *a.* rapid
szybki *a.* speedy
szybki *a.* swift
szybko *adv.* apace
szybko *adv.* fast
szybko *adv.* speedily
szybko załatwiać *v. t.* expedite
szybkość *n.* rapidity

szybkość *n.* velocity
szybowiec *n.* glider
szyć *v.t.* sew
szyć *v.t.* stitch
szyć *v.t.* tailor
szyderstwo *n.* sneer
szydzić *v.i* sneer
szyfr *n.* cipher, cypher
szyfr *n.* cypher
szyja *n.* neck
szykować (wojsko) *v.t.* array
szyling *n.* shilling
szympans *n.* chimpanzee
szyna *n.* rail
szyper *n.* skipper

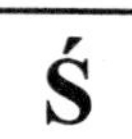

ściana *n.* wall
ściek *n.* drain
ścieki *n.* sewage
ścienny *a.* mural
ścierać *v. t* efface
ścierka do kurzu *n.* duster
ścierpieć *v.t.* stomach
ścieżka *n.* path
ścieżka *n.* trail
ścigać *v. t.* chase
ścigać się *v.i* race
ścinać komuś głowę *v. t.* behead
ścisk *n.* jam
ściskać *v. t.* compress
ściskać *v.t.* squeeze
ścisły *a.* strict
śledź *n.* herring
śledziona *n.* spleen
śledztwo *n.* inquisition
ślepawy *a.* purblind
ślepota *n.* ablepsy
ślepota *n.* blindness
ślepy *a* blind
ślepy traf *n.* hazard
ślimak *n.* snail
ślina *n.* saliva
śliski *a.* slippery
śliwka *n.* plum
ślizgać się *v.t.* glide
ślizgać się *v.i.* skid
ślizgać się *v.i.* slide
ślubne pochodzenie (dziecka) *n.* legitimacy
ślubować *v.t.* vow
śluz *n.* mucus
śluza *n.* sluice
śluzowy *a.* mucous
śmiać się *v.i* laugh
śmiałość *n.* boldness
śmiały *a.* bold
śmiech *n.* laugh
śmiech *n.* laughter
śmiechu wart *a.* laughable
śmieci *n.* garbage
śmieci *n.* litter
śmieci *n.* rubbish
śmiecić *v.t.* litter
śmierć *n.* death
śmierdzieć *v.i.* stink
śmiertelnik *n.* mortal
śmiertelność *n.* mortality
śmiertelny *a* deadly
śmiertelny *a* fatal
śmiertelny *a.* lethal
śmiertelny *a.* mortal
śmietanka *n.* cream
śniadanie *n.* breakfast
śniady *a.* swarthy
śnić *v. i.* dream
śnieg *n.* snow
śnieżny *a.* snowy
śpiączka *n.* coma
śpieszyć się *v.i.* hasten

śpieszyć się *v.i.* speed
śpiewać *v.i.* sing
śpiewak *n.* singer
śpiewak *n.* songster
śpiewak *n.* vocalist
średni *a.* mid
średni *a* medium
średnia *n.* average
średnica *n.* diameter
średnica otworu *n.* bore
średniowieczny *a.* medieval
środa *n.* Wednesday
środek *n.* centre
środek *n.* mean
środek *n.* middle
środek *n.* midst
środek bakteriobójczy *n.* germicide
środek drażniący *n.* irritant
środek na przeczyszczenie *n.* laxative
środek na przeczyszczenie *n.* purgative
środek owadobójczy *n.* insecticide
środek syntetyczny *n.* synthetic
środek tarczy strzelniczej *n.* bull's eye
środek tonizujący *n.* tonic
środek uspokajający *n.* sedative
środek zobojętniający kwas *a.* antacid
środki *n.* means
środkowa część kraju *n.* midland
środkowy *a.* median
środkowy *a.* middle
śródlądowy *a.* inland
środowisko *n.* environment
środowisko *n.* habitat
śruba *n.* screw
śrubować *v.t.* screw
świadczyć *v.i.* testify
świadczyć (usługi) *v.t.* render
świadectwo *n.* certificate
świadectwo *n.* testimonial
świadek *n.* deponent
świadek *n.* witness
świadomy *a.* aware
świadomy *a* conscious
świat *n.* world
światło *n.* light
światowiec *n.* worldling
światowy *a.* worldly
świątynia *n.* temple
świder *n.* auger
świder ręczny *n.* wimble
świeca *n.* candle
świecący *a.* lucent
świecący *a.* luminous
świecić się *v.i.* shine
świergot *n.* twitter
świergotać *v.i.* twitter
świerzb *n.* scabies
świetlik (w dachu) *n.* skylight
świetny *a* great
święto *n.* holiday
świętokradczy *a.* sacrilegious
świętokradztwo *n.* sacrilege
świętość *n.* sanctity
świętoszek *n.* prude
święty *a.* holy
święty *a.* sacred
święty *n.* saint
święty *a.* saintly
święty (o osobie/miejscu) *a.* sacrosanct
świeży *a.* fresh
świnia *n.* pig
świnia *n.* swine
świnka (choroba) *n.* mumps
świstać *v.i* pipe
świstać *v.i.* whiz
świstunka (ptak) *n.* warbler

świt *n.* dawn
świta *n.* retinue
świtać *v. i.* dawn

T

tabaka *n.* snuff
tabelowy *a.* tabular
tablica ogłoszeń *n.* board
tabliczka *n.* tablet
taboret *n.* stool
tabu *n.* taboo
tabulacja *n.* tabulation
tabulator *n.* tabulator
taca *n.* tray
tajać *v.i* thaw
tajemnica *n.* mystery
tajemnica *n.* secret
tajemniczy *a.* mysterious
tajemniczy *a.* secretive
tajemny *a.* occult
tajfun *n.* typhoon
tajny *a.* secret
tak *adv.* yes
taki *a.* such
taki *pron.* such
taksówka *n.* cab
taksówka *n.* taxi
takt *n.* tact
taktowny *a.* considerate
taktowny *a.* tactful
taktyk *n.* tactician
taktyka *n.* tactics
także *adv.* too
talent *n.* talent
talerz *n.* plate
talia *n.* waist
talizman *n.* talisman
tam *adv.* there
tam *adv.* yonder
tama *n.* dam
tama *n.* weir
tamarynda *n.* tamarind
tamten, ów *a.* yonder
tańczyć *v. t.* dance
taneczny *a.* bailable
tani *a* cheap
taniec *n.* dance
tankowiec *n.* tanker
taranować *v.t.* ram
tarapaty *n.* plight
taras *n.* terrace
tarcie *n.* friction
tarcie *n.* rub
tarcza *n.* shield
tarcza (instrumentu) *n.* dial
targować się *v.t.* bargain
targować się *v.i.* haggle
targowisko *n.* fair
targowisko *n.* mart
taryfa *n.* tariff
tarzać się *v.i.* wallow
taśma *n.* band
taśma *n.* tape
tatuaż *n.* tattoo
tatuować *v.t.* tattoo
tatuś *n.* dad, daddy
tawerna *n.* tavern
tchórz *n.* coward
tchórzostwo *n.* cowardice
teatr *n.* theatre
teatralny *a.* theatrical
techniczny *a.* technical
technik *n.* technician
technika *n.* technique
technolog *n.* technologist
technologia *n.* technology
technologiczny *a.* technological
teista *n.* theist
teizm *n.* theism
tek *n.* teak

tekst *n.* text
tekstowy *a.* textual
tekstura *n.* texture
tekstylny *a.* textile
tektura *n.* cardboard
telefon *n.* phone
telefon *n.* telephone
telefonować *v. t.* call
telefonować *v.t.* telephone
telegraf *n.* telegraph
telegrafia *n.* telegraphy
telegraficzny *a.* telegraphic
telegrafista *n.* telegraphist
telegrafować *v.t.* telegraph
telegram *n.* telegram
telekomunikacja *n.* telecommunications
telepata *n.* telepathist
telepatia *n.* telepathy
telepatyczny *a.* telepathic
teleskop *n.* telescope
teleskopowy *a.* telescopic
telewizja *n.* television
temat *n.* subject
temat *n.* topic
temat *n.* theme
tematyczny *a.* thematic
tematyczny *a.* topical
temblak *n.* sling
temperament *n.* temperament
temperatura *n.* temperature
tempo *n.* pace
ten sam *a.* same
ten, który *a.* what
ten, ta, to *a.* that
tendencja *n.* tendency
tenis *n.* tennis
teokracja *n.* theocracy
teolog *n.* theologian
teologia *n.* theology
teologiczny *a.* theological
teoretyczny *a.* theoretical
teoretyk *n.* theorist
teoretyzować *v.i.* theorize
teoria *n.* theory
tępy *a.* obtuse
tępy (nóż) *a* blunt
terapia *n.* therapy
teraz *adv.* now
teraz gdy *conj.* now
teren *n.* site
tereny zalesione *n.* woodland
terier *n.* terrier
termin *n.* term
terminal *n.* terminal
terminologia *n.* terminology
terminologiczny *a.* terminological
termometr *n.* thermometer
termos *n.* thermos (flask)
terpentyna *n.* turpentine
terror *n.* terror
terrorysta *n.* terrorist
terroryzm *n.* terrorism
terroryzować *v.t.* terrorize
terytorialny *a.* territorial
terytorium *n.* territory
tęsknić *v.t.* miss
test *n.* test
testament *n.* testament
testować *v.t.* test
też *adv.* also
też (nie) *adv.* either
też nie *conj.* nor
teza *n.* thesis
tkać *v.t.* weave
tkacz *n.* weaver
tkanina *n.* cloth
tkanina *n.* fabric
tkanina *n.* textile
tkanina wełniana *n.* woollen
tkanka *n.* tissue
tlen *n.* oxygen
tlić się *v.i.* smoulder

tłoczyć się *v.i* flock
tłok *n.* piston
tłok *n.* throng
tłuczone szkło *n.* cullet
tłum *n.* crowd
tłumacz *n.* translator
tłumacz (ustny) *n.* interpreter
tłumaczenie *n.* translation
tłumaczyć *v.t.* translate
tłumić *v.t.* quell
tłumić *v.t.* repress
tłumić *v.t.* smother
tłumić *v.t.* stifle
tłumić *v.t.* suppress
tłumienie *n.* repression
tłumik *n.* muffler
tłumik *n.* silencer
tłusty *a* fat
tłusty *a.* greasy
tłuszcz *n.* fat
tłuszczowy *a.* adipose
to *dem. pron.* that
to samo *n.* ditto
to, ono *pron.* it
toaleta *n.* toilet
toast *n.* toast
toczyć się *v.i.* roll
toffi *n.* toffee
toga *n.* gown
toga *n.* toga
tokarnia *n.* lathe
tokarz *n.* turner
tolerancja *n.* tolerance
tolerancja *n.* toleration
tolerancyjny *a.* tolerant
tolerować *v.t.* tolerate
tom *n.* tome
tom *n.* volume
ton *n.* tone
tona *n.* ton
tonąć *v.i.* sink
tonaż *n.* tonnage
tonsura *n.* tonsure
topaz *n.* topaz
topić *v.i.* melt
topić się *v.i* drown
topograf *n.* topographer
topografia *n.* topography
topograficzny *a.* topographical
topola *n.* poplar
torba *n.* bag
torbacz *n.* marsupial
torebka (damska) *n.* purse
torebkowaty *a.* capsular
tornado *n.* tornado
tornister *n.* satchel
torować drogę *v.t.* pioneer
torpeda *n.* torpedo
torpedować *v.t.* torpedo
tortura *n.* torture
torturować *v.t.* rack
torturować *v.t.* torture
towar *n.* commodity
towar *n.* merchandise
towar *n.* ware
towarzyski *a.* sociable
towarzyski (o człowieku) *a.* convivial
towarzyskość *n.* sociability
towarzystwo *n.* company
towarzysz *n.* chum
towarzysz *n.* companion
towarzysz *n.* comrade
towarzysz *n.* fellow
towarzyszący *a.* associate
towarzyszenie *n.* accompaniment
towarzyszyć *v.t.* accompany
tożsamość *n.* identity
trąba powietrzna *n.* whirlwind
trąbka *n.* clarion
trąbka *n.* cornet
trąbka *n.* trumpet
trącać (kogoś) *v.t.* jog
trącać łokciem *v.t.* nudge

tracić *v.t.* waste
tracić świeżość *v.i.* stale
trąd *n.* leprosy
tradycja *n.* tradition
tradycyjny *a.* traditional
trądzik *n.* acne
traf *n.* chance
traf, los *n.* luck
trafnie *adv.* appositely
trafnie *adv.* pat
trafny *a.* apposite
trafny *a.* apposite
trafny *a.* apt
tragedia *n.* tragedy
tragediopisarz *n.* tragedian
tragiczny *a.* tragic
trajkotać *v.i.* jabber
trajkotać *v.i.* yap
trajkotanie *n.* yap
trakcja *n.* traction
traktat *n.* tract
traktat *n.* treaty
traktor *n.* tractor
traktować *v.t.* treat
traktować protekcjonalnie *v.t.* patronize
traktować stereotypowo *v.t.* stereotype
traktowanie *n.* treatment
tramwaj *n.* tram
trans *n.* trance
transakcja *n.* transaction
transkrypcja *n.* transcription
transmisja *n.* broadcast
transmisja *n.* transmission
transmitować *v. t* broadcast
transmitować *v.t.* relay
transmitować *v.t.* transmit
transparent *n.* banner
transport *n.* transportation
transport *n.* transport
transportować *v.t.* transport
trapić *v. t* distress
trapić (kogoś) *v.t.* plague
trapić się *v.t.* fret
trasa *n.* route
trawa *n.* grass
trawić *v. t.* digest
trawienie *n.* digestion
trawnik *n.* lawn
trędowaty *n.* leper
trędowaty *a.* leprous
trend *n.* trend
trener *n.* coach
trio *n.* trio
triumf *n.* triumph
triumfalny *a.* triumphal
triumfalny *a.* triumphant
triumfować *v. i* exult
triumfować *v.i.* triumph
triumfowanie *n.* jubilation
trofeum *n.* trophy
trójbarwny *a.* tricolour
trójdzielny *a.* tripartite
trójka *n.* three
trójkąt *n.* triangle
trójkątny *a.* triangular
trójkołowiec *n.* tricycle
trójnóg *n.* tripod
tron *n.* throne
tropić *v. t* dog
tropić *v.t.* track
tropikalny *a.* tropical
troska *n.* solicitude
trucizna *n.* poison
trud *n.* hardship
trudność *n.* difficulty
trudny *a* difficult
trudny *a.* hard
trudny *a.* tough
trudzić się *v.i.* labour
trujący *a.* poisonous
trumna *n.* coffin
trunek *n.* intoxicant

trunek *n.* liquor
trupa *n.* troupe
truskawka *n.* strawberry
trwać *v.i.* last
trwający całe życie *a.* lifelong
trwałość *n.* permanence
trwały *a* abiding
trwały *a* durable
trwały *a.* lasting
trwały *a.* perennial
trwały *a.* permanent
trwały (o pamięci) *a.* retentive
trwonić *v.t.* squander
tryb *n.* mode
trybunał *n.* tribunal
tryskać *v.i.* spout
tryskać *v.i.* spurt
tryskać *v.i.* well
trysnąć *v.i* flush
tryton *n.* merman
trywialny *a.* trivial
trząść się *v.i.* quake
trząść się *v.i.* shake
trząść się *v.i.* tremble
trząść się (o pojeździe) *v.t.* jolt
trzask *n.* bang
trzask *n.* snap
trzask *n.* slam
trzaskać *v.i.* smack
trzaskać (drzwiami) *v.t.* slam
trzcina *n.* cane
trzeci *a.* third
trzecia kopia (dokumentu) *n.* triplicate
trzepaczka (do jajek) *n.* whisk
trzepotać *v.t* flutter
trzepotanie *n.* flutter
trzęsienie (ziemi) *n.* quake
trzęsienie ziemi *n.* earthquake
trzeszczeć *v.t.* crackle
trzeźwość *n.* sobriety
trzeźwy *a.* sober
trzonowy *a* molar
trzy *a* three
trzydzieści *a* thirty
trzydziestka *n.* thirty
trzydziesty *a.* thirtieth
trzykrotnie *adv.* thrice
trzymać *v.t* hold
trzymać *v.t.* keep
trzymać (konie) w stajni *v.t.* stable
trzynaście *a* thirteen
trzynastka *n.* thirteen
trzynasty *a.* thirteenth
tubylcy *n. pl* aborigines
tubylczy *a.* indigenous
tubylec *n.* native
tułów *n.* trunk
tumult *n.* tumult
tunel *n.* tunnel
turban *n.* turban
turbina *n.* turbine
turbulencja *n.* turbulence
turnia *n.* alp
turniej *n.* tournament
turysta *n.* tourist
turystyka *n.* tourism
tutaj *adv.* here
tuzin *n.* dozen
twardy *a.* hard
twaróg *n.* curd
twarz *n.* face
twarzowy *a* facial
twierdzący *a* affirmative
twierdzenie *n.* affirmation
twierdzenie *n.* allegation
twierdzenie *n.* proposition
twierdzenie *n.* theorem
twierdzić *v.t.* affirm
twierdzić *v.t.* allege
twierdzić *v.t.* profess
twórca *n.* creator
twórczy *a.* creative

tworzenie *n.* creation
tworzyć *v. t* create
tworzyć *v.t.* generate
tydzień *n.* week
tyfus (dur brzuszny) *n.* typhoid
tyfus (dur plamisty) *n.* typhus
tygodnik *n.* weekly
tygodniowy *a.* weekly
tygrys *n.* tiger
tygrysica *n.* tigress
tykać *v.i.* tick
tykwa *n.* gourd
tył *n.* rear
tylko *adv.* only
tylko że *conj.* only
tymczasem *adv.* meanwhile
tymczasowy *a.* provisional
tymczasowy *a.* temporary
tynk *n.* plaster
typ *n.* type
typowy *a.* typical
tyrada *n.* tirade
tyran *n.* bully
tyran *n.* tyrant
tyrania *n.* tyranny
tyranizować *v. t.* bully
tyranizować *v.t.* victimize
tysiąc *n.* thousand
tysiąc *a* thousand
tysiąclecie *n.* chiliad
tysiąclecie *n.* millennium
tytaniczny *a.* titanic
tytoń *n.* tobacco
tytuł *n.* title
tytularny *a.* titular

ubezpieczać *v.t.* insure
ubezpieczenie *n.* insurance
ubiegać (kogoś/coś) *v.t* forestall
ubierać *v.t.* attire
ubierać *v. t* clothe
ubierać *v. t* dress
ubierać w szatę (ceremonialną) *v.t.* robe
ubijać na pianę *v.t.* whisk
ubiór *n.* attire
ubiór *n.* guise
ubłocić *v. t* bemire
ubój *n.* slaughter
ubóstwo *n.* paucity
ubóstwo *n.* poverty
ubranie *n.* clothes
ubytek *n.* decrement
ucho *n.* ear
uchwalać (prawo) *v. t* enact
uchylać się (od czegoś) *v. t* dodge
uchylać się od czegoś *v. t* evade
uchylać się od zapłaty *v. t.* bilk
uchylić (wniosek) *v.t.* overrule
uchylony (o drzwiach) *adv.* ajar
uciążliwa osoba *n.* drag
uciążliwy *a* burdensome
uciążliwy *a.* onerous
uciążliwy *a.* oppressive
uciec z ukochaną osobą *v. i* elope
uciecha *n.* enjoyment
uciecha *n.* fun
uciecha *n.* merriment
ucieczka *n.* escape
ucieczka *n.* scamper
uciekać *v.i* escape
uciekać *v.i* flee
uciekać się (do czegoś) *v.i.* resort
uciekanie się (do czegoś) *n.* recourse
uciekanie się (do czegoś) *n.* resort
uciekinier *n.* fugitive
uciekinier *n.* refugee
ucierać *v.t.* pound

ucierać na tarce *v.t* grate
uciszać *v.i* hush
uciszać *v.t.* lull
uciszać *v.t.* silence
uczcić *v.t* dignify
uczciwość *n.* honesty
uczciwy *a.* honest
uczczenie pamięci *n.* commemoration
uczeń *n.* apprentice
uczeń *n.* disciple
uczeń *n.* learner
uczeń *n.* pupil
uczeń *n.* scholar
uczestnictwo *n.* participation
uczestniczyć *v.i.* participate
uczestnik *n.* participant
uczęszczać *v.t.* attend
uczony *a.* learned
uczony *a.* scholarly
uczta *n.* feast
uczucie *n.* affection
uczucie *n.* emotion
uczucie *n.* feeling
uczyć *v.t.* teach
uczyć się *v.i.* learn
uczynić kogoś niewolnikiem *v.t.* enslave
udar *n.* stroke
udaremniać *v.t* foil
udaremniać *v.t.* thwart
udawać *v.t* feign
udawać *v.t.* pretend
udawać się na poszukiwanie *v.t.* quest
udawanie *n.* affectation
udawany *a.* mock
uderzać *v.t.* hit
uderzać *v.t.* strike
uderzenie *n.* beat
uderzenie *n.* blow
uderzenie *n.* hit
uderzenie *n.* strike
uderzenie (zegara) *n.* stroke
uderzenie pięścią *n.* punch
uderzyć *v. t* cuff
uderzyć pięścią *v.t.* punch
udo *n.* thigh
udowadniać *v.t.* prove
udręka *n.* agony
udręka *n.* anguish
udręka *n.* botheration
udusić *v.t.* strangle
udusić *v.t* suffocate
uduszenie *n.* strangulation
uduszenie *n.* suffocation
udział *n.* quota
udział *n.* share
udzielać pozwolenia *v.t.* license
udzielać ślubu *v.t.* marry
udzielić poufnej informacji *v.t.* tip
ufać *v.t* trust
ufny *a.* confident
ufny *a.* trustful
uganiać się za spódniczkami *v.t.* womanise
ugoda *n.* compact
ugór *n.* fallow
ugrzeczniony *a.* ceremonious
ujarzmiać *v.t.* subjugate
ujarzmiać *v.t.* yoke
ujarzmienie *n.* subjugation
ujawniać *v. t* disclose
ujednolicenie *n.* unification
ujednolicony *a.* stock
ujęty *a.* captive
ujmujący *a.* winsome
ujrzeć *v. t* behold
ukazywać się *v.i.* appear
ukazywać się *v. i* emerge
układać w tabelę *v.t.* tabulate
ukłuć *v.t.* prick
ukłucie *n.* prick

ukochany *a* beloved
ukochany *a* darling
ukoić *v.t.* soothe
ukośny *a.* oblique
ukradkiem *adv.* stealthily
ukrócić *v. t* curtail
ukrywać *v. t.* conceal
ukrywać *v.t* hide
ukuć *v.t* forge
ul *n.* beehive
ul *n.* hive
ułamek *n.* fraction
ulatniać się *v. i* decamp
ułatwiać *v.t* facilitate
uleczalny *a* curable
ulegać (pokusie) *v.i.* succumb
uległość *n.* submission
uległy *a* amenable
uległy *a.* submissive
ulepszać *v.t.* ameliorate
ulepszać *v.t.* meliorate
ulepszenie *n.* amelioration
ulewa *n.* downpour
ulewny (o deszczu) *a.* torrential
ulga *n.* alleviation
ulga *n.* relief
ulica *n.* street
ulicznica *n.* strumpet
ulicznica *n.* wench
ulotka *n.* handbill
ulotka *n.* leaflet
ultimatum *n.* ultimatum
ultradźwiękowy *a.* supersonic
ulubieniec *n.* darling
ulubieniec *n.* favourite
ulubiony *a* favourite
ułuda *n.* delusion
ulżyć *v.t.* relieve
ulżyć (w bólu) *v.t.* alleviate
umacniać *v.t.* fortify
umiar *n.* temperance
umiar *n.* moderation
umiarkowany *a.* moderate
umiarkowany *a.* temperate
umiejscowienie *n.* location
umierający *a.* moribund
umieszczać *v.t.* locate
umieszczać *v.t.* place
umieszczać *v.t.* position
umieszczać coś po czymś *v.t.* suffix
umieszczać coś przed czymś *v.t.* prefix
umówione spotkanie *n.* rendezvous
umówiony termin *n.* appointment
umożliwiać *v. t* enable
umrzeć *v. i* decease
umrzeć *v. i* die
umyć (włosy) szamponem *v.t.* shampoo
umykać *v. t* bolt
umysł *n.* mind
umysłowy *a.* mental
umywalnia *n.* lavatory
uncja *n.* ounce
unia *n.* union
unieruchomiony *a.* motionless
unieszkodliwiać *v. t* disable
unieważniać *v.t.* invalidate
unieważniać *v.t.* nullify
unieważniać *v.t.* void
unieważnienie *n.* nullification
uniewinniać *v.t.* acquit
uniewinnienie *n.* acquittal
unik *n.* dodge
unikać *v.t.* avoid
unikać *v.t.* shun
unikać (czegoś) *v. t* elude
unikalny *a.* unique
unikanie *n.* avoidance
unikat *n.* nonpareil
uniknięcie *n.* elusion
uniknięcie *n.* evasion

unisono *n.* unison
uniwersalność *n.* universality
uniwersalny *a.* universal
uniwersytet *n.* university
unosić się (na wodzie) *v.i* float
unosić się (o zapachu) *v.t.* waft
uodparniać *v.t.* immunize
uodparniać na truciznę *v.t.* mithridatize
uodporniony *a.* immune
uosabiać *v. t.* embody
uosabiać *v.t.* impersonate
uosabiać *v.t.* personify
uosobienie *n.* embodiment
uosobienie *n.* impersonation
upadać *v.i.* fall
upadać z głuchym odgłosem *v.i.* thud
upadek *n.* fall
upadek *n.* tumble
upajać *v.t.* intoxicate
upał *n.* heat
upamiętniać *v. t.* commemorate
uparty *a.* headstrong
uparty *a.* mulish
uparty *a.* obstinate
uparty *a.* stubborn
upiększać *v. t* beautify
upierać się *v.i.* persist
upijać się *v. i* booze
upiorny *a.* ghastly
upodobanie *n.* liking
upojenie (alkoholem) *n.* intoxication
upokarzać *v.t.* humiliate
upokorzenie *n.* humiliation
upominać *v.t.* admonish
upominek *n.* keepsake
upomnienie *n.* admonition
upór *n.* obstinacy
uporczywość *n.* persistence
uporczywy *a.* persistent
uporządkowany *a.* orderly
uporządkowany *a.* trim
upośledzać *v.t.* handicap
upoważniać (kogoś do czegoś) *v. t* empower
upoważniać (kogoś do czegoś) *v. t.* entitle
upraszczać *v.t.* simplify
uprawiać (ziemię) *v. t* cultivate
uprawiać (ziemię) *v.t.* till
uprawiać hazard *v.i.* gamble
uprawiać hazard *v.i* game
uproszczenie *n.* simplification
uprowadzać *v.t.* kidnap
uprowadzenie *n.* abduction
uprowadzić *v.t.* abduct
uprząż *n.* harness
uprzedni *a.* prior
uprzedzenie *n.* bias
uprzedzenie *n.* prejudice
uprzejmie *adv.* kindly
uprzejmość *n.* amiability
uprzejmość *n.* complaisance
uprzejmość *n.* courtesy
uprzejmość *n.* politeness
uprzejmy *a.* affable
uprzejmy *a.* amiable
uprzejmy *a.* complaisant
uprzejmy *a.* courteous
uprzejmy *a* kind
uprzejmy *a.* polite
uradować *v.t.* gladden
uraz *n.* injury
uraza *n.* grudge
uraza *n.* rancour
uraza *n.* resentment
uraza *n.* spite
urazić (kogoś) *v. t* displease
urlop *n.* holiday
urna *n.* urn
uroczy *a.* lovely

uroczystość *n.* celebration
uroczystość *n.* festivity
uroczystość *n.* solemnity
uroczysty *a* festive
uroczysty *a.* solemn
uroda *n.* prettiness
urodzenie *n.* birth
urodziwy *a.* sightly
urodzony *a.* born
urojony *a.* imaginary
urok *n.* charm
urok *n.* endearment
urozmaicać *v.t.* vary
uruchamiać *v.t.* launch
uruchamiać *v.t.* trip
uruchomienie *n.* launch
urwis *n.* urchin
urwisko *n.* cliff
urywek *n.* snatch
urząd sędziego *n.* magistracy
urząd stanu cywilnego *n.* registry
urządzać piknik *v.i.* picnic
urządzenie rejestrujące *n.* recorder
urzędnik *n.* clerk
urzędnik *n.* officer
urzędnik *n.* official
urzędowanie *n.* tenure
urzekać *v. t.* captivate
uścisk *n.* embrace
uściskać *v. t.* embrace
usidlać *v. t.* entrap
usiłować *v.i* endeavour
usiłować *v.i.* strive
usługa *n.* service
uśmiech *n.* smile
uśmiechać się *v.i.* smile
uśmierzać *v.t.* assuage
uśmierzać (ból) *v.t.* allay
usosobienie *n.* personification
uspokajać *v.t.* appease
uspokajać *v. t.* calm
uspokajać *v.t.* quiet
uspokajać *v.t.* reassure
uspokajać *v.t.* steady
uspokajać *v.t.* still
uspokajać *v.t.* tranquillize
uspokajający *a.* calmative
uspokajający (o środku) *a.* sedative
usposobienie *n.* cheer
usposobienie *n.* mettle
usposobienie *n.* temper
usprawnienie *n.* reformation
usta *n.* mouth
ustalać *v. t.* establish
ustalać koszt *v.t.* cost
ustalony *a* set
ustąpić ze stanowiska *v.t.* resign
ustąpienie ze stanowiska *n.* resignation
ustawa *n.* statute
ustawa zabraniająca aresztowania obywatela bez zgody sądu *n.* habeas corpus
ustawiać *v.t.* poise
ustawiać *v.t* set
ustawiać (w szeregu) *v.t.* line
ustawodawca *n.* legislator
ustawodawczy *a.* legislative
ustawodawstwo *n.* legislation
ustawowy *a.* statutory
ustępować *v.i.* relent
usterka *n.* fault
ustnie *adv.* orally
ustnie (zdawać egzamin) *adv.* viva-voce
ustny *a.* oral
ustny *a.* verbal
ustny (o egzaminie) *a* viva-voce
ustrój *n.* polity
usunięcie *n.* abstraction
usunięcie *n.* removal

usuwać *v. t* delete
usuwać *v.t.* remove
usuwać (kogoś ze stanowiska) *v.t* depose
usuwalny *a.* removable
uświęcać *v.t.* sanctify
uświęcenie *n.* sanctification
usychać *v.i.* wither
uszczelka *n.* gasket
uszczelka *n.* washer
uszczypnąć *v.t* nip
uszczypnięcie *v.* pinch
uszkodzenie *n.* damage
uszkodzić *v. t.* damage
uszlachetniać *v.t.* refine
usztywniać *v.t.* stiffen
utajony *a.* latent
utalentowany *a.* gifted
utłuc na papkę *v.t* mash
utopia *n.* utopia
utopijny *a.* utopian
utrapienie *n.* tribulation
utrudniać *v.t.* impede
utrudnienie *n.* impediment
utrzymanie *n.* livelihood
utrzymanie *n.* maintenance
utrzymanie (człowieka) *n.* upkeep
utrzymywać *v.t.* sustain
utrzymywać (np. porządek) *v.t.* maintain
utrzymywać w równowadze *v.t.* balance
utwór muzyczny *n.* track
uwaga *n.* attention
uwaga *n.* remark
uwaga (baczenie) *n.* heed
uwaga, aluzja *n.* dig
uwalniać *v.t* free
uwalniać *v.t.* liberate
uwalniać *v.t.* release
uważać (kogoś za coś) *v.t.* regard
uważać (kogoś za coś) *v.t.* repute
uważać (kogoś/coś za...) *v.t.* deem
uważać (na kogoś/coś) *v.t.* heed
uważać (sądzić) *v.t.* reckon
uważać, że *v.i.* opine
uważny *a.* attentive
uwertura *n.* overture
uwieczniać *v.t.* immortalize
uwieczniać *v.t.* perpetuate
uwielbiać *v.t.* adore
uwielbienie *n.* adoration
uwielbienie *n.* worship
uwięzić *v.t.* imprison
uwięzienie *n.* confinement
uwłaszczać *v.t.* enfranchise
uwodzenie *n.* seduction
uwodzić *v.t.* seduce
uwolnienie *n.* liberation
uwolnienie *n.* release
uwydatniać *v. t* emphasize
uzależnienie *n.* dependence
uzasadniać *v.t.* justify
uzasadnienie *n.* justification
uzasadniony *a.* justifiable
uzbrajać *v.t.* arm
uzbrajać kogoś (w oczekiwaniu niebezpieczeństwa) *v.t* forearm
uzbrojenie *n.* armament
uzdolnienie *n.* aptitude
uznać *v.t.* acknowledge
uznanie *n.* acclaim
uznanie *n.* acknowledgement
uznanie *n.* appreciation
uznanie *n.* recognition
uznanie, sąd *n.* discretion
uznawać *v.t.* recognize
uzupełniać *v. t* complete
uzupełniać *v.t.* supplement
uzupełniać (zapas) *v.t.* replenish
uzupełniający *a* complementary

uzupełniający *a.* supplementary
uzupełnienie *n.* complement
uzurpacja *n.* usurpation
uzurpować *v.t.* usurp
użytek *n.* use
użytkować *v.t.* utilize
użytkowanie *n.* utilization
używać *v.t.* use
używać wybiegów *v.i.* quibble
używanie *n.* usage
używany *a.* worn

w bród *adv.* galore
w czym *adv.* wherein
w dół *adv.* downward
w domu, pod dachem *adv.* indoors
w głębi kraju *adv.* inland
w górę *adv.* aloft
w górę *prep.* up
w górę *adv.* upwards
w kierunku *prep.* towards
w koło *adv.* round
w którym miejscu *adv.* whereabout
w łóżku *adv.* abed
w napięciu *a.* agog
w oddaleniu *adv.* asunder
w oddali *adv.* afar
w ogniu *adv.* aglow
w pąsach *adv.* ablush
w pełni *adv.* full
w płomieniach *adv.* ablaze
w płomieniach *adv.* aflame
w pobliżu *adv.* by
w pobliżu *prep.* near
w pojedynkę *adv.* solo
w polu *adv.* afield
w poprzek *adv.* across
w przeciwieństwie *prep* unlike
w ruchu *adv.* astir
w starszym wieku *a* elderly
w tamtych stronach *adv.* thereabouts
w ten sposób *adv.* so
w ten sposób *adv.* thus
w trybie pilnym *adv.* summarily
w tych stronach *adv.* hereabouts
w zastoju *a.* stagnant
w złej wierze *adv.* mala fide
w, do *prep* down
w, na, u *prep.* at
w, we *prep.* in
wabić *v. t.* entice
wabić *v.t.* lure
wabienie *n.* allurement
wada *n.* drawback
wada *n.* vice
wadliwa administracja *n.* maladministration
wadliwy *a.* deficient
wadliwy *a* faulty
waga *n.* weight
Waga (znak zodiaku) *n.* Libra
wagon *n.* wagon
wahać się *v.i.* hesitate
wahać się *v.i.* shilly-shally
wahać się *v.i.* vacillate
wahadło *n.* pendulum
wahadłowiec *n.* shuttle
wahanie *n.* hesitation
wakacje *n.* vacation
wakat *n.* vacancy
wał obronny *n.* rampart
wał ochronny *n.* bulwark
walczący *a* belligerent
walczyć *v. i.* battle
walczyć *v. t.* combat
walczyć *v.t* fight

walczyć *v.i.* militate
waleczność *n.* valour
wałek *n.* roller
walet (w kartach) *n.* knave
walić *v.t.* whack
walka *n.* combat
walka *n.* fight
walka wręcz *n.* grapple
waluta *n.* currency
wanna *n.* tub
wapń *n.* calcium
wapnić *v.t* lime
wapno *n.* lime
wapno do bielenia *n.* whitewash
warczeć *v.i.* growl
warczenie *n.* growl
warga *n.* lip
wargowy *a.* labial
warknąć (o człowieku) *v.i.* snarl
warknięcie *n.* snarl
warkot *n.* whir
warstwa *n.* layer
warstwa *n.* ply
warstwa (farby itp.) *n.* coating
warstwa (społeczna) *n.* stratum
warstwy wykształcone społeczeństwa *n.* intelligentsia
warsztat *n.* workshop
wart *a* worth
warta *n.* watch
wartość *n.* value
wartość *n.* worth
wartościowy (o człowieku) *a.* sterling
wartownik *n.* sentinel
wartownik *n.* sentry
wartownik *n.* warden
warunek *n.* condition
warunkowy *a* conditional
warzyć (piwo), zaparzać (herbatę) *v. t.* brew
warzywny *a.* vegetable
warzywo *n.* vegetable
wąs *n.* moustache
wąs *n.* mustache
wąski *a.* narrow
wąsy ryby *n.* barb
wat *n.* watt
wątpić *v. i* doubt
wątpliwość *n.* doubt
wątroba *n.* liver
wąwóz *n.* defile
wąwóz *n.* ravine
wąż *n.* serpent
wąż *n.* snake
wąż (do polewania) *n.* hose
wazektomia *n.* vasectomy
wazelina *n.* vaseline
ważna osoba *n.* somebody
ważność *n.* importance
ważność *n.* significance
ważność (dokumentu) *n.* validity
ważny *a.* important
ważny *a.* significant
ważny (o dokumencie) *a.* valid
ważyć *v.t.* weigh
wcale *adv.* any
wchodzić *v. t* enter
wchodzić do góry *v.t.* mount
wciągać (kogoś w coś) *v.t.* involve
wciągać w błoto *v.t.* mire
wcielać *v.t.* incarnate
wcielenie *n.* incarnation
wcielony *a.* incarnate
wciskać (jakiś przedmiot między dwa inne) *v.t.* sandwich
wcześnie *adv.* early
wczesny *a* early
wczoraj *adv.* yesterday
wdowa *n.* widow

wdowiec *n.* widower
wdychać *v.i.* inhale
wdzięczność *n.* gratitude
wdzięczny *a.* grateful
wdzięczny *a.* thankful
wdzięk *n.* grace
we śnie *adv.* asleep
wędrować *v.i.* ramble
wędrować *v.i.* roam
wędrować *v.i.* rove
wędrować *v.i.* trek
wędrować *v.i.* wander
wędrowiec *n.* rover
wędrówka *n.* ramble
wędrówka *n.* trek
wędrownik *n.* wayfarer
wegetacja *n.* vegetation
wegetarianin *n.* vegetarian
wegetariański *a* vegetarian
węgiel *n.* coal
węgiel (pierwiastek) *n.* carbon
węgiel brunatny *n.* lignite
wejście *n.* entrance
wełna *n.* fleece
wełna *n.* wool
wełniany *a.* woollen
welon *n.* veil
wentylacja *n.* ventilation
wentylator *n.* fan
wentylator *n.* ventilator
weranda *n.* verandah
werbować *v. t.* canvass
werdykt *n.* verdict
wersja *n.* version
wersyfikacja *n.* versification
wertować *n.* browse
wertować (książkę) *v.t.* thumb
werwa *n.* verve
weryfikacja *n.* verification
weryfikować *v.t.* verify
wesele *n.* nuptials
wesele *n.* wedding
weselny *a.* nuptial
wesołość *n.* gaiety
wesołość *n.* hilarity
wesoły *a.* gay
wesoły *a.* hilarious
wesoły *a.* jolly
wesoły *a* merry
westchnienie *n.* sigh
wesz *n.* louse
węszyć *v.t* nose
węszyć *v.* nuzzle
weteran *n.* veteran
weterynaryjny *a.* veterinary
weto *n.* veto
wetować *v.t.* veto
wewnątrz *prep.* inside
wewnątrz *adv.* inside
wewnątrz *prep.* within
wewnątrz *adv.* within
wewnętrzny *a.* inner
wewnętrzny *a* inside
wewnętrzny *a.* interior
wewnętrzny *a.* internal
wewnętrzny *a.* intrinsic
wewnętrzny *a.* inward
węzeł *n.* knot
węzeł (w medycynie) *n.* node
wezwać kogoś pagerem *v.t.* page
wezwanie *n.* summons
wezwanie (inwokacja) *n.* invocation
whisky *n.* whisky
wiadomość *n.* message
wiadomości *n.* news
wiadro *n.* bucket
wiara *n.* belief
wiara *n.* faith
wiarygodny *a* credible
wiatr *n.* wind
wiatrak *n.* windmill
wiązać *v.t* bind
wiązać *v.t.* rope

wiązać *v.t.* tie
wiązać zaprawą (kamienie) *v.t.* mortar
wiążący *a* binding
wibracja *n.* vibration
wibrować *v.i.* vibrate
wić się *v.i.* snake
wić się *v.i.* wriggle
wić się *v.i.* writhe
wić się (o rzece) *v.i.* meander
wicekról *n.* viceroy
wichrzycielski *a* factious
wicie się *n.* wriggle
widmo *n.* phantom
widmo *n.* spectre
widmo *n.* wraith
widoczność *n.* visibility
widoczny *a.* conspicuous
widoczny *a.* visible
widok *n.* view
widok *n.* vista
widowisko *n.* pageant
widz *n.* on-looker
widz *n.* spectator
widzieć *v.t.* see
więc *conj.* so
więcej *a.* more
wiecznie zielony *a* evergreen
wieczność *n.* eternity
wieczny *a* eternal
wieczór *n.* evening
wiedza *n.* cognizance
wiedza *n.* knowledge
wiedza *n.* lore
wiedzieć *v.t.* know
wiejski *a.* rural
wiejski *a.* rustic
wiek *n.* age
wiek (stulecie) *n.* century
wiek chłopięcy *n.* boyhood
wiek dojrzewania *n.* adolescence
wiek dojrzewania *n. pl.* teens
wiekowy *a.* aged
większość *n.* majority
wielbić *v.t.* worship
wielbiciel *n.* idolater
wielbiciel *n.* worshipper
wielbłąd *n.* camel
wiele *n.* lots
wiele *adv.* much
Wielka Brytania *n.* Albion
wielka przyjemność *n.* treat
Wielkanoc *n.* Easter
wielki *a.* grand
wielki *a* great
wielkoduszność *n.* magnanimity
wielkoduszny *a.* magnanimous
wieloboczny *a.* multilateral
wielojęzyczny *a.* polyglot
wielokrotnie powtarzać *v.t.* reiterate
wielokrotnie powtarzanie *n.* reiteration
wielokrotność *n.* multiple
wielokrotny *a.* multiple
wielokrotny *a.* multiplex
wielokształtny *n.* multiform
wieloraki *a.* manifold
wieloraki *a.* multifarious
wielorodny *a.* multiparous
wieloryb *n.* whale
wieniec *n.* garland
wieniec *n.* wreath
wieprzowina *n.* pork
wiercić *v. t* bore
wiercić *v. t.* drill
wierność *n.* allegiance
wierność *n.* fidelity
wierny *a* faithful
wierny *a.* trusty
wiersz *n.* poem
wiersz *n.* verse
wierszokleta *n.* poetaster
wierszokleta *n.* rhymester

wiertarka *n.* drill
wierzba *n.* willow
wierzchnia strona *n.* top
wierzchołek *n.* apex
wierzyć *v. t* believe
wierzyciel *n.* creditor
wierzyciel hipoteczny *n.* mortagagee
wieś *n.* village
wieści *n. pl.* tidings
wieśniak *n.* peasant
wieśniak *n.* rustic
wieśniak *n.* villager
wieszać *v.t.* hang
wieszcz *n.* bard
wietrzny *a.* windy
wietrzyk *n.* breeze
wiewiórka *n.* squirrel
więź *n.* bond
wieża *n.* tower
więzień *n.* prisoner
więzienie *n.* jail
więzienie *n.* prison
wigor *n.* stamina
wigwam *n.* wigwam
wikary *n.* vicar
wiklina *n.* wicker
wilgoć *n.* damp
wilgoć *n.* humidity
wilgoć *n.* moisture
wilgotność *n.* wetness
wilgotny *a* damp
wilgotny *a.* humid
wilgotny *a.* moist
wilk *n.* wolf
willa *n.* villa
wina *n.* blame
wina *n.* fault
wina *n.* guilt
winda *n.* lift
winić *v. t* blame
winny *a.* guilty
winny (czegoś) *a* culpable
wino *n.* wine
winogrono *n.* grape
winorośl *n.* vine
winowajca *n.* culprit
wiosenny *a.* vernal
wioślarz *n.* oarsman
wiosło *n.* oar
wiosłować *v.i.* paddle
wiosłować *v.t.* row
wiosna *n.* spring
wir wodny *n.* whirlpool
wirować *v.i.* reel
wirować *n.i.* whirl
wirowanie *n.* spin
wirowanie *n.* whirl
wirus *n.* virus
witać *v.t* welcome
witać się z kimś (przez uchylenie kapelusza) *v. t.* cap
witamina *n.* vitamin
witka *n.* withe
wiwatować *v. t.* cheer
wizerunek *n.* image
wizja *n.* vision
wizjoner *n.* visionary
wizjonerski *a.* visionary
wizyta *n.* visit
wkład *n.* contribution
wkład *n.* input
wkładać (coś do czegoś) *v.t.* insert
wkładać do dołu *v.t.* pit
wkładać do kieszeni *v.t.* pocket
wklęsły *a.* concave
wkrótce *adv.* shortly
włączenie *n.* inclusion
włączony (urządzenie) *adv.* on
władca *n.* lord
włamanie *n.* burglary
włamanie *n.* robbery

włamywacz *n.* burglar
właściciel *n.* owner
właściciel *n.* proprietor
właściciel licencji *n.* licensee
właściciel sklepu spożywczego *n.* grocer
właściciel sklepu z materiałam piśmiennymi *n.* stationer
właściwie *adv.* aright
właściwie *adv.* right
właściwy *a.* opportune
właściwy *a.* proper
właściwy *a.* right
właściwy *a.* seemly
właśnie *adv.* just
własność *n.* ownership
własność nabyta *n.* acquest
własny *a.* own
właz *n.* manhole
wlec *v.t.* trail
wlepiać wzrok *v.t.* ogle
włóczęga *n.* vagabond
włóczęgowski *a* vagabond
włócznia *n.* spear
włóczyć się *v.i.* loiter
włókna kokosowe *n.* coir
włókno *n.* fibre
włos *n.* hair
włoski *a.* Italian
wnętrze *n.* inside
wnętrze *n.* interior
wnętrze *n.* within
wnętrzności *n.* entrails
wnikliwość *n.* acumen
wniosek *n.* inference
wnioskować *v.t.* infer
wnosić petycję *v.t.* petition
woda *n.* water
Wodnik (znak zodiaku) *n.* Aquarius
wodnisty *a.* watery
wodoodporny *a.* waterproof
wodór *n.* hydrogen
wodospad *n.* waterfall
wodoszczelny *a.* watertight
wódz *n.* chieftain
wojenny *a.* martial
wojenny *a.* warlike
wojna *n.* war
wojować *v.i.* war
wojowniczość *n.* belligerency
wojowniczy *a* bellicose
wojowniczy *a.* militant
wojownik *n.* warrior
wojsko *n.* army
wojsko *n.* military
wojskowy *a.* military
wokoło *adv.* around
wół *n.* bullock
wół *n.* ox
wola *n.* volition
wola *n.* will
wołać *v. t.* call
wołanie *n.* call
wolnomyśliciel *n.* libertine
wolność *n.* freedom
wolność *n.* liberty
wolny *a.* free
wolny (nie zajęty) *a.* vacant
wolny (od czegoś) *a* exempt
wolny czas *n.* leisure
wolny pokój *n.* vacancy
wołowina *n.* beef
wolt *n.* volt
wonny *a.* fragrant
woreczek *n.* pouch
worek *n.* sack
wosk *n.* wax
woskować *v.t.* wax
woskowina uszna *n.* cerumen
wóz *n.* carriage
wózek dziecinny *n.* perambulator
wozić *v.t.* wheel
woźnica *n.* carman

woźnica *n.* coachman
woźny *n.* beadle
wpajać *v.t.* inculcate
wpajać *v.t.* instil
wpisać *v.t.* inscribe
wpisać do rejestru *v. t* enrol
wplątać (kogoś w coś) *v.t.* implicate
wpływ *n.* impact
wpływ *n.* influence
wpływać *v.t.* influence
wpływowy *a.* influential
wprowadzać *v.t.* usher
wprowadzać (na urząd) *v.t.* induct
wprowadzać innowacje *v.t.* innovate
wprowadzać ustawodawstwo *v.i.* legislate
wprowadzać w błąd *v.t.* mislead
wprowadzać w życie *v.t.* implement
wprowadzenie (na urząd) *n.* induction
wpuszczać *v.t.* adhibit
wracać *v.i.* return
wrak *n.* wreck
wrażenie *n.* impression
wrażliwość *n.* sensibility
wrażliwy *a.* sensitive
wręczać *v.t* hand
wróbel *n.* sparrow
wrodzony *a.* inborn
wrodzony *a.* ingrained
wrodzony *a.* innate
wróg *n.* enemy
wróg *n.* foe
wrogi *a.* hostile
wrogość *n.* enmity
wrogość *n.* hostility
wrona *n.* crow
wróżka *n.* fairy
wrzask *n.* outcry
wrzask *n.* scream
wrzask *n.* shriek
wrzawa *n.* clamour
wrzawa *n.* uproar
wrzeć *v.i.* boil
wrzeć (gniewem) *v.i.* seethe
wrzeciono *n.* spindle
wrzesień *n.* September
wrzeszczeć *v.i.* bawl
wrzeszczeć *v.i.* scream
wrzeszczeć *v.i.* shriek
wrzód *n.* ulcer
wrzodowy *a.* ulcerous
wrzosowisko *n.* moor
wschód *n.* east
wschodni *a* east
wschodni *a* eastern
wschodni *a.* oriental
wścibski *a.* inquisitive
wścibski *a.* nosey
wścibski *a.* nosy
wścieklizna *n.* rabies
wściekłość *n.* fury
wściekłość *n.* rage
wściekły *a.* furious
wsiadać (na statek) *v. t.* board
wskazany *a.* advisable
wskaźnik *n.* gauge
wskaźnik *n.* rate
wskazówka *n.* cue
wskazówka *n.* indication
wskazówka (do rozwiązania zagadki) *n.* clue
wskazówka (przyrządu) *n.* indicator
wskazujący (na coś) *a.* indicative
wskazywać *v.t.* indicate
wskazywać *v.t.* point
wskrzeszony *a.* resurgent
wspaniałość *n.* splendour

wspaniały *a.* magnificent
wspaniały *a.* sublime
wspaniały *a.* terrific
wsparcie *n.* support
wspierać *v.t.* support
wspinać się *v. i* clamber
wspinać się *v.i* climb
wspinać się *v.t.* scale
wspinanie się *n.* ascent
wspinanie się *n.* climb
współczesny *a* contemporary
współczuć *v. t* commiserate
współczuć *v.i.* sympathize
współczucie *n.* compassion
współczucie *n.* sympathy
współczujący *a.* sympathetic
współczynnik *n.* ratio
wspólnie *adv.* jointly
wspólnik *n.* co-partner
wspólnota (społeczność) *n.* community
wspólnota polityczna *n.* commonwealth
wspólny język *n.* lingua franca
współpraca *n.* collaboration
współpraca *n.* co-operation
współpracować *v. i* collaborate
współpracować *v. i* co-operate
współpracownik *n.* associate
współpracownik *n.* colleague
współrzędny *a.* co-ordinate
współsprawca *n.* accomplice
współwięzień *n.* inmate
współzależność *n.* interdependence
współzależny *a.* interdependent
współzawodniczyć *v. i* compete
współzawodniczyć *v. i* contend
współzawodniczyć *v.i.* vie
wspomnienie *n.* recollection
wspomnienie *n.* reminiscence
wspornik gzymsu *n.* ancon
wśród *prep.* amid
wśród *prep.* among
wśród *prep.* amongst
wstąpić (na tron) *v.t.* ascend
wstążka *n.* ribbon
wstecz *adv.* aback
wstecz *adv.* backwards
wsteczny *a.* backward
wsteczny *a.* reverse
wstęp *n.* admission
wstęp *n.* admittance
wstęp *n.* entry
wstęp *n.* introduction
wstęp *n.* preamble
wstęp *n.* preliminary
wstęp *n.* prelude
wstępny *a.* introductory
wstępny *a.* preliminary
wstręt *n.* abhorrence
wstręt *n.* repugnance
wstrętny *a.* obnoxious
wstrętny *a.* odious
wstrząs *n.* concussion
wstrząs *n.* jolt
wstrzykiwać *v.t.* inject
wstrzymywać *v. i.* cease
wstyd *n.* shame
wszczynać bunt *v.t.* riot
wszechmoc *n.* omnipotence
wszechmocny *a.* almighty
wszechmocny *a.* omnipotent
wszechobecność *n.* omnipresence
wszechobecny *a.* omnipresent
wszechstronność *n.* versatility
wszechstronny *a* comprehensive
wszechstronny *a.* versatile
wszechświat *n.* universe
wszechwiedza *n.* omniscience
wszechwiedzący *a.* omniscient
wszędzie *adv.* throughout
wszędzie *adv.* wherever

wszyscy *a.* all
wszystko *n.* all
wszystko, co leży w czyjejś mocy *n.* utmost
wtargnięcie *n.* intrusion
wtargnięcie *n.* irruption
wtedy *adv.* then
wtorek *n.* Tuesday
wtrącać się *v.i.* meddle
wtrącać się *v.i.* tamper
wtrącać się (do czegoś) *v.i.* interfere
wtrącać się (do czegoś) *v.t.* intrude
wujek *n.* uncle
wulgarność *n.* vulgarity
wulgarny *a.* vulgar
wulkan *n.* volcano
wulkaniczny *a.* volcanic
wyasygnować *v.t.* allocate
wybaczać *v.t* excuse
wybaczać *v.t.* pardon
wybaczalny *a.* pardonable
wybaczalny *a.* venial
wybaczenie *n.* pardon
wybawca *n.* liberator
wybawienie *n.* godsend
wybielać *v. t* bleach
wybielać *v.t.* whitewash
wybierać *v. t.* choose
wybierać *v.t.* pick
wybierać *v.t.* select
wybierać *v. t* elect
wybitność *n.* prominence
wybitny *a.* outstanding
wybitny *a.* prominent
wyboisty *a.* bumpy
wybór *n.* choice
wyborca *n.* constituent
wyborca *n.* voter
wybory *n.* election
wybory dodatkowe *n.* by-election
wybrana część *n.* pick
wybredność *n.* nicety
wybrzeże *n.* coast
wybuch (wojny, choroby) *n.* outbreak
wybuch (gniewu, śmiechu) *n.* outburst
wybuch (wulkanu) *n.* eruption
wybuchać *v. i.* burst
wybuchać *v. t.* explode
wybuchać (o wulkanie) *v. i* erupt
wybuchowy *a* explosive
wybuchowy (o człowieku) *a.* temperamental
wyć *v.t.* howl
wycena *n.* valuation
wychowanie *n.* nurture
wychowawca *n.* tutor
wychowawczy *a.* tutorial
wychowywać *v.t.* nurture
wychwalać *v. t.* extol
wyciąg *n.* winch
wyciągać kołowrotem *v.t.* windlass
wycie *n.* howl
wycieczka *n.* excursion
wycieczka *n.* outing
wycieczka *n.* sally
wyciek *n.* ooze
wyciek *n.* spill
wycierać *v.t.* mop
wycierać *v.t.* wipe
wycierać gąbką *v.t.* sponge
wycierać ręcznikiem *v.t.* towel
wycofanie *n.* withdrawal
wycofywać *v.t.* withdraw
wycofywać się *v.i.* recede
wycofywać się *v.i.* recoil
wycofywać się *v.i.* retreat
wyczerpywać (kogoś) *v. t.* exhaust

wyczuwać *v.t.* sense
wyczyn *n.* exploit
wyczyn *n.* feat
wydać cudze dzieło bez zezwolenia autora *v.t* pirate
wydajność *n.* efficiency
wydajność *n.* output
wydajny *a* efficient
wydanie *n.* edition
wydanie *n.* issue
wydanie (głosu) *n.* utterance
wydarzenie *n.* event
wydarzenie *n.* happening
wydatek *n.* expenditure
wydatek *n.* expense
wydawać (dźwięk itp.) *v. t* emit
wydawać (głos) *v.t.* utter
wydawać (pieniądze) *v. t* expend
wydawać (pieniądze) *v.t.* spend
wydawać (publikację) *v.i.* issue
wydawać (z siebie) *v.t.* yield
wydawać się *v.i.* seem
wydawca *n.* publisher
wydelegować *v. t* depute
wydelegowanie kogoś *n.* deputation
wydłużać *v.t.* lengthen
wydobywać *v.t.* quarry
wydobywać z pochwy *v.t.* unsheathe
wydra *n.* otter
wydrążać *v.t* hollow
wydrążenie *n.* hollow
wydrążenie, jama *n.* cavity
wydrążony *a.* hollow
wydział (na uniwersytecie) *n.* faculty
wydzielać *v.t.* secrete
wydzielać (np. gaz) *v.t.* impart
wydzielina *n.* secretion
wydzierać (coś komuś) *v.t.* wrest
wyganiać *v.t.* banish
wyganiać *v. t.* expel
wyganiać *v.t.* oust
wygasać (o terminie ważności) *v.i.* expire
wyginać *v.t.* crankle
wyginać *v. t* curve
wyginać w łuk *v.t.* arch
wygląd *n.* appearance
wygładzać *v.t.* plane
wygładzać *v.t.* smooth
wygłaszać kazanie *v.i.* sermonize
wygłodzenie *n.* starvation
wygnanie *n.* banishment
wygnanie *n.* exile
wygnanie *n.* expulsion
wygnaniec *n.* outcast
wygnany *a* outcast
wygoda *n.* comfort
wygoda *n.* ease
wygodny *a* comfortable
wygrana *n.* win
wygrywać *v.t.* win
wygrzewać się (w słońcu) *v.i.* bask
wyjąć spod prawa *v.t* outlaw
wyjaśniać *v. t* clarify
wyjaśniać *v. t* elucidate
wyjaśniać *v. t.* explain
wyjaśnienie *n.* clarification
wyjaśnienie *n.* explanation
wyjątek *n.* exception
wyjawiać (tajemnicę) *v. t* divulge
wyjmować spod reglamentacji *v.t.* decontrol
wyjście *n.* exit
wykaz *n.* list
wykład *n.* lecture
wykładać (boazerią) *v.t.* panel
wykładać kaflami *v.t.* tile
wykładnik (potęgowy) *n.* exponent

wykładowca *n.* lecturer
wykluczać *v. t* except
wykluczać *v. t* exclude
wykluczyć z towarzystwa *v.t.* ostracize
wykolejać *v. t.* derail
wykonalność *n.* practicability
wykonalny *a* feasible
wykonalny *a.* manageable
wykonalny *a.* practicable
wykonalny *a.* viable
wykonalny *a.* workable
wykonawca *n.* performer
wykonywać *v. t* effect
wykonywać *v.t.* perform
wykonywać (zajęcie) *v.t.* ply
wykopywać *v. t.* excavate
wykorzeniać *v. t* eradicate
wykorzeniać *v.t.* uproot
wykpiwać *v.i.* mock
wykręcać *v.t.* twist
wykręcać (mokrą ścierkę) *v.t* wring
wykręcać się *v.t.* shirk
wykres *n.* chart
wykres *n.* diagram
wykres *n.* graph
wykręt *n.* quibble
wykroczenie *n.* misdemeanour
wykrywać *v. t* detect
wykrywający *a* detective
wykrzykiwać *v.i* exclaim
wykrzyknik *n.* interjection
wykup *n.* redemption
wykupywać *v.t.* redeem
wykwintność *n.* urbanity
wykwintny *a.* urbane
wyłączny *a* exclusive
wyleczyć *v. t.* cure
wyliczać *v. t.* enumerate
wylina *n.* slough
wymagać (czegoś) *v.t.* necessitate
wymaganie *n.* requirement
wymagany *a.* requisite
wymagany jako warunek wstępny *a.* prerequisite
wymarły *a* extinct
wymawiać *v.t.* pronounce
wymazanie *n.* obliteration
wymazywać *v.t.* obliterate
wymiana *n.* exchange
wymiana (myśli) *n.* interchange
wymiana (sprzętu z powodu defektu) *n.* recall
wymię *n.* udder
wymieniać *v. t* exchange
wymieniać (sprzęt z powodu defektu) *v.t.* recall
wymieniać (towary, myśli) *v.* interchange
wymierny *a.* measurable
wymierzyć (komuś) policzek *v.t.* slap
wymierzyć policzek *v.t.* smack
wymiociny *n.* vomit
wymiotować *v.t.* vomit
wymowa *n.* pronunciation
wymowny *a* emphatic
wymuskany *a* prim
wymysł *n.* figment
wymyślać *v. t* devise
wynagradzać *v.t.* remunerate
wynagradzać *v.t.* requite
wynagradzać (stratę itp.) *v.t* compensate
wynagrodzenie *n.* remuneration
wynagrodzenie *n.* stipend
wynajdować *v.t.* invent
wynajmować *v.t* hire
wynajmować *v.t.* rent
wynajmować (np. dom) *v.t.* let
wynalazca *n.* inventor
wynalazek *n.* invention
wynik *n.* result

wynik (testu) *n.* score
wynikać *v.i.* result
wynikać *v.i.* stem
wyniosły *a.* haughty
wyniosły *a.* lofty
wyniosły chód *n.* strut
wynosić (o liczbach, kwotach) *v.i* amount
wyobrażać coś sobie *v.t* figure
wyobrażać sobie *v.t.* imagine
wyobrażać sobie *v.t.* visualize
wyobraźnia *n.* imagination
wypad, atak *n.* lunge
wypadek *n.* accident
wypadek nieprzewidziany *n.* contingency
wypaplać *v. t* blurt
wyparcie się (czegoś/kogoś) *n.* repudiation
wyparować *v. i* evaporate
wyparowywać *v.t.* vaporize
wypasać *v.t.* pasture
wyperswadować *v. t* dissuade
wypierać się *v.t.* forswear
wypierać się (czegoś/kogoś) *v.t.* repudiate
wypłacalność *n.* solvency
wypłacalny *a.* solvent
wypływać na powierzchnię *v.i* surface
wypoczynek *n.* recreation
wyposażać *v. t* equip
wyposażać *v.t.* furnish
wyposażać *v.t* outfit
wyprać *v.t.* launder
wypracowany *a.* laboured
wyprawa *n.* expedition
wypróbowywać *v. t.* essay
wypróbowywać *v.t.* sample
wyprostowany *a* erect
wyprostowywać *v.t.* straighten
wyprzedzać *v.t.* outrun
wyprzedzać (samochód) *v.t.* overtake
wyrabiać *v.t.* manufacture
wyrafinowanie *n.* refinement
wyrafinowanie *n.* sophistication
wyrafinowany *a.* sophisticated
wyrastać (np. z ubrania) *v.t.* outgrow
wyrażać *v. t.* express
wyrażać *v.t.* phrase
wyrażać *v.t.* voice
wyrażać kondolencje *v. i.* condole
wyrażać zgodę *v.i.* assent
wyrażenie *n.* expression
wyrażenie *n.* locution
wyrażenie *n.* phrase
wyrazisty *a.* expressive
wyraźnie *adv.* clearly
wyraźny *a* distinct
wyraźny *a.* explicit
wyraźny *a* express
wyrób *n.* manufacture
wyrobnik *n.* labourer
wyroby pończosznicze *n.* hosiery
wyrocznia *n.* oracle
wyrok *n.* sentence
wyrostek robaczkowy *n.* appendix
wyrównanie *n.* alignment
wyrównanie (straty) *n.* offset
wyrównywać *v.t.* align
wyrównywać *v. t* even
wyrównywać (stratę) *v.t.* offset
wyrozumiałość *n.* lenience, leniency
wyrozumiały *a.* lenient
wyrywać (włos) *v.t.* pluck
wyrywać (ząb) *v. t* extract
wyrzec się *v. t* abnegate

wyrzeczenie się *n.* abnegation
wyrzeczenie się *n.* renunciation
wyrzekać się (czegoś) *v.t.* renounce
wyrzucać *v. t.* eject
wyrzut *n.* reproach
wysadzać na odludnej wyspie *v.t* maroon
wysadzać w powietrze *v.i* blast
wyściełać *v. t* cushion
wyściełać *v.t.* pad
wyścig *n.* race
wyściółka *n.* padding
wysiłek *n.* effort
wysłannik *n.* emissary
wyśmienity *a* delicious
wyśmiewać *v.i.* jeer
wyśmiewać *v.t.* ridicule
wyśmiewać się *v.t.* taunt
wyśmiewanie się *n.* taunt
wysmukły *a.* slender
wysoki *a.* high
wysoki *a.* tall
wysoko *adv.* highly
wysokość *n.* height
wysokość (nad poziomem morza) *n.* altitude
wysokościomierz *n.* altimeter
wyspa *n.* island
wyspa *n.* isle
wystaczający *a.* sufficient
wystający *a.* salient
wystarczać *v.i.* suffice
wystarczająco *adv.* enough
wystarczający *a* enough
wystawa *n.* exhibition
wystawa (sklepowa) *n.* display
wystawiać (na pokaz) *v. t* exhibit
wystawiać na działanie promieni słonecznych *v.t.* sun
wystawiać na pokaz *v. t* display
wystawiać w trzech egzemplarzach *v.t.* triplicate
wystawienie w trzech egzemplarzach *n.* triplication
wystawiony w trzech egzemplarzach *a.* triplicate
występować w głównej roli *v.i.* star
wystrychnąć na dudka *v.t* gull
wystrzał (korka z butelki) *n.* pop
wyświechtany *a.* threadbare
wysyłać *v.t.* consign
wysyłać *v.t.* send
wysyłać pocztą *v.t.* mail
wysyłka *n.* consignment
wysyłka *n.* shipment
wysypisko (śmieci) *n.* tip
wysysać (siły życiowe) *v.t.* sap
wyszczególniać *v. t* detail
wytapiać *v.t.* smelt
wytłuc kogoś *v. t* belabour
wytłumaczenie *n.* excuse
wytrwać *v.i.* persevere
wytrwałość *n.* perseverance
wytrwałość *n.* tenacity
wytrwały *a.* tenacious
wytrzymałość *n.* endurance
wytyczać (plan) *v.t.* trace
wytyczenie granic *n.* demarcation
wywędrować *v.t* ambulate
wywiad *n.* interview
wywierać presję *v.t.* pressurize
wywoływać (wspomnienia) *v. t* evoke
wywoływać niezadowolenie *v. t.* dissatisfy
wywracać *v.t.* tip
wywrócić się dnem do góry *v. i.* capsize
wywrotowy *a.* subversive
wyzbyć się czegoś *v. t* discard

wyżej *adv.* above
wyżerać *v. t* erode
wyznaczać *v.t.* allot
wyznaczać *v.t.* appoint
wyznaczać *v.t.* assign
wyznaczać (stanowisko) *v.t.* station
wyznaczony kandydat *n.* nominee
wyznaczyć zadanie *v.t.* task
wyznanie *n.* creed
wyższość *n.* superiority
wyższy *a.* superior
wyższy *a.* upper
wyzwalać (niewolnika) *v.t.* manumit
wyzwanie *n.* challenge
wyzwolenie (niewolnika) *n.* manumission
wyżywienie *n.* sustenance
wzajemny *a.* mutual
wzajemny *a.* reciprocal
wzbogacać *v. t* enrich
wzbudzać obawy *v.t.* misgive
wzburzać *v. t* commove
wzdłuż *prep.* along
wzdrygnąć się *v.i.* shudder
wzdychać *v.i.* hanker
wzdychać *v.i.* sigh
wzdymać się *v. i.* bag
względny *a.* relative
wzgórek *n.* mount
wzgórze *n.* hill
wzmacniać *v.t.* amplify
wzmacniać *v.t.* harden
wzmacniać *v.t.* reinforce
wzmacniać *v.t.* strengthen
wzmacniać *v.t.* toughen
wzmacniacz *n.* amplifier
wzmianka *n.* hint
wzmianka *n.* mention
wzmiankować *v.* advert
wzmiankować *v.t.* mention
wzmocnienie *n.* amplification
wzmocnienie *n.* reinforcement
wznawiać *v.t.* renew
wzniosłość *n.* sublime
wzniosłość *n.* sublimity
wznosić *v. t* erect
wznosić *v.t.* rear
wznosić się *v.i.* soar
wznosić toast *v.t.* toast
wznoszący się *a.* upward
wznowienie *n.* renewal
wzór *n.* pattern
wzrok *n.* sight
wzrokowy *a.* visual
wzrost *n.* growth
wzrost *n.* height
wzrost *n.* rise
wzruszać *v.t.* thrill
wzruszać (ramionami) *v.t.* shrug
wzruszenie (ramionami) *n.* shrug
wzywać *v.t.* invoke
wzywać *v.t.* summon

Z

z *prep.* from
z *prep.* with
z dala *adv.* aloof
z dala *adv.* away
z góry postanawiać *v.t.* predetermine
z konieczności *adv.* perforce
z otwartymi ustami *adv.* agape
z powrotem *adv.* back
z przodu *adv.* ahead
z sobą *adv.* along
z trudem *adv.* hardly

z tyłu *adv.* behind
z tyłu *prep* behind
z widocznym szwem (o części ubrania) *a.* seamy
za (czymś) *prep.* past
za burtę *adv.* overboard
za dnia *adv.* adays
za granicą *adv.* abroad
za pośrednictwem *prep.* per
zaabsorbować *v.t* absorb
zaabsorbowanie *n.* preoccupation
zaaklimatyzować *v.t.* acclimatise
ząb *n.* tooth
ząb (koła zębatego) *n.* cog
ząb mądrości *n.* wisdom-tooth
ząb trzonowy *n.* molar
żaba *n.* frog
zabarwiać *v.t.* tincture
zabarwiać *v.t.* tinge
zabarwiać *v.t.* tint
zabawa *n.* amusement
zabawa *n.* jollity
zabawa *n.* play
zabawa w szukanie rymów do zadanych słów *n.* crambo
zabawiać *v.t.* amuse
zabawiać *v. t* entertain
zabawka *n.* toy
zabawny *n.* funny
zabawny *a.* humorous
zabawny *a.* zany
zabawowicz *n.* reveller
ząbek (czosnku) *n.* clove
zabezpieczać *v.t.* preserve
zabezpieczać *v.t.* secure
zabezpieczać się *v.i.* guard
zabezpieczać się *v.i.* provide
zabezpieczenie *n.* safeguard
zabiegać (o coś) *v.t.* solicit
zabijać *v.t.* kill
zabijać *v.t.* slay
zabijać klina w głowę *v.t* stump
ząbkować *v.i.* teethe
zabłąkać się *v.i.* stray
zabłąkany *a* stray
zablokować *v.t.* jam
zabójstwo *n.* homicide
zabraniać *v.t* forbid
zachcianka *n.* crotchet
zachęcać *v. t* encourage
zachęcać *v.t.* incite
zachęcać *v.t.* spur
zachmurzony *a.* overcast
zachód *n.* west
Zachód (geograficzno-kulturalny) *n.* Occident
zachodni *a.* occidental
zachodni *a.* west
zachodni *a.* westerly
zachodni *a.* western
zachodzenie na siebie *n.* overlap
zachowanie *n.* behaviour
zachowanie się *n.* conduct
zachowywać się *v. i.* behave
zachowywać się *v. t* conduct
zachrypły *a.* hoarse
zachwiać (czymś) *v.t.* unsettle
zachwycać *v. t* enchant
zachwycać *v. t.* delight
zachwycony *a.* rapt
zachwyt *n.* delight
zachwyt *n.* rapture
zaciemniać *v.t.* obscure
zacieniać *v.t.* shade
zacieniać *v.t* shadow
zaciskać *v.t.* constrict
zaciskać *v.t.* tighten
zaciskać (usta) *v.t.* purse
zaćmić *v. t* blear
zaćmić *v.t.* outshine
zaćmienie *n.* eclipse
zaćmiewać *v.t.* overshadow
zaczynać *v. t* commence

zaczynać *v.t.* begin
zadanie *n.* task
zadawać (ból) *v.t.* inflict
zadawać ból *v.t.* pain
zadawać pytania *v.t.* quiz
zadenuncjowanie *n.* denunciation
zadłużony *a.* indebted
zadowalać *v.t.* satisfy
zadowalać się czymś *v. t* content
zadowalający *a.* satisfactory
zadowolenie *n.* contentment
zadowolony *a.* content
zadowolony *a.* glad
zadowolony z siebie *a.* complacent
zadowolony z siebie *a.* smug
zadrapanie *n.* graze
zadrapanie *n.* scratch
zadumany *a.* thoughtful
zadumany *a.* wistful
zadymiony *a.* smoky
zadyszka *n.* pant
żądza *n.* appetite
żądza *n.* lust
zadziwiać *v.t.* astonish
zafrachtować *v.t.* lade
zagadka *n.* conundrum
zagadka *n.* enigma
zagadka *n.* riddle
zagajnik *n.* coppice
zagapiwszy się *adv.* agaze
zagoić się (o ranie) *v.i.* heal
zagorzalec *n.* zealot
zagorzały *a.* staunch
zagorzały *a.* zealous
zagradzać *v.t.* obstruct
zagraniczny *a* foreign
zagrażać *v.i.* loom
zagrodzenie *n.* obstruction
zagrywka (w sporcie) *n.* serve
zagrzewać (pobudzać) *v.t.* inflame
zahamowywać (rozwój) *v.t.* stunt
zaimek *n.* pronoun
zainteresowanie *n.* interest
zainteresowany *a.* interested
zając *n.* hare
zajęty *a* busy
zajmować *v.t.* occupy
zajmowanie *n.* occupancy
zajmujący dużo miejsca *a* bulky
zakaz *n.* ban
zakaz *n.* prohibition
zakażać *v.t.* contaminate
zakażać *v.t.* infect
zakazany *a* taboo
zakażenie *n.* infection
zakaźny *a* contagious
zakaźny *a.* infectious
zakazujący *a.* prohibitive
zakazywać *v. t.* debar
zakazywać *v.t.* prohibit
zakazywać *v.t.* taboo
zakład *n.* bet
zakład *n.* wager
zakład (np. produkcyjny) *n.* establishment
zakład poprawczy *n.* reformatory
zakładać *v.t.* found
zakładać (z góry) *v.t.* presuppose
zakładać przynętę (na wędkę) *v.t.* bait
zakładać się *v.i* bet
zakładać się *v.i.* wager
zakładka *n.* book-mark
zakładnik *n.* hostage
zaklęcie *n.* spell
zaklinować *v.t.* wedge
zakłócać *v.t.* perturb
zakłócać (np. wydarzenie) *v. t* disrupt
zakłócenia *n.* static

zakłócenie *n.* interference
zakłopotać *v.t.* nonplus
zakłopotanie *n.* perplexity
zakochanie *n.* infatuation
zakochany *a.* amorous
zakończenie *n.* close
zakończenie *n.* completion
zakończenie *n.* conclusion
zakończenie *n.* termination
zakonnica *n.* nun
zakontraktować *v. t* contract
zakorzeniać się *v.i.* root
zakotwiczenie *n.* anchorage
zakradać się *v.i.* sneak
zakres *n.* extent
zakres *n.* purview
zakres *n.* range
zakres *n.* scope
zakreślać *v.t.* line
zakręt *n.* bend
zakręt *n.* curve
zakręt (rzeki) *n.* wimple
zakuć w kajdany *v.t* handcuff
zakup *n.* purchase
zakuwać w kajdany *v.t* fetter
zakuwać w kajdany *v.t.* shackle
zakwasić *v.* acetify
zakwaterowanie *n.* accommodation
zakwaterowanie *n.* lodging
załączać coś (w liście) *v. t* enclose
załącznik *n.* attachment
załącznik (w liście) *n.* enclosure
załamanie się *n.* breakdown
załamany psychicznie *a.* prostrate
załamywać się *v. i* collapse
załamywać się *v.i* falter
załatać *v.t.* patch
załatwienie formalności celnych *n.* clearance
zalecać *v.t.* recommend
zalecać się *v.t.* woo
zalecenie *n.* recommendation
zaledwie *adv.* barely
zaledwie *adv.* scarcely
zaległości *n.pl.* arrears
zaległy *a.* overdue
zalesiać *v.t.* afforest
zalewać *v.t* flood
zależeć *v. i.* depend
zależny *a* dependent
zaliczka *n.* advance
załoga *n.* crew
zaloty *n.* courtship
założenie *n.* presupposition
zaludniać *v.t.* people
zaludniać *v.t.* populate
zamawiać *v.t* order
zamazanie (obrazu) *n.* slur
zamazany obraz *n.* blur
zamek (budowla) *n.* castle
zamek (u drzwi) *n.* lock
zamek błyskawiczny *n.* zip
zamęt *n.* welter
zamglony *a.* vaporous
zamiar *n.* intent
zamiar *n.* intention
zamiatacz *n.* sweeper
zamiatacz ulic *n.* scavenger
zamieć *n.* blizzard
zamierzać *v.t.* intend
zamierzać *v.t.* purpose
zamierzony *a.* intentional
zamieszanie *n.* commotion
zamieszanie *n.* confusion
zamieszanie *n.* fuss
zamieszanie *n.* turmoil
zamieszki *n.* unrest
zamieszkiwać *v.t.* inhabit
zamieszkiwanie *n.* habitation
zamiłowany *a* fond
zamknięcie *n.* closure
zamknięty *a.* close

zamordować *v.t.* assassinate
zamówienie *n.* order
zamożny *a.* affluent
zamożny *a.* well-to-do
zamrażać *v.i.* freeze
zamulać *v.t.* silt
zamurowywać *v.t.* wall
zamykać *v. t* close
zamykać *v.t* lock
zamykać *v.t.* shut
zamykać coś (w futerale itp.) *v. t* encase
zamykać na zamek błyskawiczny *v.t.* zip
zamyślenie *n.* reverie
zamyślony *a.* pensive
zaniechać *v.t.* forsake
zaniechać *v.t.* relinquish
zaniechać *v.t.* waive
zanieczyszczać *v.t.* pollute
zanieczyszczenie *n.* pollution
zaniedbać (obowiązku) *v.i.* lapse
zaniedbanie *n.* neglect
zaniedbanie *n.* negligence
zaniedbywać *v.t.* neglect
zaniepokojenie *n.* concern
zanik *n.* wane
zanikać *v.i* fade
zanikać *v.i.* wane
zanim *conj* before
zanurzać *v. t* dip
zanurzać *v.t.* immerse
zanurzać *v.t.* plunge
zanurzać się *v.i.* submerge
zanurzenie *n.* dip
zanurzenie *n.* immersion
zaokrąglać *v.t.* round
zaokrętować *v. t* embark
zaopatrywać w żywność *v. i* cater
zaopatrzenie *n.* provision
zapach *n.* fragrance
zapach *n.* odour
zapach *n.* scent
zapach *n.* smell
zapał *n.* ardour
zapał *n.* fervour
zapał *n.* zeal
zapalczywość *n.* impetuosity
zapalczywy *a.* impetuous
zapalenie *n.* inflammation
zapalenie opon mózgowych *n.* meningitis
zapalenie płuc *n.* pneumonia
zapalenie wyrostka robaczkowego *n.* appendicitis
zapałka *n.* match
zapalniczka *n.* lighter
zapalny *a.* inflammatory
zaparcie *n.* constipation
zapaśnik *n.* wrestler
zapasowy *a* spare
zapasy *n.* stock
zapewniać *v. t* ensure
zapewniać *v.t.* assure
zapewniać (o czymś) *v.t.* assert
zapinać (pasy bezpieczeństwa) *v.t* fasten
zapinać na guziki *v. t.* button
zapis *n.* record
zapisać (coś komuś) *v. t* endow
zapisać coś komuś w testamencie *v. t.* bequeath
zapłacić okup *v.t.* ransom
zapłakany *a.* tearful
zapłonąć *v.i* flare
zapobiegać *v.t.* prevent
zapobieganie *n.* prevention
zapobiegawczy *a.* precautionary
zapobiegawczy *a.* preventive
zapoczątkowywać *v.t.* originate
zapominać *v.t* forget
zapominalski *a* forgetful
zapomnienie *n.* oblivion
zapora *n.* barrage

zapowiadać *v.t* forecast
zapowiadać *v.t.* prelude
zapowiadać (nieszczęście) *v.t.* portend
zapraszać *v.t.* invite
zaprawiać w słoikach *v.t.* pot
zaproszenie *n.* invitation
zaprzeczać *v. t* contradict
zaprzeczać *v. t.* deny
zaprzeczać *v.t.* refute
zaprzeczać czemuś *v.t.* gainsay
zaprzeczenie *n.* contradiction
zaprzeczenie *n.* denial
zaprzeczenie *n.* negation
zaprzeczenie *n.* refutation
zaprzestać *v. t* discontinue
zaprzysiężenie *n.* adjuration
zapytanie *n.* inquiry
zapytanie *n.* query
zarabiać *v. t* earn
zarabiać na czysto *v.t.* net
zaradczy *a.* remedial
zaradny *a.* resourceful
zaradzić *v.t* remedy
zaraza *n.* pestilence
zardzewiały *a.* rusty
zaręczyć (kogoś z kimś) *v. t* betroth
zaręczyny *n.* betrothal
zaręczyny *n.* engagement
zarejestrowanie *n.* incorporation
zarejestrowany (o towarzystwie) *a.* incorporate
zarodek *n.* embryo
zarośla *n.* thicket
żarówka *n.* bulb
zarówno *adv.* both
zarozumiałość *n.* conceit
zarozumiałość *n.* vainglory
zarozumiały *a.* vainglorious
zaryglować (drzwi) *v.t* bar
zarys *n.* outline
zarząd miasta *n.* municipality
zarządzać *v.t.* administer
zarządzać *v.t.* rule
zarzucać (coś komuś) *v.t.* impute
zarzucać (coś komuś) *v.t.* object
zarzucać (coś komuś) *v.t.* reproach
zarzynać *v. t* butcher
zarzynać *v.t.* slaughter
zasada *n.* principle
zasada (ługowiec) *n.* alkali
zasadniczy *a.* cardinal
zasadniczy *a* elementary
zasadniczy *a* essential
zasadniczy *a.* fundamental
zasadniczy *a.* vital
zasądzać *v.t.* adjudge
zasadzać się (na kogoś) *v.t.* waylay
zasadzka *n.* ambush
zasięg *n.* spread
zasiłek *n.* benefit
zaskakiwać *v.t.* surprise
zaskarżać *v.t.* sue
zaskoczony przez noc *a.* benighted
zasłaniać (twarz) *v.t.* veil
zasługa *n.* merit
zasługiwać *v. t.* deserve
zasługiwać na coś *v.t* merit
zasłużony *a.* meritorious
zaśmiecać *v. t* clutter
zasmucać *v.t.* aggrieve
zasmucać *v.t.* sadden
zasoby *n.* resources
zasolenie *n.* salinity
zaspokajać *v.t.* satiate
zastanawiać się *v.i.* ruminate
zastanawiać się *v.i.* wonder
zastąpienie *n.* substitution
zastąpienie (czegoś czymś) *n.* replacement

zastaw *n.* lieu
zastaw *n.* pledge
zastawiać *v.t.* pledge
zastępca *n.* deputy
zastępczy *a.* vicarious
zastępować (coś czymś) *v.t.* replace
zastępować (coś czymś) *v.t.* substitute
zastępować (coś czymś) *v.t.* supersede
zastosowanie *n.* application
zastosowanie się *n.* compliance
zastraszać *v. t.* cow
zastraszać *v.t.* intimidate
zastraszanie *n.* intimidation
zastrzelić *v.t.* shoot
zastrzeżenie *n.* proviso
zastrzyk *n.* injection
zaświadczać *v.t.* attest
zaświaty *n.* underworld
zaszczycać *v.t.* grace
zaszczytny *a* creditable
zaszczytny *a.* honourable
zaszeregowywać *v.t.* rank
zataczać się *v.i.* waddle
zataczanie się *n.* stagger
zatajać *v.t.* withhold
zatapiać *v.t.* swamp
zatem *adv.* therefore
zatoka *n.* bay
zatoka *n.* gulf
zatrudniać *v. t* employ
zatrudnienie *n.* employment
zatrzasnąć *v.t.* bang
zatrzymanie *n.* retention
zatrzymanie *n.* stoppage
zatrzymywać *v. t.* halt
zatrzymywać *v.t.* retain
zatrzymywać *v.t.* stop
zatrzymywać *v. t* detain
zatwierdzać *v.t.* approve
zatwierdzać *v.t.* validate
zatyczka *n.* plug
zatykać *v.t.* plug
zaufanie *n.* confidence
zaufanie *n.* reliance
zaufanie *n.* trust
zauważać *v.t.* notice
zauważyć *v.t.* remark
zawada *n.* hindrance
zawadiaka *n.* bantam
zawadzać (komuś w czymś) *v.t.* hinder
zawadzający *a.* obstructive
zawartość *n.* content
zawiadamiać *v.t.* apprise
zawiadamiać *v.t.* notify
zawiadamiać *v.t.* report
zawiadomienie *n.* intimation
zawiadomienie *n.* notice
zawiadomienie *n.* notification
zawiązać *v.t.* knot
zawiązywać *v.t.* string
zawiązywać komuś oczy *v. t* blindfold
zawierać *v.t.* contain
zawierać *v.t.* include
zawierać *v.t.* incorporate
zawierać (w sobie) *v. t* encompass
zawierający *a.* inclusive
zawierający aluzję *a.* allusive
zawieszać *v.t.* suspend
zawieszenie *n.* suspension
zawieszenie (studenta) *n.* rustication
zawijać *v.t.* wrap
zawikłać *v.t.* tangle
zawilgocony *a.* dank
zawiłość *n.* technicality
zawiły *a.* anfractuous
zawiły *a.* intricate
zawiść *n.* envy

zawistny *a* envious
zawłaszczać *v. i* encroach
zawód *n.* occupation
zawód *n.* profession
zawór *n.* valve
zawrzeć (ślub) *v.t.* solemnize
zawstydzać *v.t.* mortify
zawstydzać *v.t.* shame
zawstydzony *a.* ashamed
zawsze *adv.* always
zawzięty *a* fierce
zażądać *v.t.* stipulate
zazdrość *n.* jealousy
zazdrościć *v. t* envy
zazdrosny *a.* jealous
zazębiać się *v.t.* overlap
zaznaczać *v.t* stress
zaznajomić *v.t.* acquaint
zazwyczaj *adv.* ordinarily
zbaczać *v. i* deviate
zbawiciel *n.* saviour
zbawienie *n.* salvation
zbawienny *a.* salutary
zbędność *n.* redundance
zbędny *a.* redundant
zbiec *v.i* abscond
zbieg okoliczności *n.* conjuncture
zbiegać się (o okolicznościach) *v. i* coincide
zbierać *v.t.* aggregate
zbierać *v.t.* gather
zbierać *v.t* marshal
zbierać (plon) *v.t.* reap
zbierać głosy *v.t.* poll
zbieranina *n.* miscellany
zbiornik *n.* reservoir
zbiornik *n.* tank
zbiorowy *a.* corporate
zbliżać się *v.t.* near
zbliżać się (do czegoś/kogoś) *v.t.* approach
zbolały (o wyglądzie) *a.* woebegone
zboże *n.* cereal
zboże *n.* corn
zbrodnia *n.* crime
zbroja *n.* armour
zbrojownia *n.* armoury
zbyt *adv.* too
zbyt duża dawka *n.* overdose
zbyteczność *n.* superfluity
zbyteczny *a.* needless
zbyteczny *a.* superfluous
zbytni *a.* undue
zdanie *n.* sentence
zdarzać się *v.i.* happen
zdarzać się *v.i.* occur
zdarzenie *n.* occurrence
zdawać egzamin *v.i.* pass
zdecydowany *a.* resolute
zderzać się *v. i.* collide
zderzak *n.* bumper
zderzenie *n.* crash
zderzyć się *v. i* crash
zdeterminowany *a.* intent
zdjęcie *n.* picture
zdjęcie rentgenowskie *n.* x-ray
zdobnictwo *n.* ornamentation
zdobyć (podbić) *v. t* conquer
zdobycz *n.* capture
zdobycz *n.* prey
zdobycz *n.* spoil
zdobywca punktów *n.* scorer
zdolność *n.* ability
zdolność *n.* capability
zdolność *n.* skill
zdolny *a* able
zdolny *a.* capable
zdrada *n.* betrayal
zdrada *n.* treason
zdradliwość *n.* treachery
zdradliwy (o drodze) *a.* treacherous

zdradzać kogoś *v.t.* betray
zdradzony mąż (rogacz) *n.* cuckold
zdrajca *n.* traitor
zdrów *a.* well
zdrowie *n.* health
zdrowie psychiczne *n.* sanity
zdrowy *a.* healthy
zdrowy *a.* sound
zdrowy (o powietrzu) *a.* wholesome
zdruzgotanie *n.* prostration
zdumienie *n.* amazement
zdumiewać *v.t.* amaze
zdumiewać *v.t* astound
zdumiewający *a.* stupendous
zdumiewający *a.* wondrous
zdwojona liczba *n.* double
zdziwienie *n.* astonishment
zębodół *n.* alveolus
zębodołowy *a.* alveolar
zebra *n.* zebra
zebranie zwolenników *n.* rally
zefir *n.* zephyr
zegar *n.* clock
zemdleć *v.i* faint
zemdleć *v.i* swoon
zemsta *n.* retaliation
zemsta *n.* revenge
zemsta *n.* vengeance
zenit *n.* zenith
zepsuć *v.t.* mar
zepsuć się *v.i* fail
zepsuty (o jajku) *a.* addle
zerkać *v.i.* peep
zerknięcie *n.* peep
zero *n.* nil
zero *n.* zero
zerwanie *n.* rupture
zespalać *v.t.* fuse
zespół *n.* team
zestaw *n.* set
zewnętrzna strona *n.* outside
zewnętrzna strona *n.* without
zewnętrznie *adv.* outside
zewnętrznie *adv.* outwardly
zewnętrzny *a* external
zewnętrzny *a.* outer
zewnętrzny *a.* outside
zewnętrzny *a.* outward
zez *n.* squint
zezować *v.i.* squint
zezwalać *v. i* consent
zgadzać się *v.i.* agree
zgadzać się (z czymś) *v. i* correspond
zgasić (ogień) *v.t* extinguish
zgiełk *n.* hubbub
zginać *v. t* bend
zginać *v.t* fold
zgłaszać reklamację *v.t.* reclaim
zgłaszać się *v.t.* apply
zgłaszać się na ochotnika *v.t.* volunteer
zgłoszenie *n.* application
zgniatać *v.t.* squash
zgoda *n.* acceptance
zgoda *n.* accord
zgoda *n.* agreement
zgoda *n.* amity
zgoda *n.* assent
zgoda *n.* concord
zgoda *n.* consensus
zgodność *n.* conformity
zgodność *n.* consistence,-cy
zgodny *a.* compliant
zgodny *a* consistent
zgon *n.* decease
zgromadzenie *n.* assembly
zgromadzenie *n.* convocation
zgromadzenie *n.* muster
zgromadzić *v.t.* assemble
zgromadzić *v.t.* lump
zgryzota *n.* fret

ziąb *n.* chill
ziarno *n.* grain
ziarno (grochu, kawy) *n.* bean
zieleń *n.* green
zieleń *n.* greenery
zielony *a.* green
zielony *a.* verdant
ziemia *n.* earth
ziemniak *n.* potato
ziemnowodny *a.* amphibious
ziemski *a* earthly
ziewać *v.i.* yawn
ziewnięcie *n.* yawn
zima *n.* winter
zimno *n.* cold
zimny *a* cold
zimować *v.i* winter
zimowy *a.* wintry
zioło *n.* herb
zirytowany *a.* irate
zjadliwość *n.* acrimony
zjadliwość *n.* malignity
zjadliwy *a.* malignant
zjadliwy *a.* waspish
zjeżdżalnia *n.* slide
zła reputacja *n.* disrepute
złagodzić *v.t.* pacify
złamać się *v.t* fracture
złamanie *n.* breakage
złamanie *n.* fracture
złapać *v.t.* nab
złapać w pętlę *v.t.* noose
złapać w pułapkę *v.t.* trap
złapać w sidła *v.t.* snare
złapać w sieci *v.t* mesh
złe kierownictwo *n.* mismanagement
złe obliczenie *n.* miscalculation
złe rządy *n.* misrule
złe samopoczucie *n.* malaise
złe sprawowanie się *n.* misconduct
złe zachowanie się *n.* misbehaviour
złe zastosowanie *n.* misapplication
zlew *n.* sink
zlewający się (o rzekach) *a.* confluent
zlitować się *v.t.* pity
zło *n.* evil
zło *n.* ill
złoczyńca *n.* malefactor
złodziej *n.* robber
złodziej *n.* thief
złodziej stada *n.* abactor
złom *n.* junk
złorzeczenie *n.* malediction
złorzeczyć *v.t.* rail
złośliwość *n.* malice
złośliwość *n.* malignancy
złośliwy *a.* malicious
złośliwy *a.* vicious
złotnik *n.* goldsmith
złoto *n.* gold
złotodajny *a.* auriferous
złoty *a.* golden
złowieszczy *a.* ominous
złowieszczy *a.* sinister
złowróżbny *a.* inauspicious
złożony *a* complex
złożony *a* compound
złuda *n.* fallacy
złupić *v.t* fleece
złupić *v.i.* loot
zły *a.* bad
zły *a* evil
zły (o czynie) *a.* wrongful
zły urok *n.* blight
zmagać się *v.i.* struggle
zmagania *n.* strife
zmaganie się *n.* struggle
zmarszczenie brwi *n.* frown
zmarszczka *n.* wrinkle

zmarszczyć brwi *v.i* frown
zmartwienie *n.* worry
zmasakrować *v.t.* massacre
zmazywać *v. t* erase
zmęczenie *n.* fatigue
zmiana *n.* alteration
zmiana *n.* change
zmiana (w systemie pracy zmianowej) *n.* shift
zmiejszać *v. t* diminish
zmiękczać *v.t.* soften
zmieniać *v.t.* alter
zmieniać *v. t.* change
zmieniać kierunek *v. t* divert
zmieniać kolejno *v.t.* alternate
zmiennego usposobienia (o człowieku) *a.* moody
zmienny *a.* variable
zmierzać *v.i.* tend
zmierzch *n.* dusk
zmierzwić *v.t.* ruffle
zmieszać *v.t.* abash
zmieszać *v. i* compound
zmieszać *v.t.* intermingle
zmizerowany (o twarzy) *a.* haggard
zmniejszać *v. t* decrease
zmniejszać *v.t* lessen
zmniejszać się *v.i.* dwindle
zmniejszenie *n.* decrease
zmowa *n.* collusion
żmudny *a.* arduous
zmuszać *v. t* compel
zmuszać *v.t* force
zmuszać kogoś do czegoś *v. t.* enforce
zmysł *n.* sense
zmyślony *a* bogus
zmysłowość *n.* sensuality
zmysłowy *a.* sensual
zmysłowy voluptuary
zmysłowy *a.* voluptuous
znać (kogoś) *v.t.* know
znachorstwo *n.* quackery
znaczek pocztowy *n.* stamp
znaczenie *n.* meaning
znaczenie *n.* purport
znaczenie *n.* signification
znacznie *adv.* substantially
znaczny *a* considerable
znaczyć przez szablon *v.i.* stencil
znajdować *v.t* find
znajomy *n.* acquaintance
znajomy *a* familiar
znak *n.* mark
znak *n.* sign
znak (przyjaźni) *n.* token
znak stempla probierczego *n.* hallmark
znakomitość *n.* eminence
znakomitość (o człowieku) *n.* notability
znakomity *a* accomplished
znakomity *a* brilliant
znakomity *a* eminent
znakomity *a.* notable
znakomity *a.* splendid
znakomity *a.* superb
znany *a.* notorious
zniechęcać *v. t* deject
zniechęcać *v. t.* discourage
zniechęcać *v. t* dishearten
zniechęcenie *n.* dejection
znieść (zwyczaj) *v.t* abolish
zniesienie (ustawy) *n.* repeal
zniesienie (zwyczaju) *v* abolition
zniesławiać *v. t.* defame
zniesławiać *v.t.* libel
zniesławiać *v.t.* slander
zniesławienie *n.* defamation
zniesławienie *n.* libel
zniesławienie *n.* slander
zniewaga *n.* affront

zniewaga *n.* outrage
znieważać *v.t.* affront
zniewieściały *a* effeminate
znikać *v. i* disappear
znikać *v.i.* vanish
zniknięcie *n.* disappearance
znikomy *a.* minute
zniszczenie *n.* annihilation
zniszczenie *n.* destruction
zniszczenie *n.* wrack
znosić *v.t.* endure
znosić (ustawę) *v. t.* abrogate
znosić (ustawę) *v.t.* repeal
znośny *a* endurable
znośny *a.* tolerable
znowu *adv.* again
znowu *adv.* anew
znudzony *a.* weary
znużony *a.* weary
znużyć (się) *v.t. & i* weary
zobowiązanie *n.* obligation
zobowiązywać *v.t.* oblige
zodiak *n.* zodiac
zoolog *n.* zoologist
zoologia *n.* zoology
zoologiczny *a.* zoological
zorza *n.* aurora
zostawać *v.i.* stay
zrażać *v.t.* alienate
zręczność *n.* sleight
zręczny *a.* artful
zręczny *a.* skilful
zręczny *a* slick
zrobić (na kimś) wrażenie *v.t.* impress
zrobić coś w odpowiednim momencie *v.t.* time
zrobić gwałtowny ruch do przodu *v.i* lunge
zrobić unik *v.i.* duck
zrodzić *v. t* beget
zrośnięcie się *n.* concrescence
zrównywać *v. t.* equalize
zrównywać *v. t* equate
zrozumiały *a.* intelligible
zrozumiały *a.* plain
zrozumienie *n.* comprehension
zrywać *v.t.* rupture
zrzeczenie się *n.* abdication
zrzeczenie się *n.* surrender
zrzęda *n.* nag
zrzekać się *v.t.* abdicate
zrzekać się *v.t* forgo
zrzekać się (czegoś) *v.t.* surrender
zrzucać skórę (o wężu) *v.t.* slough
zrzucać z siebie (odzież) *v.t.* shed
zsiadać (z konia), wysiadać (z pociągu) *v.i.* alight
zszywać *v.t.* seam
zubażać *v.t.* impoverish
zubożyć *v.t.* depauperate
zubożyć *v.t.* straiten
zuchwalstwo *n.* impertinence
zuchwalstwo *n.* insolence
zuchwały *a.* brash
zuchwały *a.* impertinent
zuchwały *a.* insolent
zupa *n.* soup
zupełnie *adv.* altogether
zupełnie *adv.* utterly
zupełnie, całkowicie *adv.* fairly
zupełny *a* utter
zwabiać *v.t.* allure
zwalniać (od czegoś) *v. t.* exempt
zwalniać tempo *v.t.* slacken
zwalniać tempo *v.i.* slow
zwalniać warunkowo (z aresztu) *v.t.* parole
zwarty *a.* compact
zważać na coś *v.t.* mind
zważywszy *prep.* considering

zważywszy, że... *conj.* whereas
zwędzić *v.t.* pilfer
zwężać *v.t.* narrow
zwężać się *v.i.* taper
zwężenie (w medycynie) *n.* stricture
zwiastować *v.t* herald
zwiastun *n.* forerunner
zwiastun *n.* herald
związek *n.* relation
związek (z omawianą sprawą) *n.* relevance
związek chemiczny *n.* compound
związkowiec *n.* unionist
zwichnąć *v.t.* sprain
zwichnięcie *n.* sprain
zwiększać *v. t* boost
zwiększać *v.t.* increase
zwiększenie *n.* boost
zwierciadło *n.* reflector
zwierzać się *v. i* confide
zwierzchnictwo *n.* supremacy
zwierzę *n.* animal
zwierzę domowe *n.* pet
zwietrzyć *v.t.* scent
zwięzłość *n.* brevity
zwięzły *a* concise
zwięzły *a.* terse
zwijać *v.t.* furl
zwilżać *v. t.* damp
zwinąć się *v.i.* convolve
zwinność *n.* agility
zwinny *a.* agile
zwinny *a.* deft
zwinny *a.* nimble
zwisać *v. t* dangle
zwlekać *v.i.* linger
zwlekać *v.i.* procrastinate
zwlekanie *n.* procrastination
zwłoki *n.* corpse
zwój *n.* roll
zwój *n.* scroll
zwołać (zebranie) *v. t* convene
zwolennik *n.* follower
zwolnić (pracownika) *v. t.* dismiss
zwolnić z pracy *v.t.* sack
zwolnienie (dymisja) *n.* dismissal
zwolnienie (z obowiązku) *n.* leave
zwolnienie z pracy *n.* sack
zwolnienie ze służby *n.* conge
zwoływać *v.t.* convoke
zwoływać *v.t.* rally
zwracać (pieniądze) *v.t.* reimburse
zwrot pieniędzy *n.* refund
zwrotnik *n.* tropic
zwrotny (o zaimku) *a* reflexive
zwycięski *a.* victorious
zwycięstwo *n.* victory
zwyciężać *v.t.* vanquish
zwycięzca *n.* victor
zwycięzca *n.* winner
zwyczaj *n.* custom
zwyczaj *n.* habit
zwyczaj *n.* wont
zwyczajny *a.* plain
zwyczajny *a.* sheer
zwyczajowy *a* customary
zwykle *adv.* usually
zwykły *a.* mere
zwykły *a.* ordinary
zwykły *a.* usual
zygzak *n.* zigzag
zygzakowaty *a.* zigzag
zysk *n.* lucre
zysk *n.* proceeds
zysk *n.* profit
zysk *n.* gain
zyskiwać *v.t.* gain
zyskowny *a.* profitable

Ż

żądać *v. t* demand
żądać *v.t.* require
żądać, twierdzić *v. t* claim
żądanie *n.* demand
żądanie *n.* requisition
żądanie *n.* stipulation
żądanie, reklamacja *n.* claim
żaden, nikt *pron.* none
żądlić *v.t.* sting
żądło *n.* sting
żagiel *n.* sail
żal *n.* regret
żałoba *n.* bereavement
żałoba *n.* mourning
żałobnik *n.* mourner
żałobny *n.* mournful
żałosny *a* deplorable
żałosny *a.* lamentable
żałosny *a.* pitiable
żałosny *a.* pitiful
żałosny *a.* sorry
żałować *v.i.* regret
żałować *v.t.* rue
żałować, zazdrościć *v.t.* grudge
żargon *n.* jargon
żargon *n.* lingo
żarliwy *a.* passionate
żarłoczność *n.* gluttony
żarłoczny *a.* voracious
żarłok *n.* glutton
żart *n.* pleasantry
żart *n.* joke
żartobliwy *a.* sportive
żartować *v.t.* banter
żartować *v.i.* jest
żartować *v.i.* joke
żartować *v.i* trifle
żartowanie *n.* banter
żartowniś *n.* humorist
że *conj.* that
żebrać *v. i* cadge
żebrak *n.* beggar
żebrak *n.* pauper
żebro *n.* rib
żebrowy *a.* costal
żeby nie *conj.* lest
żeglować *v.i.* navigate
żeglować *v.i.* sail
żeglowny *a.* navigable
żegnaj/cie! *interj.* farewell
żelazo *n.* iron
żeński *a* female
żerować *v.i.* prey
żeton *n.* token
żniwa *n.* harvest
żniwiarka *n.* harvester
żniwiarz *n.* reaper
żołądek *n.* stomach
żołądkowy *a.* gastric
żołądź *n.* acorn
żółć *n.* bile
żółknąć *v.i.* yellow
żołnierz *n.* soldier
żółtaczka *n.* jaundice
żółtawy *a.* yellowish
żółtko *n.* yolk
żółty *a.* yellow
żółw *n.* tortoise
żółw morski *n.* turtle
żona *n.* wife
żonglować *v.i.* juggle
żonkil *n.* daffodil
żrący *a.* corrosive
żubr *n.* bison
żuć *v. t* chew
żuć *v.t.* masticate
żwawy *a.* sprightly
żyć *v.i.* live
żyć jak mąż z żoną *v. t* cohabit
życie *n.* living

życie *n.* life
życie klasztorne *n.* monasticism
życzenie *n.* wish
życzliwość *n.* benevolence
życzliwość *n.* goodwill
życzliwy *a* benevolent
życzliwy *a.* neighbourly
życzyć sobie *v.t.* wish
Żyd *n.* Jew
żyjący *a.* living
żyła *n.* vein
żyłka (do czegoś) *n.* bent
żyrafa *n.* giraffe
żyto *n.* rye
żywić *v.t.* nourish
żywioł *n.* element
żywność *n.* food
żywność *n. pl* victuals
żywopłot *n.* hedge
żywotność *n.* vitality
żywy *a* alive
żywy *a.* live
żywy (o wyobraźni) *a.* vivid

źle *adv.* badly
źle *adv.* ill
źle dopasowywać *v.t.* mismatch
źle obliczać *v.t.* miscalculate
źle osądzić *v.t.* misjudge
źle się obchodzić *v.t.* mistreat
źle skierować *v.t.* misdirect
źle usposabiać *v. t* bias
źle zinterpretować *v.t.* misconstrue
źle zrozumieć *v.t.* misapprehend
źle zrozumieć *v.t.* misconceive
źle zrozumieć *v.t.* misunderstand
źrebię *n.* colt
źrenica *n.* pupil
źródło *n.* source